CLASSE À PART

Du même auteur

L'été des saltimbanques, Quai Voltaire, 2004 ; J'ai lu, 2006.
Voleurs de plage, Quai Voltaire, 2003 ; Folio, 2005.
Les cinq quartiers de l'orange, Quai Voltaire, 2002 ; Folio, 2004.
Vin de bohème, Quai Voltaire, 2001 ; Folio, 2002.
Chocolat, Quai Voltaire, 2000 ; J'ai lu, 2001.
Dors, petite sœur, Éditions Flammarion, 1999 ; J'ai lu, 2002.

Joanne HARRIS

CLASSE À PART

Traduit de l'anglais
par Jeannette Short-Payen

Flammarion

Québec

Catalogage avant publication de la Bibliothèque et Archives Canada

Harris, Joanne, 1964-

Classe à part

Traduction de : Gentlemen and players.

ISBN-13 : 978-2-89077-311-0

ISBN-10 : 2-89077-311-6

I. Short-Payen, Jeannette. II. Titre.
PR6058.A688G4614 2006   823'.914   C2006-941714-8

Titre original : *Gentlemen and Players*
Éditeur original : Transworld Publishers, Londres
© Frogspawn Ltd, 2005
Pour l'édition canadienne :
© Flammarion Québec, 2006
Tous droits réservés
ISBN : 2-89077-311-6 (978-2-89077-311-0)
Dépôt légal : 4ᵉ trimestre 2006
Imprimé en France
www.flammarion.qc.ca

Quand le vieux gentleman quitte la blanche ligne
Qui pourrait affirmer s'il l'a vraiment quittée ?
Ce douzième chasseur un instant aperçu,
Ce membre de l'équipe que nul n'a reconnu
Pourrait bien être Jeff, pourrait bien être John
Et la balle nouvelle adroitement lancée
D'une main à la fois perfide et emmiellée
Pourrait être la mienne, pourrait être la vôtre.

À quoi bon dans ce cas jouer le bon apôtre ?
L'arrogance n'est pas toujours anglo-saxonne.
Quand l'amateur doué franchit la blanche ligne
Aucun professionnel ne devrait l'en blâmer.

Inspiré de Roy Harper
(*When an Old Cricketer Leaves the Crease*)

La comptine de Guy Fawkes

Souviens-toi, souviens-toi
De l'ennemi du Roi !
Le jour du cinq novembre,
Trahi par des amis,
Il n'a pas réussi
À mett' le feu aux poudres.
Mais bien loin de l'absoudre,
Le roi le condamna
Pour Dieu et pour son droit.
Le triste individu
Qu'est-il donc devenu ?
Torturé, questionné,
Il a tout avoué.
Et, satisfait, le roi,
Fin matois, celui-là,
En sauveur des deux chambres
Est allé l'voir pendu
Pour qu'on n'en parle plus.

PION

1

Si j'ai appris quelque chose au cours de ces quinze dernières années, c'est bien ceci : commettre un meurtre, ce n'est pas si grave que ça. La limite qui sépare le criminel de la société des honnêtes gens est une frontière aussi arbitraire et insensée que les autres, une simple ligne tracée par quelqu'un dans la poussière. L'énorme pancarte : ENTRÉE INTERDITE qui monte la garde comme une sentinelle au-dessus du portail de Saint Oswald en est un exemple. La première fois que je l'ai vue, j'avais neuf ans. Elle se dressait menaçante au-dessus de ma tête comme le masque haineux d'une des petites brutes de mon école.

ENTRÉE INTERDITE AU-DELÀ DE CETTE LIMITE
À TOUTE PERSONNE NON MUNIE D'UNE
AUTORISATION
PAR DÉCRET

Un autre enfant aurait peut-être été intimidé par une telle interdiction. Dans mon cas, ce fut la curiosité qui l'emporta sur l'instinct. Par décret *de qui* ? Pourquoi *cette* limite-ci et pas une autre ? Et, plus important encore, qu'arriverait-il si je la franchissais, moi, cette limite ?

Je savais déjà très bien, évidemment, que l'accès au lycée était interdit à tout étranger. Depuis six mois que je vivais dans l'ombre de Saint Oswald, ce commandement dominait déjà les tables de la loi telles que John Snyde me les avait inculquées :

Ne te conduis jamais comme une mauviette. Veille d'abord à ton intérêt. Mets toute ton énergie au travail comme au jeu. Boire un petit coup n'a jamais fait de mal à personne, et surtout : *Ne mets jamais les pieds à Saint Oswald*, ponctué quelquefois de : *ou tu recevras une raclée*, et accompagné d'un coup de poing avertisseur dans le bras. Les coups de poing n'étaient qu'une gentillesse de sa part, je le savais. Ils faisaient mal quand même. Se comporter en père modèle n'était pas tout à fait dans les cordes de John Snyde, il faut bien le dire.

Les premiers mois cependant, j'obéis sans questionner. Papa était si fier de son nouveau boulot de *porter* dans un si vieil établissement, dans ce lycée si beau et si célèbre. Et puis nous allions habiter la Vieille Loge qui avait abrité avant nous bien des générations de *porters*. Les soirs d'été, nous allions pouvoir prendre le thé sur la pelouse. Ce serait le début d'une vie merveilleuse, et Maman reviendrait peut-être même habiter avec nous lorsqu'elle se rendrait compte de tout cela.

Les semaines étaient passées, hélas rien ne s'était produit. La Loge était un vieux bâtiment classé de deuxième catégorie avec de minuscules fenêtres à vitraux sertis de plomb qui ne laissaient entrer qu'une maigre lumière. Il y avait là en permanence une odeur d'humidité. On ne nous avait pas permis de faire installer la télévision par satellite car une antenne parabolique aurait fait anachronique. La plupart des meubles appartenaient à Saint Oswald : de lourdes chaises de chêne massif et des dressoirs monumentaux couverts de poussière. Ce que nous avions sauvé du mobilier de notre vieille HLM, rue de l'Abbaye, faisait médiocre à côté d'eux et tout à fait déplacé. Papa consacrait chaque minute de son temps à son nouveau travail. Rapidement, je dus apprendre à me débrouiller sans son aide. Si j'avais réclamé de lui la moindre chose – des repas réguliers ou des draps propres –, cela m'aurait immédiatement attiré le reproche de me « conduire comme une poule mouillée » ! J'appris vite à ne pas le déranger pendant le week-end et à toujours prendre soin de m'enfermer dans ma chambre le samedi soir.

Maman n'écrivait jamais. Parler d'elle aurait été jugé de la *sensiblerie*. Alors, après quelque temps, j'avais même oublié à quoi elle ressemblait. Sous le matelas de son lit, Papa avait caché une bouteille de son parfum. J'entrais quelquefois furtivement dans sa chambre quand il devait faire ses rondes ou qu'il allait au pub avec ses copains et je vaporisais sur mon oreiller un peu de ce parfum, dont le nom, Cinabre, était écrit sur le flacon, et j'essayais de me persuader que Maman regardait la télévision dans la pièce voisine ou qu'elle était allée dans la cuisine me chercher un verre de lait et qu'elle reviendrait pour me lire une histoire. C'était totalement stupide, je sais : elle ne l'avait jamais fait lorsqu'elle habitait avec nous. Au bout d'un moment d'ailleurs, Papa dut jeter la bouteille, car un jour je découvris qu'elle avait disparu. Je ne pus même plus alors me souvenir de l'odeur de ma mère.

Noël approchait à grands pas, amenant avec lui le mauvais temps et un surcroît de travail pour le *porter*. Cet été-là, nous n'avions jamais eu l'occasion de prendre le thé sur la pelouse. Je ne me plaignais pas pourtant. À cette époque, j'étais déjà solitaire. Je me sentais gauche parmi les autres. À l'école, je faisais tout pour ne pas me faire remarquer. Pendant le premier trimestre, j'avais vécu en sauvage, passant le plus clair de mon temps à l'extérieur, jouant dans les bois couverts de neige derrière Saint Oswald et explorant chaque mètre du périmètre du domaine en prenant toujours bien soin de ne jamais m'aventurer au-delà de la frontière interdite.

Je découvris ainsi que la plus grande partie de Saint Oswald était cachée à la vue du public. Le bâtiment principal se dissimulait derrière une longue avenue bordée de tilleuls maintenant dénudés, et les espaces verts qui l'entouraient complètement, derrière des murs et des haies. À travers la grille du portail, je voyais pourtant les pelouses tondues à la perfection par mon père, les haies bien taillées autour des terrains de cricket, la chapelle avec sa girouette et ses inscriptions latines. Au-delà s'étendait un monde aussi fantastique à mes yeux qu'Oz ou Narnia, un monde dont les portes pourtant ne s'ouvriraient jamais pour moi.

Mon école à moi était l'école primaire de la rue de l'Abbaye, un petit bâtiment trapu au milieu d'un quartier ouvrier où les maisons appartenaient à la municipalité, avec sa cour de récréation au sol inégal et en pente et ses entrées séparées : GARÇONS et FILLES, comme l'indiquaient les mots gravés dans la suie qui recouvrait la pierre des deux gros piliers du portail. Je n'avais jamais vraiment aimé cette école et pourtant j'appréhendais le moment où je devrais aller au collège tentaculaire de Sunny Bank Park.

Depuis le premier jour de mon arrivée à l'école primaire de la rue de l'Abbaye, j'avais pu, avec une consternation grandissante, observer les allées et venues des collégiens de Sunny Bank, avec leurs minables sweat-shirts vert bouteille portant le logo de l'école, leurs sacs à dos de nylon, leurs mégots et leurs aérosols pour cheveux. Ceux-là allaient me détester, je le savais déjà. Au premier coup d'œil, ils me prendraient en grippe, je le devinai immédiatement. Ma maigreur et ma petite taille me condamneraient à représenter à leurs yeux l'élève obéissant qui allait régulièrement faire et rendre ses devoirs aux professeurs. Ils n'allaient faire de moi qu'une bouchée.

Je harcelais mon père de questions. « Pourquoi ? Pourquoi aller à ce collège-là ?

— Ne sois donc pas si poule mouillée ! Ce collège-là n'a rien d'effrayant. C'est une école secondaire comme n'importe quelle autre. Elles se ressemblent toutes, sacrebleu ! »

Eh bien, ça, ce n'était pas vrai ! Même moi, je le savais. Cela me remplissait d'amertume et de curiosité. Et maintenant que le printemps se faisait sentir partout et habillait de neuf la campagne, maintenant que les bourgeons des prunelliers éclataient de blancheur, je tournai de nouveau mes regards vers la pancarte : ENTRÉE INTERDITE, soigneusement repeinte par mon père, et je me posai la question : PAR DÉCRET de qui ? Pourquoi *cette* limite-*ci* et pas une autre ? Et le sentiment d'impatience et d'impétuosité qui me talonnait me forçait à m'interroger : Qu'arriverait-il si je la franchissais, moi, cette limite ?

Il n'y avait aucune muraille, aucune barrière visible. Nul besoin. Il n'y avait que la route, la haie de prunelliers qui la bordait et à quelques mètres de là, à gauche, la pancarte. Arrogante, incontestée, inébranlable dans la foi qu'elle avait en son autorité. Plus loin, de l'autre côté, j'imaginais un territoire inexploré, peuplé de périls, un territoire où l'on pouvait s'attendre à rencontrer n'importe quoi : champs de mines, pièges à homme, gardes et caméras de sécurité.

Bien sûr, de l'extérieur cela avait l'air parfaitement inoffensif, pas différent du tout de ce qui était de ce côté-ci ; cette pancarte pourtant m'assurait du contraire. Là-bas, de l'autre côté, régnaient l'Ordre et l'Autorité. Le moindre geste esquissé pour enfreindre cette interdiction provoquerait un châtiment aussi terrible que mystérieux. Dans mon esprit cela ne faisait aucun doute. D'avoir omis de l'annoncer ne faisait qu'en renforcer la menace.

J'aimais m'asseoir, à une distance respectable, et contempler ce territoire interdit. Au moins, là, l'Ordre était respecté. Cela me rassurait étrangement. J'avais vu les voitures de la police au portail de Sunny Bank Park. J'avais vu les graffitis sur les murs. J'avais vu des collégiens lancer des pierres aux voitures qui passaient dans l'allée. Je les avais entendus crier des insultes au passage des profs à la sortie des cours. J'avais remarqué les faisceaux de fil en lames de rasoir au-dessus du parking de leurs voitures.

Un jour, j'avais été témoin d'un incident. Un groupe de quatre ou cinq élèves avait pris un garçon en embuscade. Il était plus âgé que moi de quelques années et mieux vêtu que la plupart des autres. J'avais deviné qu'ils allaient le rouer de coups, car j'avais remarqué les livres de bibliothèque qu'il avait sous le bras. À Sunny Bank Park, il était évident que ceux qui aimaient la lecture étaient des victimes toutes trouvées.

Saint Oswald, lui, était un monde bien différent. Je savais qu'il n'y avait là ni graffitis ni papiers sales, qu'aucun acte de vandalisme n'y était toléré – pas la moindre vitre fracassée –, la pancarte le proclamait clairement. J'eus soudain l'intuition que c'était à ce monde-là que j'appartenais, à ce monde dans lequel on pouvait planter de jeunes arbres sans les retrouver décapités le lendemain matin, où l'on n'abandonnait jamais un camarade couvert de sang au bord de la route, où personne ne recevait jamais de visite surprise de la brigade des services sociaux, où des affiches intimant aux adolescents de laisser leur couteau à la maison auraient été inutiles. Là, se promenaient des professeurs sévères drapés de toges universitaires d'une autre époque, des *porters* à l'air maussade comme mon père, des préfets – ces grands élèves responsables de la discipline des plus jeunes. Là, celui qui faisait ses devoirs ne courait pas le risque de se voir appeler *grosse tête, lavette* ou *pédé*. Là, on se sentait à l'aise, en sécurité, on se sentait chez soi.

Il n'y avait que moi ce jour-là. Personne d'autre ne s'était jamais aventuré si près du vieux lycée. Les oiseaux, eux, le survolaient en toute liberté, ce paradis défendu, et aucun mal ne leur arrivait. Après quelques minutes, un chat émergea de dessous la haie, avança avec l'audace d'un conquérant, s'assit en face de moi et se lécha la patte. Rien ne se passa.

Je me rapprochai légèrement. J'osai pénétrer dans l'ombre de la pancarte. Je m'accroupis même entre les grands poteaux qui la soutenaient et c'est ma propre ombre, s'allongeant centimètre par centimètre, qui franchit la limite la première.

Pendant un moment, cela suffit à mon plaisir mais l'exaltation ne dura pas. Déjà l'esprit de rébellion était trop fort en moi pour qu'un délit d'ordre purement technique comme celui-là pût vraiment me satisfaire. Alors, du bout du pied, je grattai l'herbe de l'autre côté puis le retirai à la hâte avec un frisson délicieux. J'étais comme un enfant qui, pour la première fois, trempe le pied dans l'océan. D'instinct, je reconnaissais pourtant cette euphorie que cause l'initiation à un milieu étrange et nouveau, un monde où n'importe quoi pouvait arriver.

Rien ne se passa.

J'avançai de nouveau le pied mais cette fois sans le retirer. Toujours rien. La pancarte se dressait toujours au-dessus de ma tête comme le monstre dans les films d'horreur après minuit, mais elle restait immobile, figée, comme indignée de mon impudence. Comprenant que c'était là une occasion à ne pas laisser passer, je pris les jambes à mon cou et traversai le champ balayé par le vent pour me diriger vers la haie. Je courais, la tête enfoncée dans les épaules comme pour parer à une attaque possible. Ayant enfin atteint la haie, hors d'haleine, je me réfugiai dans son ombre protectrice. Le crime était commis. Maintenant, *ils* viendraient me chercher.

Il y avait une trouée à quelques mètres de là. Elle me parut ma meilleure chance d'évasion. Je m'en rapprochai insensiblement, me gardant bien de sortir de l'ombre, et me faufilai dans la brèche minuscule. Là, je réfléchis. *Ils* arriveraient peut-être des deux côtés à la fois pour me coincer. Dans ce cas, je devrais les prendre de vitesse. J'avais déjà connu pareille situation : je me persuadai que, les adultes ayant la mémoire plutôt courte, si je parvenais à m'enfuir assez rapidement, j'échapperais plus tard au châtiment.

J'attendis avec appréhension. Peu à peu ma gorge se desserra. Mon cœur se remit à battre normalement. J'inspectai alors l'endroit où je me trouvais, d'abord par curiosité puis à cause d'une impression grandissante d'inconfort. À travers mon T-shirt des épines s'enfonçaient dans mon dos. Je reconnaissais près de moi une odeur de sueur et de terre mêlée au parfum âcre de la haie elle-même. Tout près, un chant d'oiseau éclata. Plus loin, j'entendais ronronner une tondeuse à gazon, et un bruissement engourdi d'insectes dans l'herbe. Et rien d'autre. J'esquissai d'abord un sourire de satisfaction. J'étais là sans autorisation. J'avais échappé à la surveillance. Pourtant, je découvrais en moi un certain mécontentement aussi, un léger ressentiment qui commençait à m'agiter.

Mais où donc étaient les caméras de sécurité, les champs de mines, les gardes ? Où était l'ORDRE ? Où était cette autorité si sûre d'elle-même qu'elle se proclamait en lettres majuscules ? Chose encore plus importante : *où était mon père ?*

Je me relevai avec méfiance et sortis de l'ombre de la haie. Le soleil m'éblouit. Je mis la main en visière pour me protéger les yeux et, un pas après l'autre, je m'aventurai en pleine lumière. Cette fois, *ils* allaient sûrement arriver, ces grands prêtres de la loi, ces fantômes sur qui reposaient l'Ordre et la Discipline. Des secondes s'écoulaient, puis des minutes, et rien ne se passa. Personne ne vint. Pas un seul préfet, pas un seul professeur, pas même un *porter*.

Une sorte de panique m'étreignit. Je courus vers le milieu du pré en agitant désespérément les bras comme le naufragé sur son île déserte essaie d'attirer l'attention de l'avion venu à sa recherche. Cela leur était-il donc complètement égal que je sois là ? J'étais pourtant là sans leur permission. Ne me *voyaient*-ils pas ?

En proie à un délire d'indignation, je me mis à hurler : « Hé ! Je suis là ! Regardez donc ! C'est moi ! »

Rien. Pas le moindre bruit. Pas le plus timide aboiement d'un chien de garde. Pas le plus frêle glapissement de sirène d'alarme. Alors, dans une explosion de colère et de désespoir fébrile, je compris enfin que tout cela n'avait été qu'un mensonge monumental, qu'il n'y avait rien dans ce champ-là que de l'herbe et des arbres. L'Autorité se résumait à cette simple ligne tracée dans la poussière. Et moi, j'avais OSÉ. Je l'avais défiée.

Je sentais encore une fois que quelqu'un avait triché. Cela m'arrivait souvent devant les menaces et les séductions du monde des adultes – cet Eldorado qui vous promet des pierres précieuses et ne vous laisse que des cailloux.

Des arracheurs de dents, voilà ce qu'ils sont ! Ce que j'entendais là, c'était la voix de mon père simplement un tout petit peu éméché. *Ils vous promettent la lune mais ils sont tous les mêmes : de fieffés menteurs !*

« Oh non ! Pas toujours ! »

Eh bien, vas-y, alors ! Essaie donc ! Tu verras bien jusqu'où tu peux aller !

Et c'est précisément ce que je fis. Je m'acheminai tout le long de la haie dans la direction d'un bosquet d'arbres jusqu'à une petite levée de terre. Là, se dressait une autre pancarte. ENTRÉE INTERDITE SOUS PEINE DE POURSUITES. À ce moment-là, bien sûr, j'avais déjà fait ce qui était interdit, la menace ne me fit ralentir qu'à peine.

De l'autre côté des arbres, pourtant, une surprise m'attendait. J'aurais cru apercevoir une route, une voie ferrée peut-être ou une rivière, quelque chose enfin qui pût laisser deviner qu'un autre monde existait au-delà de Saint Oswald. Mais de l'endroit où je me trouvais et à perte de vue, le domaine entier appartenait à Saint Oswald : la petite colline, le bois, les courts de tennis, le terrain de cricket, les pelouses toutes parfumées de l'odeur du gazon frais coupé et les prairies immenses qui s'étendaient au loin.

Derrière l'écran des arbres, j'apercevais des adolescents, des garçons. Il y en avait d'âges bien différents : certains à peine plus âgés que moi alors que d'autres affichaient déjà une arrogance d'adulte, certains, vêtus de blanc, en tenue de cricket, d'autres, prêts pour l'athlétisme, portant des shorts et des

maillots de couleur avec des numéros. Quelques-uns s'entraî-
naient à différentes techniques dans le bac à sable du sautoir. Au
fond s'élevait un grand bâtiment de pierre toute patinée et pou-
drée de suie avec ses longues rangées de fenêtres en ogive où se
mirait le soleil, son long toit d'ardoise percé de lucarnes, sa tour,
sa girouette et la masse des petites dépendances qui fourmillaient
tout autour, avec sa chapelle et l'élégant escalier monumental
qui descendait vers une pelouse émaillée d'arbres et de parterres
de fleurs, avec ses espaces asphaltés séparés les uns des autres
par des grilles et des passages voûtés.

Là aussi, il y avait des garçons en petits groupes sous les
arbres, les uns en blazer bleu marine et pantalon gris, d'autres
en tenue de sport. Le tapage qu'ils faisaient montait vers moi
comme une assourdissante envolée d'oiseaux de pays lointains.

Je me rendis compte immédiatement qu'ils appartenaient à
une autre race. Ils me paraissaient non seulement dorés par le
soleil et la vie qu'ils menaient dans un cadre aussi beau mais
aussi par quelque chose de moins tangible, par une assurance
naturelle, un vernis mystérieux qui les revêtait tout entiers.

Plus tard, bien sûr, je sus reconnaître ce qu'il en était vraiment : le délabrement distingué que cachait l'élégance de l'archi-
tecture, la gangrène profonde. Mais à ce premier coup d'œil
interdit que je jetai sur lui, Saint Oswald m'apparut comme la
vision glorieuse d'un monde pour moi hors d'atteinte, un
mélange de Xanadu, d'Asgarth et de Babylone où se prélassaient
éternellement de jeunes dieux.

Et je compris alors que c'était après tout bien plus qu'une
simple ligne tracée dans la poussière. C'était une frontière et elle
m'était interdite malgré toutes mes bravades et l'intensité de
mon désir de la franchir. Non, je n'aurais jamais droit d'entrée
ici. J'eus soudain vraiment conscience de mon blue-jean sale, de
mes chaussures de tennis éculées, de mon air efflanqué et de mes
cheveux plats. Toute hardiesse et tout esprit d'aventure en moi
avaient disparu. Je n'avais pas droit d'être là. J'étais un être vil,
un mélange d'espion, de rôdeur et de mouchard, une créature
d'un autre monde aux grands yeux affamés et aux mains chapar-
deuses. Invisible ou pas, voilà ce que je serais toujours à leurs

yeux. Voilà ce que j'étais : un misérable potache du collège municipal.

Alors, vous comprenez, cela avait déjà commencé. Saint Oswald, c'était cela, c'était la réaction qu'il provoquait en moi. Une rage soudaine me poignarda comme un ulcère. Une rage et la naissance brutale d'une rébellion aussi.

Ah ! je n'étais pas des leurs. Et alors ? La règle que l'on ne peut enfreindre n'existe pas encore. Entrer quelque part sans autorisation, c'est comme commettre un meurtre. Le délit reste impuni tant que personne n'en est témoin. Quel que soit leur caractère mystérieux, les mots ne sont après tout que des mots. Ils ne sont pas doués de vertus surnaturelles.

Je ne le savais pas encore à cette époque, mais ce jour-là fut celui de ma déclaration de guerre à Saint Oswald. L'école me refusait son entrée. Eh bien, j'y entrerais malgré elle, et rien ni personne, même pas mon père, ne m'en empêcherait. La ligne était là toute tracée. Une autre barrière à pousser mais cette fois grâce à un subterfuge un peu plus raffiné, pour entrer dans ce monde à part, si sûr de lui dans son arrogance dépassée, dans ce monde incapable de comprendre que là précisément résidait le germe de sa destruction. Une autre ligne à franchir que je ressentais comme un défi.

Comme un crime.

Roi

1

Saint Oswald – Lycée de garçons
Lundi 5 septembre. Premier trimestre

Si je ne me trompe, c'est mon quatre-vingt-dix-neuvième dans cette odeur de bois, de poudre de craie et de désinfectant, dans ce cocktail étrange et sauvagin de biscuits et de garçons. Quatre-vingt-dix-neuf trimestres accrochés comme autant de poussiéreuses lanternes chinoises au fil des années. Trente-trois ans, cela ressemble à une sentence : trente-trois ans de prison. Cela me rappelle la vieille plaisanterie à propos du retraité condamné pour meurtre.

« Mais trente ans, est-ce que vous vous rendez compte, monsieur le juge ? proteste-t-il. C'est bien trop ! Je n'y arriverai jamais ! » Et le juge répond : « Ça ne fait rien, mon brave, vous ferez ce que vous pourrez ! »

Maintenant que j'y repense, ça n'est pas si drôle que ça. J'aurai soixante-cinq ans en novembre. Cela n'a pas d'importance d'ailleurs, on ne nous force pas à prendre la retraite, ici, à Saint Oswald. Nous avons notre règlement à nous. Cela a toujours été comme ça. Encore un trimestre et, comme au cricket, j'aurai fait une Centaine. Mon nom sera inscrit là-haut au tableau d'honneur du personnel. Je le vois d'ici en caractères gothiques : *Roy Hubert Straitley (M.A. L ès L), Ancien centurion de Saint Oswald*.

Laissez-moi rire. Je n'aurais jamais imaginé finir ici. En 1954, après dix ans, je terminai enfin mes études à Saint Oswald, et la dernière chose à laquelle j'aurais pensé, c'est que j'y reviendrais, et en tant que prof en plus, que j'y ferais respecter la discipline et distribuerais à mon tour retenues et punitions. À ma grande surprise, je me suis rendu compte que ces années-là m'avaient doté d'un flair naturel pour la pédagogie. De nos jours, il n'y a pas une seule bêtise que je n'aie déjà rencontrée. D'ailleurs, je les ai presque toutes faites moi-même, en tant qu'homme, en tant qu'élève, ou à un moment ou à un autre entre les deux. Et c'est ainsi que je me retrouve ici, à Saint Oswald, pour un trimestre supplémentaire. On pourrait penser que je ne peux me passer du vieux bahut.

J'allume une Gauloise – ma seule concession à l'influence de la section des langues vivantes. En principe, c'est interdit, bien sûr. Aujourd'hui pourtant, dans la solitude de ma salle de classe, personne n'aura l'occasion de me prendre en flagrant délit. Ici, le jour de la rentrée, on octroie aux élèves une journée supplémentaire de liberté, consacrée pour nous aux tâches administratives : répartition des manuels scolaires et des fournitures nécessaires à chacune de nos classes, dernières vérifications de l'emploi du temps, copies des listes des élèves dont nous serons professeur principal, listes de ceux des classes auxquelles nous ferons cours, accueil officiel des nouveaux membres du personnel enseignant et leur initiation à la routine de l'établissement et, finalement, réunions des différentes sections.

Dans mon cas, bien sûr, je représente une section à moi tout seul. Autrefois chef d'une glorieuse section d'humanités et responsable de l'enseignement de professeurs plus jeunes, moins expérimentés et pleins de déférence pour moi, ils m'ont maintenant relégué dans un coin poussiéreux de la nouvelle section de langues vivantes comme une copie de la première édition d'une œuvre plutôt rébarbative que personne n'ose vraiment jeter au panier. Mes rats ont, un à un, abandonné le navire – pas les élèves quand même ! C'est pour cela que j'ai encore un emploi du temps complet, à la grande stupéfaction de Mr. Strange, le *third master*, qui juge que le latin n'a plus sa place dans un emploi du temps moderne, et au malaise secret du Nouveau Proviseur. Les élèves pourtant s'entêtent à choisir ma matière *inutile* et continuent à obtenir dans l'ensemble de bons résultats. Cela me fait plaisir de penser que tout cela est dû à ma personnalité charismatique...

N'en déduisez pas que je ne m'entende pas avec mes collègues de la section de langues vivantes – non ! Il faut pourtant avouer que j'ai plus d'affinités avec les éléments subversifs que sont nos gallicistes qu'avec les germanistes qui n'ont aucun sens de l'humour. Il y a Pearman, chef de la section de français, rond et jovial, brillant à certains moments, mais terriblement désorganisé, Kitty Teague qui, à midi, partage quelquefois avec moi une tasse de thé et les biscuits qu'elle a apportés, Eric Scoones, un ancien élève lui aussi, encore tout fringant à soixante-deux ans mais pas encore centurion du Lycée. Lorsqu'il le veut, il se souvient avec une précision étrange de certains des méfaits que j'ai commis au cours de ma trop lointaine jeunesse.

Et puis, il y a Isabelle Tapi, assez décorative avec ses longues jambes, mais sans bien grande utilité, dans un style typiquement gallique. Elle est ici, parmi les habitués des vestiaires, l'objet d'admiration et de fantasmes, comme en témoignent les graffitis. Une section bien sympathique, en somme, dont les membres tolèrent mes excentricités avec une patience digne de louanges et beaucoup de bonne humeur, et ne se mêlent que rarement de mes méthodes pour le moins peu conventionnelles.

En général, ce n'est pas le cas des germanistes, Geoff et Penny Nation, surnommés la S.D.N., un double mixte avec des visées sur ma salle de classe, Gerry Grachvogel, un imbécile gentil avec une certaine prédilection pour les supports visuels, et le chef de section, le Dr Devine – dit Pisse-Vinaigre –, fervent partisan d'une renaissance de l'esprit du développement du Grand Empire et qui voit en moi un élément subversif, un dangereux kidnappeur de bons élèves. C'est un de ces intellectuels que les humanités n'intéressent pas du tout et qui pensent sans doute que *Carpe diem* décrit le poisson du jour. Il passe toujours devant ma classe d'un air affairé, savamment étudié, et me jette à travers la porte vitrée le regard soupçonneux d'un homme à la recherche de preuves d'une conduite immorale. Aujourd'hui surtout, je devine que je n'aurai pas longtemps à attendre avant d'apercevoir sa figure de fouine.

Ah ! Ne vous l'avais-je pas dit ? Le voilà justement !

« Bonjour Devine ! » J'ai pris sur moi pour ne pas lui faire un salut militaire et j'ai dissimulé ma Gauloise à demi fumée sous mon bureau en lui adressant à travers la vitre mon plus large sourire. J'ai remarqué qu'il transportait une grande boîte de carton dans laquelle s'empilaient des livres et des papiers. Il m'a regardé avec un air de suffisance à peine déguisée, je l'ai reconnu plus tard, puis il a disparu dans le couloir du pas de celui qui a des choses importantes à régler.

Par curiosité, je me suis levé et je l'ai suivi des yeux le long du couloir, juste assez longtemps pour apercevoir Gerry Grachvogel et la S.D.N. s'engager furtivement dans son sillage, les bras chargés eux aussi de boîtes de carton semblables.

Intrigué, je me suis rassis à mon vieux bureau et j'ai contemplé mon modeste empire. Voilà trente ans que cette salle 59 est mon territoire, territoire souvent contesté mais jamais cédé. De nos jours, seuls les germanistes continuent à le revendiquer. C'est une grande salle, agréable sans doute malgré sa position tout en haut de la tour du clocheton – ce qui me force à grimper plus d'escaliers que je n'aurais choisi de le faire –, et le fait qu'elle soit si éloignée de mon bureau, à cinq cents mètres, à vol d'oiseau, dans le couloir du premier étage.

Au bout d'un certain temps, les chiens et leurs propriétaires finissent par avoir un petit air de famille. Vous l'avez noté aussi ? La même remarque s'applique aux enseignants et à leur salle de classe. La mienne est faite pour moi, elle me paraît aussi agréable que ma vieille veste de tweed, qui a la même odeur d'ailleurs : cet agréable mélange de vieux bouquins, de craie et de cigarettes interdites. Un immense et vénérable tableau noir domine la pièce – le Dr Devine a bien essayé d'introduire le terme de *tableau à craie* – politiquement plus correct – mais sans aucun succès, je suis bien heureux de le confirmer ! Les pupitres de bois sont très vieux eux aussi et montrent avec fierté leurs glorieuses cicatrices. J'ai vaillamment repoussé tous les assauts menés pour me persuader de les remplacer par de banales tables couvertes de laminé sans caractère.

D'ailleurs, si je m'ennuie, je peux toujours lire les graffitis. Je suis l'objet d'une quantité flatteuse d'entre eux. De tous, celui qui a ma préférence est *Hic magister podex est*, écrit par un élève quelconque il y a plus longtemps que je ne voudrais m'en souvenir. À l'époque où j'étais encore élève, personne n'aurait jamais osé écrire d'un prof qu'il était un *podex*. Cela aurait causé un scandale. Pourtant, chaque fois que ce graffiti me tombe sous les yeux, je ne peux m'empêcher de sourire.

Mon propre bureau n'est pas moins l'objet de bien des reproches. Énorme et noirci par le temps, avec ses tiroirs aux profondeurs mystérieuses et ses multiples inscriptions, il trône sur une estrade élevée – à l'origine, c'était pour permettre à un ancien chef de la section d'humanités d'atteindre le haut du tableau malgré sa petite taille. De ce gaillard d'arrière, je peux laisser mon regard paternel tomber sur mon jeune équipage et, sans être remarqué, faire les mots croisés du *Times* en même temps.

Des souris se sont installées derrière les casiers des garçons, je le sais, car, le vendredi après-midi, dans le silence de l'interrogation écrite hebdomadaire de vocabulaire, elles sortent. Je les vois s'affairer sous les tuyaux des radiateurs. Je ne m'en plains pas. J'aime les souris, moi. L'Ancien Proviseur a bien essayé de les empoisonner un jour, mais il n'a essayé qu'une seule fois ! Un cadavre de souris dégage une puanteur bien plus repoussante que ne le fait n'importe quel animal vivant et on avait dû la supporter pendant des semaines, cette puanteur-là, jusqu'à ce que l'on fît appel aux services de John Snyde – chef des *porters* à cette époque –, et John avait dû retirer la plinthe pour extraire le cadavre de la souris coupable.

Depuis, c'est le *statu quo*. Les souris et moi faisons bon ménage. Il faut bien que tout le monde vive après tout ! Si seulement les germanistes adoptaient le même principe !

Quand je suis sorti de ma rêverie et que j'ai levé les yeux, Devine passait de nouveau devant ma salle de classe, suivi de son escorte. D'un petit tapotement impatient, il a indiqué sa montre, comme s'il avait voulu attirer mon attention sur l'heure. Dix heures trente. Ah ! bien sûr, la réunion des profs ! À contre-cœur, j'ai été forcé de reconnaître qu'il avait raison. D'une pichenette, je me suis débarrassé de mon mégot que j'ai envoyé dans la corbeille à papiers, puis je me suis acheminé sans me presser vers la salle commune, non sans m'être d'abord arrêté prendre ma vieille toge pendue à un crochet près de la porte du cabinet où je garde mon stock de livres.

Les jours de réunion officielle, l'Ancien Proviseur exigeait que nous portions tous la toge. De nos jours, je suis pour ainsi dire le seul à la porter pour les réunions, bien que la plupart d'entre nous la revêtent pour la distribution des prix. Cela fait plaisir aux parents, à qui la toge communique un sens de la tradition de l'École. Moi, je la porte tout simplement parce que j'aime ça. Elle m'offre un excellent camouflage et représente aussi une économie en protégeant mes vêtements de la poussière.

Au moment même où je sortais de ma classe, Gerry Grachvogel fermait la sienne à clé. « Ah, bonjour, Roy ! » m'a-t-il dit en m'adressant un sourire encore plus anxieux que d'habitude. Gerry est un grand jeune homme maigre, plein de bonnes intentions, mais la discipline n'est pas son point fort. Comme il refermait sa porte, j'ai aperçu une pile de cartons plats appuyée contre le mur de sa classe.

En l'indiquant du doigt, je lui ai demandé : « Je vois que tu es en plein travail. Qu'est-ce que tu prépares comme ça ? L'invasion de la Pologne ? »

Il a tressailli : « Euh ! Non ! Je me réorganise. J'emmène tout ça dans le nouveau bureau de la section. »

J'ai scruté son visage avec attention. Il y avait quelque chose d'inquiétant dans ce qu'il venait de dire. « Quel nouveau bureau de la section ? »

« Ah ! Écoutez. Je m'excuse mais je dois filer, le proviseur nous attend pour sa réunion d'information. Je ne voudrais pas arriver en retard. »

Ça alors, c'en est une bonne ! Gerry est toujours en retard. « Quel nouveau bureau ? Quelqu'un est-il mort ?

— Ah ! Je n'ai pas l'temps, Roy ! À tout à l'heure ! » Et il a disparu dans la direction de la salle des profs à la vitesse du pigeon voyageur qui revient au nid. J'ai enfilé ma toge et, d'un pas plus posé, je l'ai suivi, perplexe et rempli d'une sorte de pressentiment affreux.

Je suis arrivé à la salle de réunion à temps. Le Nouveau Proviseur y entrait justement avec Patrick Mat, le *second master*, sur ses talons, et sa secrétaire, Marlene, mère d'un ancien élève, à laquelle on a offert un emploi à la mort de son fils. Le Nouveau Proviseur est élégant, cassant et un peu sinistre, à la façon de Christopher Lee dans Dracula. L'Ancien Proviseur, lui, était autoritaire, impoli, opiniâtre et constamment de mauvaise humeur. Exactement le genre de proviseur qui me plaît à moi. Il nous a quittés, hélas, il y a quinze ans. Je le regrette encore.

Tout en me frayant un passage pour atteindre *mon* fauteuil, je me suis arrêté un instant à la fontaine à thé. Je me suis versé une tasse. La salle des profs était pleine à craquer et certains des plus jeunes avaient dû rester debout. J'ai pourtant remarqué avec satisfaction que mon fauteuil à moi, le troisième à partir de la fenêtre, juste au-dessous de la pendule, n'était pas occupé. Je m'y suis confortablement calé sur mon coussin en maintenant ma tasse de thé en équilibre sur mes genoux. Je me suis rendu compte que j'étais un peu à l'étroit tout d'un coup et j'ai pensé que j'avais peut-être pris quelques kilos pendant les vacances.

Hum ! Hum ! C'est la petite toux nerveuse du Nouveau Proviseur qui s'éclaircit la voix. Nous n'y prêtons aucune attention. Marlene, blonde platinée de stature wagnérienne, divorcée et frisant la cinquantaine, m'a jeté un coup d'œil et a froncé les sourcils. Devant son évidente désapprobation, la salle entière est devenue silencieuse. C'est le secret de Polichinelle, bien sûr. La vraie patronne ici, c'est Marlene. Le Nouveau Proviseur est le seul à ne pas l'avoir remarqué.

« Je suis content de vous souhaiter à tous une bonne rentrée. » C'est Patrick Mat, reconnu par tout le monde comme le type le plus sympathique du lycée. Jovial et corpulent, l'air absurdement jeune à cinquante-cinq ans, il garde, avec son nez cassé et son teint haut en couleur, un charme d'adolescent qui a grandi trop vite malgré son embonpoint. C'est un brave type. Serviable, travailleur, d'une loyauté admirable envers l'École où il a été élève autrefois. Pas d'une intelligence exceptionnelle malgré des études faites à Oxford, Patrick est un homme d'action, un philanthrope, pas un pur intellectuel. Il se sent plus à l'aise dans la salle de classe ou sur le terrain de rugby que dans les conseils de gestion ou les réunions des gouverneurs. On ne le lui reproche pas pourtant. À Saint Oswald, l'intelligence est notre matière première par excellence. Nous en avons à revendre. Ce qui nous manque terriblement au contraire, ce sont les qualités humaines de types comme Patrick.

« Hum ! Hum ! » C'est de nouveau la toux du proviseur. La tension qui existe entre ces deux-là n'étonne personne mais, Patrick étant Patrick, il essaie désespérément de ne pas la rendre publique. Sa popularité, autant parmi les profs que parmi les élèves, a toujours été ressentie comme un sujet d'irritation par le Nouveau Proviseur qui ne brille pas en société. « Hum ! Hum ! » Le teint toujours rubicond, Patrick en a rougi davantage. Marlene qui, depuis quinze ans, lui est très attachée – et croit que personne ne s'en est aperçu – prend son air mécontent.

Sans rien relever de cela, le proviseur avance d'un pas. « Premièrement, collecte de fonds pour la construction du nouveau pavillon des sports. La création d'un second poste administratif pour la collection des fonds a été acceptée. Celui dont, parmi une sélection de six, nous retiendrons la candidature, aura le titre de "Chargé des relations publiques et des collectes de fonds"... »

J'ai réussi à faire abstraction de ce qui a suivi et à laisser en fond sonore le Nouveau Proviseur réciter sa litanie inutile – toujours la même, je le devine : le niveau alarmant des finances de l'école, les commentaires habituels à propos des résultats de l'été dernier, l'inévitable *nouveau plan* pour un recrutement plus efficace des élèves, un remède miracle – encore un autre – pour s'assurer d'un minimum de compétence informatique chez *tous* les membres du personnel enseignant, une suggestion ridiculement optimiste du lycée de filles pour un plan d'action jumelée, une inspection générale – objet de craintes multiples – annoncée pour décembre, une brève critique des décisions récentes prises par le gouvernement, une plainte discrète à propos de la qualité de la discipline dans certaines classes, de la mise un peu trop négligée de certains professeurs dans l'exercice de leurs fonctions – à ce moment-là Pisse-Vinaigre m'a adressé un regard accusateur – et, finalement, l'évolution des procès en cours – trois pour le moment, pas trop mal pour septembre !

J'ai occupé mon temps à chercher des yeux les nouvelles têtes. Je m'attendais à en apercevoir quelques-unes. L'été dernier, plusieurs des vieux combattants avaient jeté l'éponge et s'étaient finalement avoués vaincus. Je devinais donc qu'ils avaient dû être remplacés. Kitty Teague m'a fait un clin d'œil complice lorsque nos regards se sont croisés.

« Onzièmement : modifications dans l'attribution des salles de classe et des bureaux dues au changement rendu nécessaire dans le numérotage des salles par l'inauguration de notre nouveau pavillon pour l'enseignement des sciences informatiques. »

Ah ! Ah ! Tiens, une nouvelle bobine. Il est facile de les repérer, vous savez, à la façon dont ils se tiennent : de jeunes recrues rigides et au garde-à-vous, comme dans l'armée, à leur costume aussi, toujours méticuleusement pressé et vierge de toute trace de poussière de craie – virginité bien éphémère d'ailleurs, la poussière de craie étant une substance sournoise qui s'infiltre même dans les sections politiquement correctes de l'École, celles d'où le tableau noir et son pontifiant cousin, le *tableau à craie,* ont été bannis.

Le nouveau venu était debout près des profs d'informatique. Mauvais signe. Tous ceux qui enseignent l'informatique ici sont barbus. C'est une sorte d'uniforme, sauf pour le chef de section, Mr. Beard, qui, pour marquer son semi-mépris des conventions, ne porte, lui, qu'une petite moustache.

« Les salles de 24 à 36 seront donc maintenant numérotées de 114 à 126, la salle 59 deviendra la salle 75 et la salle 75, ancien bureau désormais inutile de la section d'humanités, deviendra la salle de préparation de la section d'allemand.

— Quoi ? » Le port de la toge pendant les réunions offre un avantage supplémentaire. Si, d'un mouvement soudain et inattendu, vous renversez malencontreusement une tasse de thé sur vos genoux, la marque n'en sera qu'à peine visible. « Monsieur le Proviseur, permettez-moi de vous interrompre, vous avez peut-être fait une erreur dans la lecture de ce dernier point ? Le bureau de la section d'humanités *n'est pas* inutile, je vous l'assure. Je m'en sers toujours. Et la section elle-même *n'est pas* moribonde. Ni moi non plus d'ailleurs », ai-je ajouté *sotto voce,* en lançant un regard menaçant dans la direction des germanistes.

Le Nouveau Proviseur m'a regardé de son air de banquise humaine. Il m'a dit : « Monsieur Straitley, nous avons déjà discuté de ces questions administratives à la réunion du trimestre dernier. Vous avez eu à ce moment-là l'occasion d'élever vos objections, si vous en aviez. »

Les germanistes m'observaient, je m'en rendais bien compte. Gerry, qui ne sait pas mentir, a eu au moins la décence de prendre un air gêné.

C'est à Devine que je me suis adressé : « Vous savez pertinemment que je n'ai pas assisté à cette réunion pour la bonne raison que j'étais de surveillance pendant la période des examens à ce moment-là. »

Pisse-Vinaigre m'a fait l'aumône d'un sourire affecté : « Mais je vous ai moi-même communiqué les minutes de la réunion par courrier électronique.

— Et vous savez aussi parfaitement que je ne me sers pas d'ordinateur, sacrebleu ! »

Le proviseur m'a décoché un regard encore plus glacial. C'est un fada de la technologie, lui – enfin, c'est ce qu'il affirme du moins – et il se vante d'être à l'avant-garde des développements dans ce domaine. Pourtant ceux que je tiens comme vraiment responsables de cet état de choses sont le *third master*, Bob Strange, qui a déclaré très clairement qu'il n'y avait plus de place dans l'enseignement de nos jours pour les analphabètes de l'informatique, et Mr. Beard qui l'a aidé à créer pour l'École un réseau de pointe si perfectionné qu'il a totalement remplacé la parole. C'est ainsi que vous pouvez maintenant communiquer d'un bureau à un autre sans avoir à faire l'énorme effort de vous lever, d'ouvrir la porte, de faire quelques pas dans le couloir pour échanger un mot avec un collègue, avec tout ce que cela implique des dangers inhérents aux contacts humains.

Les réfractaires à l'informatique, dont je suis, représentent une espèce humaine menacée d'extinction. Du point de vue de nos administrateurs, nous sommes des handicapés, sourds, muets et aveugles par-dessus le marché.

« Messieurs ! » La voix sèche du proviseur a interrompu les murmures. « Le moment est mal choisi pour une discussion. Monsieur Straitley, je vous recommande de nous informer par écrit des objections que vous pourriez avoir sur la question et de les communiquer par courriel à M. Mat. Maintenant, vous me permettez peut-être de poursuivre ? »

Je me suis rassis : « *Ave Cæsar, morituri te salutant.*

— Vous disiez quelque chose, monsieur Straitley ?

— Non, monsieur le proviseur. Ce que vous avez entendu n'est peut-être que l'écho lointain du dernier pilier de la civilisation qui s'écroule ! »

Ce début de trimestre s'annonce plutôt mal. Je suis tout à fait capable d'encaisser une réprimande du Nouveau Proviseur mais la seule pensée que Pisse-Vinaigre ait réussi à s'approprier mon bureau, à me le prendre comme ça, sous le nez, m'est franchement intolérable. je me suis bien promis de ne pas me soumettre sans me défendre à cette nouvelle *Occupation* et à la leur rendre très désagréable.

« Et maintenant, quelques mots de bienvenue à l'intention de nos nouveaux collègues. » Le proviseur a réchauffé sa voix de presque un dixième de degré. « J'espère qu'ils trouveront ici un accueil chaleureux et que leur dévouement à l'intérieur de notre École sera égal au vôtre.

— On devrait les enfermer tous ! Qui a jamais demandé à un prisonnier de se dévouer pour son geôlier ?

— Monsieur Straitley, vous disiez quelque chose ?

— J'ai mal exprimé mon entière approbation, monsieur le proviseur !

— Hum !

— Oui, mon sentiment exactement. »

Ils étaient cinq : un prof d'informatique, comme je le craignais et dont je n'ai pas très bien saisi le nom mais comme tout le monde le sait, les *Barbus* sont comme les *Costards*... interchangeables et de toute manière, c'est une section dans laquelle, bien évidemment, je ne mets pas souvent les pieds ; une jeune femme qui va se joindre à la section de langues vivantes – cheveux noirs, bonne dentition, elle promet ! –, un *Costard* pour la section de géographie – ils commencent à les collectionner –, un prof de gym moulé dans une culotte en lycra d'une couleur aussi inquiétante qu'agressive et, pour les anglicistes, un jeune homme bien présenté que je n'ai pas encore réussi à classer.

Lorsque vous aurez passé autant d'années que moi dans une salle de profs, vous serez devenu expert de la faune que l'on y rencontre. Bien sûr, chaque établissement possède son propre système écologique et son mélange humain particulier et pourtant les mêmes espèces humaines s'y retrouvent et dominent : le *Costard* qui chasse en meute depuis l'arrivée du Nouveau Proviseur ; son ennemi naturel, le *Tweedy* – très attachés à leur territoire, les *Tweedys* sont des solitaires qui, de temps en temps, se laissent entraîner à des réjouissances avec les copains mais, le plus souvent, ne réussissent pas à se trouver de partenaire, ce qui explique leur nombre toujours décroissant ; et puis le *Boulot-Boulot* dont la S.D.N., mes collègues de la section d'allemand, sont des spécimens typiques ; le *J'suis pas payé pour ça !* qui lit le journal pendant les réunions, arrive constamment en retard à ses cours et n'est que rarement aperçu sans sa tasse de thé à la main ; le *0 %* – une espèce étrangement toujours femelle qui ne parle que commérages et régimes ; le *Jeannot Lapin*, mâle ou femelle celui-là, qui, au moindre signe de danger, court se réfugier dans son trou ; et puis il y a aussi le *Dragon*, le *Nounours,* le *Aussi-sot-que-grenu,* l'*Ancien*, le *Jeune Coq*, et les excentriques de tout poil.

D'habitude, en quelques minutes, je suis capable de classer correctement n'importe quel nouveau dans sa catégorie. Le géographe, Mr. Easy, est un *Costard* typique : élégant, cheveux bien coupés, le gars taillé pour la paperasse, quoi ! Le prof de gym, que Dieu nous protège ! semble un *J'suis pas payé pour ça !* classique. Mr. Meek, le prof d'informatique, cache sous son abondante barbe la queue d'un vrai *Jeannot Lapin*. La linguiste, miss Dare, pourrait bien être un apprenti *Dragon* si ce n'était pour le pli rieur de sa lèvre qui trahit chez elle un sens certain de l'humour ; il faut que je me souvienne de la soumettre à un petit test pour m'en assurer. Le nouvel angliciste, Mr. Keane, me demandera plus de temps – pas vraiment un *Costard,* pas tout à fait un *Boulot-Boulot*, mais bien trop jeune pourtant pour être un *Tweedy*.

Le Nouveau Proviseur nous rebat les oreilles de son désir de sang nouveau. Pour ce froid vampire, l'avenir de l'enseignement dépend de la libre circulation des idées nouvelles. Bien entendu, les durs à cuir comme moi ne sont pas dupes de ce qu'il raconte. Le sang nouveau coûte moins cher, c'est là la vérité.

Et c'est précisément ce que j'ai dit à Patrick Mat à la fin de la réunion.

Il m'a répondu : « Donne-leur quand même l'occasion de faire leurs preuves avant de les critiquer ! »

Patrick aime la jeunesse, cela fait partie de son charme. Les élèves reconnaissent la sympathie qu'il éprouve pour eux, c'est pour cela qu'ils le trouvent accessible. Cela fait aussi de lui un être terriblement naïf quelquefois et son incapacité à reconnaître les défauts des autres a, dans le passé, souvent causé un peu d'irritation. « Jeff Light est un très bon athlète. Il va se consacrer corps et âme au sport ici », a-t-il dit. À la pensée de ce gars avec sa culotte de lycra violet et jaune – un *J'suis pas payé pour ça !* si j'en ai jamais vu –, j'ai fait une petite grimace de mépris. « Chris Keane nous arrive avec d'excellentes recommandations. » Je serais plus disposé à croire cela. « Quant à la prof de français, elle me semble tout à fait raisonnable ! »

J'ai pensé que Patrick Mat avait bien sûr dû faire partie du jury de sélection des candidats, alors j'ai dit : « Eh bien, espérons-le ! » Puis je me suis dirigé vers la tour du clocheton. Après cette attaque de front menée contre moi par Devine, je voulais éviter de m'attirer plus d'ennuis que je n'en avais déjà récolté.

2

Vous voyez, cela a été presque trop simple. Je n'ai eu qu'à leur présenter mes certificats de référence et ils sont tombés dans le panneau. Il est amusant de remarquer à quel point les gens sont prêts à accorder toute leur confiance à des bouts de papier : certificats, diplômes, licences, lettres de référence. Et à Saint Oswald, c'est encore pire qu'ailleurs. Après tout, la grande machine ne tourne que grâce à la paperasse. Tourne plutôt mal d'ailleurs, d'après ce que je comprends, car l'argent, l'huile essentielle qui en assure le bon fonctionnement, devient de plus en plus difficile à obtenir. Mon père disait que c'était l'argent qui faisait tourner le monde. Il avait bien raison.

L'endroit n'a pas beaucoup changé depuis ce premier jour. Les terrains de jeux sont moins ouverts maintenant que l'on a commencé à bâtir des quartiers neufs tout autour. Ils ont aussi dressé une haute clôture – un solide grillage tendu entre des poteaux de ciment – pour renforcer l'autorité de la menace ! ENTRÉE INTERDITE. Malgré cela, Saint Oswald n'a pas changé du tout.

La façon normale d'y pénétrer est par devant, bien sûr. La façade avec l'allée imposante qui y conduit et son portail de fer forgé est faite pour impressionner. Elle y réussit d'ailleurs à un coût de sept mille livres sterling par an et par élève. Ce cocktail d'arrogance d'Ancien Régime et d'extravagance, typique de notre société de consommation, continue à attirer le chaland.

Saint Oswald s'entête à préserver son vocabulaire désuet et inadéquat. Ici, le vice-principal est le *second master*, la salle des profs est la *salle des masters*, les femmes de service elles-mêmes y sont connues sous le nom de *bedders* (à l'origine, celles qui faisaient les lits) alors que Saint Oswald, depuis 1918, n'a plus de pensionnat. Les parents adorent ce genre de choses. Dans la langue de Saint Oswald – *Ozzie*, comme on l'appelle ici, selon la tradition –, les devoirs deviennent des *preps* (pour préparations), quand le professeur vérifie les absences, on dit qu'il *fait l'appel* (en utilisant le mot français) et la vieille cantine est le *nouveau réfectoire*. Les bâtiments eux-mêmes, malgré leur aspect délabré, sont divisés en une multitude de coins et de recoins aux noms des plus fantaisistes : la rotonde, l'office, la herse, l'observatoire, la porte cochère. De nos jours, peu de gens utilisent ces noms-là mais cela permet de donner au prospectus un air aristocratique.

Mon père, il faut bien le reconnaître, était très fier de son titre de *head porter*, concierge principal si l'on peut dire. Avec l'autorité qu'il laissait entendre, ce titre l'avait rendu sourd et aveugle à la plupart des rebuffades et des insultes mesquines qu'il avait dû essuyer pendant les premières années à Saint Oswald. Pour lui qui avait quitté l'école à seize ans et sans aucun diplôme, l'accès au poste de *head porter* à Saint Oswald représentait le pinacle d'aspirations qu'il n'avait jamais même osé formuler.

Cela explique le jugement qu'il portait sur la jeunesse dorée qui fréquentait Saint Oswald : un mélange d'admiration et de mépris. Admiration pour l'excellence de leur forme physique, leurs prouesses sur les terrains de sport, leur solide armature, l'étalage qu'ils faisaient de la richesse de leur famille. Mépris pour leur faiblesse de caractère, leur suffisance et leur manque de connaissance de la vraie vie. Je savais qu'il me comparait à eux. Et, peu à peu, en grandissant, j'avais bien dû me rendre compte de la médiocrité qu'il voyait en moi et que je mesurais au silence de plus en plus amer dont il couvrait sa déception profonde.

Vous comprenez, mon père aurait voulu avoir un fils qui lui ressemblât, un gamin qui partageât sa passion du football, des cartes à gratter et du poisson-frites, sa méfiance des femmes et son goût pour la vie au grand air. S'il ne lui était pas possible d'avoir un fils comme ça, alors un élève de Saint Oswald aurait fait l'affaire peut-être, un jeune sportif, capitaine de l'équipe de cricket, un garçon qui aurait eu assez de cran pour s'élever au-dessus de sa classe sociale et devenir quelqu'un, même si, pour y arriver, il avait dû renier son père.

Mais, au lieu d'un fils comme ça, c'est un être bizarre, ni chair ni poisson, qui lui était échu, toujours inutilement occupé à rêver ou à lire, amateur de vieux films à la télévision, un être malingre et pâle, ennuyeux, n'éprouvant aucun intérêt pour le sport, aussi solitaire de tempérament que lui était grégaire.

Il avait fait de son mieux pourtant. Il avait fait un effort, effort que moi j'avais refusé de faire. Il me traînait à des matchs de football qui m'ennuyaient mortellement. Il m'avait acheté un vélo sur lequel je faisais régulièrement le tour des limites de l'école pour lui faire plaisir. Il avait fait plus encore. Pendant la première année de notre vie ici, il était resté presque sobre. J'au-rais dû m'en féliciter, je suppose, mais non. S'il était vrai qu'il avait sans doute désiré un fils qui lui ressemblât, de la même façon, j'avais, moi, désespérément rêvé d'un père idéal. Dans mon esprit, j'avais une image très précise, faite de détails ramassés au hasard des livres et des illustrés que je dévorais. Il aurait surtout un air d'autorité – sévère mais juste –, un courage physique lié à une intelligence suprême. Grand amateur de livres, ce serait un intellectuel, un savant, un homme qui surtout saurait comprendre.

Oh ! Je l'ai cherché chez John Snyde, ce père idéal. J'ai même cru une ou deux fois l'avoir trouvé. Le chemin qui vous précipite dans la vie d'adulte est semé de contradictions. J'étais encore assez jeune pour accorder foi aux mensonges dont cette route est pavée. *Papa sait toujours mieux que toi. Fais-moi confiance, je m'en occuperai. Il faut avoir du respect pour ses aînés. Il faut toujours faire ce que l'on t'a demandé.* Au fond de mon cœur, pourtant, je me rendais déjà compte du gouffre qui se creusait entre nous. Malgré ma jeunesse, j'avais des ambitions et John Snyde, malgré toute son expérience, ne serait jamais, lui, rien de plus qu'un concierge.

Pourtant, il était consciencieux dans son service. Il faisait son travail avec dévouement, fermait le portail à clef tous les soirs, faisait régulièrement ses rondes tard dans la nuit, arrosait les fleurs, entretenait le gazon sur les terrains de cricket, tondait les pelouses, recevait les visiteurs, saluait au passage les professeurs, organisait les ouvriers qui faisaient des réparations, débouchait les égouts, signalait les dégâts qu'il avait découverts, nettoyait les graffitis, déplaçait les tables et les chaises, distribuait les clefs des casiers individuels, triait le courrier et portait les messages. En échange, certains professeurs lui accordaient l'aumône de l'appeler par son prénom, John, ce qui le remplissait d'orgueil et de gratitude.

De nos jours, il y a un nouveau *head porter* du nom de Fallow. Il est mou et mécontent de tout. Il se déplace comme un escargot. Dans sa loge, au lieu de surveiller les allées et venues, il passe son temps à écouter la radio. Ce n'est pas John Snyde qui aurait toléré cela.

Avant ma nomination à Saint Oswald, mon entretien s'était déroulé dans un isolement splendide. On ne m'avait pas permis de rencontrer les autres candidats. J'avais comparu devant un jury composé du chef de section, du proviseur, et des *second* et *third masters*.

Je les avais immédiatement reconnus, bien sûr. En quinze ans, Patrick Mat avait pris encore un peu plus d'embonpoint, son teint s'était coloré davantage et il était encore plus jovial – une légère caricature du Patrick d'autrefois. Bob Strange, lui, avait sans doute moins de cheveux mais, à part cela, il n'avait pas vraiment changé. C'était toujours l'homme mince, aux traits marqués, aux yeux sombres et au teint blafard qui autrefois avait été simple professeur d'anglais, mais un ambitieux aussi, avec un goût pour l'administration. Maintenant, il est l'éminence grise de Saint Oswald, grand maître de l'emploi du temps et adroit manipulateur d'opinions, vétéran aussi d'innombrables journées pédagogiques et de cours de perfectionnement.

Que j'aie reconnu le proviseur, cela va sans dire. Le Nouveau Proviseur. À ce moment-là, il venait d'arriver. Il était grand et raide. Il n'avait que trente ans, et déjà ses cheveux étaient tout argentés. Il était aussi déjà très imbu de sa dignité. Il n'a pas semblé me reconnaître. Après tout, pourquoi l'aurait-il fait ? Il m'a serré la main. La sienne était froide et molle.

« Vous avez eu le temps de faire le tour de l'École. J'espère qu'elle correspond à ce que vous imaginiez ? » *Le É* majuscule était évident à la façon dont il prononçait « l'École ».

J'ai souri : « Oui, elle m'a fait une excellente impression. La nouvelle section d'informatique surtout : un enseignement à l'avant-garde de la pédagogie moderne dans un décor qui mérite bien d'être fier de sa longue tradition académique. »

Le proviseur, d'un geste de la tête, a marqué son assentiment. J'ai deviné qu'il avait mentalement classé la phrase dans un petit compartiment de son esprit pour s'en servir peut-être dans le prospectus de l'année prochaine. Derrière lui, Patrick Mat a émis un petit claquement de langue qui aurait aussi bien pu signifier une moquerie qu'un assentiment. Bob Strange, lui, ne détachait pas son regard de moi.

« Ce qui m'a paru le plus digne d'admiration... » J'ai interrompu ma phrase. La porte s'était ouverte et la secrétaire était entrée avec un plateau à thé. Un instant, j'ai été incapable de continuer. La surprise de la trouver là, elle, plutôt que n'importe qui d'autre, je suppose. Je n'avais bien sûr aucune crainte qu'elle me reconnaisse, alors j'ai continué. « Ce qui m'a paru le plus digne d'admiration, c'est l'élégance discrète avec laquelle vous avez su greffer ici le moderne sur l'ancien pour créer avec succès un environnement qui offre le meilleur des deux : une École qui, bien qu'elle soit tout à fait capable de s'investir dans les toutes dernières innovations de la pédagogie, ne l'a pas simplement fait pour suivre une mode mais dans la ferme intention de mettre à profit ces innovations pour renforcer encore davantage la tradition d'excellence académique qui, depuis longtemps, fait sa réputation. »

Le proviseur a de nouveau approuvé d'un signe de tête. La secrétaire – longues jambes, émeraude au doigt, effluve de Chanel Nº 5 – nous a versé le thé. D'une voix savamment étudiée, à la fois distante et pleine de gratitude, je l'ai remerciée. Mon cœur battait plus vite. D'une certaine manière, la situation m'amusait beaucoup.

C'était la première épreuve et, pour le moment, je savais déjà que je l'avais réussie.

J'ai alors avalé une petite gorgée de thé tout en gardant l'œil sur Mat pendant que la secrétaire remportait le plateau. « Merci, Marlene ! » Il boit son thé exactement comme mon père le faisait : trois morceaux de sucre, quatre peut-être. Entre ses gros doigts la pince à sucre d'argent prenait des airs fragiles de pince à épiler. Strange restait silencieux. Le proviseur, dont les yeux luisaient comme des galets, attendait.

Se tournant vers moi, Mat a soudain lâché : « Bon, je n'irai pas par quatre chemins, d'accord ? Nous avons entendu ce que vous venez de dire et nous avons tous remarqué que vous savez exactement ce qu'il faut dire un jour d'entretien, mais ce qui m'intéresse, moi, c'est de savoir comment vous vous débrouillez dans une salle de classe ? »

Sacré vieux Mat ! Mon père l'aimait bien, vous savez, il le prenait pour un copain. Il était bien incapable de discerner l'habileté réelle de cet homme. *Je n'irai pas par quatre chemins.* Oui, c'était bien sa façon de s'exprimer ! À l'écouter parler avec l'accent du Yorkshire et à contempler son visage de joueur de rugby, on aurait pu nous pardonner d'oublier la licence – mention bien – qu'il avait obtenue à Oxford. Non ! Il ne fallait pas sous-estimer un gars comme Mat.

J'ai souri. J'ai reposé ma tasse. « Dans ma salle de classe, j'ai mes méthodes à moi, monsieur, comme vous avez les vôtres, je le devine. À l'extérieur, je m'efforce d'absorber chaque bribe du jargon du moment qui me tombe dans l'oreille. Je crois fermement que, si vous êtes capable de vous servir de ce jargon-là et en même temps d'obtenir de bons résultats, que vous suiviez ou non les dernières directives gouvernementales devient une affaire de pure rhétorique. La plupart des parents d'ailleurs ne comprennent pas un mot aux problèmes des enseignants. Ce dont ils veulent être assurés, c'est d'en avoir pour leur argent. Ne le croyez-vous pas ? »

Mat a émis une sorte de grognement. Qu'elle soit réelle ou feinte, la franchise est une monnaie qu'il tient en haute estime. J'ai décelé dans son regard une sorte d'admiration, accordée à contrecœur peut-être. La deuxième épreuve était terminée. Avec succès.

« Et dans cinq ans d'ici, dans quel poste vous imaginez-vous ? » C'était Bob Strange, qui, pendant la plus grande partie de l'entretien, était resté silencieux. Je le savais intelligent, ambitieux, malgré son air efféminé, et bien décidé à protéger son petit empire.

Ma réponse a jailli : « Mais dans la salle de classe, monsieur. C'est là qu'est ma vocation ! C'est là que je suis à l'aise. »

L'expression de son visage n'a pas changé mais il a approuvé d'un signe de tête, rassuré de ne pas découvrir en moi de rivalité possible. Et de trois ! Je filais vers le succès.

La supériorité de ma candidature était évidente. De cela, il n'y avait aucun doute dans mon esprit. Mes diplômes étaient excellents – mes références aussi, je l'espérais bien ! J'avais passé assez de temps à les forger. Le détail le plus raffiné, à mon avis, était le nom que je m'étais attribué – un nom choisi avec soin sur le plus petit des tableaux d'honneur du couloir de la mezzanine, un nom qui me va comme un gant. D'ailleurs, mon père aurait été heureux de découvrir que je l'avais recréé en faisant de lui un *Ozzie*, un ancien élève de l'École.

Toute cette affaire à laquelle John Snyde avait été mêlé remontait à si loin maintenant. Les vieux *barons* eux-mêmes, comme Roy Straitley ou Hillary Monument, ne pourraient se souvenir de grand-chose à son propos. Mais que mon père ait été élève ici expliquait pourquoi l'École m'était si familière, pourquoi j'éprouvais à son égard beaucoup d'affection et pourquoi je briguais maintenant l'honneur d'y enseigner. Plus que la mention très bien obtenue à Oxford, plus que la neutralité de mon accent et la discrétion des vêtements de marque que je portais, ce lien avec l'École faisait de moi le choix idéal.

J'avais aussi inventé quelques détails très convaincants pour épauler mon histoire – une mère de nationalité suisse, une enfance passée aux colonies. Après tant d'années de fantasmes, j'étais tout à fait capable de décrire mon père sans effort : un homme bien présenté aux longues mains de musicien, un homme à l'esprit précis, qui avait toujours aimé les voyages. Étudiant brillant à Trinity College – où il avait rencontré ma mère, d'ailleurs –, il était arrivé au sommet de sa profession. Tous deux avaient été victimes, à Noël dernier, d'un tragique accident de téléphérique près d'Interlaken. Pour bonne mesure, je m'étais accordé une sœur à Saint-Maurice et un frère à l'université de Tokyo. J'avais passé mon année de stagiaire à la *grammar school* de Harwood dans l'Oxfordshire, avant de choisir de remonter vers le nord pour y obtenir un poste de titulaire cette fois.

Comme je l'ai déjà dit, cela a été presque trop facile. Quelques lettres sur du papier à en-tête impressionnantes, un curriculum vitae intéressant, une ou deux lettres de référence, très faciles à forger. Ils ne se sont pas même donné la peine d'en vérifier les détails. Un peu décevant, alors que je m'étais donné tant de mal pour qu'elles soient parfaites. Mon nom même existe bien dans la liste des licenciés ayant obtenu la mention très bien à Oxford cette année-là. Il ne s'agit pas de moi, bien entendu ! Mais des gens comme ça sont si facilement dupés. Leur arrogance est encore plus grande que leur stupidité. Ils sont tellement certains que personne n'oserait jamais franchir *leur* ligne.

D'ailleurs, tout cela n'est que du bluff, n'est-ce pas ? Au fond, ce qui compte le plus, ce sont les apparences. Si j'avais fait mes études dans une université du Nord, si j'avais parlé avec un accent régional, si j'avais porté des vêtements bon marché, j'aurais pu avoir les meilleures références du monde, je n'aurais jamais eu la moindre chance d'obtenir ce poste.

Le soir même, j'ai reçu un coup de téléphone. Le poste était à moi.

3

Saint Oswald – Lycée de garçons
Lundi 5 septembre

Je suis parti immédiatement après la réunion à la recherche de Pearman. Je l'ai découvert dans son bureau avec la nouvelle linguiste : Dianne Dare.

« Il vous faudra excuser Straitley, a-t-il dit d'un ton enjoué en faisant les présentations. Il est complètement obnubilé par les noms propres. Il va s'en donner à cœur joie avec le vôtre, vous allez voir ! »

J'ai fait semblant d'ignorer ce coup bas et je lui ai fait remarquer d'un ton sévère : « Vous laissez les femmes envahir votre section maintenant, Pearman ! Avant bien longtemps, on vous verra occupé à choisir un nouveau tissu pour vos rideaux ! »

Miss Dare m'a observé d'un regard amusé et elle m'a dit : « J'ai déjà entendu parler de vous !

— En mal, bien entendu ?

— Il ne serait pas professionnel de ma part de m'étendre sur ce sujet ! »

— Hum ! » Petite et mince. Des yeux bleus et intelligents. « De toute façon, il est trop tard pour que vous fassiez marche arrière maintenant. Une fois qu'il vous a pris dans ses filets, Saint Oswald vous tient pour la vie. Savez-vous qu'il sape aussi petit à petit votre résistance ? Vous n'avez qu'à regarder Pearman ! Il n'est plus que l'ombre de l'homme qu'il était autrefois. Il a permis aux Boches de réquisitionner mon bureau ! »

Pearman a laissé échapper un gros soupir : « Je savais bien que vous n'alliez pas du tout apprécier ça !

— Vraiment ?

— Roy, écoutez, c'était ou bien cela ou bien la perte de votre salle 59, et comme vous n'utilisez presque jamais votre bureau, j'ai pensé que... »

Dans un certain sens, il avait entièrement raison, mais je n'allais sûrement pas le reconnaître. « Qu'est-ce que tu veux dire, que j'allais perdre la salle 59 ? Voilà trente ans qu'elle est à moi, c'est là que je donne tous mes cours. Je fais pratiquement partie du mobilier. Pourquoi crois-tu que les garçons m'ont surnommé Quasimodo ? Parce que je suis laid comme une gargouille et que je vis dans la tour du clocheton ! »

Miss Dare a eu bien du mal à ne pas éclater de rire.

Pearman a secoué la tête. « Écoutez, allez discuter de la question avec Bob Strange, si vous le voulez. Moi, je ne pouvais pas faire mieux. D'ailleurs, vous allez pouvoir passer la plupart de votre temps dans la salle 59, et si quelqu'un d'autre y fait cours, vous pourrez toujours aller faire vos corrections dans la salle de préparation ! »

Ce conseil semblait pour moi lourd de menace. Lorsque j'ai une heure de liberté, je la passe toujours dans ma salle de classe à faire mes corrections. « Essaies-tu de me dire que je vais être aussi forcé de partager la salle 59 ? »

Pearman a eu l'air vraiment embêté. Il a dit du ton de celui qui cherche à se justifier : « Mais la plupart des profs partagent leur salle de classe avec quelqu'un. Il n'y a pas assez de salles pour que chacun ait la sienne ici. Avez-vous vu votre emploi du temps ? »

Bien sûr que je ne l'ai pas vu ! Je ne le regarde jamais avant que cela ne devienne absolument nécessaire, c'est bien connu. Fou de rage, je suis allé fouiller dans mon casier. J'y ai découvert une copie d'ordinateur et un mémo de Danielle, la secrétaire de Bob Strange. J'ai pris une profonde aspiration avant d'accuser cette nouvelle catastrophe.

« Quatre ! Il va falloir que je partage ma classe avec quatre jeunes blancs-becs et *Amadeus* par-dessus le marché ? »

Miss Dare, d'un air très humble, a alors pris la parole : « Et ce n'est pas tout, hélas. Je suis l'un de ces blancs-becs ! »

Cela vous donnera une bonne idée du caractère de Dianne Dare, si je vous dis entre nous qu'elle m'a pardonné ce que je lui ai répondu à ce moment-là. Bien sûr, cela avait été dit sous le coup de la colère, sans réfléchir, vous savez comment ça se passe. Mais toute autre qu'elle – Isabelle Tapi par exemple – s'en serait vexée. Je le sais, je le dis par expérience. Isabelle a les nerfs délicats. La moindre accusation de sa part d'avoir été traumatisée est toujours prise très au sérieux par le bureau de l'Intendance.

Mais miss Dare, elle, n'a pas reculé d'un pied. Il faut d'ailleurs lui rendre justice, elle n'a jamais laissé ma salle en désordre après y avoir fait cours, elle ne s'est jamais attribué le droit de réarranger mes papiers, elle n'a jamais hurlé hystériquement à la vue des souris, ni fait la moindre remarque à propos de la bouteille de tonique (du sherry) que je garde au fond de mon placard pour les urgences. Je dois donc avouer que j'aurais certainement pu plus mal tomber.

Tout de même, j'ai ressenti avec amertume cette attaque menée contre mon petit empire. Quant au responsable de tout cela, cela ne faisait aucun doute dans mon esprit, c'était Devine, chef de la section d'allemand et, chose encore plus pertinente, responsable aussi d'Amadeus qui, par coïncidence, allait justement se réunir tous les jeudis matin dans ma salle de classe.

Permettez-moi de vous éclairer. Le lycée est divisé en cinq grandes « familles » : Amadeus, Parkinson, Birkby, Christchurch et Stubbs. Ces cinq « familles » entrent en concurrence les unes contre les autres au cours de rencontres d'athlétisme, de matchs, d'activités extrascolaires de tout genre et à la chapelle. Je n'ai donc personnellement pas grand-chose en commun avec elles. Un système qui repose presque entièrement sur les bienfaits de douches froides et de prières à la chapelle ne présente pour moi que peu d'intérêt. En tout cas, ces grandes familles se réunissent le jeudi matin dans les cinq plus grandes salles du lycée pour commenter et organiser les événements de la semaine. Que ma salle à moi ait été réquisitionnée pour l'une de ces réunions me fait grincer des dents. D'abord, cela veut dire que Pisse-Vinaigre Devine aura le loisir de fouiner partout dans mes tiroirs, et ensuite qu'une meute bruyante et chaotique d'une centaine de garçons s'entassera dans une salle faite pour en héberger une trentaine au plus.

La mort dans l'âme, j'essaie pourtant de me consoler en me répétant que cela ne sera qu'une fois par semaine. Un goût amer pourtant me reste dans la gorge. Je n'aime pas du tout la façon dont Pisse-Vinaigre a réussi à s'introduire chez moi.

Les autres intrus, je dois l'avouer, me causent moins de souci. J'ai déjà fait connaissance avec miss Dare. Les trois autres sont les nouveaux : Meek, Keane et Easy. Il n'est pas rare ici qu'un nouveau prof doive faire cours dans une douzaine de salles différentes, quelquefois plus. Il y a toujours eu un problème d'espace à Saint Oswald, le problème est endémique, mais, cette année, avec la création de toute une suite de salles réservées à l'informatique, la situation est vraiment devenue critique. C'est donc à contrecœur que je me prépare à baisser le pont-levis et à laisser entrer la populace. Non, avec les nouveaux, je n'aurai pas de problèmes sérieux. Celui sur lequel je devrai garder l'œil, c'est Devine.

J'ai passé le reste de la journée dans mon *sanctum* à lire toute la paperasse et à ruminer. Mon emploi du temps m'a surpris : vingt-huit sessions au lieu des trente-quatre de l'année dernière ! Les effectifs de mes classes semblent avoir été réduits aussi. Cela me donnera moins de corrections, bien sûr, mais je suis condamné à être de surveillance au moins une fois par jour pour compenser cette nouvelle liberté !

Plusieurs collègues m'ont rendu visite. Gerry Grachvogel a glissé la tête dans l'entrebâillement de ma porte. Je l'ai presque décapité. Il était passé me demander quand j'avais l'intention de débarrasser mon bureau des choses qui l'encombraient. Fallow, le *porter*, a changé le numéro sur la porte de ma classe – maintenant 75. Hillary Monument, chef de la section de mathématiques, est entré en cachette fumer une cigarette – ses collègues sont tous non-fumeurs –, Pearman est venu me donner de nouveaux manuels et me lire un poème obscène de Rimbaud. Marlene m'a apporté mon nouveau registre d'appel, et Kitty Teague est simplement venue voir comment je me sentais.

« Ça va, je suppose ! lui ai-je répondu d'un air maussade. Nous n'en sommes pas encore aux ides de mars ! Dieu seul sait quelle action meurtrière se prépare contre moi pour ce moment-là ! » J'ai allumé une Gauloise. Je me suis dit qu'il valait mieux en profiter car, lorsque Devine s'installerait ici en *occupant*, l'occasion ne se présenterait plus souvent.

Kitty m'a jeté un regard de compassion. « Allez ! Venez donc avec moi. Je vous emmène dans le hall. Vous vous sentirez mieux lorsque vous vous serez mis quelque chose sous la dent !

— Quoi ? Pour voir Pisse-Vinaigre, la gueule enfarinée, me regarder d'un air de triomphe pendant le repas ? » La vérité était que j'avais déjà projeté d'aller prendre une bière à La Dive Bouteille ! Lorsque je le lui ai avoué, Kitty m'a conseillé : « Allez-y ! Une fois hors de ces murs, vous vous sentirez mieux, vous verrez ! »

La Dive Bouteille est en principe zone interdite aux élèves, en théorie du moins, mais le pub n'est qu'à cinq cents mètres de l'École et il faudrait être franchement naïf pour croire que la moitié des grands de terminale ne s'y retrouvent pas à l'heure de midi. Malgré les sévères remontrances du proviseur, Patrick Mat, responsable de la discipline, fait semblant de ne pas l'avoir remarqué. Tant qu'ils ne portent ni la cravate ni le blazer de l'École quand ils sont à l'intérieur, je peux faire semblant de ne pas les reconnaître.

Le pub était plutôt désert. Au bar il n'y avait que quelques clients. J'ai aperçu Fallow avec Mr. Roach – un prof d'histoire à cheveux longs qui demande aux élèves de l'appeler par son prénom : Robbie ! – et Jimmy Watt, l'homme à tout faire de Saint Oswald, très habile de ses mains, mais qui n'a sûrement pas inventé le fil à couper le beurre.

Quand il m'a aperçu, il m'a fait un grand sourire. « Monsieur Straitley ! Bonnes vacances ? – Oui, merci, Jimmy ! » J'ai appris à ne pas le désarçonner en employant dans nos conversations un langage trop intellectuel. Certains n'ont pas cette gentillesse-là. À voir ses yeux tout ronds et sa bouche toujours ouverte, il est trop facile d'oublier à quel point c'est un brave type, vraiment. « Je peux vous offrir quelque chose ? » Jimmy m'a répondu : « Un panaché ! Un demi, merci, patron ! », et un autre sourire a illuminé son visage. « Mais après ça, faudra que j'vas remett'mes fils électriques ! »

J'ai apporté nos deux verres à une table libre. C'est alors que j'ai remarqué dans un coin, à deux tables de la nôtre, Easy, Meek et Keane assis avec Light, le nouveau prof de gym, Isabelle Tapi – qui aime toujours bavarder avec les nouveaux – et miss Dare qui se tenait légèrement à l'écart. Je n'ai pas été surpris de les retrouver ensemble. On se sent toujours plus fort en groupe et Saint Oswald peut sembler bien intimidant la première fois que l'on y met les pieds.

J'ai posé le verre de Jimmy sur la table et me suis nonchalamment approché des nouveaux. Je me suis présenté. « J'ai remarqué que certains d'entre vous vont devoir faire cours dans ma salle de classe, leur ai-je dit. Je ne vois pas très bien pourtant comment vous allez pouvoir y enseigner l'informatique ! » ai-je ajouté à l'intention du barbu, Meek. À moins que ce ne soit une autre façon pour les débonnaires de coloniser la terre ? »

Keane a souri à cette référence biblique. Light et Easy ont simplement eu l'air étonné.

Meek, d'un air inquiet, m'a expliqué : « J... Je ne suis employé qu'à temps partiel et, le vendredi, ce sont les mathématiques que j'enseigne. »

Dieu, si moi je lui fais déjà peur, la classe de seconde F, un vendredi après-midi, n'en fera qu'une bouchée ! Rien qu'à l'idée du bordel qu'ils allaient foutre dans ma salle de classe, j'en souffrais déjà. Je me suis bien promis de me tenir prêt à remettre l'ordre au premier signe de chahut.

« D'avoir construit un pub juste ici, c'est une sacrée bonne idée, a déclaré Light en avalant sa bière d'une seule gorgée. Voilà qui va faire mon affaire à midi. »

Easy a levé un sourcil étonné : « Mais vous serez sûrement occupé par l'entraînement ou la surveillance d'un club, ou le rugby, ou quelque chose de ce genre ?

— Nous sommes entièrement dans notre droit si nous prenons une heure de repos à midi, n'est-ce pas ? »

Pas simplement un *J'suis pas payé pour ça* mais un *Saint du Syndicat* aussi ! Dieu tout-puissant ! Il ne manquait plus que ça !

« Mais le proviseur m'a laissé entendre que je devais... Je veux dire que je me suis porté volontaire pour m'occuper du club de géographie. Je croyais que nous étions tous censés nous charger d'activités extrascolaires. »

Light a haussé les épaules : « Évidemment qu'il voulait vous laisser penser ça mais, moi je vous le dis, il peut toujours courir pour que je m'envoie des heures supplémentaires de sport après quatre heures, en plus des matchs du week-end et que, par-dessus le marché, je me prive de ma pinte de bière à midi. On n'est quand même pas à Colditz, ici ?

— Enfin, vous, au moins, n'aurez pas de leçon à préparer, ni de copies à corriger ! lui a fait remarquer Easy.

— Ah, ça alors, je m'y attendais ! s'est exclamé Light dont le visage s'est soudain empourpré. C'est bien une remarque typique de ces grosses têtes d'intellectuels, hein ? Si on ne vous l'a pas fait écrire noir sur blanc, ça ne compte pas, c'est ça ? Eh bien, c'est moi qui vous le dis : les p'tits gars tirent plus de bénéfice de mes leçons à moi qu'ils ne pourraient jamais le faire en apprenant par cœur le nom de la capitale du Khazistan ou des conneries de ce genre ! »

Easy a eu l'air vraiment ébranlé. Meek a plongé le nez dans sa limonade et s'est bien gardé de l'en retirer. Miss Dare a regardé fixement par la fenêtre. Isabelle, derrière ses longs cils charbonneux, a décoché à Light un regard noyé d'admiration.

Keane, de nouveau, a souri. La situation semblait l'amuser prodigieusement.

Je l'ai interrogé : « Et vous, que pensez-vous de Saint Oswald ? »

Il m'a dévisagé. Il doit avoir dans les vingt-huit ans peut-être – élancé, cheveux noirs avec une sorte de frange, un T-shirt noir sous un costume foncé. Pour un homme si jeune, il a un air d'assurance étonnant. Sa voix est agréable, avec un certain accent d'autorité. « J'ai habité pendant quelque temps tout près d'ici lorsque j'étais gamin. J'ai passé une année au collège de Sunny Bank Park. En comparaison, Saint Oswald est un tout autre monde. »

Rien de surprenant à cela ! Sunny Bank Park est un ogre qui dévore les enfants, surtout les enfants intelligents. J'ai dit : « Eh bien, vous avez eu de la chance de vous en tirer !

— Ouais ! » Il a souri de nouveau. « Nous avons été forcés de déménager. Nous sommes allés nous installer dans le Sud.

J'ai changé d'école. Oui, j'ai eu beaucoup de chance. Une année de plus et cela aurait été fichu. Enfin, Barry Hines, pousse-toi que je m'y mette ! Cela me sera une source inépuisable d'anecdotes si jamais j'écris un livre ! »

J'ai pensé : Mon Dieu ! Pas un *Romancier en herbe* ! On en rencontre de temps en temps, parmi les anglicistes en particulier, et bien qu'ils ne soient pas aussi difficiles à vivre que les *Saints du syndicat* ou les *J'suis pas payé pour ça*, il est rare qu'ils nous apportent autre chose que des ennuis. Robbie Roach aussi avait été poète dans sa jeunesse. Eric Scoones lui-même avait écrit une pièce de théâtre. Ni l'un ni l'autre ne s'en étaient entièrement remis.

« Vous écrivez ? ai-je demandé.

— Passe-temps seulement ! a répondu Keane.

— Bien sûr, j'ai cru comprendre que le roman d'horreur n'est plus aussi lucratif qu'autrefois ! » ai-je continué en jetant un coup d'œil à Light qui montrait à Easy comment mettre en valeur ses biceps en soulevant une autre pinte de bière.

Je me suis retourné vers Keane. À première vue, ce jeune homme-là promettait et j'ai fait des vœux pour qu'il ne devienne pas un autre Roach. Les anglicistes sont trop souvent victimes de cette tendance fatale, cette ambition étouffée dans l'œuf d'être autre chose, quelqu'un de plus admirable qu'un simple professeur d'anglais. Cela finit d'habitude dans le désespoir, bien sûr. Pour qui tente d'échapper à l'enseignement, l'évasion d'Alcatraz semble un jeu d'enfant. J'ai dévisagé le jeune homme pour découvrir en lui les premiers symptômes d'une baisse de moral. Je dois reconnaître que je n'en ai pas trouvé la moindre trace.

« Moi, j'ai publié un livre, a dit Meek. C'est *Javascript et...*

— Moi, j'ai lu un livre, a dit Light avec un sourire ironique. Et je n'en ai pas pensé grand-chose. »

Easy a ri très fort. Il semblait s'être remis de la gaffe qu'il avait faite au début à propos des profs de gym. Jimmy, à la table voisine, a souri et s'est rapproché du groupe. Easy, en détournant la tête, a réussi à éviter de rencontrer son regard.

« Bien sûr, si vous me parlez d'Internet... », et Light a déplacé sa chaise de quelques centimètres, ce qui a empêché Jimmy de se joindre à eux. Il a tendu la main pour reprendre son verre à demi vide. « C'est là qu'on peut en lire des choses. Enfin, il ne faut surtout pas avoir peur de devenir aveugle, si vous voyez ce que je veux dire !... »

Jimmy, un peu déconcerté, a avalé avec bruit le reste de sa bière. Il n'est pas aussi dépourvu de finesse que les gens se l'imaginent ; pour lui, il était bien clair qu'on l'avait remis à sa place. J'ai pensé soudain à Anderton-Pullit, le solitaire, celui qui mange ses sandwichs tout seul dans ma salle de classe alors que les autres jouent au foot dans la cour.

J'ai décoché un coup d'œil de côté vers Keane. Sans approuver ni condamner, il observait la scène de son regard bleu ardoise où je lisais un intérêt espiègle. Il m'a fait un clin d'œil, je lui ai répondu par un sourire, amusé à l'idée que, de nos nouveaux, c'était un ancien de Sunny Bank Park qui, pour le moment, semblait le plus prometteur.

4

Le premier pas est toujours le plus difficile, c'est un adage bien connu. Je fis beaucoup d'autres incursions illicites sur le territoire de Saint Oswald. Prenant progressivement confiance, je m'en approchai insensiblement, d'abord rôdant dans le parc, puis dans les cours et finalement dans les bâtiments eux-mêmes. Des mois, des trimestres étaient passés et, petit à petit, la vigilance de mon père s'était relâchée.

Les choses n'avaient pas tourné pour lui aussi bien qu'il l'avait espéré. Les profs qui avaient pris l'habitude de l'appeler par son prénom n'en éprouvaient pas moins de mépris pour lui que les élèves qui l'appelaient Snyde. La loge était humide l'hiver. Partagé comme il l'était entre sa passion pour la bière, les cartes à gratter et le football, il n'avait jamais tout à fait assez d'argent pour boucler la semaine. En dépit des idées de grandeur que le titre favorisait, le poste qu'on lui avait offert à Saint Oswald n'était rien de plus qu'un autre poste de concierge, et le travail – une longue série d'humiliations – monopolisait son temps. Il n'en restait jamais assez pour pouvoir prendre le thé sur la pelouse et Maman ne reparut jamais à la maison.

Pour essayer de la remplacer, mon père se mit à fréquenter Pepsi, une jeune effrontée de dix-neuf ans, gérante d'un salon de beauté en ville. Elle se tartinait les lèvres de rouge et aimait beaucoup, semblait-il, faire la foire. Elle avait un petit appartement à elle mais passait souvent la nuit chez nous. Le matin, mon père avait les yeux battus et était d'une humeur massacrante. Une puanteur de bière et de pizza froide emplissait la maison entière. Ces jours-là, et d'autres encore, je m'arrangeais pour ne pas lui tomber sous la patte.

Mais le pire était le samedi soir. Mon père dont l'humeur était exacerbée par la bière et le manque d'argent, après ses aventures de chat de gouttière, faisait souvent de moi son bouc émissaire. « Sale gosse ! me criait-il de sa voix éraillée à travers la porte de ma chambre. Et je n'suis même pas sûr que t'es vraiment à moi. Pas sûr du tout ! » Si, dans ma folie d'enfant, j'entrouvrais la porte, les choses empiraient rapidement. Cela commençait par des bourrades, des cris, des jurons et finissait toujours par un coup de poing puissant – envoyé au ralenti. Neuf fois sur dix, il atteignait le mur et l'ivrogne s'écroulait par terre.

Mon père ne m'effrayait plus. Autrefois j'en avais eu peur mais, avec le temps, on s'habitue à tout, vous savez. Ses rages ne m'impressionnaient pas plus que celles du volcan qui allait un jour les annihiler n'impressionnaient les habitants de Pompéi. La plupart des choses ont tendance à devenir simple routine lorsqu'elles se répètent trop souvent. Ma routine à moi consistait simplement à m'enfermer à clef dans ma chambre le samedi soir quoi qu'il arrive et à me tenir bien loin de mon père le lendemain matin.

Au début, Pepsi essaya de s'attirer mes bonnes grâces. Elle m'apportait parfois de menus cadeaux. Elle essayait de me préparer un repas – mais elle n'était pas bonne cuisinière. Moi, je gardais mes distances avec entêtement. Pourtant, je ne pourrais pas dire que je la détestais. Avec ses faux ongles et ses sourcils ridiculement épilés, je la pensais trop bête pour la détester ou même pour lui en vouloir. Ce qui m'agaçait surtout, c'était son affreuse tendance à jouer les copines avec moi, l'idée qu'elle et moi puissions avoir vraiment quelque chose en commun et qu'un jour nous pourrions peut-être nous entendre.

C'est à cette époque-là que Saint Oswald devint mon terrain de jeux. Officiellement, l'École était toujours hors limite pour moi mais mon père avait déjà commencé à perdre l'enthousiasme évangélique qu'il avait eu envers elle tout au début. Il était maintenant tout à fait prêt à fermer les yeux sur une entorse passagère au règlement tant qu'il pouvait être assuré de mon silence et de ma discrétion.

Même à ce moment-là, John Snyde était encore persuadé que je ne jouais que dans le parc. Mais les clefs étaient soigneusement étiquetées et accrochées chacune à son clou dans l'armoire vitrée derrière la porte de la loge, et ma curiosité grandissante devenait une obsession, je trouvais de plus en plus difficile de résister à la tentation que représentaient ces clefs.

Un petit vol, rien de plus, et l'École devint mon domaine à moi. À partir de ce jour, aucune porte ne me résista. Le passe-partout me permettait de rôder dans les bâtiments déserts pendant que mon père regardait la télévision ou allait boire un coup avec les copains au pub du coin. En conséquence, dès mon dixième anniversaire, l'École n'avait plus de secret pour moi. J'étais capable d'y errer invisible, sans que le moindre bruit éveillât l'attention, sans soulever la moindre poussière.

Je connaissais les placards où l'on stockait l'équipement pour l'entretien et les produits de nettoyage, l'infirmerie, l'emplacement de chaque prise de courant, la salle des archives. Je connaissais toutes les salles de classe, les salles de géographie avec leurs fenêtres donnant plein sud, où la chaleur était intolérable l'été, la fraîcheur des laboratoires de science avec leurs murs à lambris de chêne, les marches qui grinçaient dans les escaliers, la forme bizarre des salles de classe dans la tour du clocheton. Je connaissais le pigeonnier, la chapelle, l'observatoire avec son dôme de verre, les minuscules salles d'étude et leurs rangées de placards métalliques. Avec le passe-partout, j'étais capable d'ouvrir tous les casiers. Je savais déchiffrer l'écriture spectrale de phrases mal effacées sur les tableaux. Je connaissais les professeurs – au moins de réputation. Je remplissais mes narines de cette odeur de cuir, de craie, de cuisine et de parquet ciré. J'essayais de vieilles tenues de sport abandonnées. Je lisais les livres interdits.

Encore plus excitant, mais plus dangereux aussi, je m'aventurais sur les toits. Les toits de Saint Oswald formaient une sorte de monstre énorme et tentaculaire, un brontosaure au dos hérissé de lourdes lauzes, une cité étrange avec ses tourelles et ses cours intérieures qui était comme l'écho des bâtiments au-dessous. De hautes cheminées aux têtes couronnées se dressaient au-dessus de crêtes inégales. Les oiseaux en avaient fait leur domaine. De vieux sureaux solitaires avaient plongé leurs racines dans les crevasses humides. Contre toute logique, ils y fleurissaient et égrenaient leurs ombelles dans les fentes entre les ardoises. Il y avait des passages, des rigoles pour l'écoulement des eaux, des corniches qui montaient en escaliers ivres jusqu'au sommet des toits, il y avait des lucarnes faîtières et des balcons dont les hauts parapets n'étaient accessibles qu'à mes risques et périls.

Au début, j'opérais avec prudence, me souvenant de mon manque de coordination pendant les cours de gymnastique. Mais, livrée à elle-même, mon audace décuplait, je prenais confiance en moi. J'appris à grimper à quatre pattes, sans bruit, le long des toits d'ardoises et des poutres métalliques extérieures ; j'appris à utiliser une barre de fer comme perche pour sauter d'une haute corniche sur un petit balcon et, de là, à descendre en m'aidant de la branche robuste et velue d'un lierre dans la gueule olivâtre d'un gouffre étroit, tapissé de mousse.

J'adorais les toits, j'adorais leur odeur poivrée, leur fraîche humidité lorsqu'il avait plu, le lichen lépreux qui envahissait la pierre qu'il jaunissait. Là-haut, je pouvais être moi-même. Partout des échelles de service sortaient de différentes ouvertures. La plupart pourtant étaient en mauvais état, certaines réduites seulement à un filigrane de métal rouillé. (Je les ai toujours méprisées.) Je découvris mes propres moyens pour atteindre mon royaume sur les toits : je débloquai des fenêtres condamnées depuis des dizaines d'années par une peinture qui avait collé, j'attachai des cordes avec des nœuds coulants autour des corps de cheminées pour m'aider à grimper, j'explorai les puits entre les bâtiments, les passages où je devais ramper et les énormes gouttières de pierre plombées. Je n'avais pas peur de tomber. J'étais insensible au vertige. À mon étonnement, je me découvris une agilité naturelle pour mes promenades sur les toits. Une ossature légère comme la mienne était un réel atout et, là-haut, personne ne se moquait de la maigreur de mes jambes.

Depuis longtemps, bien sûr, j'avais découvert que l'entretien de la toiture était une tâche que mon père détestait. Il pouvait tout juste se débrouiller pour remplacer une ardoise cassée – à condition de pouvoir l'atteindre par une fenêtre – mais remplacer le plomb qui assurait l'étanchéité des gouttières était une bien autre tâche. Pour cela, il lui aurait fallu descendre prudemment le long du toit en pente raide et couvert d'ardoises, atteindre en rampant son extrémité où un parapet de pierre suivait tout du long la gouttière. Là, il lui aurait fallu s'agenouiller pour vérifier les joints de plomb et des dizaines de mètres de profondeurs glauques l'auraient alors séparé du sol de Saint Oswald. Ce travail, pourtant absolument nécessaire, il ne le fit jamais. Il multipliait les raisons de ne pas l'avoir fait. Lorsque, les ayant toutes utilisées, il se trouva à court d'excuses, je devinai enfin la vérité. John Snyde avait peur du vide.

Vous voyez, à cette époque-là, les secrets me fascinaient déjà. Une bouteille de sherry découverte au fond d'un placard à livres, un paquet de lettres caché dans une boîte de métal dissimulée derrière une boiserie, des magazines oubliés dans un classeur fermé à clef, une liste de noms dans un vieux livre de comptes. Aucun secret n'était trop banal pour moi. Aucun détail trop insignifiant pour m'intéresser. Je savais qui trompait sa femme, qui souffrait de crises de nerfs, qui débordait d'ambition, qui se laissait aller à lire des romans d'amour, qui utilisait en cachette le photocopieur. Si savoir, c'est pouvoir, comme on l'assure, je les tenais tous dans le creux de ma main.

J'avais atteint le dernier trimestre que je devais passer à l'école communale de la rue de l'Abbaye. Cela n'avait pas été un succès. J'avais travaillé dur. J'avais été sage, mais je n'avais pas réussi à me faire de copains. Pour essayer de me débarrasser de l'accent du Nord avec ses voyelles atroces qu'avait mon père, j'avais essayé, bien à tort hélas, d'imiter la voix et les manières des élèves de Saint Oswald. Cela m'avait immédiatement valu le surnom de *Snobby Snyde*. Les instituteurs eux-mêmes m'appelaient comme ça. Je les avais bien entendus dans leur salle commune lorsque, au milieu des rires, la lourde porte s'était ouverte sur un brouillard de fumée. J'avais entendu une voix de femme claironner : « Snobby Snyde – ça alors, c'est impayable ! »

Je ne me faisais pourtant aucune illusion : Sunny Bank Park ne vaudrait pas mieux. La plupart des élèves du collège venaient de la rue de l'Abbaye, un déprimant quartier de maisons aux murs crépis qui appartenaient à la municipalité et d'immeubles ouvriers hâtivement construits dans le style carton-pâte avec des lessives qui séchaient aux balcons et des cages d'escalier aux odeurs d'urinoir. Je savais exactement à quoi m'attendre. J'avais habité là. Il y avait un bac à sable où venaient crotter tous les chiens du quartier, un terrain de jeu pour les tout-petits avec des balançoires, des tessons de bouteilles et des éclats de verre éparpillés partout, des murs couverts de graffitis, des gangs de filles et de garçons au visage laid et crasseux qui vous lançaient des insultes au passage.

Leurs pères allaient au pub boire un coup avec le mien. Leurs mères allaient danser tous les samedis soirs avec Sharon Snyde à la disco du coin. « Allez ! Fais un effort ! me répétait mon père. Tu verras, avec un p'tit peu de patience, tu finiras par être comme eux ! »

Mais je ne voulais pas faire d'effort. Je ne voulais pas devenir comme eux.

« Alors quoi ? Qu'est-ce que tu veux ? »

Ça alors, c'était une question à laquelle je ne pouvais répondre.

Dans les couloirs déserts de l'École, je rêvais de voir un jour mon nom au tableau d'honneur, de rire des plaisanteries des élèves de Saint Oswald, d'apprendre le latin et le grec au lieu de la menuiserie et du dessin industriel, de m'asseoir à ces grands bureaux de bois pour y faire mes *preps*, plutôt que d'être à la maison à faire mes devoirs. En dix-huit mois, le talent que j'avais pour passer invisible était devenu une malédiction. Je voulais que l'on me voie. Je voulais que l'on me reconnaisse. Je fis alors de mon mieux pour m'en assurer. Je pris des risques de plus en plus grands dans l'espoir qu'un jour peut-être Saint Oswald me reconnaîtrait et ouvrirait les bras pour m'accueillir.

Alors, sur les lambris de chêne du réfectoire, j'ajoutai mes initiales à celles de générations et de générations d'anciens de Saint Oswald. De ma cachette, derrière le pavillon, j'assistais aux matchs du samedi. Avec bien du mal, je me hissais tout en haut du sycomore qui poussait au milieu de la vieille cour intérieure et je faisais des pied de nez aux gargouilles qui me contemplaient du bord du toit. Dès la fin de mes cours, je retournais à toute vitesse à Saint Oswald pour observer la sortie des lycéens. J'entendais les rires et les plaintes des garçons, j'étais témoin de leurs batailles, je respirais à pleins poumons, comme si elle avait été de l'encens, la fumée des pots d'échappement des grosses voitures de leurs parents. Il n'y avait jamais grand-chose sur les étagères à livres de notre collège à nous : des livres brochés et des illustrés pour la plupart mais, sous les énormes voûtes de la bibliothèque de Saint Oswald, je pouvais à loisir dévorer avec avidité : *Ivanhoé, Les Grandes Espérances, Les Mémoires du collégien Tom Brown, Gormenghast, Les Contes des Mille et Une Nuits, Les Mines du roi Salomon...* Je ramenais souvent en cachette des livres à la maison. Pour certains, personne ne les avait sortis depuis les années quarante. Mon favori était *L'Homme invisible.* Le soir, lorsque, solitaire, j'arpentais les couloirs de Saint Oswald, que j'y respirais encore l'odeur de craie et les vagues relents des repas de la journée, que je croyais encore entendre résonner un écho de voix joyeuses, que j'observais l'ombre des arbres tomber sur un plancher fraîchement ciré, je savais exactement comment il s'était senti, car je ressentais moi-même son douloureux désir, ce besoin éperdu, cette soif d'exister aux yeux des autres.

Oui, c'était ça que je voulais : me trouver des frères. Résultat à prévoir de la politique des années soixante, l'école communale de la rue de l'Abbaye était vétuste et délabrée mais le collège de Sunny Bank Park était pire encore. La serviette de cuir dans laquelle je transportais mes livres et mes cahiers (alors que les autres les portaient dans un sac de sport Adidas), le peu d'intérêt que je montrais pour le sport, mon esprit de repartie, mon amour de la lecture, les vêtements que je portais, le fait que mon père fût employé dans cette *école de snobs* – même s'il n'y était que concierge –, tout cela m'attirait de fréquentes raclées. J'appris à courir vite et à ne pas attirer l'attention. J'imaginais que j'étais en exil loin des miens, mais que le jour viendrait où j'allais revenir reprendre à leurs côtés la place que je méritais. Au plus profond de mon cœur, je croyais que si, d'une certaine façon, je pouvais faire mes preuves, si je pouvais tenir le coup devant la violence et les petites humiliations, alors, un jour, Saint Oswald me reconnaîtrait, un jour, Saint Oswald m'accueillerait à bras ouverts.

Lorsque arriva mon onzième anniversaire, le médecin scolaire me conseilla de porter des lunettes. Mon père en accusa ma passion de la lecture. En secret, je me dis que c'était là pour moi une autre étape, une étape nécessaire du chemin initiatique qui me conduirait à Saint Oswald. Mon surnom changea. Snobby Snyde devint *Sinoque Snyde*. Cela me procura pourtant une sorte de plaisir obscur. Je me regardais dans le miroir de la salle de bains et je me disais que j'avais commencé à *leur* ressembler.

Je leur ressemble encore. J'ai remplacé mes lunettes par des lentilles de contact (pour le cas où...). Mes cheveux sont un peu plus foncés, de coupe nette sans pour cela être trop sévère. Je ne voudrais pas que l'on puisse penser que j'ai fait trop d'efforts pour l'occasion. Ma voix surtout me plaît. Vous n'y trouverez aucune trace de l'accent du Nord hérité de mon père. Quant au raffinement étudié qui avait donné à Snobby Snyde un air de terrible suffisance, il a totalement disparu lui aussi. De nos jours, je suis aimable sans obséquiosité et je sais écouter : qualités parfaites chez un espion ou un assassin.

Tout bien considéré, l'irréfutabilité de mon talent en art dramatique me flatte. Mais peut-être, au fond, aurais-je préféré que l'on me reconnût. Toute la journée, j'ai ressenti ce frisson que communique le danger pendant que j'essayais de ne pas trahir ma connaissance des profs, des bâtiments et du règlement de l'École. C'est peut-être surprenant mais l'enseignement ne me demandera aucun mal. Je ferai classe au groupe des plus faibles de chaque année. Je dois en remercier la méthode bien particulière que Strange utilise pour sa répartition des classes. (Les membres les plus anciens de la salle des profs font inévitablement cours aux meilleurs élèves, les derniers arrivés, eux, se débrouillent avec la racaille.) Donc, bien que mon emploi du temps soit très chargé, il n'exigera pas de moi un bien gros effort intellectuel. Mes connaissances seront suffisantes, au moins pour tromper les élèves. D'ailleurs, en cas de doute, je pourrai toujours avoir recours au manuel du professeur.

C'est assez pour ce que je me propose de faire. Personne n'a de soupçons. On ne m'a pas confié de classe de surdoués, ni d'élèves de terminale qui auraient pu essayer de tester mon intelligence. Je ne crains pas non plus les problèmes de discipline.

Ces garçons-là sont bien différents de ceux du collège de Sunny Bank Park. Toute l'infrastructure érigée pour combattre les entorses à la discipline à Saint Oswald serait d'ailleurs là pour m'épauler si le besoin s'en faisait sentir.

Je n'en aurai nul besoin d'ailleurs. Ces garçons paient pour le privilège de recevoir leur éducation dans cette École. Ils ont l'habitude d'obéir à leurs professeurs. Leur mauvaise conduite se résume à des peccadilles : une heure d'étude sautée ou un bavardage pendant un cours. Ce n'est plus à la canne que l'on impose la discipline ici. La canne est devenue inutile devant l'ombre de la menace d'un châtiment encore plus sévère, délibérément mal défini. C'est à en mourir de rire. À la fois comique et ridiculement simple aussi. C'est un jeu, ni plus ni moins, le choc titanesque de deux volontés : la mienne et celle de la canaille. Et tout le monde comprend cela parfaitement. Je serais bien incapable d'intervenir s'ils décidaient de quitter la salle tous à la fois. Oui, tout le monde comprend cela, mais qui oserait relever le défi ? Personne !

Je ne dois pas m'endormir sur mes lauriers pourtant. Si ma couverture paraît solide, le moindre faux pas pourrait pourtant bien mener à un désastre. Cette secrétaire, par exemple. Sa présence, bien sûr, ne changera rien à mon plan, mais elle ne fait que prouver que tout prévoir est impossible.

Je me méfie aussi de Roy Straitley. Ni le proviseur, ni Mat, ni Strange ne m'ont accordé un second regard mais pour Straitley, c'est différent. Il a l'œil aussi vigilant et l'esprit aussi alerte qu'il y a quinze ans. Les garçons l'ont toujours respecté, même si cela n'est pas le cas de tous ses collègues. La plupart des commérages que j'avais découverts à l'époque à Saint Oswald, tournaient autour de lui. Bien qu'il n'eût joué qu'un rôle très secondaire dans ce qui s'était passé, il n'était pas néanmoins adversaire à dédaigner.

Bien sûr, il a vieilli. Proche de la retraite maintenant sans doute, pourtant il n'a pas changé. Toujours les mêmes manières un peu affectées, la toge, la veste de tweed, les citations latines. Pour lui, aujourd'hui, je me suis presque senti de l'affection, comme celle que j'aurais ressentie pour un vieil oncle que je n'aurais pas revu depuis des années. Mais, derrière son déguisement, je le reconnais, même si lui ne me reconnaît pas. Je sais qu'il est mon ennemi.

J'avais cru qu'à mon arrivée j'aurais appris qu'il était parti en retraite. D'une certaine façon, cela m'aurait facilité les choses, mais après aujourd'hui, sa présence m'a mis le cœur en joie. Elle ne fait qu'ajouter du piquant à une situation qui me plaît déjà beaucoup. D'ailleurs, le jour où Saint Oswald tombera sous ma main, je veux que Roy Straitley en soit témoin.

5

Saint Oswald – Lycée de garçons
Mardi 6 septembre

La rentrée des élèves produit toujours un chaos bien particulier ici. Il y a ceux qui sont en retard, ceux qui se sont perdus dans les couloirs, et les livres et les fournitures à aller chercher, puis à distribuer. Il faut bien avouer que les changements dans les salles de classe n'ont rien arrangé non plus. Le nouvel emploi du temps ne tenait pas compte des modifications apportées à la numérotation des classes. Une note rectificatrice avait bien été rédigée par la suite, mais personne ne l'avait vraiment lue. Plusieurs fois, j'ai intercepté des colonnes de garçons marchant d'un pas martial vers le nouveau bureau de la section d'allemand au lieu de la tour du clocheton et j'ai dû les remettre dans la bonne direction.

Devine semblait stressé. Je n'avais pas encore vidé mon ancien bureau de tout le matériel qui l'encombrait, bien sûr, et j'étais le seul à posséder la clef des classeurs soigneusement fermés. Il y avait l'appel à faire, les devoirs de vacances à ramasser, les chèques envoyés par les parents à faire porter au bureau de l'intendance, les clefs des casiers individuels à distribuer, les plans indiquant où chaque élève de chaque groupe serait assis dans ma salle de classe, la discipline à rappeler en début de trimestre.

Heureusement, cette année, je ne suis pas professeur principal d'un groupe nouveau. Mes garçons – trente et un en tout – sont tous récidivistes. Je les avais déjà l'année dernière. Ils savent exactement à quoi s'attendre. Ils sont habitués à moi comme je le suis à eux. Il y a Pink, un petit gars tranquille et bizarre dont le sens de l'humour est étrangement adulte, et son copain Tayler et puis mes deux clowns, Allen-Jones et MacNair, deux farceurs invétérés à qui j'inflige moins de retenues qu'ils ne le mériteraient parce qu'ils me font rire tout simplement. Il y a aussi Sutcliff, mon rouquin, et Niu, mon Japonais, qui passe beaucoup de son temps à l'orchestre du lycée, puis Cavalier dont je me méfie, le petit Jackson qui, tous les jours, doit se prouver à lui-même qu'il n'est pas plus petit que les autres en se battant avec quelqu'un, le grand Brasenose qui se laisse facilement bousculer par les copains et Anderton-Pullit, un garçon intelligent qui souffre d'allergies multiples – si nous devons croire ce qu'il dit –, y compris d'une forme bien particulière d'asthme qui lui interdit non seulement toutes sortes de sports mais aussi les mathématiques, le français, l'histoire religieuse, les *preps* du lundi soir, les réunions de la « grande famille » dont il fait partie, l'assemblée du matin et les prières à la chapelle. Il a aussi l'habitude de me suivre un peu partout – ce qui provoque les plaisanteries de Kitty Teague à propos de mon *petit ami* – et de me rebattre les oreilles des passions de sa vie : l'aviation pendant la première guerre mondiale, les jeux électroniques et les opérettes de Gilbert et Sullivan. En général, il ne m'ennuie pas trop – c'est un drôle de petit gars, rejeté par les autres et qui pourrait très bien se sentir souvent terriblement seul. Pourtant, j'ai du travail à faire, moi, et passer le peu de temps de liberté que je m'accorde à bavarder avec Anderton-Pullit ne m'intéresse pas vraiment.

Bien sûr, un élève qui aimerait pouvoir monopoliser chacun de nos instants est un des risques du métier d'enseignant. Chacun doit apprendre à se débrouiller dans ce genre de situation. Nous avons tous connu cela à un moment ou à un autre – même les profs comme Hillary Monument et moi-même qui, il faut bien le dire, sont sans doute les plus laids que vous ayez jamais vus à l'extérieur d'un zoo ! Et chacun de nous a sa façon à lui de se tirer de ce mauvais pas. Pourtant, j'en suis sûr, Isabelle Tapi au moins encourage activement le béguin que certains garçons ont pour elle, et il y en a certainement un grand nombre. Robbie Roach et Penny Nation aussi. Quant à moi, je sais par expérience que des manières un peu brusques et une détermination à faire montre d'un manque d'égards bienveillants découragent d'habitude toute familiarité chez les Anderton-Pullit de ce monde.

Vous voyez, tout bien considéré, les quatrième S ne sont pas de mauvais bougres. Ils ont grandi pendant les vacances. On pourrait presque en prendre certains pour des adultes. Cela devrait me rendre conscient de mon grand âge, pensez-vous, eh bien non, au contraire, cela me donne une sorte d'orgueil – que j'essaie de combattre ! Je crois que je traite tous les élèves de la même façon et, pourtant, je me sens une affection particulière pour ceux-là que j'ai depuis deux ans déjà. J'aime penser que nous nous comprenons.

« Oh ! mon... sieur ! » Il y a eu des gémissements pendant que je leur distribuais les feuilles d'interrogation écrite de vocabulaire latin.

« Mais, monsieur. C'est le jour de la rentrée !

— On ne pourrait pas plutôt avoir un test oral : un jeu de vingt questions par exemple ?

— On ne pourrait pas jouer au pendu en latin ?

— Lorsque je n'aurai plus rien à vous apprendre, monsieur Allen-Jones, alors et seulement alors, peut-être, trouverons-nous du temps pour nous livrer à ces petites récréations ! »

Allen-Jones a eu une sorte de sourire qui était plutôt une grimace. J'ai remarqué qu'à l'endroit où, sur son manuel, il était censé indiquer le numéro de la salle où il avait cours, il avait écrit *ancienne salle 59.*

Quelqu'un a alors frappé à la porte et Devine a passé la tête dans l'entrebâillement.

« Monsieur Straitley !

— *Quid agis, medice ?* »

La classe entière a ricané, ce qui a énervé Pisse-Vinaigre qui n'a pas étudié les langues mortes. « Je suis désolé de vous déranger, monsieur Straitley. Pourrais-je vous dire un mot en privé, s'il vous plaît ? »

Je suis sorti dans le couloir tout en gardant par la porte vitrée l'œil sur les élèves. MacNair s'apprêtait à gribouiller quelque chose sur son bureau et j'ai donné sur la vitre un petit coup sec d'avertissement.

Pisse-Vinaigre m'a regardé d'un air de désapprobation. « J'avais espéré réorganiser la salle de préparation de la section dès ce matin, a-t-il dit. Mais vos classeurs...

— Oh, ne vous inquiétez pas ! Je vais m'en occuper !

— Et puis il y a le bureau et les livres... sans parler de ces énormes plantes...

— Ne vous gênez pas, faites comme si vous étiez chez vous ! » Il y avait bien trente années de paperasses accumulées dans ce bureau-là. « Et si vous aviez un peu de temps libre, vous pourriez peut-être transporter certains des classeurs dans la salle des archives », ai-je suggéré de l'air conciliant de celui qui a bien l'intention de se rendre utile.

« Sûrement pas ! a répliqué d'un ton acide Pisse-Vinaigre. Et pendant qu'on y est, vous pourriez peut-être me dire qui a dévissé le nouveau numéro 59 de la salle de préparation de la section et l'a remplacé par ceci ? » Il m'a alors tendu un carton sur lequel quelqu'un avait écrit d'une écriture jeune et enthousiaste *Ancienne salle 75*. Cette écriture m'était étrangement familière d'ailleurs.

« Désolé, Devine, mais je n'en ai pas la moindre idée.

— C'est un vol, ni plus ni moins. Ces plaques coûtent quatre livres chacune. Cela fait cent treize livres pour les vingt-huit salles de classe et six d'entre elles ont déjà disparu ! Et je ne sais pas pourquoi cela vous fait sourire, Straitley. Je ne sais pas ce qu'il y a de drôle à ce que je viens de dire mais... »

— Sourire, moi ? Pas du tout ! Comme vous, je pense que brouiller les numéros des salles de classe est un acte intolérable ! » J'ai réussi cette fois à ne pas sourire mais Pisse-Vinaigre n'a pourtant pas paru très convaincu.

« Eh bien, moi, je vais entreprendre une enquête. Je vous serais reconnaissant de bien vouloir ne pas garder les yeux dans votre poche. Je veux connaître le coupable. Ce genre de délit ne peut pas rester impuni. C'est tout simplement scandaleux ! Depuis des années, la sécurité à l'école est terriblement négligée et je l'ai toujours dit ! »

Devine voulait voir installer des caméras de surveillance dans le couloir de la mezzanine – ostensiblement pour assurer la sécurité mais, au fond, pour être capable d'observer ce que tous les autres font : qui permet aux élèves de regarder le match de cricket au lieu de faire des révisions pour l'examen, qui fait des mots croisés pendant les tests d'écoute, qui arrive régulièrement avec vingt minutes de retard, qui sort de sa classe pendant un cours pour aller prendre une tasse de café, qui laisse les élèves chahuter, qui prépare consciencieusement ses cours et qui s'en remet à la dernière minute à ses talents d'improvisateur.

Oh ! il aimerait avoir tout cela sur pellicule ! Il aimerait avoir des preuves tangibles de nos petits défauts, de nos petites incompétences. Il aimerait être capable de prouver (au cours d'une inspection générale, par exemple) qu'Isabelle arrive souvent en retard, que Pearman oublie parfois complètement de venir à sa leçon, qu'Eric Scoones se met quelquefois en colère et flanque une taloche à un élève, qu'il est bien rare que je me serve de stimuli visuels pour faire de l'enseignement par l'image, que Gerry Grachvogel a des ennuis de discipline malgré les méthodes d'avant-garde qu'il utilise. Moi, bien sûr, je sais tout cela, Devine le soupçonne seulement.

Je sais aussi que la mère d'Eric souffre d'Alzheimer et qu'il fait beaucoup d'efforts pour pouvoir la garder chez elle, que la femme de Pearman a le cancer, que Grachvogel a des tendances homosexuelles et qu'il a peur. Pisse-Vinaigre, claquemuré comme il l'est dans sa tour d'ivoire – l'ancien bureau de la section d'humanités –, n'a aucune idée de ces choses-là. Et il s'en fout ! Ce qui compte pour lui, ce n'est pas comprendre, c'est savoir.

La leçon terminée, j'ai discrètement sorti mon passe-partout et je suis allé inspecter le casier d'Allen-Jones. J'y ai découvert, bien sûr, les six plaques, un jeu de petits tournevis et les vis elles-mêmes. J'ai tout confisqué. À midi, je vais demander à Jimmy de bien vouloir remettre les plaques sur les portes. Fallow aurait sans doute voulu savoir pourquoi et serait allé directement tout raconter à Devine.

Cela ne valait pas la peine de faire une montagne de cette histoire et si Allen-Jones a le moindre grain de bon sens, il ne dira rien non plus. En refermant le casier, j'ai remarqué un paquet de cigarettes et un briquet dissimulés derrière un exemplaire de *Jules César*. J'ai décidé de fermer les yeux.

Comme j'étais libre le reste de l'après-midi, j'aurais normalement bien aimé rester dans ma salle. Meek devait malheureusement y faire cours de maths à un groupe de quatrième, j'ai donc dû me réfugier dans la salle de travail – une salle non-fumeur, hélas – pour bavarder tranquillement avec ceux de mes collègues qui se trouvaient libres eux aussi.

La salle de travail est très mal nommée. C'est une sorte de bureau pour l'ensemble des professeurs, avec des tables au milieu et des casiers tout autour. C'est là que, sous prétexte de corrections, on se communique les dernières nouvelles. C'est là que l'on voit naître rumeurs et commérages. La pièce a d'ailleurs l'avantage supplémentaire d'être exactement située au-dessous de ma salle de classe. Bienheureuse coïncidence ! Cela me permet de laisser mes élèves travailler en silence pendant que je vais prendre une tasse de thé ou lire le *Times* dans un cadre sympathique. De là, je peux entendre le moindre bruit qui vienne de l'étage supérieur, je peux même reconnaître la voix de celui qui a bavardé. En un instant, je peux me lever, appréhender le coupable et le punir pour son écart de conduite. J'ai acquis ainsi une réputation d'omniscience qui m'est parfois bien utile.

C'est dans cette salle de travail que j'ai donc trouvé Chris Keane, Kitty Teague, Robbie Roach, Eric Scoones et Paddy McDonaugh, chargé de l'histoire religieuse. Keane lisait en prenant de temps en temps des notes dans un petit carnet relié de cuir rouge. Kitty et Scoones remplissaient des fiches individuelles – des fiches sur lesquelles sont inscrits résultats trimestriels, conduite et progrès des élèves de la section. McDonaugh buvait une tasse de thé tout en parcourant des yeux *L'Encyclopédie des démons et des possédés*. Moi, je pense quelquefois qu'il prend sa matière un peu trop au sérieux.

Roach semblait très absorbé par la lecture de son journal. Il a soudain laissé tomber : « Encore trente-sept ! » Et comme personne ne lui posait de questions, il nous a donné une explication. « Encore trente-sept jours de classe avant les vacances de la Toussaint ! »

McDonaugh a poussé un grognement. « Et depuis quand peux-tu parler de faire le moindre *vrai* travail, toi ?

— J'ai déjà assez travaillé ! a répliqué Roach en tournant la page de son journal. N'oubliez pas que pendant le mois d'août j'ai fait un camp de vacances. » La seule contribution de Roach aux activités extrascolaires de l'École est le séjour de trois semaines qu'il fait tous les étés en camp au pays de Galles. Il part en minibus et emmène les garçons faire de la randonnée, du canoë, du kart, et jouer aux petits soldats avec des fusils à peinture. C'est d'ailleurs la seule chose qu'il aime vraiment. Il peut alors porter un jean tous les jours et encourager les garçons à l'appeler par son prénom. Il affirme pourtant qu'il s'agit là d'un énorme sacrifice de sa part et se sert de cette excuse pour se la couler douce tout le reste de l'année.

« Le camp, ah oui ! » a ricané McDonaugh.

Scoones les a dévisagés d'un air de désapprobation. Il a fait remarquer d'un ton glacial : « Je croyais que, dans cette pièce, il était entendu que nous devions tous travailler en silence. » Et il s'est remis à remplir les fiches d'un air sombre.

Le silence est tombé pendant quelque temps. Eric est un brave type mais sujet à de terribles sautes d'humeur. Un autre jour, il aurait pu être tout à fait heureux de bavarder un peu mais aujourd'hui, il semblait morose. J'ai pensé que la nouvelle arrivée dans la section de français pourrait bien être la cause de cela. Cette jeune miss Dare est intelligente, ambitieuse – une rivale de plus, et une femme par-dessus le marché ! Un vieux *baron* comme Scoones n'apprécie pas du tout d'avoir à ses côtés une femme plus jeune que lui d'une trentaine d'années. Depuis quinze ans au moins, il attend de l'avancement. Il est trop tard pour lui maintenant. Il est trop vieux, trop difficile à vivre. Tout le monde le sait, sauf lui. Alors, n'importe quel changement dans le département ne sert qu'à lui rappeler qu'il ne rajeunit pas.

Kitty m'a lancé un coup d'œil plein d'humour, ce qui a bien confirmé mes soupçons. Elle m'a murmuré : « De petites tâches administratives à remplir. Dans la pagaille de la fin du trimestre dernier, ces fiches-là se sont trouvées oubliées. »

Ce qu'elle veut vraiment dire, c'est que *Pearman* les a oubliées. J'ai vu son bureau. Il déborde de papiers qu'il a négligé

71

de remplir, de formulaires importants noyés dans un océan de mémos qu'il n'a jamais lus, de dissertations perdues, de cahiers oubliés, de vieilles tasses à café, d'épreuves d'examen, de notes polycopiées et de petits griffonnages compliqués qu'il fait lorsqu'il est au téléphone. D'accord, mon bureau à moi pourrait bien vous sembler peu différent du sien mais, dans le mien, je peux mettre immédiatement la main sur ce que je cherche. Pearman, lui, serait totalement perdu si Kitty n'était pas là pour le sortir du pétrin.

Toujours provocateur, je lui ai demandé : « Et la nouvelle, comment est-elle ? »

D'un ton exacerbé, Scoones m'a répondu : « Un peu trop fine et ça va lui attirer des ennuis ! »

Kitty a souri d'un air d'excuse et elle a expliqué : « Elle a des idées originales, je suis sûre qu'elle se calmera.

— Si vous écoutez Pearman, elle sort au moins de la cuisse de Jupiter ! a ajouté Scoones en ricanant.

— On s'y serait attendu ! »

Pearman, tout le monde le sait, apprécie la beauté féminine. On raconte qu'Isabelle Tapi n'aurait jamais obtenu de poste à Saint Oswald si ce n'avait été pour la minijupe dont elle était dévêtue le jour de son entretien.

Kitty a secoué la tête : « Je suis certaine qu'elle va parfaitement bien s'intégrer ici. Elle est pleine d'idées ! »

Scoones a marmonné : « Je pourrais aussi vous dire de quoi d'autre elle est pleine... Elle représente la pire camelote universitaire ! Avant que nous ayons eu le temps de nous en apercevoir, ils nous auront remplacés par de jeunes blancs-becs boutonneux qui auront acheté leur diplôme en solde à Prisunic. Et tout ça, pour faire des économies ! »

Keane écoutait la conversation, je le voyais bien. Il souriait et prenait des notes. Je me suis dit qu'il accumulait peut-être du matériel pour son grand roman. McDonaugh continuait à lire l'étude sur les démons. Robbie Roach approuvait d'un signe de tête plein d'amertume.

Comme d'habitude, Kitty a fait un effort de conciliation : « C'est vrai, nous devons tous nous serrer la ceinture, même dans le cas de notre allocation de fonds pour les manuels scolaires. »

Roach l'a interrompue : « À qui le dites-vous ? Nous, dans la section d'histoire, nous recevons quarante pour cent de moins que l'année dernière. L'état de ma salle de classe est un vrai scandale. La pluie y entre par le plafond. Je me tue au travail et que font-ils, eux ? Ils sont prêts à dépenser trente mille livres à l'achat d'ordinateurs dont personne ne veut. Et les réparations du toit alors ? Et la peinture du couloir de la mezzanine ? Et le lecteur de DVD que je réclame depuis Dieu sait quand ? »

McDonaugh a alors grommelé. « Et n'oubliez pas les réparations de la chapelle ! nous a-t-il rappelé. Ils n'ont qu'à augmenter de nouveau les frais de scolarité tout simplement. Cette fois, ils ne pourront sûrement plus éviter ça !

— Mais les frais de scolarité ne peuvent pas être augmentés a dit Scoones, oubliant qu'il venait de réclamer le silence. Nous perdrions immédiatement la moitié de nos élèves. Il y a d'autres *grammar schools*, vous savez, et certaines sont même meilleures que la nôtre, si vous voulez la vérité ! »

J'ai murmuré tout bas : « *Il y a un autre monde là-bas !* »

Roach a bu son café jusqu'à la dernière goutte et a déclaré : « J'ai entendu dire que certains faisaient pression pour que l'on vende une partie du domaine de l'École. »

Scoones, un fervent joueur de rugby, s'est écrié d'une voix pleine d'indignation : « Quoi ? Pas les terrains de rugby quand même ?

— Non, pas les terrains de rugby, s'est empressé d'expliquer Roach. Seulement les champs derrière les courts de tennis. Personne ne les utilise de nos jours sauf les garçons qui vont s'y cacher pour fumer une cigarette. De toute façon, pour le sport, ils sont inutilisables, ils sont le plus souvent réduits à un marécage. On ferait mieux de s'en débarrasser, de les vendre à un entrepreneur pour la construction ou quelque chose de ce genre. »

Construction : cela ne présageait rien de bon. Un supermarché peut-être, ou un bowling où les collégiens de Sunny Bank Park se retrouveraient après l'école pour leur ration quotidienne de bière et de jeux de quilles.

« Sa Majesté n'aimera sûrement pas cette idée-là, a fait remarquer McDonaugh d'un ton sec. Il ne voudra pas être pour la postérité connu comme l'homme qui a vendu Saint Oswald ! »

Roach a suggéré d'un ton vaguement mélancolique : « L'École deviendra peut-être mixte... Toutes ces filles en uniforme, pouvez-vous imaginer ça ? »

Scoones en a frémi d'horreur : « Beurk ! Non, merci bien ! »

Dans le court silence qui a suivi, j'ai soudain pris conscience d'un vacarme au-dessus de ma tête, un martellement de pieds, un bruit de chaises que l'on déplaçait, de voix qui s'élevaient de plus en plus. J'ai levé les yeux.

« C'est votre classe ? »

J'ai fait non de la tête. « C'est celle du nouveau barbu de la section d'informatique. Il s'appelle Meek !

— Ça alors, il est bien nommé ! » a ricané Scoones.

Le tintamarre de pieds et de chaises continuait. Il est soudain monté en un crescendo au-dessus duquel j'ai vaguement cru entendre de faibles bêlements : *la Voix de leur Maître* sans doute.

« Je crois que je ferais bien d'aller voir ce qui se passe ! »

Il est toujours un peu gênant d'avoir à intervenir dans la classe d'un collègue. Je ne l'aurais pas fait d'habitude – nous avons tendance à ne pas nous mêler de la discipline des autres à Saint Oswald – mais cela se passait dans *ma* salle de classe et je me sentais une vague responsabilité dans ce chahut-là. J'ai donc monté l'escalier de la tour du clocheton quatre à quatre en me disant que cela ne serait sans doute pas la dernière fois non plus. À mi-hauteur, j'ai rencontré Devine. « C'est votre classe qui fait ce vacarme-là ? »

Je me suis rebiffé : « Bien sûr que non ! C'est celle de cette lavette de Meek ! Voilà ce qui arrive lorsque l'on permet aux masses d'avoir accès à l'informatique !

— J'espère bien que vous allez y mettre fin, a dit Pisse-Vinaigre On entend le bruit de l'autre bout du couloir de la mezzanine. »

Il a un certain culot, ce type-là quand même. D'un air très digne, j'ai déclaré : « Vous me permettrez de reprendre mon souffle. Ces escaliers-là me paraissent chaque année un peu plus raides ! »

Devine a ricané : « Si vous ne fumiez pas tant, peut-être pourriez-vous grimper quelques marches. » Et sur ces mots, il a disparu, comme toujours, à vive allure.

Cette rencontre avec Pisse-Vinaigre dans l'escalier n'avait
rien fait pour calmer ma colère. Je me suis adressé immédiatement à la classe sans prêter la moindre attention à la pauvre
lopette assise au bureau du professeur. J'ai été particulièrement
furieux de découvrir que certains des miens faisaient partie des
coupables. Le sol de la classe était jonché d'avions de papier.
Un bureau était renversé. Cavalier, debout près de la fenêtre,
faisait visiblement l'imbécile car les autres riaient à gorge
déployée.

À mon entrée, le silence s'est immédiatement fait. J'ai
entendu un avertissement : « Arrête, c'est Quaz ! » Cavalier a
essayé, mais trop tard, de se débarrasser de la toge dont il s'était
affublé.

En se retournant, il m'a aperçu et s'est immédiatement
redressé avec effroi. Il avait entièrement raison d'avoir peur. Il
avait été pris sur le fait avec ma toge et en train de m'imiter.
Il n'y avait aucun doute : cette expression simiesque, cette
démarche, ce boitillement. Oui, c'était bien moi. À cette
seconde-là, il a dû faire des vœux pour que l'Enfer l'engloutisse.

Je dois admettre que cela m'a surpris de Cavalier, quand
même : un garçon sournois, pas très sûr de lui, d'habitude tout
à fait heureux de laisser faire les autres quitte à s'en amuser
d'ailleurs. Le seul fait que même lui ait osé faire l'idiot en dit
long sur la discipline de Meek.

« Vous, à la porte ! » Souvent, un chuchotement bien clair et
chargé d'électricité est mille fois plus efficace qu'un grand coup
de gueule.

Cavalier a hésité une seconde : « Monsieur, ce n'était pas
pour...

— À la porte ! »

Cavalier est sorti très rapidement, et je me suis retourné vers
les autres. Un moment, j'ai laissé le silence lourd de menaces
faire son effet. Personne n'a levé les yeux. « Quant à vous, messieurs, si jamais j'entends la voix d'un seul d'entre vous, même
peu élevée, sortir de cette salle, vous serez tous en retenue :

coupables, comparses et supporters silencieux par-dessus le marché. Vous m'avez tous bien compris ? »

Toutes les têtes se sont inclinées à la fois. Parmi les coupables, j'ai reconnu Allen-Jones et McNair, Sutcliff, Jackson et Anderton-Pullit, la moitié de ma classe, quoi ! J'ai secoué la tête d'un air de profond mépris : « Je m'attendais à mieux de votre part, quatrième S ! Je vous avais pris pour des garçons bien élevés ! »

Sans détacher les yeux de son pupitre, Allen-Jones a murmuré : « Je vous présente mes excuses, monsieur ! »

J'ai dit : « C'est à Mr. Meek que vous devez adresser vos excuses.

— Pardon, monsieur !

— ... monsieur !

— ... sieur ! »

Meek se tenait maintenant tout droit sur l'estrade. Debout à côté de mon énorme bureau, il paraissait encore plus petit et plus insignifiant. Son visage disparaissait derrière la barbe et les yeux. Il avait l'air blessé. Il ressemblait à un lapin effrayé, ou mieux à un sapajou.

« Hum ! Merci, monsieur Straitley. Je pense que je pourrai me... m'débrouiller maintenant. »

Je suis sorti. En me retournant pour refermer la porte vitrée derrière moi, j'ai surpris un instant le regard de Meek. Du haut de son perchoir, il me suivait des yeux. Il a immédiatement détourné la tête, mais pas assez rapidement pour que je n'aie le temps de remarquer son expression.

Il n'y a aucun doute dans mon esprit. Aujourd'hui, je me suis fait un ennemi, silencieux, peut-être, mais un ennemi quand même. Plus tard, bien sûr, il viendra dans la salle des profs me remercier d'être intervenu. Pourtant, quels que soient nos efforts, rien ne pourra changer le fait qu'il a été humilié devant un groupe d'élèves et que j'ai été témoin de cette humiliation.

Son expression m'a quand même fait tressaillir. C'était comme si un visage secret s'était révélé derrière le masque ridicule, la petite barbiche et les yeux de galago, un visage sur lequel on lisait peut-être la faiblesse, mais une haine implacable aussi.

6

Je me sens comme un gosse qui vient de recevoir son argent de poche et entre dans une confiserie. Par où vais-je commencer ? Pearman, Mat, Straitley ou Strange ? Non ! Plus bas. Par le gros Fallow par exemple qui a remplacé mon père avec une si veule arrogance ? Ou par ce crétin de Jimmy ? Ou par l'un des nouveaux ? Peut-être par le proviseur lui-même ?

J'aime cette idée-là, je dois le confesser, mais ce serait bien trop facile – non, pas le proviseur ! D'ailleurs, c'est au cœur de Saint Oswald que je veux frapper. Je veux en provoquer la chute totale. Renverser quelques gargouilles ne me suffirait pas. Les Saint Oswald de ce monde ont la vie dure. Ils renaissent de leurs cendres. Les guerres passent. Les scandales s'estompent. Les crimes eux-mêmes finissent par être oubliés.

En attendant l'inspiration, je vais remettre la décision à plus tard, quand l'occasion s'offrira à moi. D'ailleurs, j'éprouve à être ici le même plaisir que je ressentais autrefois lorsque j'étais gosse : ce délicieux plaisir d'enfreindre le règlement. Les choses ont si peu changé. Des ordinateurs tout neufs trônent peut-être d'un air gauche sur les nouvelles tables de plastique laminé, sous le regard sévère des anciens de Saint Oswald qui les contemplent d'un air désapprobateur du haut des tableaux d'honneur. L'odeur est peut-être un peu différente – moins de chou et plus de plastique, moins de poussière et plus de désodorisant – à part dans la tour du clocheton qui – et je dois en remercier Straitley – a gardé sa formule particulière de souris, de craie et de chaussures de sport à demi cuites par le soleil.

Mais les salles elles-mêmes n'ont pas changé du tout, avec leurs estrades géantes que les professeurs arpentent comme de vieux boucaniers sur leur gaillard d'arrière et leurs parquets de bois traîtreusement cirés tous les vendredis soir et que l'âge a teinté d'encre violette. La salle des profs non plus, avec ses vieux fauteuils qui tombent en morceaux, ni la salle des fêtes, ni la tour du clocheton. C'est ce délabrement honorable qui essaie de sauver les apparences, auquel Saint Oswald semble attacher du prix, et qui chuchote *tradition* d'une voix aguichante à l'oreille de tous les parents prêts à payer.

Enfant, j'avais ressenti comme une douleur profonde le poids de ce mot : tradition. Saint Oswald était si différent de Sunny Bank Park avec ses salles de classe sans caractère et son odeur agressive. À Sunny Bank Park, où les autres collégiens m'évitaient, où je n'éprouvais que mépris pour les professeurs qui s'affublaient de jeans et nous appelaient par nos prénoms, je ne me sentais jamais à l'aise.

J'aurais voulu qu'ils m'appellent Snyde comme l'auraient fait ceux de Saint Oswald. J'aurais voulu avoir à porter un uniforme et à dire « Sir » pour m'adresser à eux. À cette époque-là, à Saint Oswald, on utilisait encore la canne pour punir. Par comparaison, la façon de mon collège de faire respecter la discipline me semblait molle et relâchée. Mon professeur principal était une femme : Jenny McAuleigh. Peu exigeante, elle était jeune et jolie, et bien des garçons étaient amoureux d'elle, mais je n'éprouvais pourtant qu'un profond ressentiment à son égard. À Saint Oswald, il n'y avait pas de femmes ! Encore une fois, j'avais l'impression d'avoir obtenu le prix de consolation.

Là, pendant des mois, je dus subir violence, moqueries et le mépris des autres élèves aussi bien que celui des profs. On me chipait régulièrement mon argent pour la cantine, on me déchirait mes vêtements, on jetait mes livres par terre ; Sunny Bank Park était devenu intolérable. Je n'avais même plus besoin de feindre d'être malade. J'eus plus souvent la grippe au cours de ma première année là-bas que pendant tout le reste de ma vie. Je souffris de maux de tête et de cauchemars. Le lundi matin provoquait chez moi des nausées si violentes que mon père lui-même commença à s'en apercevoir.

Un jour, je m'en souviens très bien, un vendredi soir, j'ai essayé de lui parler. Pour une fois, il avait décidé de rester à la maison. C'était rare, mais Pepsi s'était trouvé un petit boulot dans un pub en ville. J'avais eu la grippe une fois de plus. Il était resté pour me préparer le repas du soir – rien de difficile : du poisson cuit dans l'eau bouillante dans sa papillote de plastique et des frites. Pourtant, c'était la preuve qu'il essayait de faire de son mieux. Il était exceptionnellement gentil. Les six bouteilles de bière à moitié vides à côté de lui semblaient avoir adouci son humeur perpétuellement querelleuse. Nous regardions la télévision en silence – un épisode des *Professionnels*. Ce soir-là, le silence était agréable plutôt que maussade. Demain, le week-end allait commencer – deux jours entiers sans devoir aller au collège ! Ce que je ressentais était une sorte de vague tendresse, très proche de la satisfaction. Je pouvais me sentir comme ça, certains jours, vous savez. Oui, certains jours, je pouvais vraiment croire qu'être l'enfant d'un Snyde n'était pas, après tout, la fin du monde, je pouvais apercevoir une lueur d'espoir, envisager la fin de ma longue peine à Sunny Bank Park, je pouvais imaginer une époque où rien de tout cela ne me paraîtrait plus important. J'ai tourné le regard vers mon père et j'ai surpris le sien. Il me regardait avec une expression curieuse, en tenant une bouteille entre ses gros doigts épais.

Je lui ai demandé avec audace : « Je peux en boire aussi ? »

Il a regardé la bouteille et me l'a tendue en disant : « D'accord ! Mais pas trop. Tu sais, je ne veux pas te voir t'enivrer ! »

J'ai bu avec plaisir le breuvage amer. Ce n'était pas la première fois, bien sûr, mais jamais auparavant avec l'autorisation de mon père. Je lui ai souri. À ma grande surprise, il m'a souri aussi. J'ai soudain pensé qu'il avait l'air très jeune, aussi jeune qu'à l'époque où il avait rencontré Maman sans doute. Pour la première fois, j'ai pensé que peut-être, si j'avais fait sa connaissance à cette époque-là, je l'aurais trouvé aussi sympathique qu'elle-même l'avait trouvé, ce grand garçon doux et farceur, et que nous aurions même pu devenir copains.

Il m'a dit : « On se débrouille bien sans elle, nous deux, hein ? » J'ai ressenti comme un coup aux creux de l'estomac : il avait deviné ce que je pensais.

« Je sais bien que la vie n'est pas rose pour toi, a-t-il poursuivi, avec le départ de Maman et tout ça, et ce nouveau collège. Je parie qu'il faut un bon bout de temps pour s'y habituer, hein ? »

J'ai répondu oui d'un signe de tête. J'osais à peine espérer.

« Tes maux de crâne et tout ça, les excuses, t'as des ennuis à l'école, c'est ça ? Les autres, i's t'emmerdent ? »

De nouveau, j'ai hoché la tête. Maintenant qu'il savait, il allait se détourner de moi. Il n'éprouvait que du mépris pour les froussards. Ses formules magiques étaient celles-ci : *cogne d'abord, parle ensuite, plus ils sont grands et plus ils tombent de haut*, et finalement : *tu peux toujours te dire, c'est comme d'la pluie sur une queue de canard*. Cette fois pourtant il ne s'est pas détourné. Il m'a jeté un regard rassurant en me disant : « Ne t'en fais pas, je vais régler cela, j'te l'promets ! »

Alors, mon cœur a débordé de cette chose lamentable : un début de soulagement, d'espoir, de joie presque. Mon père avait deviné. Il avait compris. Il avait promis de régler tout cela. Soudain, à mon grand étonnement, j'ai eu la vision d'un père se dirigeant vers le portail du collège comme un héros épique, un père plus grand que nature et splendide de colère et de détermination. Je l'ai vu aller tout droit vers mes plus grands bourreaux, les assommer puis courir vers Mr. Bray, le prof de gym, et l'étendre à terre d'un coup de poing, je l'ai vu surtout – et quelle joie cela a été pour moi ! – se camper devant miss McCauleigh et lui déclarer : « *Ma p'tite dame, vous pouvez vous le foutre où j'pense, votre sacré bon dieu de collège, nous en avons trouvé un autre !* »

Papa me contemplait toujours avec ce sourire heureux. « Tu n'vas p't'être pas m'croire, mais moi aussi, j'ai connu ça : les gros durs, les grands baraqués... I'y en a partout, i's sont toujours en train d'voir jusqu'où on les laissera aller. J'n'étais pas ben grand non plus quand j'étais gosse. Au début, j'n'avais pas beaucoup d'copains. Crois-moi ou pas, mais c'est moi qui t'l'dis, je sais exactement comment qu'tu t'sens ! Et j'sais aussi c'qu'i' faut y faire ! »

Je me souviens encore de ce moment-là : cette bienheureuse confiance que j'avais en lui qui, dans le chaos de ma vie, rétablissait l'ordre. J'avais de nouveau six ans. J'avais foi en lui, il était mon sauveur. En toute occasion, c'était incontestable, Papa savait toujours ce qu'il fallait faire.

« Quoi ? » ai-je demandé d'une voix à peine audible.

Il a fait un clin d'œil et a déclaré : « Des l'çons de karaté !

— Des leçons de karaté ?

— Ouais, tu sais : kung-fu, Bruce Lee et tous ces trucs-là ! J'connais un type que j'vois au pub de temps en temps. I'donne des cours le sam'di matin. Allez, tu vois ! Tout ira comme sur des roulettes. Cogne d'abord, t'auras toujours l'temps d'parler ensuite : n'accepte de t'laisser emmerder par personne ! »

Incapable de réagir, je l'ai dévisagé. Je me souviens encore de la moiteur froide de la bouteille de bière que je tenais à la main. À la télévision, Bodie et Doyle, eux non plus, ne se laissaient emmerder par personne. Sur le canapé, en face de moi, John Snyde me regardait avec un sourire d'anticipation. Il attendait de ma part une réaction de plaisir et de gratitude inévitable.

C'était donc cela sa merveilleuse solution ? Des leçons de karaté données par un type du pub. Si mon cœur ne s'était pas brisé dans ma poitrine, j'aurais pu éclater de rire. Ah ! Je l'imaginais bien cette leçon du samedi : une vingtaine de jeunes durs du quartier ouvrier, des fans de *Street Fighter* et *Kick Boxer II* ! Avec un peu de chance, j'aurais même l'occasion d'y retrouver les pires de mes bourreaux de Sunny Bank Park tout heureux d'avoir ainsi l'occasion de me taper dessus dans un cadre totalement différent.

« Eh bien, qu'est-ce que tu en dis ? » a demandé mon père. Il avait toujours le sourire. Sans avoir à faire d'effort, je voyais en lui le garçon qu'il avait été autrefois, le garçon qui avait du mal à apprendre à l'école, la future brute. Il avait l'air si absurdement content de l'idée qu'il avait eue, il était si loin de la réalité que, contrairement à ce que j'aurais pu croire, je ne ressentais pour lui ni mépris, ni colère, simplement une profonde tristesse d'enfant adulte.

« Oui, d'accord, ai-je enfin répondu.

— Je t'avais bien dit que j'allais arranger tout ça, hein ? »

J'avais dans la bouche un goût affreux et amer, j'ai pourtant hoché la tête.

« Allez ! Viens faire une grosse bise à ton vieux papa ! »

Alors, malgré ce goût affreux dans la bouche, j'ai obéi. J'ai respiré la fumée de sa cigarette, l'odeur de sa sueur, la puanteur de son haleine de buveur de bière et les relents de boules à mites de son pull de laine. Alors, j'ai fermé les yeux et j'ai pensé : *personne ne sera jamais là pour moi.*

À ma grande surprise, je ne souffrais pas autant que je l'aurais pensé. Après, nous avons repris le fil de la série que nous regardions, *Les Professionnels.* Et pendant quelques semaines, j'ai fait semblant d'aller à ces leçons de karaté, au moins jusqu'à ce que l'attention de mon père se tourne vers autre chose.

Les mois passaient. Ma vie à Sunny Bank Park était devenue une morne routine. Je me débrouillais du mieux que je pouvais, la plupart du temps, et de plus en plus souvent, en évitant d'y être. Pendant l'heure de midi, je m'esquivais pour aller errer dans le domaine de Saint Oswald. Le soir, je rentrais en courant à la maison pour assister aux matchs après l'école ou pour regarder par les fenêtres. J'entrais même parfois à l'intérieur du bâtiment pendant les heures de cours. Je connaissais toutes les cachettes. J'avais appris à me rendre invisible. En uniforme (fait de divers vêtements égarés ou volés) on pouvait même dans un couloir me prendre pour un élève.

Au fur et à mesure que le temps passait, mon audace décuplait. Un jour de fête sportive, je me mêlai à la foule des élèves. Avec un maillot bien trop grand, trouvé et volé dans un casier du couloir du haut, je me perdis dans la masse des concurrents. Je me présentai comme élève de sixième et, le succès me montant à la tête, je courus un huit cents mètres pour Amadeus avec les autres. Je n'oublierai jamais les acclamations des membres d'Amadeus lorsque je franchis la ligne d'arrivée, ni la manière dont le professeur de service – Patrick Mat, plus jeune à l'époque et plus athlétique, avec sa culotte de sport et son haut de survêtement aux couleurs de l'École – ébouriffa mes cheveux très courts en me disant : « Bravo, mon p'tit gars. Deux points pour Amadeus ! Viens me voir lundi à la réunion de l'équipe ! »

Il n'était pas question bien sûr de faire partie de l'équipe. La tentation était grande pourtant, mais je n'osais quand même pas aller jusque-là. Déjà, mes visites à Saint Oswald étaient aussi fréquentes que je pouvais me le permettre. Même si mon visage était d'une telle banalité qu'il me rendait invisible parmi les autres, je savais pertinemment bien qu'un jour ou l'autre je me ferais remarquer, à moins d'exercer la plus grande prudence.

Mais le risque était devenu une drogue. J'en prenais de plus en plus grands. J'entrais à la récréation, achetais des bonbons à la coopérative de l'École, assistais aux matchs de football au cours desquels je brandissais le foulard de Saint Oswald pour narguer les supporters de l'équipe rivale. Éternel douzième chasseur, je restais dans l'ombre du pavillon de cricket où je me cachais. Un jour, je posai même pour la photo annuelle de l'École entière en me faufilant dans un coin parmi les élèves de sixième, nouvellement arrivés.

Pendant la seconde année, je découvris le moyen de m'introduire à Saint Oswald pendant les cours. Pour cela, il me fallait louper mon propre après-midi de plein air. C'était très simple. Le lundi après-midi, nous devions toujours faire un cross-country qui nous forçait à longer tout le domaine de Saint Oswald et, après avoir décrit une grande boucle, nous ramenait au portail de notre collège. Les autres détestaient cela. Pour eux, le domaine de Saint Oswald était une sorte d'insulte qui provoquait leurs moqueries et leurs sifflets. Après leur passage, on découvrait souvent des graffitis sur les murs de briques qui l'entouraient. Personnellement, j'éprouvais toujours une cruelle et terrible honte à l'idée qu'à nous observer quelqu'un pût imaginer que je fisse partie des coupables. Et puis, je découvris que, si je me cachais derrière un buisson et que je laissais les autres me dépasser, je pouvais très bien revenir sur mes pas à travers champs et me permettre de passer l'après-midi entier à Saint Oswald.

D'abord, j'agis avec précaution. Je me cachai à l'intérieur du domaine et chronométrai l'arrivée du groupe de plein air. J'établis un plan méticuleux. Je savais pouvoir compter sur un minimum de deux heures avant que le gros du peloton du cross-country ne revînt au collège. Je calculai que cela me suffirait pour me permettre de me changer de nouveau et de reprendre mon équipement de sport avant de rejoindre la queue des retardataires sans que l'on se fût aperçu de mon absence.

Deux profs avaient l'habitude de nous accompagner, l'un devant, l'autre à l'arrière. Mr. Bray, un sportif qui n'avait pas réussi à percer, était d'une vanité colossale et son humour avait la subtilité de coups de matraque. Il avait une préférence très marquée pour les bons athlètes et les jolies filles et jugeait tous les autres avec un mépris total. Miss Potts était une jeune stagiaire. Elle se tenait généralement à l'arrière où elle régnait sur sa petite cour – une clique de filles qui l'admiraient beaucoup – sous prétexte de leur donner des conseils. Comme ni l'un ni l'autre ne prêtaient la moindre attention à moi, ni l'un ni l'autre ne remarquerait mon absence.

C'est sous l'escalier du pavillon des sports que je pris l'habitude de dissimuler l'uniforme volé – pull et pantalon gris, cravate de l'École, blazer bleu marine avec l'écusson de l'École et la devise *Audere Agere Auferre* brodée en lettres d'or sur la poche de poitrine –, c'est là que je me changeais. Jamais je ne me fis remarquer. Les après-midi de plein air étant régulièrement le mercredi et le jeudi à Saint Oswald, on ne pouvait donc me surprendre là un lundi. Pourvu que je m'assure d'être de retour au collège pour la fin des cours de l'après-midi, mon absence continuerait à ne pas être relevée.

La nouveauté de me trouver à l'intérieur de l'École pendant les cours me suffit au début. Je pouvais circuler dans les couloirs sans que personne m'interrogeât. Certaines des leçons étaient tumultueuses, d'autres, au contraire, se déroulaient dans un silence à en donner le frisson. Je les observais à travers les portes vitrées. Je voyais les têtes inclinées au-dessus des bureaux, les flèches de papier furtivement lancées lorsqu'un maître avait le dos tourné, les messages passés en secret sur des bouts de papier. J'écoutais à la serrure des portes closes et des bureaux fermés à clef.

L'endroit que je préférais entre tous, pourtant, était la tour du clocheton. Un dédale de petites salles de classe – rarement utilisées pour la plupart – de débarras, de pigeonniers, de grands placards, deux salles de classe, une grande et une petite, toutes deux appartenant à la section des humanités – et un vieux balcon de pierre tout branlant par lequel j'avais accès au toit. Là je m'étendais invisible sur les ardoises chaudes. J'écoutais le bourdonnement monotone des voix qui s'élevaient des fenêtres ouvertes du couloir de la mezzanine, et je prenais des notes dans le cahier que j'avais dérobé. C'est ainsi que je pus suivre un certain nombre de cours de latin que Mr. Straitley donnait aux élèves de sixième, des cours de physique aussi, donnés par Mr. Mat aux cinquième, et des cours d'histoire de l'art donnés par Mr. Langdon. Je lus *Sa Majesté des Mouches* avec les quatrièmes de Bob Strange et je lui rendis même quelques dissertations, déposées dans son casier dans le couloir (et récupérées en secret le lendemain dans son armoire, notées et corrigées avec un message en grandes lettres rouges dans le haut, à droite : NOM ? !). Je l'avais enfin trouvé, mon coin. Bien solitaire, peut-être, mais cela n'avait plus aucune importance maintenant. Saint Oswald et tous ses trésors étaient là, à ma disposition. Qu'aurais-je pu désirer d'autre ?

C'est alors que je rencontrai Léon et que tout changea pour moi.

C'était par une de ces journées de fin de printemps belles à en rêver, toutes dorées de soleil, une de ces journées qui éveillaient en moi une passion si violente pour Saint Oswald qu'aucun élève ordinaire n'aurait pu en ressentir une semblable. Mon audace me paraissait ne connaître aucune limite. Cette guerre – unilatérale – que je menais contre Saint Oswald depuis notre première rencontre avait bien évolué : d'abord la haine, puis l'admiration, la colère et la poursuite inlassable. Ce printemps-là pourtant, je vivais une sorte de trêve. Alors que je rejetais le collège de Sunny Bank Park, j'avais commencé à espérer que le grand corps de Saint Oswald allait peut-être lentement m'absorber. Je n'étais plus une substance étrangère et dangereuse sournoisement introduite dans ses veines pour le détruire mais l'antigène qui au contraire allait, peut-être, déclencher en lui une réaction qui serait bénéfique plus tard.

Bien sûr, l'injustice dont Saint Oswald était le symbole me remplissait toujours de colère – ces frais de scolarité que mon père n'aurait jamais pu se permettre de payer et le fait qu'avec ou sans ressources les portes de cette École-là me seraient toujours fermées. Malgré cela, pourtant, un certain rapport s'était établi entre nous, une sorte d'association bienfaisante comme il en existe peut-être entre le requin et la lamproie. Je prenais conscience du fait que je n'avais pas à être le parasite de Saint Oswald, que je pouvais lui être utile comme il l'était pour moi. J'avais commencé à noter les choses à réparer : vitres fêlées, tuiles détachées, bureaux abîmés. J'en recopiais les détails dans le cahier des réparations à faire que l'on gardait dans la loge du *porter* et, pour éviter les soupçons, j'y apposais les initiales de divers professeurs. Mon père s'en occupait alors très consciencieusement et cela me remplissait d'orgueil de penser qu'à ma façon je pouvais ainsi me rendre utile. Saint Oswald, sans doute, approuvait mon action.

C'était un lundi. J'avais erré dans le couloir de la mezzanine, j'avais écouté aux portes. Ma leçon de latin de l'après-midi était terminée. Je me demandais si je devais me diriger vers la bibliothèque ou vers le pavillon des beaux-arts pour me mêler à ceux qui y passaient une heure d'études, ou si je ne devais pas plutôt aller au réfectoire qu'à cette heure-là le personnel aurait déjà quitté, voler quelques-uns des biscuits laissés à l'intention des professeurs pour leur réunion à la fin de l'après-midi.

Le choix qui s'offrait à moi m'absorbait tellement que, au moment de tourner vers le couloir du haut, j'ai presque bousculé un garçon qui se tenait là, debout contre le mur, les mains dans les poches, juste sous le tableau d'honneur. Il devait avoir un ou deux ans de plus que moi – quatorze ans donc – ; visage intelligent, traits fortement accusés, yeux gris, regard étincelant. J'ai remarqué qu'il avait les cheveux un peu longs pour un garçon de Saint Oswald et que l'extrémité de sa cravate qui sortait de son pull – il aurait été réprimandé pour cela – avait été coupée aux ciseaux. Je me suis dit, avec une certaine admiration, que c'était sûrement un rebelle que j'avais là devant moi.

« Fais donc un peu attention où tu vas ! » m'a-t-il dit.

C'était bien la première fois qu'un élève de Saint Oswald prenait la peine de s'adresser à moi. Je l'ai dévisagé avec fascination.

« Qu'est-ce que tu fais ici ? » Je savais très bien que la salle du bout du couloir du haut était un bureau de prof, pour y avoir déjà pénétré une fois ou deux – un petit cabinet mal aéré, encombré de papiers, où, du bord d'une haute fenêtre étroite, d'énormes plantes vertes, apparemment indestructibles, étiraient leurs menaçants tentacules.

Le garçon m'a fait un grand sourire grimaçant. « C'est Quaz qui m'a foutu à la porte. Je vais sans doute m'en tirer avec seulement un avertissement ou une retenue. Il n'utilise jamais la canne, lui.

— Quaz ? » Ce surnom-là ne m'était pas inconnu. Je l'avais entendu dans la bouche des élèves à la fin des cours. Je savais très bien qu'il s'agissait d'un surnom mais j'étais incapable d'y mettre un visage.

« Il vit dans la tour du clocheton... Il r'ssemble à une gargouille... » Le garçon a souri de nouveau et a continué : « Un peu *podex* mais vraiment un chic type. Je vais l'avoir au baratin ! »

Ma fascination se colorait maintenant de profond respect. Ce qu'il venait de dire me remplissait de stupéfaction. La façon dont il avait parlé d'un professeur – non comme d'un être dont l'autorité était terrifiante mais comme d'un objet de moquerie – m'ôtait la parole. Et, encore plus étonnant, ce garçon, ce rebelle qui osait enfreindre le règlement de Saint Oswald, me mettait sur un pied d'égalité avec lui. Il n'avait pas la moindre idée de mon identité.

Jusque-là je n'avais jamais pensé pouvoir trouver un allié à Saint Oswald. Toutes mes visites s'étaient déroulées dans un anonymat terrible. Je n'avais pas de copain à qui les raconter et me confier à mon père ou à Pepsi était totalement hors de question. Ce garçon-là, par contre...

Ayant enfin retrouvé l'usage de la parole, j'ai demandé : « Un *podex*, c'est quoi exactement ? »

Le garçon s'appelait Léon Mitchell. Je lui ai dit que j'étais Julien Dutoc, élève de sixième. À cause de ma petite taille, j'avais pensé qu'il me serait plus facile de passer pour un élève d'une année autre que la sienne. Ainsi Léon ne pourrait pas être intrigué s'il ne m'apercevait pas à l'assemblée des cinquième ou à leur après-midi de plein air.

J'ai failli m'évanouir en pensant à l'énormité de ce bluff. Je débordais de joie aussi. C'était vraiment tellement facile. Et si j'étais capable de tromper ce garçon-là, pourquoi pas les autres, ou même les profs ?

Déjà, je m'imaginais faisant partie de clubs, membre d'une équipe, assistant à des cours. Pourquoi pas ? Je connaissais l'École de fond en comble et sûrement mieux que n'importe lequel des élèves. Je portais leur uniforme. Pourquoi me poserait-on des questions ? Il devait bien y avoir mille garçons à Saint Oswald. Personne, pas même le proviseur, ne pouvait les connaître tous de vue. D'ailleurs, la précieuse *tradition* de Saint Oswald travaillait en ma faveur. Jamais personne n'avait entendu parler d'une supercherie comme la mienne. Personne n'avait même osé imaginer pareille perfidie.

« T'as pas d'leçon ? » Une lueur espiègle brillait dans les yeux gris du garçon. « Tu vas t'faire engueuler si t'es en retard ! »

Il me jetait un défi. Je le devinais bien. J'ai pensé que c'était peut-être un espion mais je lui ai répondu : « Je m'en fous totalement. Mr. Mat m'a demandé de porter un message au bureau. Je vais lui dire que la secrétaire était au téléphone et que j'ai dû attendre.

— Pas mal ! Je vais me souvenir de cette excuse-là ! »

De voir Léon approuver ma technique n'a fait que redoubler mon audace. Je lui ai avoué : « Je saute des tas de leçons et ils n'y voient que du bleu ! »

De la tête, il a fait un signe d'appréciation et il m'a demandé : « Quelle leçon aujourd'hui ? »

J'allais lui dire « Plein air ! » lorsque, me retenant juste à temps, j'ai dit : « Histoire religieuse ! »

Léon a fait la grimace : « Beurk ! Je te comprends bien. Je préfère les païens. Au moins, ils avaient le droit de faire l'amour ! »

J'ai émis un petit ricanement et j'ai demandé : « Ton prof principal, c'est qui ? » Je savais que je pourrais m'assurer ainsi de l'année dans laquelle il était.

« Cette couleuvre de Strange ! Il enseigne l'anglais ! Un *cimex* comme y en a pas ! Et toi, qui c'est ? »

J'ai eu une seconde d'hésitation. Je ne voulais pas donner à Léon une réponse qu'il aurait pu trop facilement vérifier. Mais avant d'avoir pu répondre à sa question, un bruit de pas – quelqu'un marchait en traînant les pieds – s'est soudain fait entendre dans le couloir derrière nous. Quelqu'un approchait.

Léon a immédiatement sorti les mains de ses poches et redressé les épaules : « Quaz ! » Il a ajouté rapidement dans un murmure : « Tu f'rais bien d'détaler ! »

J'ai fait demi-tour pour aller à la rencontre de celui qui venait. J'éprouvais à la fois du soulagement à l'idée de n'avoir pas à révéler le nom de mon prof principal et de l'agacement devant l'interruption brutale de notre trop courte conversation. J'ai essayé de m'emplir la mémoire des détails du visage de Léon – la mèche folle qui lui tombait sur le front, le bleu ardoise de ses yeux, le dessin ironique de ses lèvres. Il était ridicule de ma part de penser que je le reverrais jamais. Essayer même serait peut-être dangereux.

J'ai essayé de garder une expression neutre lorsque j'ai croisé le professeur dans le couloir du haut.

Je ne connaissais de Roy Straitley que la voix. J'avais pourtant suivi ses cours, ri de ses plaisanteries, mais je n'avais aperçu son visage que de très loin. Je voyais maintenant sa silhouette. Il marchait, le dos courbé, drapé dans sa vieille toge tout usée, et chaussé de mocassins de cuir. À son approche, j'ai baissé la tête. Je devais avoir l'air coupable car il s'est arrêté et m'a demandé d'une voix sèche :

« Vous, jeune homme, que faites-vous ici dans le couloir au lieu d'être dans votre salle de classe ? »

J'ai marmonné quelque chose à propos de Mr. Mat et d'un message à porter.

Mr. Straitley n'a pas paru convaincu. « Mais le secrétariat est dans le couloir du bas et vous en êtes bien loin !

— Oui, monsieur, mais j'ai dû aller à mon casier...

— Comment ? Pendant une leçon ?

— Oui, monsieur ! »

Visiblement il n'en croyait pas un mot. Mon cœur battait la chamade. J'ai pourtant osé lever les yeux et j'ai vu le visage de Straitley, ce visage intelligent et laid ; il me regardait d'un air à la fois sévère et paternel. J'avais peur. Pourtant, malgré cette peur, j'éprouvais une sorte d'espoir insensé, un espoir qui me coupait presque la respiration. Étais-je toujours invisible à ses yeux, ou était-il le premier adulte de Saint Oswald à avoir pris conscience de mon existence ?

« Votre nom, jeune homme ?

— Dutoc, monsieur !

— Dutoc, hein ? »

Il était évident qu'il hésitait sur ce qu'il devait faire : poursuivre son interrogatoire comme le lui soufflait son instinct, ou laisser tomber et tourner son attention vers son élève à lui ? Il a scruté mon visage encore quelques instants – ses yeux étaient du bleu jaunâtre et délavé d'un vieux bleu de travail – puis j'ai senti sa curiosité à mon égard décliner. Il avait dû décider que ma présence là ne représentait pas une entorse bien importante à la discipline – un garçon du premier cycle dans un couloir sans permission, cela n'était pas bien grave. D'ailleurs, il s'agissait de l'élève d'un autre professeur. Pendant une seconde, ma prudence naturelle a fait place à la colère. Ah, cela n'était pas grave, hein ? Je ne valais pas la peine d'une punition peut-être ? Au cours de ces mois, de ces années passées à rôder et à me cacher, avais-je réussi irrévocablement et avec un tel talent à me confondre avec les murs ?

« Eh bien, jeune homme, je suggère que vous fassiez en sorte que je ne vous reprenne pas ici pendant les cours ! Débarrassez-moi le plancher maintenant ! »

C'est ce que j'ai fait en tremblant de soulagement. Je partais déjà en courant lorsque j'ai entendu distinctement Léon me chuchoter : « Hé, Dutoc ! On s'voit après l'école, d'ac ? »

Alors, jetant un regard derrière moi par-dessus mon épaule, je l'ai vu me faire un clin d'œil.

7

Saint Oswald – Lycée de garçons
Mercredi 7 septembre

Grand branle-bas dans l'entrepont ! Saint Oswald, cette frégate immense et trop lourde, a heurté l'écueil un peu tôt cette
année. Tout a commencé par l'annonce de la date de l'inspection
générale – que l'on savait imminente – pour le 6 décembre. Une
inspection cause toujours une énorme perturbation ici – en particulier dans l'esprit des échelons supérieurs de notre administration ! Ensuite – et cette fois, de mon propre point de vue, quelque
chose de bien plus ennuyeux –, les parents ont été informés par
courrier économique de l'augmentation inattendue des frais de
scolarité le trimestre prochain – ce qui a provoqué au petit déjeuner une consternation générale dans toute la région.

Le capitaine s'entête à affirmer qu'il ne s'agit là que de
quelque chose de tout à fait normal qui demeure au niveau du
taux d'inflation. Il a fait part de ses regrets de ne pas pouvoir,
hélas, être pour le moment à la disposition de ceux qui aime-
raient lui poser des questions. On a entendu certains des rebelles
parmi nous marmonner que, si les professeurs avaient été mis au
courant de cette augmentation possible, ils n'auraient peut-être
pas été pris à l'improviste ce matin par le raz de marée d'appels
téléphoniques de parents furieux.

Quand on l'interroge, Mat appuie toujours le Proviseur. Pourtant, il ne sait pas mentir et, plutôt que de soutenir ce matin le

tir de barrage de l'ensemble du corps professoral, ayant annoncé qu'il avait perdu un peu la forme et qu'il avait vraiment besoin d'exercice, il a préféré faire des tours de piste avant l'assemblée. Personne n'a été dupe. Alors que je grimpais l'escalier pour atteindre la salle 59, je l'ai aperçu par la fenêtre de la tour. Il courait toujours. De là-haut, il avait l'air tout petit et désespéré.

Ma classe a appris la nouvelle de l'augmentation des frais de scolarité avec son habituel et sain cynisme.

« M'sieur, est-ce que ça veut dire qu'on aura un vrai professeur cette année ? » Allen-Jones semblait n'avoir été ébranlé ni par l'épisode des plaques de numérotation des salles de classe, ni par mes propres menaces de la veille.

« Non ! Cela veut simplement dire qu'il y aura un meilleur choix de bouteilles dans le bar du cabinet secret de M. le proviseur. »

Il y a eu quelques ricanements. Seul Cavalier est resté maussade. Après le désagréable incident de la veille, il sera aujourd'hui de corvée pour la seconde fois. Déjà, hier il avait été un objet de ridicule à la récréation et pendant l'heure de midi : vêtu d'une combinaison protectrice d'un orange aveuglant, il avait dû arpenter les cours et les terrains de sport, y ramasser les papiers sales et les fourrer dans un énorme sac de plastique. Il y a vingt ans, il aurait reçu des coups de canne qui lui auraient valu le respect de ses camarades – ce qui prouve bien que toutes les innovations ne sont pas à condamner !

« Ma mère dit que c'est un vrai scandale et qu'il y a d'autres lycées ailleurs, vous savez ! a dit Sutcliff.

— Entièrement d'accord, d'ailleurs vous seriez accueilli à bras ouverts dans n'importe quel zoo ! ai-je ajouté d'un ton un peu vague, tout en cherchant mon registre d'appel. Sacrebleu ! Où donc est mon registre ? Je sais très bien que je l'avais posé là ! »

Je le range toujours dans le tiroir du haut de mon bureau. Je semble peut-être très mal organisé mais je sais d'habitude où sont mes affaires.

« Et votre augmentation, monsieur, c'est pour quand ? » C'était Jackson, ça.

Sutcliff : « Il est déjà millionnaire ! »

Allen-Jones : « Oui, mais c'est parce qu'il a toujours fait des économies de vêtements ! »

Cavalier, à mi-voix : « Et de savon ! »

Je me suis redressé. J'ai dévisagé Cavalier, qui réussit toujours à prendre une attitude à la fois insolente et servile. « Visiblement, jeune homme, le travail bénévole que vous avez fait hier pour la communauté vous a plu. Aimeriez-vous de nouveau vous porter volontaire pour une semaine supplémentaire ? »

Il a marmonné : « Vous n'avez pas dit cela aux autres quand ils...

— Les autres reconnaissent la différence entre sens de l'humour et insolence !

— C'est pas juste, c'est toujours sur moi que ça retombe ! Toujours sur moi ! Parce que je suis...

— Parce que quoi ? ai-je demandé d'une voix sèche.

— Parce que je suis juif, monsieur !

— Que dites-vous ? » J'étais en colère contre moi-même. Préoccupé par ce registre qui avait disparu, je m'étais laissé prendre à un truc vieux comme le monde. J'avais permis à un élève de me lancer un défi public.

Les autres restaient silencieux et nous observaient avec intérêt.

Ayant retrouvé mon calme, j'ai dit : « Totalement ridicule. La raison pour laquelle je retombe toujours sur vous n'est pas parce que vous êtes de religion juive mais parce que vous ne savez jamais quand la fermer et qu'au lieu de cervelle, c'est de la *stercus* que vous avez dans le crâne ! »

McNair, Sutcliff ou Allen-Jones auraient tout simplement ri de cela et tout aurait été oublié. Tayler, lui-même, en aurait ri aussi, lui qui porte un *yarmulke* en classe.

Pourtant, l'expression sur le visage de Cavalier n'a pas changé. J'y ai lu quelque chose que je n'y avais encore jamais vu, une nouvelle sorte d'entêtement. Pour la première fois il a soutenu mon regard et j'ai vraiment cru pendant une seconde qu'il allait ajouter quelque chose mais, selon son habitude, il a baissé les yeux et a marmonné quelques mots que je n'ai pas saisis.

« Vous dites ?

— Rien, monsieur !

— Vous en êtes sûr ?

— Sûr, monsieur !

— Bon ! »

Je me suis retourné vers mon bureau. Le registre avait peut-être disparu mais je connaissais tous mes élèves. Si l'un d'entre eux avait été absent, je l'aurais remarqué dès mon entrée. J'ai pourtant entonné la liste des noms – cette litanie de professeur –, cela ne manque jamais de les ramener au calme.

À la fin, j'ai jeté un coup d'œil rapide vers Cavalier qui gardait toujours les yeux baissés. Rien dans son expression maussade ne suggérait la révolte.

J'en ai conclu que tout était rentré dans l'ordre. Le petit incident était clos.

8

J'ai réfléchi pendant longtemps avant d'aller au rendez-vous fixé par Léon. Je voulais pourtant tellement le revoir. Je voulais surtout qu'il devienne mon ami – c'était là une ligne que je n'avais encore jamais franchie. Cette fois, l'enjeu était plus important. J'aimais Léon – je l'avais trouvé sympathique dès le début – et cela me remplissait d'audace. Si, dans mon collège, quelqu'un m'avait adressé la parole, il se serait exposé aux représailles de ceux qui me tourmentaient ; Léon, lui, appartenait à un monde bien différent. Malgré ses cheveux un peu trop longs et sa cravate mutilée, il restait un *insider*.

Je n'ai pas rejoint le peloton du cross-country. Demain, je forgerais une lettre signée de mon père disant que, pendant la course, j'avais été victime d'une forte crise d'asthme et qu'il refusait de me laisser prendre part à un autre cross.

Cela ne me causerait aucun regret. Je détestais le plein air. Je détestais surtout mon prof, Mr. Bray, dont le bronzage orange sortait tout droit d'un aérosol, Mr. Bray avec sa grosse chaîne d'or sur la poitrine étalant, devant un petit cercle d'adulateurs, son humour de néanderthalien dont étaient victimes les faibles, les maladroits, ceux qui n'avaient pas assez le sens de la repartie, les perdants comme moi. J'ai donc rejoint ma cachette derrière le pavillon des sports et, dans mon bel uniforme de Saint Oswald, j'ai attendu avec inquiétude la cloche annonçant la fin des cours de l'après-midi.

Personne ne m'a accordé plus d'un regard, personne n'a posé de questions pour vérifier la légitimité de ma présence. Autour de moi, les garçons – certains en blazer, d'autres en chemise, d'autres encore en tenue de sport – s'engouffraient dans des voitures, trébuchaient sur des battes de cricket, échangeaient des plaisanteries, des livres, des notes prises en cours. Un homme très grand et enjoué est arrivé pour surveiller la queue des élèves qui prenaient l'autobus – c'était Mr. Mat, le *second master* –, un autre, plus âgé, vêtu d'une toge noire et rouge, se tenait au portail de la chapelle. Je savais bien qu'il s'agissait là du Dr Shakeshafte, le proviseur. Mon père en parlait toujours avec un respect et une admiration mêlés de crainte. C'était lui, après tout, qui lui avait offert son poste de *porter*. Il disait toujours d'un ton approbateur : « Un type de la vieille école, sévère mais juste. Espérons que le nouveau sera de la même trempe ! »

Officiellement, je ne savais rien, bien sûr, des événements qui avaient provoqué la nomination du Nouveau Proviseur. Mon père pouvait quelquefois être étrangement puritain à propos de certaines choses. Je devine qu'il croyait qu'il serait déloyal envers Saint Oswald d'en parler avec moi. Cependant, certains des journaux locaux avaient flairé le scandale. J'avais appris le reste en surprenant une conversation entre mon père et Pepsi. Pour éviter toute mauvaise publicité, l'Ancien Proviseur devait rester à son poste jusqu'à la fin du trimestre, ostensiblement pour installer le nouveau et l'aider à s'établir. Après quoi, il devait prendre sa retraite avec la pension (amplement suffisante) que lui fournirait le Trust. Saint Oswald prend bien soin des siens. La partie lésée devait recevoir (à l'amiable) une généreuse indemnité. Les circonstances de l'affaire resteraient secrètes, bien sûr, cela en était la condition.

Du portail de l'École où j'étais, je pouvais observer le Dr Shakeshafte avec une curiosité certaine : un homme d'une soixantaine d'années, au visage coupé à la serpe, pas tout à fait aussi large d'épaules que Mat, le même genre de type pourtant, un ancien rugbyman. Il dominait les élèves comme une gargouille menaçante. C'était un fervent avocat des châtiments corporels, d'après ce qu'en disait mon père – *et il a bien raison aussi, car on doit leur inculquer un sens de la discipline à ces garçons.* La canne était interdite depuis bien des années dans mon collège à moi. Pour la remplacer, certains profs – miss Potts et miss McCauleigh – avaient choisi une méthode plus douce, plus à la mode : *l'empathie* – on invite les brutes et les tourmenteurs à venir discuter de leurs états d'âme avant de les renvoyer avec un simple avertissement.

Mr. Bray, lui-même vétéran de l'approche brutale, préférait la méthode directe – il ressemblait en cela à mon père – et conseillait au plaignant de *cesser ses pleurnicheries et de se débrouiller tout seul, pour l'amour de Dieu !* Je m'interrogeais sur la nature exacte de la situation dans laquelle le proviseur avait dû *se débrouiller seul*, cette situation qui l'avait précipité vers une retraite qu'il n'avait sûrement pas anticipée. Je me demandais aussi comment il l'avait *débrouillée* exactement cette situation-là. J'y réfléchissais toujours lorsque, dix minutes plus tard, Léon est arrivé.

« Hé, Dutoc ! » Il portait négligemment son blazer sur l'épaule. Sa chemise était sortie de sa ceinture. Sa cravate mutilée tirait au milieu de sa poitrine une langue impudente.

« Qu'est-ce que tu fais ? »

J'ai avalé ma salive. j'ai pris un air indifférent pour répondre : « Pas grand-chose ! Comment t'en es-tu sorti avec Quaz ?

— *Pactum factum*, m'a-t-il répondu. Une retenue vendredi comme je l'avais prévu ! »

J'ai secoué la tête : « Pas de pot ! Et qu'est-ce que tu avais fait pour mériter ça ? »

Il a eu le geste de quelqu'un qui pense que le sujet n'en vaut pas la peine : « Rien vraiment ! Un moment d'inspiration créatrice sur mon pupitre. Tu veux faire un tour en ville ? »

J'ai fait un rapide calcul mental. Je pouvais me permettre un retard d'une heure. Mon père avait des tâches à effectuer – portes à fermer, clefs à ramasser –, il ne serait donc pas à la maison avant cinq heures. Et si Pepsi était là, elle serait occupée à regarder la télé ou à préparer peut-être le repas du soir. Elle avait depuis longtemps abandonné tout espoir de devenir copine avec moi. J'étais donc libre.

Vous pouvez essayer d'imaginer cette heure-là. Léon avait de l'argent. Nous sommes allés au petit bar près de la gare et nous y avons pris du café et des brioches. Nous avons fait ensuite le tour des magasins de disques. Mes goûts n'ont pas paru très *originaux* à Léon. Lui semblait avoir une préférence pour des groupes comme Strangler et Squeeze. J'ai eu sacrément chaud lorsque nous avons croisé un groupe de filles de mon collège et encore plus lorsque la Capri blanche de Mr. Bray s'est arrêtée au feu, juste au moment où nous allions traverser, mais j'ai vite compris que, tant que je portais l'uniforme de Saint Oswald, je resterais vraiment invisible à leurs yeux.

Mr. Bray et moi étions si proches l'un de l'autre pendant quelques secondes que j'aurais pu le toucher. Je me suis demandé ce qui serait arrivé si j'avais frappé à la glace avant en disant : « Monsieur, vous êtes un *podex* du meilleur calibre ! »

Cette idée-là m'a soudain fait rire si fort que j'en ai presque perdu la respiration.

Léon qui avait remarqué ma réaction m'a demandé : « Qui c'est, ça ? »

J'ai répondu rapidement : « Personne ! Un type seulement !

— C'est pas du mec, c'est d'la fille que j'parle !

— Oh ! » Assise à l'avant et légèrement tournée vers lui, je l'avais bien reconnue : Tracey Delacey, la pin-up des troisième, de deux ans plus âgée que moi. Elle portait une jupette de tennis et avait croisé les jambes très haut.

J'ai dit : « Pas très *originale* », en reprenant le mot de Léon.

Léon a eu un sourire égrillard : « Je me l'enverrais avec plaisir !

— Vraiment ?

— Pas toi ? »

J'ai pensé à Tracey, à ses cheveux tout effilochés et à son odeur persistante de chewing-gum trop sucré.

« Euh... P't-être bien qu'oui », ai-je répondu sans beaucoup d'enthousiasme.

Léon a de nouveau souri en regardant s'éloigner la petite voiture.

Mon nouveau copain faisait partie d'Amadeus. Ses parents — une mère assistante de direction à l'université, et un père haut fonctionnaire — étaient divorcés (« mais je m'en fous, j'ai deux fois plus d'argent de poche comme ça ! »). Il avait une sœur plus jeune : Charlotte, un chien : Capitaine Prudent, un conseiller thérapeute, une guitare électrique et une liberté sans limites, me semblait-il.

« Maman me dit toujours que je dois poursuivre mon éducation au-delà des contraintes du système patriarcal judéo-chrétien. Elle n'approuve pas du tout l'éducation que je reçois à Saint Oswald mais c'est Papa qui paie ! Lui, il a fait ses études à Eton. Pour lui, ceux qui ne sont pas pensionnaires sont de vrais prolos.

— Ah ! » J'ai essayé frénétiquement de penser à quelque chose de vrai à dire de mes parents mais je n'ai rien trouvé du tout. Une heure seulement après notre rencontre, je sentais déjà que ce garçon-là avait à mes yeux plus d'importance que John ou Sharon Snyde n'en avaient jamais eu.

Alors, sans le moindre remords, je me suis réinventé des parents. J'avais perdu ma mère. Mon père était inspecteur de police (sur le coup, je n'ai pas réussi à imaginer un titre plus prestigieux). Une partie de l'année, je vivais avec mon père, le reste, je le passais chez mon oncle, en ville. J'ai expliqué : « C'est pour cela que j'ai dû entrer à Saint Oswald à la mi-trimestre. Il n'y a donc pas longtemps »

Léon a hoché la tête : « Vrai ? Je m'disais bien que t'avais l'air d'un nouveau ! Qu'est-ce qui t'est arrivé à ton ancien lycée ? Tu t'es fait virer ? »

Qu'il ait cru cela m'a fait beaucoup plaisir : « C'était complètement nul comme boîte ! Papa m'en a fait sortir. »

Léon m'a alors confié : « Moi, j'ai été foutu à la porte de ma dernière boîte. Le Pater était vert de rage. Ça lui coûtait dix mille livres par an et ils m'en ont viré à la première connerie ! Pas très *original*. Ils auraient pu faire un effort quand même ! De toute façon, on aurait pu plus mal tomber qu'à Saint Oswald. Surtout maintenant que le vieux Shakeshafte fout l'camp ! »

J'ai sauté sur l'occasion : « Et pourquoi est-ce qu'il part au juste ? »

Les yeux de Léon se sont élargis d'amusement et il a laissé tomber : « T'es bien un nouveau, toi ! Ça s'voit ! » Baissant un peu la voix, il a expliqué : « Écoute, dis-toi... dis-toi... qu'il en fichait plein l'sac de celles qu'avaient du sexe à pile !... »

Les choses ont bien changé depuis cette époque-là, même ici, à Saint Oswald. En ce temps-là, ils pouvaient encore enterrer un scandale sous des pelletées de billets de banque. Plus maintenant. Les fers de lance dorés d'un portail majestueux ne nous intimident plus. Sous le clinquant, nous savons discerner la corruption. Il est donc bien fragile, cet édifice. Un caillou adroitement placé pourrait en provoquer la chute. Un caillou ou autre chose.

Ce garçon, ce Cavalier, je me reconnais en lui. Ce petit, cet efflanqué, sans aucun don pour la parole, cet *outsider*, est impopulaire, non pas pour une question de religion mais pour une raison bien plus fondamentale. Pas pour quelque chose qu'il pourrait modifier comme les traits de son visage, la couleur filasse de sa maigre chevelure ou l'exiguïté de sa carrure, non ! Peut-être appartient-il maintenant à une famille aisée, mais il porte, indélébile, le stigmate de générations et de générations de pauvres gens. Je le sais. Et si Saint Oswald, en période de crise financière, se doit d'accepter quelqu'un comme lui, il est seulement toléré, il ne sera jamais vraiment accepté. Son nom n'apparaîtra jamais au tableau d'honneur. Les professeurs continueront à oublier comment il s'appelle. Il ne sera jamais sélectionné dans une équipe pour représenter l'École. Tous les efforts qu'il fait pour s'intégrer conduiront à une catastrophe. Je ne connais que trop bien ce regard-là, le regard prudent et rancunier de celui qui a, depuis longtemps, cessé d'espérer et qui ne connaît plus que la haine.

Bien entendu, on m'a immédiatement raconté l'incident qui s'est passé en classe avec Straitley. À Saint Oswald, le téléphone arabe est remarquablement efficace. Le jour même, vous êtes au courant de tout. La journée avait été particulièrement mauvaise pour Colin Cavalier. Pendant l'appel, il y avait eu cet échange avec Straitley, à la récréation, cet incident avec Robbie Roach à propos de devoirs non rendus, à midi, cette bagarre avec Jackson, de quatrième S aussi, bagarre à la suite de laquelle Jackson avait été renvoyé chez lui, le nez cassé, et Cavalier avait été mis à la porte pour une semaine.

C'était mon tour d'être de service dans la cour de récréation lorsque l'incident est arrivé. Vêtu de sa combinaison protectrice,

Cavalier ramassait d'un air lugubre les papiers sales dans les parterres de roses. La punition était à la fois intelligente et cruelle, bien plus humiliante que des centaines de lignes à faire ou qu'une retenue. Seul Roy Straitley l'utilisait, d'après ce que j'avais entendu dire. La combinaison ressemblait beaucoup à celle que mon père devait porter autrefois et que cet innocent de Jimmy porte encore de nos jours. Immense, orange, lumineuse, elle se voit d'un bout à l'autre des terrains de sport. Quel que soit celui qui la porte, il devient immédiatement objet de risée.

Cavalier avait bien essayé de se dissimuler derrière un coin du bâtiment, mais en vain. Des garçons des classes primaires s'étaient attroupés autour de lui et se moquaient, lui indiquant les papiers qu'il avait oubliés. Jackson, un petit gars agressif et qui sait bien qu'en présence d'un perdant comme Cavalier, lui-même échappera à leurs vexations, était dans le coin avec deux autres élèves de quatrième. Patrick Mat était de service comme moi mais, de l'autre côté du terrain de cricket et entouré de garçons, donc trop loin pour entendre. Roach, un prof d'histoire, était de surveillance lui aussi, mais semblait bien plus absorbé par la conversation qu'il avait avec un groupe de garçons de seconde qu'intéressé par un problème de discipline.

Comme j'arrivais peu à peu à la hauteur de Cavalier, je lui ai dit : « Ça n'a pas l'air bien folichon ! »

Cavalier, d'un air boudeur, a fait non de la tête. Son teint olivâtre avait pris une pâleur malsaine avec une plaque rouge à chaque pommette. Jackson, qui avait observé mon manège, a alors quitté le petit groupe et s'est approché à son tour avec prudence. Je l'ai observé. Il me mesurait du regard comme pour évaluer la menace que je pourrais un jour représenter. Les chacals utilisent la même technique lorsqu'ils décrivent des cercles autour d'une proie possible, déjà à l'agonie.

D'une voix sèche, je lui ai demandé : « Tu veux l'aider peut-être ? » Jackson s'est alors retiré précipitamment, d'un air effrayé.

Cavalier m'a jeté un coup d'œil furtif où j'ai pu lire la gratitude.

« Ce n'est pas juste, a-t-il grommelé à voix basse. Ils sont toujours après moi ! »

J'ai secoué la tête pour exprimer ma compassion : « Je sais !

— Vous savez ?

— Mais oui, je n'ai pas les yeux dans ma poche ! »

Cavalier m'a jeté un autre coup d'œil. Son regard sombre et fiévreux était maintenant absurdement plein d'espoir.

« Écoute, Colin ! C'est bien ton nom, n'est-ce pas ? »

D'un signe de tête, il a dit oui.

« Tu dois apprendre à te défendre, tu sais. N'accepte pas d'être leur victime. Venge-toi ! »

Cavalier a eu l'air étonné : « Me venger ?

— Et pourquoi pas ?

— Mais je vais m'attirer des ennuis !

— N'en as-tu pas déjà ? »

Encore une fois, il m'a jeté un regard.

« Alors, qu'est-ce que tu as à perdre ? »

La cloche a sonné pour indiquer la fin de la récréation. Je n'ai donc pas eu le temps d'ajouter quoi que ce soit. Nul besoin d'ailleurs, la graine était déjà semée. J'ai traversé la cour sous le regard plein d'espoir de Colin. À midi, c'était fait. Jackson était allongé par terre avec Colin au-dessus de lui. Roach courait vers eux avec un sifflet qui se balançait sur sa poitrine. Les autres étaient là, bouche bée, ils contemplaient la victime qui avait enfin décidé de se défendre.

J'ai besoin d'alliés, vous comprenez ? Pas parmi mes collègues mais parmi les couches les plus basses de la société de Saint Oswald. Sapez les fondations et la façade tombera. Pendant un court moment, j'ai ressenti un élan de pitié pour le pauvre Colin qui n'avait aucun soupçon et qui serait celui que je devrais sacrifier. Mais il faut se souvenir, bien sûr, que l'on ne doit pas entrer en guerre si l'on ne veut pas avoir de victimes. D'ailleurs si tout se déroule suivant mon plan, bien d'autres victimes seront sacrifiées avant que Saint Oswald ne s'écroule dans un fracas d'idoles et de rêves brisés.

CAVALIER

1

Saint Oswald – Lycée de garçons
Jeudi 9 septembre

Ma classe semblait particulièrement déprimée ce matin pendant que je faisais l'appel sur une feuille détachée en l'absence de ce maudit registre que je ne retrouve toujours pas. Jackson était absent, Cavalier restait à la maison comme on le lui avait demandé, et trois autres étaient impliqués dans cet incident qui prenait rapidement de bien vilaines proportions.

Le père de Jackson, bien sûr, s'était plaint. Celui de Cavalier aussi. D'après ce dernier, Colin n'avait rien fait d'autre que de réagir aux provocations tout à fait intolérables de ses camarades, provocations qui d'ailleurs avaient été encouragées par le professeur responsable de la classe.

Toujours accablé de plaintes de parents à propos des frais de scolarité, le proviseur s'était montré compréhensif et avait promis une enquête. Sutcliff, McNair et Allen-Jones, cités comme les plus coupables des tourmenteurs, avaient en conséquence passé la plus grande partie de ma leçon de latin à attendre à la porte du bureau de Patrick Mat. Devine s'était chargé de m'informer que ma présence au bureau du proviseur était requise dès que cela me serait possible.

Je n'y suis pas allé, bien sûr. Certains d'entre nous ont des cours à faire, des activités à surveiller, des circulaires à étudier – sans parler des classeurs à déménager du nouveau bureau de la section d'allemand, comme je l'ai fait remarquer à Devine lorsqu'il m'a communiqué le message.

J'étais tout de même furieux de l'intervention vraiment inutile du proviseur. Toute l'histoire n'étant qu'un simple incident domestique, elle aurait pu et aurait dû être réglée par le professeur principal. Que Dieu nous préserve d'un administrateur qui, de toute sa journée, n'a rien à foutre de ses dix doigts. Quand un proviseur se met dans le crâne de fourrer le nez dans une malheureuse petite histoire de discipline, les résultats sont souvent catastrophiques.

C'est plus ou moins ce qu'Allen-Jones m'a dit à midi lorsqu'il m'a expliqué d'un air un peu gêné : « C'était simplement pour le taquiner, monsieur, pour l'énerver. On est peut-être allés un peu trop loin, d'accord, mais c'est tout ! Vous savez bien comment c'est ! »

Bien sûr que je le sais et que Mat aussi le sait..., mais je sais aussi trop bien que le proviseur, lui, ne le sait pas et je pourrais parier dix contre un qu'il s'est mis dans la tête qu'il s'agit d'une conspiration quelconque. Je peux voir d'ici des semaines et des semaines d'échanges téléphoniques, de lettres aux parents, de retenues multiples, de renvois provisoires et d'un tas d'autres ennuis administratifs avant que l'incident ne soit bel et bien clos. Cela m'agace beaucoup. Sutcliff est boursier. Sa bourse pourrait lui être retirée en cas d'indiscipline grave. Quant au père de McNair, c'est un bâton merdeux. Ce n'est pas lui qui acceptera les mains basses le renvoi provisoire de son fils. Le père d'Allen-Jones, lui, est dans l'Armée. Son exaspération devant les incartades de son rebelle de fils – rebelle mais intelligent aussi – le pousse trop souvent à avoir recours à la violence la plus inacceptable.

Si seulement on m'avait laissé faire ! J'aurais réglé tout cela rapidement, moi, et une fois pour toutes, sans avoir à subir l'intrusion de parents dans une histoire interne. Car si avoir à écouter les plaintes de leurs fils est déjà quelque chose d'ennuyeux, avoir à écouter celles des parents est catastrophique. Enfin, il est trop tard maintenant. Mon humeur était déjà à l'orage et, comme je descendais l'escalier vers la salle des professeurs, cet imbécile de Meek m'a heurté, juste au moment où j'entrais, et m'a presque renversé. Je lui ai fait comprendre ce que je pensais sans ambiguïté, en un langage vigoureux et direct.

« Bon dieu, qu'est-ce qui vous a excité la bile comme ça ? » a demandé Jeff Light, le prof de gym, affalé dans son fauteuil, derrière son journal.

J'ai arrêté mon regard sur le fauteuil dans lequel il était assis : le troisième à partir de la fenêtre, juste sous la pendule. C'est complètement ridicule, je sais, mais le *Tweedy* est très protecteur de son territoire et l'on m'avait déjà aiguillonné au-delà de toute endurance. Je ne m'attendais pas, bien sûr, à ce que les nouveaux fussent au courant de nos traditions, mais Pearman et Roach étaient là à boire leur café. Kitty Teague corrigeait des cahiers tout à côté. McDonaugh, assis à sa place habituelle, lisait. Tous les quatre ont regardé Light avec cet air d'étonnement coloré de réprobation que l'on prend lorsque quelqu'un a renversé quelque chose et n'a pas nettoyé.

Roach a toussoté et a dit d'un ton conciliant : « Je crois que vous occupez le fauteuil de Roy. »

Light a haussé les épaules sans se déplacer. Sur le siège voisin, Easy, le géographe au teint de sable, mangeait du riz froid dans une boîte de plastique. Keane, notre romancier en herbe, regardait par la fenêtre par laquelle je pouvais tout juste apercevoir la silhouette solitaire de Patrick Mat en train de faire ses tours de piste.

Roach a expliqué : « Non, écoutez, c'est toujours là qu'il s'assied. Il fait presque partie du décor. »

Light a alors longuement étiré ses jambes provoquant ainsi le coup d'œil chargé d'ardeur contenue d'Isabelle Tapi, assise dans le *coin yaourt :* « Prof de latin, hein ? a-t-il déclaré. Des *tantes* en toge quoi ! Ça ne vaudra jamais un bon cross-country ! »

— *Ecce, stercus pro cerebro habes* », lui ai-je alors répondu, ce qui n'a pas manqué de faire froncer le sourcil à McDonaugh et hocher la tête d'un air un peu distant à Pearman, comme s'il se souvenait vaguement de la citation. Penny Nation m'a adressé un de ses sourires pleins de compassion et a gentiment tapoté le fauteuil libre près du sien.

« Non, merci, je ne veux pas m'asseoir ! » ai-je déclaré. Bon dieu, je n'en étais quand même pas arrivé là. J'ai allumé la bouilloire électrique et j'ai ouvert le placard sous l'évier pour chercher ma grande tasse.

On peut se faire une bonne idée de la personnalité d'un prof rien qu'à voir sa tasse. Geoff et Penny Nation ont choisi des tasses coordonnées, sur l'une, on lit l'inscription CAPITAINE et, sur l'autre, SOUS-FIFRE. Sur celle de Roach, il y a la caricature d'Homer Simpson. Sur celle de Grachvogel, *Les Dossiers X*. L'image bourrue de Hillary Monument est tous les jours détruite par une énorme tasse – capacité un demi-litre – sur laquelle une main maladroite d'enfant a peint AU MEILLEUR PETIT PÈRE DU MONDE. Celle de Pearman, rapportée d'un voyage scolaire à Paris, montre le portrait de Jacques Prévert en train de fumer une cigarette. Le Dr Devine, lui, n'éprouve que mépris pour ces grosses tasses prolétariennes. Il utilise le service de porcelaine fine du proviseur, celui qui est réservé aux visiteurs, les *Costards* d'un certain grade et le proviseur lui-même. Mat, toujours populaire parmi les élèves de sa classe, change de tasse tous les trimestres. À chaque fois il y a dessus un petit personnage de Walt Disney – ce trimestre-ci c'est Yogi Bear, l'ours.

La mienne remonte à l'année du Jubilé – une édition limitée de 1990. Eric Scoones (ainsi que plusieurs des *barons*) a aussi celle du Jubilé mais la mienne a l'anse fêlée, ce qui me permet de la reconnaître. Avec tout l'argent que nous a rapporté la vente de ces tasses, nous avons pu construire le pavillon des sports. C'est donc avec orgueil que je lève la mienne chaque fois. Enfin que je la lèverais si seulement je pouvais remettre la main dessus.

« Sacré bordel ! D'abord mon registre et maintenant ma tasse !

— Vous pouvez toujours utiliser la mienne, m'a dit McDonaugh – la sienne, légèrement fêlée, porte en camée le portrait de Charles et Diana.

— Merci bien, mais cela ne résout pas mon problème. »

Non, cela ne résolvait rien du tout. Déplacer la tasse d'un professeur du coin où, de droit, elle est toujours rangée, c'est commettre un délit presque aussi grave que d'usurper son fauteuil. Mon fauteuil, mon bureau, ma salle de classe et maintenant ma tasse. Je commençais à me sentir dans la situation d'un assiégé.

Keane m'a regardé d'un air amusé – je me trompais de tasse en y versant mon thé. Il m'a dit : « Ça fait toujours plaisir de se rendre compte que l'on n'est pas seul à avoir une mauvaise journée.

— Oh ?

— Aujourd'hui, mes deux heures de liberté me passent encore sous le nez : je dois surveiller les seconde G pour Bob Strange : cours de littérature !

— Aïe ! » Nous savons tous, bien sûr, que Mr. Strange a toujours trop à faire. *Third master* et responsable de l'emploi du temps, il a réussi au cours des années à tramer tout un système de conférences auxquelles il *doit* assister, de surveillances à faire, de réunions auxquelles sa présence est indispensable, de tâches administratives à remplir et bien d'autres choses encore – ce qui ne lui laisse que très peu de temps de contact avec les élèves ; Keane semblait, lui, tout à fait capable de se débrouiller. Après tout, il avait survécu à Sunny Bank Park. J'en avais pourtant connu, moi, des gros durs réduits à une consistance de méduse à l'idée de ces seconde-là.

« Cela ira ! a-t-il déclaré lorsque je lui ai fait part d'une compassion bien méritée. D'ailleurs, tout cela me fournit d'excellentes idées pour mon livre. »

Ah oui ! Le fameux livre ! Je lui ai répondu : « Loin de moi de condamner quoi que ce soit qui puisse vous aider à survivre ! » Je me demandais si je devais le prendre au sérieux ou non. Il y a chez lui une sorte d'espièglerie discrète – un petit air de parvenu – qui me pousse à mettre en question tout ce qu'il dit. Pourtant, je préfère infiniment son espièglerie aux biceps musculeux de Light, à la fourberie d'Easy et à l'air timoré de Meek. Keane a ajouté : « Pendant que j'y pense, le Dr Devine vous cherchait, il y a quelques minutes. Quelque chose à propos de vieux classeurs de métal, a-t-il dit.

— Tant mieux ! » C'était la chose la plus agréable que j'avais entendue de toute la journée. Pourtant, après toute cette histoire des quatrième S, les actes de résistance contre l'envahisseur teuton eux-mêmes avaient perdu de leur attrait.

« Il a demandé à Jimmy de les transporter dans la cour et de le faire immédiatement.

— Quoi ?

— Je crois qu'il a parlé d'une question d'hygiène et de sécurité. À son avis, ils allaient bloquer un passage public et donc représenter un danger. »

J'ai laissé échapper un juron. Il avait vraiment dû le vouloir, mon bureau, ce Pisse-Vinaigre-là ! Cette histoire d'hygiène et de sécurité représentait un coup si bas que rares étaient ceux qui s'y seraient abaissés – j'ai vidé ma tasse et, d'un air délibéré, je me suis dirigé vers l'ancien bureau de la section d'humanités. Là, j'ai trouvé Jimmy, le tournevis à la main, occupé à installer un système électronique à la porte.

« Ah ! Salut, patron. C'est une espèce de sonnette ! m'a-t-il déclaré en voyant ma surprise. Comme ça le Dr Devine saura toujours s'il y a quelqu'un à la porte.

« Je comprends ! » De mon temps, on frappait tout simplement. Jimmy était pourtant plein d'enthousiasme pour le nouveau gadget. Il m'a dit : « Vous voyez, quand la lumière est au rouge, c'est qu'il y a quelqu'un avec lui dans son bureau. Si elle est au vert, il appuie sur un bouton pour vous dire d'entrer.

— Et quand elle est jaune ? »

Jimmy a froncé les sourcils d'un air de profonde méditation. Il a fini par déclarer : « Si elle est jaune, le Dr Devine sonne pour voir qui c'est. » Il s'est interrompu de nouveau. L'effort était définitivement trop grand pour lui. Puis, il a conclu : « Et si c'est quelqu'un d'important, il lui permet d'entrer !

— Très germanique ! » En passant devant lui, je suis entré dans *mon* bureau.

Il régnait là un ordre manifeste et désagréable. Nouveaux classeurs – chaque catégorie de documents avait sa couleur –, fontaine élégante pour la distribution d'eau réfrigérée. Impressionnant bureau d'ébène avec un ordinateur tout neuf. Sous-main au buvard encore vierge. Et, dans un cadre, photo de Mme Pisse-Vinaigre. Le tapis avait été nettoyé ; mes *Chlorophyta*, mes vieilles plantes araignées, ces braves résistantes fières de leurs cicatrices qui avaient survécu à ma négligence aussi bien qu'à la première et à la deuxième sécheresses mondiales, avaient disparu sans laisser de trace. Une pancarte conseillait avec condescendance de ne pas fumer. Au mur, un calendrier plastifié rappelait les jours de réunion de la section, les corvées de chacun, les heures de surveillance, les activités postscolaires et les sessions d'atelier de travail en commun.

Pendant un moment, j'en suis resté muet.

Jimmy m'a dit : « J'ai gardé toutes vos affaires, vous savez, patron ! Vous voulez que j'les monte ? »

Pour quoi faire, bon dieu ? Je savais quand je devais accepter la défaite. Alors, le dos courbé, je suis retourné dans la salle des profs noyer ma tristesse dans une tasse de thé.

2

Au cours des semaines qui suivirent, Léon et moi devînmes vraiment copains. Ce ne fut pas aussi difficile que cela pourrait le paraître car nous étions membres de *familles* différentes. Lui, était d'Amadeus et moi, de Birkby – c'est du moins ce que je lui avais fait croire –, et nous n'étions pas dans la même année, non plus. Je le rencontrais tous les matins – je portais mes propres vêtements sous l'uniforme de Saint Oswald – et j'arrivais bien sûr à mes vrais cours en retard grâce à toute une série d'excuses ingénieuses.

Je ratais l'après-midi de plein air toutes les semaines – cette histoire d'asthme avait très bien fait l'affaire –, et je passais mes récréations et mes heures de midi dans le domaine de Saint Oswald. J'avais commencé à imaginer que j'étais vraiment élève de l'École. Léon m'avait appris le nom des profs de service, les derniers commérages et l'argot des lycéens. En sa compagnie, je pouvais aller à la bibliothèque, au club d'échecs ou m'affaler sur les bancs de la cour intérieure comme n'importe quel autre lycéen. En sa compagnie, je faisais partie de l'École.

Cela n'aurait pas réussi si Léon avait été quelqu'un qui se liait plus facilement, s'il avait été plus populaire, mais j'avais rapidement découvert que c'était un *misfit*. Lorsqu'il demeurait distant et réservé, pourtant, c'était par choix alors que c'était par nécessité pour moi. À Sunny Bank Park, il n'aurait pas tenu le coup une semaine, mais à Saint Oswald, l'intelligence était une valeur sûre, appréciée au-dessus de toute autre, et Léon était assez malin pour utiliser la sienne à son avantage. Il était toujours poli et plein de respect envers les professeurs – au moins en leur présence – ; j'avais découvert d'ailleurs que c'était pour lui un avantage énorme en temps de crise, et il y en avait beaucoup. Partout où il allait, Léon semblait rechercher les ennuis. Il se spécialisait dans les bons tours, les petites revanches savamment organisées, les défis secrets et il était bien rare qu'il se fît pincer. Disons que si j'avais été Cavalier, lui aurait été Allen-Jones, le charmeur, l'aimable escroc, le rebelle insaisissable. Pourtant, il me trouvait sympathique et nous étions copains.

Pour le distraire, j'inventais des histoires censées m'être arrivées dans mon ancienne école – je m'accordais, bien sûr, le rôle que je devinais qu'il aurait voulu me voir jouer. J'y mêlais parfois des personnages de mon autre vie : miss Potts, miss McCauleigh, Mr. Bray. Lorsque je parlais de Bray, c'était avec une haine sincère et véritable, en me souvenant de sa pose et de ses sarcasmes. Léon m'écoutait alors avec avidité mais son visage n'exprimait pas entièrement la compassion.

Une fois, il me dit : « Quel dommage que tu n'aies pu te venger de ce type-là ! Je veux dire que tu n'aies pu lui rendre la monnaie de sa pièce ! »

Je lui répondis : « Et qu'aurais-tu voulu que je fasse ? Du vaudou ?

— Non, pas tout à fait... »

Cela faisait plus d'un mois déjà que j'avais rencontré Léon. Déjà, le parfum des grandes vacances nous chatouillait les narines, ce parfum de gazon coupé et de liberté. Dans un mois, toutes les écoles fermeraient leurs portes (six semaines et demie de vacances sans limite, de liberté inimaginable.) Plus de changements d'uniformes, d'école buissonnière – toujours risquée –, d'excuses et de lettres forgées.

Nous avions déjà fait des plans, Léon et moi – après-midi au cinéma, expéditions dans les bois, tours en ville. Les compositions – enfin ce qui tenait lieu de compositions à Sunny Bank Park – étaient déjà terminées, les cours devenus pratiquement inexistants, la discipline relâchée. Certains des professeurs avaient abandonné toute idée d'enseigner leur discipline et permettaient à leurs élèves de regarder le tennis à la télévision, d'autres organisaient des jeux – ce qui leur donnait le temps de poursuivre leur travail personnel. Il ne m'avait jamais été plus facile de rejoindre Saint Oswald. De ma vie, je n'avais connu d'époque plus heureuse.

C'est alors qu'arriva la catastrophe. Cela n'aurait jamais dû être ainsi, je le sais. Une stupide coïncidence, c'était tout. Mais elle précipita l'écroulement de mon rêve et menaça de ruiner tous mes espoirs. Mr. Bray, le prof de gym, en fut la cause.

Dans mon excitation, j'en avais oublié Mr. Bray. Je n'allais plus à l'après-midi de sport. Comme je n'avais jamais montré beaucoup de talent pour ça, je m'étais dit que personne ne remarquerait mon absence. D'ailleurs, même sans Bray, l'après-midi de sport avait toujours été pour moi un tourment hebdomadaire : vêtements délibérément trempés sous la douche, équipement caché ou volé, lunettes écrasées, mes maigres efforts pour participer ne rencontrant que mépris et ne donnant prétexte qu'à multiples moqueries.

Bray lui-même était d'ailleurs l'instigateur de ces humiliations. C'était toujours moi qu'il choisissait pour ses *démonstrations,* ce qui lui donnait l'occasion d'énumérer en public toutes mes imperfections physiques avec une implacable précision : jambes trop maigres, genoux trop gros, trop osseux. Un jour que j'avais dû emprunter un équipement complet dans la réserve de l'école – le mien ayant une fois de plus disparu, mon père avait refusé de m'en acheter un autre –, Bray avait choisi pour moi un short tellement grand qu'il flottait bruyamment au vent de ma course et m'avait valu le surnom de *Pète-Sec.*

Sa cour d'admirateurs avait tellement ri de sa trouvaille que le surnom m'était resté. Les autres en avaient immédiatement conclu que je souffrais de flatulence et c'est ainsi que *Snyde Sulfuré* avait remplacé Sinoque Snyde. C'était une litanie quotidienne de plaisanteries à propos de flageolets. Pendant la période des matchs interclasses, Bray hurlait à l'autre équipe : « Attention, bouchez-vous le nez, Snyde a encore bouffé des haricots ! »

Comme je l'ai déjà dit, mon absence ne devait sûrement représenter une bien grande perte ni pour la matière ni pour le professeur. J'avais, hélas, oublié de tenir compte de la méchanceté profonde de cet homme. Pour lui, ce n'était pas assez de se pavaner au milieu d'une petite cour d'admiratrices et de flagor-neurs. Ce n'était pas assez de lancer des œillades aux filles, ni même parfois d'oser les caresser sous prétexte de *démonstration*, ni d'humilier certains garçons par un humour puant. Un acteur a toujours besoin de son public ; pour Bray, il fallait autre chose aussi : une victime.

J'avais déjà sauté quatre après-midi d'activités sportives. J'imaginais ses questions, les commentaires des autres.

Où donc est Pète-Sec ?

Sais pas, m'sieur ! À la bibli p't-être ? Aux chiottes plutôt ! N'peut pas, m'sieur ! E'asthmatique, m'sieur !

A quoi ? A pour avorton, A pour aérocolie ou A pour asphyxie ?

Ils auraient fini par oublier mon absence et Bray se serait trouvé une nouvelle victime. Les candidats possibles ne man-quaient pas : Peggy Johnsen, l'obèse, Harold Mann, le bouton-neux, Lucy Robbins dont le visage était toujours bouffi ou Jeffrey Stuart qui courait comme une fille. Il aurait fini par tour-ner son attention vers l'un d'eux et tous le savaient. Pendant les cours et à l'assemblée du matin, ils me regardaient avec une hostilité grandissante. Ils me détestaient pour avoir trouvé moyen de lui échapper.

C'étaient ses victimes en puissance qui refusaient de laisser tomber. Elles reprenaient les vieilles plaisanteries à propos de Pète-Sec et en revenaient sans cesse à ces histoires de flageolets et d'asthme tant et si bien que chaque après-midi de sport sans moi était comme un spectacle de monstre à une fête foraine où le monstre n'apparaissait pas. Finalement, Mr. Bray commença à avoir des soupçons.

Je ne pourrais pas dire exactement où il avait pu m'apercevoir. Alors que je sortais furtivement de la bibliothèque peut-être ? J'avais perdu toute notion de prudence. Ma tête était si pleine de Léon que Bray et sa clique n'étaient plus que de pâles ombres en comparaison. En tout cas, le lendemain matin, il m'attendait. J'appris plus tard qu'il avait demandé à un collègue d'échanger son service avec lui pour pouvoir me surprendre en flagrant délit.

« Eh bien, eh bien ! Tu cours vite, dis donc, pour quelqu'un censé souffrir d'asthme », me dit-il alors que j'arrivais à toute vitesse par l'entrée des retardataires.

Je m'arrêtai net et le dévisageai avec un mélange de surprise et d'effroi. Il souriait du sourire cruel du sombre totem de quelque culte sacrificatoire.

« Alors, le chat a mangé ta langue ? »

— Je suis en retard, monsieur. Mon père était, était... », bégayai-je pour avoir le temps d'inventer une excuse.

Je sentis le poids de son mépris quand il se dressa menaçant au-dessus de moi.

« Peut-être, ton père pourrait-il me donner des éclaircissements à propos de cet asthme dont tu souffres, dit-il. Il est concierge à la *grammar school,* c'est ça ? Il va au même pub que moi de temps en temps ? »

Je pouvais à peine respirer. Pendant quelques secondes, je crus vraiment souffrir d'une crise d'asthme et que mes poumons allaient éclater. Je le souhaitais même car, à ce moment précis, la mort me semblait bien préférable à toutes les autres possibilités.

Bray s'en aperçut. Son sourire se durcit. « Je veux te voir dans le vestiaire à la fin des cours cet après-midi et ne t'avise surtout pas d'être en retard ! » ajouta-t-il.

Ce fut une journée affreuse. Je ne pouvais penser à rien d'autre. J'eus de terribles coliques. Je me trompai de salle de cours. À midi, je fus incapable d'avaler une seule bouchée. Pendant la récréation de l'après-midi j'étais dans un tel état que miss Potts, la stagiaire, s'en aperçut et m'interrogea.

Voulant à tout prix éviter de devenir un objet d'attention, je lui répondis : « Ce n'est rien, mademoiselle. J'ai simplement mal à la tête. »

Elle se rapprocha de moi : « C'est plus que ça, n'est-ce pas ? Tu es très pâle !

— Non, je vous assure, mademoiselle, ce n'est rien !

— Tu devrais rentrer chez toi. C'est peut-être le début de quelque chose de grave.

— Non ! » Je n'avais pu m'empêcher d'élever la voix. Si je n'allais pas voir Bray comme il me l'avait ordonné, les choses deviendraient infiniment plus graves et je perdrais tout espoir d'éviter qu'il ne découvrît le pot-aux-roses.

Miss Potts fronça le sourcil. « Allons, regarde-moi. Dis-moi ce qui ne va pas ? »

Je gardai le silence en secouant la tête. Miss Potts n'était qu'une stagiaire, à peine plus âgée que la copine de mon père. Elle aimait être populaire. Elle aimait se sentir importante. Wendy Lovell, une fille de ma classe, s'était fait vomir un midi. Quand Potts avait appris la chose, elle avait immédiatement appelé Fil-Santé Jeunes.

Elle parlait toujours de prise de conscience de la personnalité, se posait en experte lorsqu'il s'agissait de discrimination raciale, avait suivi des cours spéciaux pour enseigner aux jeunes à s'affirmer et sur la façon de traiter les brimeurs au collège, sans parler des problèmes de drogue parmi les jeunes. Je savais aussi qu'elle ne resterait avec nous que jusqu'à la fin du trimestre et que, dans quelques semaines, elle ne serait donc plus là.

Je murmurai : « Non, s'il vous plaît, mademoiselle !

— Allons, me dit-elle d'un ton enjôleur, tu peux bien te confier à moi. »

Comme tous les secrets, le mien était simple. Les Saint Oswald de ce monde et, jusqu'à un certain point, les Sunny Bank Park, ont leur système de sécurité à eux, basé non pas sur des détecteurs de fumée ou des caméras de surveillance, mais sur un bluff énorme.

Personne ne s'attaque à un professeur, personne ne pense même s'attaquer à une école. Pourquoi ? Le recul instinctif devant ce que représente l'autorité, cette crainte qui surpasse de loin celle d'être surpris en flagrant délit. Quel que soit le nombre d'années qui se sont écoulées, un professeur reste *Monsieur* pour ses élèves. Même adultes, ils gardent ces réflexes qui n'ont pas été perdus mais sont simplement restés à l'état latent pendant quelque temps et réapparaîtront intacts à la première occasion. Qui oserait relever ce défi ? Qui oserait vraiment ? La chose sûrement était inconcevable.

Mais j'étais au désespoir. D'un côté, il y avait Saint Oswald, Léon et tout ce que j'avais si longtemps désiré, ce monde que j'avais réussi à créer pour moi-même et de l'autre, Mr. Bray, prêt à m'écraser, terrible comme le jugement de Dieu. Allais-je oser ? Me serait-il possible de m'en sortir ainsi ?

« Allons, me répéta gentiment miss Potts qui croyait tenir sa chance, tu peux bien me le dire à moi. Je te promets de ne le répéter à personne ! »

Je fis semblant d'hésiter un instant puis je murmurai à voix basse : « C'est Mr. Bray... » Et, la regardant soudain droit dans les yeux, j'osai : « Mr. Bray et Tracey Delacey. »

3

Saint Oswald – Lycée de garçons
Vendredi 10 septembre

Elle m'a paru bien longue, cette semaine. C'est toujours comme ça à la rentrée mais, il faut le dire, la période des bêtises a commencé un peu tôt cette fois. Anderton-Pullitt est absent aujourd'hui. D'après sa mère, il s'agirait d'une allergie quelconque. Cavalier et Jackson sont de retour. Jackson arbore un énorme œil au beurre noir qui va très bien avec son nez cassé. McNair, Sutcliff et Allen-Jones, à la fin de chaque cours, sont obligés de demander au professeur de signer leur carnet de conduite. Allen-Jones porte sur la joue l'empreinte très claire de quatre doigts et m'assure que c'est le résultat d'un contact sur le terrain de football.

Meek est devenu responsable du club de géographie qui, grâce à Bob Strange, se réunit toutes les semaines dans ma salle de classe. Mat s'est claqué le tendon d'Achille pendant son entraînement un peu trop intensif sur la piste d'athlétisme, Isabelle Tapi a pris l'habitude d'aller impudemment promener ses jupes de plus en plus courtes sur le territoire de la section d'éducation physique. L'occupation du bureau de la section d'humanités par Dr Devine a été temporairement freinée par la découverte de toute une petite famille de souris derrière la boiserie. Je n'ai toujours pas pu remettre la main sur ma grande tasse ni sur mon registre – ce qui m'a valu le regard désapprobateur de Marlene

– et lorsque j'ai retrouvé ma salle de classe jeudi après-midi, je me suis aperçu que mon stylo favori – un Parker vert à plume d'or – n'était plus dans le tiroir de mon bureau.

La disparition de ce stylo m'a vraiment rendu furieux. D'une part, je n'avais pas quitté ma salle plus d'une demi-heure à midi, ce qui me laissait penser que le coupable devait être un élève de ma propre classe, l'un de mes quatrième S, de mes gentils petits gars – c'est du moins ce que j'avais cru –, des garçons qui m'aimaient bien. La surveillance du couloir avait été assurée par Jeff Light à midi, et par Isabelle Tapi aussi, comme par hasard. Vous ne serez pas surpris d'apprendre que ni l'un ni l'autre n'avaient remarqué le moindre intrus pendant cette heure-là. Au moment de l'appel de l'après-midi, j'ai parlé à mes gars de la mystérieuse disparition de mon stylo. Quelqu'un l'avait peut-être emprunté et avait oublié de le remettre à place ? Les garçons m'ont regardé d'un air d'incompréhension totale.

« Allons, vous n'allez pas me dire que personne n'a rien vu ! Tayler ! Jackson ?

— Non, rien, monsieur !

— Pryce ? Pink ? Sutcliff ?

— Non, monsieur !

— Cavalier ? » Cavalier, avec un sourire affecté, a détourné le regard.

« Cavalier ? »

J'ai fait l'appel (toujours sur une feuille de papier) et, mal à l'aise, je les ai envoyés à leurs cours. J'allais devoir faire une fouille des vestiaires individuels. Cela m'ennuyait d'avoir à m'y résoudre, mais c'était la seule façon de découvrir le coupable. J'avais comme par hasard une heure de liberté cet après-midi-là. Muni de mon passe-partout et de ma liste de numéros de casiers, je me suis dirigé vers le couloir du milieu et les vestiaires des quatrièmes, après avoir confié la salle 59 à Meek et à un petit groupe d'élèves de première qui n'allaient sûrement pas lui causer d'ennuis.

Alors, méthodiquement, par ordre alphabétique, j'ai fouillé chaque vestiaire individuel en prêtant particulièrement attention au contenu des trousses à crayons. Je n'ai découvert dans celui d'Allen-Jones qu'un demi-paquet de cigarettes, dans celui de

Jackson, une revue porno. Dans celui de Cavalier, encombré de papiers, de livres et de toutes sortes de petites babioles, j'ai trouvé un étui d'argent de la taille d'une calculatrice. Il avait glissé entre deux classeurs. C'était une sorte de trousse à crayons. Je l'ai ouvert, mais non, pas de stylo ! Le vestiaire suivant était celui de Lemon, puis ceux de Niu, de Pink, d'Anderton-Pullitt. Le dernier débordait de livres sur sa grande passion : l'aviation pendant la première guerre mondiale. J'ai fouillé tous les casiers les uns après les autres. J'y ai trouvé un tas de jeux de cartes (interdits), une ou deux photos de pin-up, mais pas de stylo Parker vert.

Tout cela m'a pris plus d'une heure, assez longtemps pour entendre la cloche sonner la fin de la première leçon de l'après-midi et voir le couloir se remplir. Heureusement, aucun élève n'a décidé de retourner à son casier pendant l'interclasse.

Je me suis retrouvé encore plus fâché qu'auparavant, pas tant à cause de ce stylo perdu (je pouvais toujours le remplacer), que parce que le plaisir d'être responsable de cette classe-là plutôt que d'une autre m'avait été gâché par ce stupide incident et que je ne pourrais plus jamais faire confiance à aucun d'entre eux avant que le coupable ne soit identifié.

J'étais de service le lendemain à la fin des cours (surveillance d'autobus). Meek, que l'on distinguait à peine parmi la masse des élèves qui rentraient chez eux, était dans la cour intérieure principale. Des marches de la chapelle, Monument dominait la foule dont il surveillait les allées et venues.

« Au r'voir, monsieur, et bon week-end ! » C'était McNair, cravate à moitié dénouée sur la poitrine et chemise au vent. Allen-Jones l'accompagnait, courant bien entendu comme s'il s'était agi de vie ou de mort.

J'ai crié vers eux : « Moins vite, messieurs. Vous pourriez avoir un accident !

— Pardon, monsieur ! » a hurlé Allen-Jones sans ralentir le moins du monde.

Je n'ai pu m'empêcher de sourire. Moi aussi, j'avais couru comme ça, je m'en souvenais parfaitement, et il n'y avait pas si longtemps non plus, à l'époque où les week-ends avaient la longueur du terrain de foot. De nos jours, ils passent comme l'éclair.

Semaines, mois, années se bousculent et disparaissent comme dans le chapeau d'un prestidigitateur. Je m'interroge encore pourtant : pourquoi les garçons courent-ils toujours ? Et moi, quand ai-je cessé de courir ?

« Monsieur Straitley ! »

Le vacarme était tel que je n'avais même pas entendu le Nouveau Proviseur arriver derrière moi. Présentation impeccable, même un vendredi après-midi : chemise blanche, costume gris, cravate immaculée avec nœud précisément à la bonne hauteur et formant un angle parfait avec la chemise.

« Monsieur le proviseur ! »

Cela l'agace profondément que l'on s'adresse ainsi à lui, que l'on se permette de lui rappeler que, dans la longue histoire de Saint Oswald, il n'est ni unique ni irremplaçable. Il m'a demandé : « Ce garçon qui nous a dépassés, celui qui courait la chemise au vent, n'est-il pas de votre classe ? »

J'ai menti : « Non, j'en suis bien sûr ! » Comme beaucoup de chefs d'établissement, le Nouveau Proviseur semble obnubilé par les chemises, les chaussettes et tous les autres petits caprices de l'uniforme. Il m'a regardé d'un œil sceptique et m'a déclaré : « Je suis tout à fait conscient d'un certain dilettantisme à propos de la stricte adhésion à l'uniforme. J'ose espérer que *vous* saurez convaincre *vos* garçons de l'importance que j'attache à l'impression qu'ils donnent de *notre* école lorsqu'ils sont à l'extérieur.

— Mais, bien sûr, monsieur le proviseur ! »

L'inspection générale est imminente maintenant, et faire bonne impression est devenu une des priorités. La King Henry Grammar School s'enorgueillit d'une étiquette vestimentaire extrêmement rigoureuse : canotier l'été et, pour les membres de la chorale de la chapelle, haut-de-forme... ce qui expliquerait, à son avis, leur position (meilleure que la nôtre) au classement général des écoles secondaires du pays. Mes jeunes terreurs à moi, aux doigts tachés d'encre, vous donneront une explication un peu moins flatteuse de la supériorité apparente de leurs rivaux (les Henriettes, comme on les appelle à Saint Oswald) et, je dois l'avouer, j'aurais tendance à partager leur opinion. Le domaine vestimentaire est le champ-de-mars des jeunes. Cela fait partie de leur révolte et, pour nos garçons – les quatrième S en particulier –, les cravates mutilées à coups de ciseaux, les chemises claquant au vent et les chaussettes aux motifs subversifs sont autant d'étendards révolutionnaires.

C'est ce que j'ai tenté d'expliquer au Nouveau Proviseur mais l'expression d'horreur que j'ai lue dans son regard était telle que j'ai bien regretté. « Quelles chaussettes, monsieur Straitley ? m'a-t-il demandé comme si j'avais brutalement attiré son attention sur une nouvelle et inimaginable perversion de l'adolescence.

— Eh bien, oui ! Vous savez, les chaussettes BD, les Homer Simpson, les Tintin et les Scooby-Doo...

— Mais nous avons bien des chaussettes d'uniforme ! Mi-mollet, laine grise. Bande rayée jaune et noire. Huit livres quatre-vingt-quatorze la paire chez notre fournisseur habituel. »

J'ai haussé les épaules de désespoir. Il était proviseur depuis quinze ans déjà et il n'avait pas encore remarqué que pas un seul élève, pas un seul, ne portait les chaussettes officielles.

« Eh bien, je m'attends à ce que cela change immédiatement, a-t-il déclaré, l'air vraiment ébranlé. Nos garçons se doivent de respecter l'uniforme, dans tous les détails et à tout moment de la journée. Je vais envoyer une note administrative à cet effet. »

Je me suis alors interrogé. Quand il était élève, le proviseur avait-il toujours observé parfaitement le règlement concernant l'uniforme, dans tous ses détails et à tout moment de la journée ? J'ai essayé d'imaginer la chose et j'ai découvert que oui, c'était en effet tout à fait vraisemblable. J'ai alors soupiré : « *Fac ut vivas*, monsieur le proviseur.

— Vous disiez ?

— Je disais : entièrement d'accord !

— Et pendant que nous parlons de note administrative, ma secrétaire vous a mailé trois fois aujourd'hui pour vous demander de venir à mon bureau...

— Vraiment, monsieur le proviseur ?

— Oui, monsieur Straitley ! » Sa voix s'était glacée. « Nous avons reçu une lettre de plainte. »

Il s'agissait de Cavalier, bien sûr, ou plutôt de sa mère, une blonde décolorée, sans âge et d'humeur explosive, qui avait obtenu une généreuse pension alimentaire et, par suite, du temps libre à ne plus savoir qu'en faire, ce qui lui accordait le loisir d'envoyer tous les trimestres une plainte officielle. Cette fois, c'était de moi qu'il s'agissait, moi dont les préjugés religieux avaient fait de son fils ma tête de Turc.

Le proviseur a poursuivi : « Être accusé d'antisémitisme est grave. Vingt-cinq pour cent de nos clients, je veux dire de nos parents, appartiennent à la communauté juive et je ne crois pas devoir vous rappeler...

— Non, ce n'est vraiment pas nécessaire, monsieur le proviseur. » Cette fois, il dépassait les bornes ! Prendre le parti d'un élève contre un professeur, et en public, là où n'importe qui pouvait être à l'écoute, cela allait vraiment trop loin ! C'était plus que de la déloyauté. J'ai senti la moutarde me monter au nez. « C'est une question d'incompatibilité de caractère, c'est tout et je m'attends à ce que vous m'appuyiez entièrement devant cette accusation sans fondement aucun. D'ailleurs, puisque nous en sommes là, puis-je vous rappeler que, dans notre école, nous avons élaboré une structure pyramidale, qui doit être observée rigoureusement dans toute question de discipline, et qui a pour base les professeurs principaux. Je dois donc dire que je n'apprécie pas du tout de voir quelqu'un d'autre usurper ma place, sans avoir préalablement été consulté !

— Mr. Straitley ! » Le proviseur semblait agité.

« Oui, monsieur le proviseur...

— Il y a plus encore. » Je bouillais toujours de colère mais je l'avais vu venir. « Mme Cavalier m'informe aussi qu'un stylo de valeur, un cadeau reçu par son fils à l'occasion de sa bar-mitzvah, a disparu de son casier hier après-midi et que vous, monsieur Straitley, avez été remarqué en train d'ouvrir les casiers des quatrième à ce moment-là précis. »

Vae. J'ai maudit ma sottise. J'aurais dû être plus prudent. En accord avec le règlement, j'aurais dû ouvrir les casiers en présence des élèves. Mais ces quatrième-là étaient les miens, les 4S, de loin ma classe favorite. Il était bien plus facile de faire ce que j'avais toujours fait, de fouiller en douce le casier du coupable, d'y reprendre l'objet en question et de m'en tenir là. C'est ce que j'avais fait dans le cas d'Allen-Jones et des numéros de salles de classe, et cela avait parfaitement marché. Cela aurait marché aussi avec Cavalier. Bien sûr, dans son cas, je n'avais rien trouvé. Pourtant, je devinais qu'il était coupable. De toute façon, je n'avais certainement rien pris dans son casier.

Le proviseur poursuivait dans sa foulée. « Mme Cavalier ne vous accuse pas seulement d'avoir fait de son fils votre tête de Turc et de l'humilier constamment, mais aussi de l'avoir soupçonné de vol et, lorsqu'il a protesté de son innocence, d'avoir confisqué un objet de valeur qu'il avait dans son casier dans l'espoir peut-être de le voir alors confesser son prétendu forfait.

— Je vois. Eh bien, voilà ce que je pense de Mme Cavalier !

— Notre assurance va bien sûr couvrir le remboursement de cette perte mais la question demeure...

— Quelle question ? » D'indignation j'en étais presque incapable de parler. Les garçons perdent quelque chose tous les jours. Rembourser la famille, dans ce cas, équivalait à reconnaître ma culpabilité dans toute l'histoire. « Non, sûrement pas ! Je pourrais vous parier à dix contre un qu'il le retrouvera, ce maudit stylo, sous son lit ou quelque part de ce genre. »

Le proviseur a répliqué, avec une franchise surprenante de sa part : « Je préférerais régler l'affaire à ce niveau-ci plutôt que de voir Mme Cavalier adresser sa plainte aux gouverneurs.

— Je n'en doute pas du tout mais si vous faites cela, vous trouverez ma démission sur votre bureau lundi matin ! »

Sa Majesté est devenue livide : « Allons, calmez-vous, Roy !

— Je n'ai aucunement l'intention de me calmer. Le devoir d'un proviseur est de soutenir ses professeurs de toute son autorité, et de les défendre, pas de souscrire à la première accusation malintentionnée portée contre un membre de son personnel ! »

Le silence qui a suivi m'a paru glacial. J'ai compris que ma voix, depuis longtemps entraînée à l'acoustique de la tour du clocheton, s'était élevée, que plusieurs élèves et leurs parents s'étaient attardés pour écouter et que le jeune Meek me regardait bouche bée.

Le Nouveau Proviseur a conclu avec raideur : « Très bien, monsieur Straitley ! » et a poursuivi son chemin, me laissant clairement l'impression d'avoir, comme Pyrrhus, au mieux remporté une victoire désastreuse, et, au pire, marqué contre ma propre équipe un but des plus dévastateurs.

4

Pauvre vieux Straitley. Lorsque je l'ai quitté aujourd'hui, il m'a semblé si déprimé que j'ai presque regretté de lui avoir chipé son stylo. Il m'a paru si vieux – pas effrayant comme il me le paraissait autrefois, mais vieux tout simplement, oui, un vieil acteur au visage bouffi qui n'aurait plus tout à fait le talent qu'il avait eu. Bien sûr, les apparences sont trompeuses. Un homme comme Straitley a du cran, de l'intelligence, réelle, dangereuse. Enfin, que vous appeliez cela de la nostalgie de ma part, si vous voulez, ou de la perversité, il m'a paru aujourd'hui plus sympathique que jamais. Je me demande si je ne devrais pas l'aider un peu, en souvenir du passé.

Oui, c'est peut-être ce que je ferai.

Pour célébrer la fin de ma première semaine, j'ai débouché une bouteille de champagne. La partie ne vient que de commencer, bien entendu, mais j'ai déjà semé un certain nombre de graines empoisonnées et ce n'est encore que le début. Cavalier s'avère un précieux instrument entre mes mains, il est presque devenu *un de mes petits amis* – comme les appelle Straitley. À la récréation il vient bavarder avec moi et recueille chaque mot qui tombe de mes lèvres. Je ne dis rien, bien sûr, qui puisse m'incriminer –, mieux que quiconque je sais éviter de tomber dans ce panneau-là ! Mais les quelques insinuations que je laisse échapper, les quelques anecdotes que je raconte vont, je pense, le mettre sur la bonne voie.

Sa mère, bien entendu, ne s'est pas plainte aux gouverneurs. Malgré ses talents d'actrice, je ne m'y attendais pas vraiment. Pas cette fois-ci, du moins. Pourtant, toutes ces petites choses sont rangées au plus profond de sa mémoire, où elles germeront un jour.

Le scandale, cette pourriture profonde, responsable de l'écroulement des fondations, Saint Oswald en a eu sa part. La plus grande partie en a été expertement excisée par les gouverneurs et le conseil d'administration. L'affaire Shakeshafte, par exemple, ou bien cette vilaine histoire concernant le concierge, il y a bien quinze ans de cela. Comment s'appelait-il déjà ? Snyde ? Je ne me souviens pas de tous les détails mais cela prouve bien, en tout cas, que de nos jours on ne peut faire confiance à personne.

Dans le cas de Mr. Bray et de mon propre collège, il n'y avait pas eu de conseil d'administration pour étouffer l'histoire. Miss Potts avait écouté, les yeux écarquillés. Sa moue indulgente et persuasive du début s'était transformée en moins d'une minute en un cul-de-poule écœuré. « Mais Tracey n'a que quinze ans », avait protesté miss Potts, qui elle-même avait toujours fait un effort pour paraître attrayante pendant les leçons de Mr. Bray. Son visage était maintenant rigide de désapprobation. « Quinze ans ! »

J'avais approuvé son indignation d'un signe de tête. « Il ne faut le dire à personne. Il me tuerait s'il apprenait que je vous l'ai dit. »

L'appât était lancé. Comme je l'avais prévu, elle s'était précipitée dessus. D'un ton décidé, elle m'avait alors dit : « Rien ne va t'arriver. La seule chose que tu aies à faire, c'est de ne rien me cacher. »

Ce jour-là, je n'avais pas eu à aller au rendez-vous que m'avait assigné Mr. Bray. Au lieu de cela, j'avais dû attendre, en tremblant de peur et d'excitation, sur le banc à la porte du bureau du principal, d'où j'avais pu suivre les péripéties du drame qui se jouait à l'intérieur. Bray avait tout nié, bien sûr, mais cette petite folle de Tracey, très amoureuse, avait répandu d'amères larmes devant sa trahison publique, elle s'était comparée à Juliette, avait menacé de se suicider et finalement avait annoncé qu'elle était enceinte, provoquant immédiatement panique et reproches parmi les participants. Bray s'était enfui précipitamment pour appeler son délégué syndical et miss Potts avait menacé d'alerter les journaux locaux si quelque chose n'était pas immédiatement résolu pour protéger d'autres jeunes innocentes de l'influence néfaste de ce satyre qu'elle avait soupçonné dès le début et qui méritait bien qu'on l'enferme.

Le lendemain, Mr. Bray avait été suspendu de ses fonctions en attendant les résultats de l'enquête, et n'était jamais revenu après les révélations qu'elle avait mises au jour. Le trimestre suivant, Tracey avait fait savoir que sa grossesse n'avait heureusement été qu'une fausse alerte, au grand soulagement de plus d'un garçon de première. Miss Applewhite, une nouvelle et très jeune prof de gym, était arrivée. Elle avait, sans poser de questions ni montrer de curiosité malsaine, accepté mes excuses à propos de mes crises d'asthme. À ma surprise (et sans jamais avoir pris de leçons de karaté), j'avais gagné une étrange sorte de respect parmi les gens de mon année. J'étais l'élève qui avait osé tenir tête à ce salaud de Bray et avait gagné.

Je l'ai déjà dit, un caillou bien placé peut abattre un géant. Bray était ma première victime, un coup d'essai si vous voulez. Les autres élèves de ma classe l'ont peut-être deviné. Ils ont compris, sans doute, que j'avais soudain acquis le goût de la revanche car, après cet incident, les brimades qui m'avaient rendu la vie intolérable ont cessé par enchantement. Je n'avais pas gagné en popularité bien sûr, mais, alors qu'auparavant, qu'ils soient profs ou élèves, les autres avaient fait de leur mieux pour me tourmenter, maintenant ils me laissaient tranquille.

C'était hélas trop peu et trop tard. J'allais déjà à Saint Oswald presque tous les jours. Je traînais dans les couloirs, bavardais avec Léon pendant les récréations et l'heure de midi. Mon bonheur n'avait d'égal que mon audace. La semaine des examens était arrivée. Léon avait la permission de faire ses révisions à la bibliothèque lorsqu'il n'avait pas d'épreuve. Nous partions en ville ensemble pour regarder les disques – quelquefois pour en chiper. Léon, lui, n'avait aucune raison de chiper quoi que ce soit, il avait toujours bien plus d'argent de poche qu'il n'en avait besoin.

Ce n'était pas mon cas. Tout mon argent – et cela comprenait le peu d'argent de poche que je recevais chaque semaine et l'argent que mon père me donnait pour la cantine de l'école et que je ne dépensais pas – finançait ma présence à Saint Oswald.

Les petits à-côtés étaient étonnants. Livres, fournitures, boissons et biscuits achetés à la coopérative, billets d'autobus pour les matchs contre les autres établissements et l'uniforme, bien sûr. J'avais bien vite découvert que, malgré l'uniforme porté par tous les élèves, il y avait un certain standing à maintenir. Je m'étais fait passer pour un nouvel élève, fils d'un inspecteur de police. Il était donc impensable que je continue à porter les vêtements d'occasion que j'avais fauchés au bureau des objets trouvés ou les chaussures de sport éculées et boueuses que je mettais quand j'étais chez moi. Il me fallait un uniforme tout neuf, des chaussures bien cirées et un cartable de cuir.

J'ai donc chapardé certaines choses dans les vestiaires individuels, le soir, quand l'école était déserte. J'en ôtais les étiquettes qui portaient le nom du propriétaire et je les remplaçais par celles à mon nom. Les autres, je les achetais avec mes économies. Une ou deux fois peut-être, lorsqu'il était sorti, j'ai même chipé de l'argent dans la réserve que mon père avait mise de côté pour sa bière. Je savais très bien qu'il rentrerait ivre à la maison et j'espérais qu'il aurait oublié combien il avait dépensé exactement. La première fois, cela a très bien marché, mais mon père était plus conscient de ces détails-là que je ne l'aurais pensé. Au second essai, je me suis presque fait prendre. Heureusement pour moi, il y avait quelqu'un d'autre à la maison, quelqu'un de beaucoup plus facile à soupçonner. Une terrible querelle avait suivi, après laquelle Pepsi avait porté des lunettes de soleil pendant quinze jours. Après cela, je n'ai plus jamais osé chiper d'argent à mon père.

Mes terrains de chasse sont alors devenus les magasins. J'ai dit à Léon que je volais par pur plaisir. Nous faisions des concours de vol à l'étalage puis nous nous partagions le butin dans notre *club-house*, la cabane que nous avions bâtie dans les bois derrière l'école. À ma grande surprise, je faisais preuve d'un certain talent pour le chapardage. Léon, lui, était tout simplement doué. Il n'éprouvait pas la moindre appréhension. Il avait adapté un long pardessus pour l'occasion et faisait passer disques et CDs dans les grandes poches aménagées dans la doublure jusqu'à ce que leur poids l'empêchât presque de marcher. Un jour, nous avons bien failli nous faire prendre. Nous allions franchir la porte lorsque la doublure du pardessus de Léon a craqué. Les disques sont sortis de leurs jaquettes et se sont éparpillés partout. La fille qui était à la caisse en est restée bouche bée, les clients nous ont dévisagés muets de surprise, le détective du magasin lui-même semblait paralysé d'étonnement. Moi, je n'avais pensé qu'à une chose : m'enfuir en courant. Léon, lui, a simplement souri comme pour s'excuser. Il a ramassé ses disques un par un et seulement alors, il s'est esquivé à toutes jambes, les pans de son pardessus battant comme des ailes au vent de sa course. J'ai mis longtemps avant d'oser me hasarder de nouveau dans ce magasin-là. Nous y sommes pourtant retournés quand même car Léon a insisté. D'ailleurs, comme il me le répétait, nous avions emporté la plupart des disques avec nous ce jour-là.

Ce n'est qu'une question d'attitude. Léon me l'a appris. S'il avait pourtant réalisé mon imposture à moi, je soupçonne que même lui aurait dû me reconnaître une supériorité dans ce domaine. Mais la chose était impossible. Pour Léon, la plupart des gens étaient des médiocres. Les collégiens de Sunny Bank Park représentaient la racaille. Les locataires des H.L.M. appartenant à la municipalité (y compris ceux de la rue de l'Abbaye où mes parents et moi avions habité) étaient des *mémères,* des *brutes*, de *jeunes minables* et des *purotins*.

Bien entendu, je partageais son mépris à leur égard mais ma haine pour eux était bien plus profonde que la sienne. Je savais d'eux certaines choses qu'en dépit de sa belle maison, de son latin et de sa guitare électrique, Léon lui-même était bien incapable d'imaginer. Notre amitié n'était pas celle de deux égaux. Le monde que nous nous étions fabriqué n'aurait jamais accueilli l'enfant de John et de Sharon Snyde.

Je regrettais seulement que le jeu ne pût éternellement durer. À douze ans, hélas, on n'envisage pas souvent l'avenir. À mon horizon s'amoncelaient peut-être de vilains nuages noirs, mais dans l'éblouissement que me causait mon nouvel ami, j'étais bien incapable de les remarquer.

5

Saint Oswald – Lycée de garçons
Mercredi 15 septembre

Quand je suis rentré dans ma classe, hier, après l'heure de midi, un dessin fixé par une punaise ornait mon tableau d'affichage, une caricature assez grossière de moi-même avec une moustache très hitlérienne au-dessus de laquelle une bulle disait : *Juden raus !*

L'auteur aurait pu en être n'importe qui : quelqu'un du groupe de Devine qui avait eu cours dans ma salle de classe, juste après la récréation, l'un des géographes de Meek, un préfet même dont le sens de l'humour aurait été un peu tordu, mais au fond de moi, je savais que c'était Cavalier. Je le devinais rien qu'à voir son expression satisfaite et narquoise, à la façon aussi dont il s'arrangeait pour ne jamais avoir à rencontrer mon regard, à la pause presque imperceptible qu'il mettait entre son « oui » et son « monsieur », cette impertinence que j'étais seul à remarquer.

J'ai immédiatement ôté ce dessin, bien sûr, je l'ai froissé et jeté à la corbeille sans même paraître m'y intéresser. Il y avait là pourtant des relents d'insurrection. En surface, tout semble toujours calme, mais voilà trop longtemps que je suis ici pour être dupe de cette accalmie. C'est le silence trompeur de l'épicentre avant que l'ouragan ne s'abatte sur nous.

Je n'ai pas encore découvert qui m'avait aperçu dans la salle des vestiaires. N'importe qui dont cela aurait pu être l'intérêt.

Geoff et Penny Nation en seraient tout à fait capables. Ils rapportent régulièrement les erreurs de procédure avec cette piété onctueuse sous laquelle se dissimule leur méchanceté foncière. Leur fils est parmi mes élèves cette année, comme par hasard – un garçon de sixième, intelligent et sans aucune personnalité. Depuis que les listes pour chaque cours ont été imprimées, les parents manifestent tous deux un intérêt malsain pour mes méthodes pédagogiques. Isabelle Tapi aussi pourrait bien être la coupable. Elle ne m'a jamais aimé. Ou Meek, qui a ses raisons à lui. L'un de mes propres élèves même ?

Cela n'a d'ailleurs aucune importance, bien sûr. Pourtant, dès le premier jour de la rentrée, j'ai eu l'impression que quelqu'un de très proche m'épiait et le faisait sans aucune indulgence. César avait dû se sentir comme cela, je le crois, à l'approche des ides de mars.

En cours, les choses se passent comme d'habitude : un groupe de sixième, des latinistes débutants qui croient encore naïvement qu'un verbe exprime obligatoirement une action, des première au talent médiocre qui poursuivent consciencieusement leur petit bonhomme de chemin dans le dédale de l'*Énéide* IX, mes quatrième S qui pour la troisième fois montent à l'assaut du gérondif, assaut d'ailleurs accompagné des remarques d'un humour douteux de Sutcliff et d'Allen-Jones (toujours bien incapable de la fermer) et des observations laborieuses d'Anderton-Pullitt, qui pense sincèrement qu'il perd son temps à étudier le latin alors qu'il y a encore tant de choses passionnantes à découvrir sur l'aviation pendant la première guerre mondiale.

Personne n'a accordé un regard à Cavalier qui travaillait sans mot dire. La petite interrogation écrite que je leur ai donnée à la fin de la leçon m'a appris que la plupart étaient maintenant aussi familiarisés avec le gérondif qu'il était raisonnable de s'y attendre de la part d'élèves de quatrième. Pour personnaliser sa copie, Sutcliff y avait ajouté un nombre de petites illustrations représentant « différentes espèces de gérondifs dans leur habitat naturel » et « ce qui se passe dans l'intimité d'un gérondif qui en rencontre un autre ». Je dois d'ailleurs me souvenir de lui en toucher un mot un de ces jours. En attendant, j'ai fixé ces petites illustrations avec du scotch à l'intérieur du couvercle de mon

132

bureau. Elles sont pour moi un antidote humoristique à la mystérieuse caricature de ce matin.

Quant à ce qui se passe dans la section, il y a là du bon et du mauvais. Dianne Dare semble parfaitement se débrouiller, ce qui est une bonne chose car en ce moment Pearman en est à son moins efficace. Ce n'est d'ailleurs pas entièrement sa faute. J'ai toujours eu un petit faible pour lui malgré son manque d'organisation. Il est intelligent au moins. Scoones, par contre, à la suite de la dernière nomination, est devenu un enquiquineur de première classe, harcelant sans cesse et médisant tellement que Pearman, notre homme tranquille, est constamment sur le point de perdre son calme et que Kitty elle-même en a perdu de sa vivacité. Tapi semble seule indifférente à tout cela. Sans doute à cause de l'intimité naissante qu'elle cultive avec cet insupportable Light. On l'a plusieurs fois remarquée avec lui à La Dive Bouteille, ainsi qu'au réfectoire où ils vont croquer un sandwich. Quant aux Allemands, ils baignent dans l'euphorie de leur suprématie. Cela ne va pas leur rapporter grand-chose pourtant. Les souris ont peut-être disparu, victimes du règlement de Pisse-Vinaigre à propos de l'hygiène et de la sécurité à l'école, mais le fantôme de Straitley tient bon, lui, il vient les hanter, il secoue ses chaînes pour effrayer les occupants et causer la pagaille de temps en temps.

Le prix d'une tournée à La Dive Bouteille m'a permis de me faire remettre une clef du nouveau bureau de la section d'allemand. Je m'y réfugie chaque fois que Pisse-Vinaigre a une réunion dans ma classe. Cela ne dure pas plus de dix minutes, je sais, mais cela suffit pour, mine de rien, y semer le désordre : tasses de café laissées sur le bureau, téléphone mal remis à sa place, mots croisés du *Times* terminés sur sa copie personnelle... enfin, juste ce qu'il faut pour rappeler à Devine que j'existe toujours.

Mes classeurs de métal ont été entreposés dans la pièce voisine, où se trouve la réserve de manuels scolaires. Cela aussi irrite Pisse-Vinaigre qui, jusque-là, n'avait pas eu conscience de l'existence d'une porte de communication entre ces deux pièces, porte que j'ai maintenant fait remettre en usage. Il se plaint d'avoir à respirer la fumée de ma cigarette lorsqu'il travaille à son bureau et cite le règlement concernant l'hygiène et la sécurité à l'école avec un pieux pharisaïsme, alléguant qu'une telle accumulation de livres représente sûrement un risque d'incendie et parlant de faire installer un détecteur de fumée.

Bien heureusement, Bob Strange, en tant que *third master*, gère les dépenses des différentes sections. Et il a annoncé qu'aucune dépense non essentielle ne serait autorisée avant la fin de l'inspection. Pour le moment donc, Pisse-Vinaigre est obligé de supporter ma présence, tout en préparant sans nul doute sa nouvelle offensive.

Pendant ce temps-là, le proviseur mène son offensive à lui : l'opération « chaussettes ». Lundi matin, l'assemblée entière a été consacrée à cet important sujet. Résultat ? À la suite de son discours, tous les garçons de ma classe, à quelques exceptions près, ont décidé de porter les chaussettes les plus provocatrices. Certains extravagants y ont même ajouté des fixe-chaussettes aux couleurs révolutionnaires.

J'ai déjà repéré un Bugs Bunny, trois Bart Simpson, quatre Mickey. Quant à Allen-Jones, il exhibe une paire de chaussettes rose vif avec un logo Houpette décoré de sequins. Heureusement ma vue n'est plus aussi bonne que dans ma jeunesse, ce qui me rend bien incapable de remarquer ces abominables entorses au règlement...

Personne, bien sûr, n'est dupe de cette passion soudaine du Nouveau Proviseur pour les chevilles de nos garçons. La date de l'inspection approche petit à petit et, après les résultats décevants aux examens de l'été dernier – entièrement dûs au surcroît de travail imposé par les mémoires individuels et les toutes dernières initiatives gouvernementales – il *sait* qu'il ne peut se permettre de recevoir un rapport même un peu terne.

C'est là la raison pour laquelle chaussettes, chemises, cravates, l'uniforme tout entier d'ailleurs, seront ce trimestre ses cibles préférées et cela sans parler des graffitis, de l'hygiène et de la sécurité, des souris, de la compétence informatique de l'ensemble des professeurs, et de l'importance de toujours bien tenir sa gauche en se déplaçant dans les couloirs. Il se consacrera aussi à l'évaluation de chacun des membres du corps professoral. Une sorte de répétition générale. Les secrétaires sont occupées à imprimer une nouvelle brochure. Un sous-comité, dont le rôle est essentiellement de discuter des possibilités d'améliorer *encore* notre image, a été créé. Une rangée supplémentaire d'espaces réservés aux handicapés a été aménagée dans le parking destiné aux voitures des visiteurs.

Emporté par cette fièvre inhabituelle, Fallow, le *porter*, fait preuve d'un maximum d'empressement. Il a un talent remarquable pour paraître débordé tout en s'arrangeant pour éviter vraiment tout travail. On le voit maintenant rôder, porte-papiers en main, dans tous les coins et à la porte des salles de classe pour surveiller apparemment les réparations et les rénovations entreprises par Jimmy. C'est ainsi qu'il peut entendre une grande partie de ce que disent les professeurs. Je le soupçonne d'en faire un rapport fidèle à Devine car il est bien évident que, pour un homme qui affecte de mépriser les commérages de la salle des profs, Pisse-Vinaigre semble remarquablement bien informé.

Miss Dare était dans ma salle de classe cet après-midi, elle remplaçait Meek absent pour cause de santé. Une grippe gastrique, ou quelque chose de ce genre, d'après Bob Strange. Moi, je suis sceptique. Certains sont nés pour l'enseignement, d'autres pas. Meek ne va sûrement pas battre le record – il appartient à un professeur de mathématiques, Jérôme Fentimann, qui a disparu à la récréation le jour de la rentrée et n'a pas été revu depuis. Je ne serais pourtant pas outrement surpris de le voir nous quitter à la mi-trimestre à la suite d'une maladie d'origine nébuleuse.

Heureusement, miss Dare est d'une autre étoffe. De la salle de préparations où je me suis réfugié, je l'entends parler aux élèves d'informatique de Meek. Sa placidité est trompeuse et cache une intelligence vive et une grande efficacité, et son air réservé n'a rien à voir avec la timidité, je le devine. Elle aime la solitude tout simplement et ne fréquente que peu les autres nouveaux. Je la vois souvent (nous partageons une salle de classe après tout) et la rapidité avec laquelle elle s'est adaptée à la topographie fantasque de Saint Oswald, à la multitude des salles, à nos traditions et à nos tabous, à l'infrastructure aussi, m'a favorablement frappé. Elle sait bavarder avec les garçons sans tomber dans le piège de la familiarité, punir sans provoquer de ressentiment et elle connaît bien sa matière.

Aujourd'hui, longtemps avant le commencement des cours, je l'ai surprise à corriger ses cahiers dans ma salle de classe. J'ai pu ainsi l'observer quelques secondes avant qu'elle ne prenne conscience de ma présence. Mince, l'air très professionnelle dans son pantalon gris et son corsage blanc impeccable, cheveux noirs coupés avec une élégance discrète. J'ai fait un pas dans sa direction. Elle m'a aperçu et s'est immédiatement levée pour me laisser mon fauteuil.

« Bonjour, monsieur. Je ne m'attendais pas à vous voir arriver aussi tôt ! »

Il était sept heures quarante-cinq. Light, bien typique des *J' suis pas payé pour ça !* arrive exactement à neuf heures moins cinq. Mat, lui, arrive très tôt mais passe son temps à faire des tours de piste interminables. Gerry Grachvogel lui-même n'est jamais dans sa classe avant huit heures. Elle m'a dit « Monsieur. » J'espère bien qu'elle ne sera pas du genre lèche-cul. Enfin, il faut dire que je n'aime pas non plus les jeunots qui s'emparent de mon nom comme si j'étais le plombier ou un type dont ils auraient fait connaissance au pub. J'ai demandé : « Alors, la salle de préparations ne vous convient pas ?

— Mr. Pearman et Mr. Scoones étaient en train de discuter des nouvelles nominations, j'ai donc jugé préférable de me retirer.

— Je vois ! » Je me suis assis et j'ai allumé ma première Gauloise.

« Je vous demande pardon, monsieur, j'aurais dû vous demander la permission. » Il y avait dans son ton une politesse parfaite mais ses yeux étincelaient. J'ai pensé que c'était une petite effrontée et elle m'est devenue immédiatement plus sympathique.

« Cigarette ?

— Non merci. Je ne fume pas.

— Aucun vice, alors ? » Mon Dieu, pas un autre Pisse-Vinaigre !

« Oh si, beaucoup, croyez-moi !

— Hum !

— J'ai appris, par l'un de vos garçons, que vous occupiez cette salle de classe depuis plus de vingt ans.

136

— Davantage si vous y ajoutez les années que j'y ai passées en tant qu'élève ! » Dans ce temps-là, la section d'humanités était un empire, alors qu'un *Tweedy* éduqué par la méthode Assimil représentait à lui seul celle de français, à une époque où faire des études d'allemand aurait été considéré comme de la collaboration. *O tempore ! O mores !* J'ai émis un long soupir. Horace sur son pont repoussant tout seul les hordes barbares.

Miss Dare souriait : « Enfin, cela nous change bien des tables de plastique et des tableaux blancs. Personnellement, je pense que vous avez entièrement raison de vous battre. D'ailleurs, vos latinistes, moi, je les aime. Je n'ai pas à leur enseigner la grammaire, au moins, et leur travail n'est pas cousu de fautes d'orthographe. »

J'ai pensé qu'il était évident que cette fille-là était intelligente. Je me suis interrogé quand même. Que voulait-elle de moi exactement ? Il y avait sûrement d'autres bottes à lécher que celles du seigneur déchu de la tour du clocheton et, si cela était vraiment son intention, sa flatterie aurait sans doute eu plus de résultats si elle s'était adressée à Bob Strange, à Pearman ou à Devine. Je lui ai dit : « Méfiez-vous, jeune fille ! Si vous vous éternisez ici, avant même de vous en être rendu compte, vous découvrirez un matin que vous avez soixante-cinq ans, vingt kilos de trop, et que vos cheveux ont pris la couleur de la craie. »

Miss Dare m'a souri et a ramassé ses corrections pour partir. En se dirigeant vers la porte, elle m'a dit : « Je suis sûre que vous avez du travail à faire ! » Puis, elle s'est arrêtée net et m'a demandé : « Excusez ma curiosité, monsieur, mais vous n'avez pas l'intention de prendre votre retraite cette année ?

— Ma retraite ? Vous voulez rire ? J'ai bien décidé de faire ma Centaine ! » Je l'ai pourtant dévisagée avec attention. « Pourquoi cette question ? Quelqu'un vous a-t-il dit quelque chose ? »

Miss Dare a eu l'air gênée. Elle a hésité : « En tant que nouvelle arrivée, Mr. Strange m'a demandé de me charger du magazine de l'École. Alors, en vérifiant la liste des professeurs et des différentes sections, je me suis aperçue que...

— Vous vous êtes aperçue de quoi... ? » Son ton réservé et poli commençait à m'agacer. « Allons, dites, sacrebleu !

— Eh bien, vous ne semblez pas y figurer cette année, a-t-elle fini par dire. Apparemment, la section d'humanités a été... a été... » Elle s'est arrêtée pour chercher le mot exact et je me suis senti prêt à exploser.

« Quoi ? Quoi ? Marginalisée ? Amalgamée ? Oubliez le terme correct et dites-moi ce que vous pensez réellement ! Qu'est-il arrivé à ma sacrée section ?

— Mais c'est précisément là ma question, monsieur », a dit miss Dare d'un ton tout à fait placide. D'après les publications de l'École : brochure publicitaire, liste des sections, magazine... elle *n'existe* tout simplement *pas...* » De nouveau, elle s'est interrompue : « Et d'après la liste des professeurs, monsieur... vous non plus ! »

6

Lundi 20 septembre

À la fin de la semaine, l'école entière était au courant. On aurait pu croire, étant donné les circonstances, que le vieux Straitley se serait tenu coi, au moins pour un certain temps, qu'il aurait réfléchi à la marche à suivre et se serait tu. Mais, même si c'était la seule attitude raisonnable à adopter, ce n'était pas dans sa nature. Straitley étant Straitley, après avoir vérifié les faits, il est allé tout droit au bureau de Strange et a exigé de lui une explication.

Bien sûr, Strange a nié tout agissement clandestin de sa part. Il a expliqué que la nouvelle section aurait pour titre *section des langues étrangères,* et qu'elle réunirait, en plus des langues vivantes et des langues mortes, le parcours *découvertes linguistiques* et *l'ordinateur au service des langues étrangères* pour lequel les cours se dérouleraient une fois par semaine dans le laboratoire d'informatique, dès l'arrivée du logiciel qui, on le lui avait promis, serait en place avant l'inspection prévue pour le 6 décembre.

Les *humanités* n'avaient donc en rien perdu de leur importance. Elles n'avaient pas été marginalisées, avait affirmé Strange, bien au contraire : la position des langues étrangères, dans leur ensemble, avait été consolidée et étendue en accord avec les directives des nouveaux programmes. On lui avait dit en confidence que c'était précisément ce que Saint Henry avait fait, il y avait déjà quatre ans, et que, dans un climat de concurrence, il fallait...

Ce que Roy Straitley a vraiment pensé de cette explication n'a jamais été rendu officiel. D'après ce que j'ai entendu dire, la plupart des injures ont bien heureusement été exprimées en latin. Pourtant, malgré cela, une politesse froide et méticuleuse s'est installée entre eux.

« Bob » est devenu « Mr. Strange » et, pour la première fois de sa carrière, Straitley insiste sur la stricte observance du règlement concernant les droits des professeurs. Il exige donc d'être prévenu avant huit heures et demie le matin s'il doit perdre une heure de liberté pour remplacer un collègue absent. Cela oblige Strange à être tous les matins à l'école vingt minutes plus tôt qu'il ne l'aurait été en temps normal. En conséquence, Straitley est plus souvent qu'à son tour de service de surveillance de récréation les jours de pluie et de remplacement le vendredi après-midi, ce qui n'améliore pas la tension qui existe entre eux.

Enfin, toute cette histoire est peut-être amusante, mais elle reste anecdotique et Saint Oswald a survécu à mille petits drames de ce genre. Pour moi, la deuxième semaine s'est écoulée. Je me sens parfaitement à l'aise dans mon rôle et, bien que la tentation de profiter encore un peu de ma nouvelle situation soit grande, je sais que je ne trouverai pas de meilleur moment pour frapper. Mais où frapper ?

Pas Mat. Pas le proviseur. Straitley ? Ce serait bien tentant. Il devra d'ailleurs tomber à un moment ou à un autre, mais la situation m'amuse trop pour que je le fasse disparaître aussi rapidement. Non ! Le *porter*. Oui, c'est là qu'il faut frapper.

L'été s'était très mal passé pour John Snyde qui buvait encore plus que d'habitude. Son penchant pour la bière avait fini par n'être plus un secret. Il avait toujours été costaud mais, au long des mois et des années, il avait peu à peu épaissi et, du jour au lendemain, il était devenu obèse.

J'en prenais conscience pour la première fois. Je prenais conscience des élèves de Saint Oswald qui, contrairement au règlement, entraient par le grand portail, conscients de la lenteur des gestes de mon père, de ses yeux injectés de sang, de son humeur maussade d'ours mal léché. Sa violence ne se manifestait que rarement pendant ses heures de travail, mais je la savais là, toujours menaçante et souterraine, comme un nid de guêpes qui n'attendent que celui qui viendra déranger leur tranquillité pour attaquer.

Le Dr Tidy, l'intendant, le savait, il en avait fait la remarque bien que mon père eût jusque-là évité toute réprimande officielle. Les élèves aussi le savaient, les plus jeunes, de la section primaire, en particulier. Ils l'avaient harcelé tout l'été, hurlant de leur voix de fille : John, eh ! John, le suivant en meute pendant qu'il vaquait à ses occupations, courant derrière le minuscule tracteur de la tondeuse à moteur qu'il passait consciencieusement sur les terrains de cricket et de football, son gros derrière débordant largement de chaque côté du siège étroit.

Les élèves lui avaient trouvé une multitude de surnoms : *Gros poussah, Gras-Double, Gros Jean l'ventre en avant, Crâne d'œuf.* Il n'aimait pas avoir le crâne dégarni et essayait de déguiser son début de calvitie en le couvrant d'une longue mèche qu'il maintenait par de la vaseline. La tondeuse à gazon aussi était une source intarissable de plaisanteries. Ils l'appelaient la *Machine infernale,* le *Tacot de Jeannot.* Elle tombait fréquemment en panne. On disait qu'elle consommait l'huile de friture dont John se servait pour faire tenir sa mèche de cheveux et qu'il ne la conduisait que parce qu'elle faisait des pointes de vitesse supérieures à celles qu'il pouvait atteindre avec sa voiture. Le matin, les garçons avaient plusieurs fois décelé dans son haleine des relents de vieille bière et, depuis, les plaisanteries à propos de sa puanteur avaient commencé à foisonner. Les élèves faisaient semblant d'être pris d'ivresse après avoir simplement respiré l'haleine du concierge ou bien s'interrogeaient à propos du nombre de pintes au-delà de la limite permise qu'il avait ingurgitées et se demandaient si, par hasard, il n'enfreignait pas la loi en conduisant la Machine infernale en état d'ébriété.

Inutile de vous dire que, pendant mes incursions à Saint Oswald, je me tenais bien à l'écart de ces garçons-là. Malgré ma conviction que mon père ne s'était jamais préoccupé des individus eux-mêmes sous l'uniforme de l'École, le savoir si proche me remplissait de honte. À ces moments-là, il me semblait que je ne l'avais encore jamais bien vu et lorsqu'il réagissait violemment, d'abord de la voix, puis avec les poings, je ressentais une vive gêne de son manque de contrôle, une sorte de dégoût, de honte de moi-même.

La cause principale de cette réaction était sûrement mon amitié pour Léon. Lui était peut-être un rebelle avec ses longs cheveux et ses raids dans les magasins, mais il demeurait au fond un produit de son milieu avant tout. Il ne parlait qu'avec mépris des *prolos* et des *médiocres* et déversait avec précision et acharnement ses sarcasmes sur mes contemporains de Sunny Bank Park.

Moi, je m'associais sans réserve à ses moqueries. J'avais toujours détesté Sunny Bank Park. Je n'avais jamais éprouvé la moindre loyauté à son égard. C'est donc sans hésitation que j'avais embrassé la cause de Saint Oswald, le monde dont je faisais *vraiment* partie. Tout en moi : cheveux, voix et manières, oui, *tout* le prouvait, j'avais fait assez d'efforts pour m'en assurer. À cette époque-là, plus que jamais, j'aurais voulu que mon imposture n'en fût pas une, que cet inspecteur de police que je m'étais choisi comme père se matérialisât, car, plus que les mots ne pourraient jamais l'exprimer, je haïssais ce concierge maussade avec son langage grossier et son énorme ventre à bière. Il était devenu de plus en plus irritable avec moi. L'échec des leçons de karaté – qu'il avait suggérées – s'était ajouté à sa déception à mon égard et je l'avais surpris plusieurs fois à me regarder avec une expression de haine qu'il ne dissimulait plus.

Enfin, pourtant, en se forçant, il avait fait une fois ou deux un petit effort. Il m'avait proposé d'aller avec lui voir un match de football, il m'avait donné de l'argent pour un billet de cinéma. La plupart du temps cependant, il ne faisait aucun effort. Il s'enfonçait de plus en plus dans sa routine de télé, de soirées au pub, de repas tout faits et de sexualité bruyante, maladroite, le plus souvent sans grand succès. Et même cela avait cessé, au bout d'un moment, Pepsi venant de moins en moins souvent à la maison. Je l'avais aperçue une ou deux fois en ville en compagnie d'un jeune homme et une fois aussi au jardin public. Le jeune homme portait une veste de cuir et avait passé la main sous le pull angora rose de Pepsi. Elle n'était presque jamais revenue nous voir après cela.

Ironique, n'est-ce pas, de découvrir que ce qui avait sauvé mon père au cours de ces semaines difficiles était précisément ce qu'il en était venu à détester. Car Saint Oswald, qui avait représenté son espoir, son orgueil, sa vie, semblait maintenant, en raison de son insuffisance, l'accabler de mépris. Pourtant, il s'était accroché, il avait tenu bon et avait rempli ses fonctions jusqu'au bout, même si cela était devenu sans plaisir. Avec entêtement, il avait présenté le dos aux brimades des gamins qui le harcelaient et chantaient de méchantes petites chansons à propos de lui dans la cour de récréation. C'était pour moi qu'il avait accepté tout cela, pour moi qu'il avait souffert patiemment jusqu'à la fin. Maintenant, je le sais, maintenant qu'il est trop tard. Mais quand on a douze ans, tant de choses nous restent cachées, tant de choses nous sont encore à découvrir.

« Eh ! Dutoc ! » Nous étions assis sous les hêtres de la cour intérieure. Il faisait chaud. John Snyde tondait la pelouse. Je le respire encore, le parfum de ma jeunesse à Saint Oswald, cette odeur d'école, d'herbe coupée, de poussière, de tout ce qui pousse trop vite avec trop de liberté. « Eh ! *Saint Doux* semble avoir fait caler le moulin ! »

J'ai alors tourné les yeux dans sa direction. Il était là-bas en effet. À la limite du terrain de cricket, la Machine infernale était de nouveau tombée en panne et mon père essayait en vain de la faire redémarrer. Il suait et jurait en remontant la large ceinture de son pantalon. Les plus jeunes élèves avaient commencé à se rapprocher, formant autour de lui un cordon comme des Pygmées encerclant un rhinocéros blessé.

John. Eh ! John. Leurs voix me parvenaient clairement de l'autre côté du terrain de cricket, de petites voix fluettes de perruches s'élevant dans l'oppressante brume de chaleur. Ils se précipitaient vers lui comme des flèches pour revenir aussitôt en arrière, se défiant mutuellement d'oser approcher encore plus près.

Foutez-moi l'camp ! Il a levé un bras menaçant comme pour chasser un vol de corbeaux et, une fraction de seconde plus tard, sa voix d'ivrogne nous est parvenue, accompagnée de rires stridents. Les gamins se sont dispersés avec des cris aigus mais, quelques instants plus tard, ils étaient déjà revenus, pris de fou rire comme des petites filles.

Léon a souri et m'a dit : « Allez, viens ! Nous allons nous amuser un peu ! »

Je l'ai suivi à contrecœur après avoir ôté mes lunettes qui auraient pu me faire reconnaître. C'était bien inutile, d'ailleurs, mon père était ivre. Ivre et fou de rage, aiguillonné par la chaleur et les gamins qui ne le lâchaient pas.

« Excusez-moi, monsieur Snyde ! » lui a dit Léon en s'approchant par-derrière.

Il s'est retourné, la bouche ouverte de surprise en s'entendant appeler *monsieur Snyde*.

Léon le regardait bien en face, en souriant poliment. « Le Dr Tidy aimerait vous parler. Il est dans son bureau. Il dit que c'est important ! »

Mon père détestait l'intendant, cet homme intelligent à l'humour caustique, qui gérait les finances de l'École d'un bureau placé près de la loge du *porter* et d'une propreté remarquable. Il aurait été bien difficile de ne pas s'apercevoir de l'hostilité qui régnait entre eux. Tidy était d'une présentation impeccable, son organisation était méticuleuse jusqu'à l'obsession. Il ne buvait que des infusions de camomille pour ses nerfs. Tous les matins, il se rendait à la chapelle. Dans la serre de l'école, il cultivait des orchidées pour lesquelles il avait obtenu des médailles dans des concours d'horticulture. Tout en John Snyde était fait pour l'irriter, le négligé de sa tenue, son manque total de savoir-vivre, la façon dont son pantalon descendait sur ses hanches, révélant la ceinture de son slip tout jauni.

Mon père, plissant les yeux, a répété : « Le Dr Tidy ?

— Oui, monsieur, a répondu Léon.

— Ah, merde ! » s'est-il exclamé d'un ton bourru en se dirigeant, le dos voûté, vers le bureau de l'Intendant.

Léon m'a souri. « Je me demande ce que dira Tidy lorsqu'il sentira cette haleine », a-t-il dit en tapotant du bout des doigts le flanc tout cabossé de la grosse tondeuse. Puis, les yeux flamboyant d'espièglerie, il s'est retourné vers moi. « Hé ! Dutoc ! Tu viens faire un tour ? »

D'un signe de tête, j'ai décliné son offre. Mon effroi n'avait d'égal que la tentation qui me tenaillait.

« Allez ! Dutoc, tu viens ? C'est une occasion à ne pas manquer ! » Et d'un bond, il s'est assis sur le siège de la tondeuse, a mis le contact et a emballé le moteur.

« Dutoc, c'est ta dernière chance ! » C'était trop tentant, je ne pouvais refuser. J'ai sauté sur le marchepied et j'ai gardé mon équilibre pendant que la Machine infernale s'ébranlait en faisant une embardée. Les gamins se sont dispersés en poussant des cris aigus. Léon riait à gorge déployée, l'herbe jaillissait derrière les roues en un sillage triomphant d'écume verte. John Snyde traversait la pelouse en courant aussi vite qu'il le pouvait, mais bien trop lentement pour représenter une menace. Il était furieux et suffoquait de colère.

« Hé, vous, garçons, maudits garçons ! »

Léon a jeté un coup d'œil dans ma direction. Nous approchions maintenant de la limite extrême de la pelouse. La guimbarde faisait un bruit terrible. Nous apercevions derrière nous John Snyde qui n'avait pas la moindre chance de nous rattraper et Tidy, le visage déformé par l'indignation.

Pendant une seconde, de joie, j'ai été bien incapable de faire un geste. L'instant était magique. Nous étions des héros, Butch Cassidy et le Kid, forcés de nous précipiter du haut d'une falaise. D'un bond, nous avons abandonné la tondeuse et nous nous sommes enfuis à toute vitesse pendant que la guimbarde continuait sa course vers les arbres en un ralenti majestueux.

Ils ne nous ont pas rattrapés et les petits n'ont pas révélé notre identité. L'Intendant était si furieux de la conduite de mon père et du langage grossier qu'il avait employé à l'intérieur de l'École – encore plus peut-être que de son ivresse ou de sa négligence dans son service – qu'il en a complètement omis de poursuivre l'enquête. Mr. Roach, en principe chargé de la surveillance, a été réprimandé par le proviseur. Mon père s'est fait remettre un avertissement officiel et la facture pour les réparations.

Rien de tout cela ne me touchait vraiment. Une autre frontière pourtant avait été franchie. J'avais atteint la béatitude. Même la vengeance dont ce salaud de Bray avait été l'objet ne m'avait pas procuré autant de plaisir. Des jours se sont écoulés pour moi dans une sorte d'extase. Ce nouveau paradis que je venais de découvrir était une Terre promise où je ne voyais, n'entendais et ne respirais que Léon.

C'était le ravissement d'un certain amour.

À cette époque-là, je n'aurais jamais osé penser en ces termes. Léon était tout simplement mon copain. Notre relation n'aurait jamais pu être autre chose que cela. Et pourtant, c'était bien de l'amour, un amour ardent, aveugle, éperdu, un amour fait d'abnégation et qui peuplait mes nuits de Léon. Je voyais mon avenir entier à travers l'espoir que m'offrait cet espace bleu dans ma vie. Le matin, ma première pensée était pour Léon et, le soir, il faisait l'objet de la dernière. Je n'étais quand même pas assez déraisonnable pour imaginer qu'il pût partager mes sentiments. Pour lui, je n'étais qu'un bizut de sixième qui l'amusait sans doute mais restait de loin son inférieur. Certains jours, il passait avec moi l'heure de midi, d'autres, il me laissait attendre en vain, inconscient des risques énormes que je prenais quotidiennement pour la simple possibilité d'être avec lui.

Pour moi, néanmoins, c'était le bonheur. Je n'avais pas d'ailleurs besoin tout le temps de sa présence pour qu'éclatât mon bonheur. Il me suffisait à cette époque-là de le savoir tout près. Je devais faire preuve d'intelligence, me répétais-je, de patience aussi. Je devinais surtout que je devais à tout prix éviter de devenir une gêne pour lui, que je devais continuer à cacher mes sentiments derrière un masque de clown gouailleur tout en cherchant des façons encore plus ingénieuses mais toujours secrètes de donner libre cours à mon adoration.

Une semaine entière, j'ai gardé autour de mon cou son pull que j'avais échangé contre le mien. Le soir, j'allais ouvrir son casier avec les passe-partout de mon père, je fouillais dans ses affaires pour y lire les notes qu'il avait prises pendant ses cours, pour feuilleter ses manuels scolaires, pour déchiffrer les petits dessins au crayon qu'il gribouillait lorsqu'il s'ennuyait, pour m'entraîner à imiter sa signature. Pendant les heures que je ne passais pas à Saint Oswald en tant qu'élève, je l'observais à distance, passant quelquefois tout près de l'endroit où il habitait dans le vague espoir de l'apercevoir, ou d'apercevoir sa sœur que, par association, j'adorais aussi. Je connaissais par cœur le numéro d'immatriculation de la voiture de sa mère. En secret, je nourrissais son chien de friandises. Je brossais mes cheveux bruns et raides de façon à imiter sa coiffure. Je cultivais les expressions de son visage. J'adoptais ses goûts. Il n'y avait pourtant qu'un peu plus de six semaines que j'avais fait sa connaissance.

Les grandes vacances qui approchaient étaient devenues pour moi à la fois un sujet de soulagement et une source de nouvelles inquiétudes. Soulagement car mes efforts pour tenir mon rôle d'élève dans deux écoles différentes, même s'il ne s'agissait de présence régulière ni dans l'une ni dans l'autre, commençaient à me peser. Miss McCauleigh s'était plainte de mes absences fréquentes et de certains devoirs non rendus. Bien que mon habileté à forger la signature de mon père fût certaine, je courais toujours le danger que quelqu'un le rencontrât par pur hasard et que l'on découvrît le pot-aux-roses. Inquiétude aussi, car avec la liberté plus grande de passer avec Léon autant de temps que je le voudrais, les risques se multiplieraient devant la nécessité pour moi de jouer mon double rôle, mais dans le « civil » cette fois.

Heureusement, j'avais déjà assuré les fondations de cet audacieux échafaudage de mensonges à un moment où les vacances n'avaient pas encore commencé. Le reste ne serait plus qu'une question de détails d'horaire, de lieu et d'accessoires – de costumes pour la plus grande partie – qui feraient de moi, en apparence au moins, le jeune bourgeois riche que je prétendais être.

J'ai chipé une paire de chaussures de sport de bonne marque dans un magasin en ville et, à la porte d'une grande maison située à bonne distance de la mienne, un vélo de course tout neuf – il aurait été impensable que l'on m'aperçût avec le mien. Par prudence, je l'ai repeint et j'ai revendu le mien, un samedi, au marché des occasions. Au cas où mon père se serait aperçu de la chose, j'aurais pu lui dire que j'avais échangé mon vieux vélo, trop petit pour moi maintenant, contre un plus grand d'occasion. La chose était tout à fait plausible et il aurait accepté mon explication. Mais déjà, la fin du trimestre approchant, mon père avait commencé à oublier ses problèmes et ne faisait plus attention à rien.

Fallow occupe son poste maintenant, ce gros plein de soupe de Fallow, avec sa grande gueule et sa veste de travail qui remonte à Mathusalem. Après avoir passé des années penché sur la tondeuse à gazon, il a la même façon de se tenir, un peu voûté, que mon père et, comme le sien, son ventre drape ses festons obscènes autour de son étroite petite ceinture vernie. À l'École, les *porters* répondent tous au nom de John, c'est une tradition. Fallow n'échappe pas à cette loi. Les élèves ne le poursuivent pas pourtant, ne le harcèlent pas comme ils le faisaient avec mon père. Tant mieux, cela me forcerait à intervenir et, pour le moment, je n'ai aucunement envie d'attirer l'attention.

Fallow est pour moi pourtant une source constante d'irritation. Il a des poils dans les oreilles. Il passe son temps à lire son journal dans la petite loge, pieds nus dans de vieilles pantoufles, sa tasse de thé au lait à portée de la main, sans prêter la moindre attention à ce qui se passe autour de lui. Jimmy, l'innocent, fait son travail : maçonnerie, menuiserie, réparations du circuit électrique, bouches d'égout. Fallow, lui, s'occupe du téléphone. Il adore faire attendre très longtemps ceux qui appellent – les mamans affolées qui s'inquiètent de la santé de leur petit chéri, les papas millionnaires qui, à la toute dernière minute, ont été retenus par une réunion d'administrateurs – pendant que lui termine sa tasse de thé puis gribouille un message sur une feuille de papier jaune. Fallow aime voyager. Il va en France de temps en temps avec un groupe du club local des travailleurs manuels. Quand il arrive, il va dans un hypermarché faire ses achats, mange un cornet de frites à côté de l'autobus et se plaint amèrement de la façon de se comporter des indigènes.

Dans son travail, il se montre tour à tour d'une familiarité grossière et d'une déférence exagérée, suivant le rang occupé par son interlocuteur. Il impose une livre sterling d'amende aux gamins s'il doit ouvrir leur casier avec son passe-partout parce qu'ils ont oublié leur clef. Lorsqu'elles grimpent l'escalier, il contemple les femmes qui enseignent ici avec un sourire vulgaire et égrillard. Avec les professeurs des échelons les plus bas, il est pompeux et parle comme quelqu'un dont les opinions sont bien établies et irrévocables. Il dira : « Vous voyez c'que j'veux dire, hein ? » ou « Vous f'rez c'que vous voudrez, mais c'est c'que

j'pense, mon vieux ! » Avec les échelons supérieurs, il est obsé-
quieux. Avec les *barons*, les vieux, il affiche une camaraderie à
en vomir. Avec les nouveaux, comme moi, il affecte la brusquerie de celui qui est débordé de travail et n'a pas de temps à
perdre à faire la causette.

Le vendredi soir, à la fin des cours, il se dirige vers la section
d'informatique, ostensiblement pour y éteindre les ordinateurs ;
à la vérité, il surfe sur les sites pornos d'Internet. Jimmy, pendant
ce temps-là, passe avec amour la cireuse électrique dans les couloirs, lentement, soigneusement, redonnant aux vieux parquets
leur luisant tendre et velouté.

Bien sûr, une seule minute suffit à anéantir une heure de travail. Dès huit heures et demie, le lundi matin, les parquets seront
aussi éraflés et poussiéreux que si Jimmy n'avait rien fait du
tout. Fallow le sait parfaitement. Et bien qu'il ne s'abaisse pas
à ce genre de petit nettoyage lui-même, il en éprouve pourtant
un vague ressentiment comme si, tant qu'ils étaient, élèves ou
professeurs, représentaient pour lui autant d'empêcheurs de tourner en rond.

Alors, il passe tout son temps à de petites vengeances mesquines. Personne ne prête vraiment attention à un *porter* qui ne
présente aucun intérêt. Cela lui laisse le loisir de prendre avec
le système autant de libertés qu'il veut, pourvu qu'il ne se fasse
pas remarquer. La plupart des profs ne l'ont pas compris, mais
je l'ai observé, moi. De mon poste, dans la tour du clocheton, je
vois sa petite loge dont je peux surveiller les allées et venues, et
personne ne s'en doute.

La voiture d'un marchand de glaces s'arrête régulièrement
juste au portail. Mon père n'aurait jamais supporté cela. Fallow,
lui, la tolère. À la fin de l'après-midi, ou à l'heure de midi, il y
a souvent une queue. Certains achètent des glaces, bien sûr,
d'autres reviennent les poches gonflées, un sourire narquois aux
lèvres comme s'ils se moquaient bien du règlement. En principe,
les plus jeunes n'ont pas le droit de sortir du domaine de l'École,
mais la voiture du marchand de glaces n'en est qu'à quelques
mètres et Patrick Mat accepte cet état de choses pourvu que
personne n'ait à traverser la route très passante. D'ailleurs lui-
même adore les glaces. Je l'ai vu plusieurs fois revenir avec un
cornet alors qu'il était de surveillance dans la cour.

Fallow lui-même va chez le marchand de glaces, le matin, lorsque les cours ont déjà commencé. Il s'arrange pour faire le tour des bâtiments dans le sens des aiguilles d'une montre, évitant ainsi de passer sous la fenêtre de la salle des profs. Il porte quelquefois un sac de plastique, pas très lourd mais assez volumineux, qu'il laisse sous le comptoir. Il revient parfois avec un cornet, parfois sans rien.

En quinze ans, bien des passe-partout ont été changés. C'était prévisible. Saint Oswald a toujours été une cible favorite pour les cambrioleurs. Il faut bien maintenir une certaine sécurité. La loge du *porter*, parmi d'autres, fait exception à la règle. Après tout, pourquoi voudrait-on pénétrer par effraction dans la loge d'un *porter* où il n'y a qu'un vieux fauteuil, un petit réchaud à gaz, une bouilloire, un téléphone et quelques magazines de femmes nues que l'on a dissimulés dans une cachette sous le comptoir ? Mais il existe aussi une autre cachette, un peu plus sophistiquée celle-là, derrière le panneau creux qui déguise le système de ventilation. On s'en passe le secret de *porter* à *porter* mais c'est un secret jalousement gardé. La cachette n'est pas immense, pourtant, on pouvait y glisser sans mal deux paquets de six canettes de bière comme l'avait découvert mon père qui m'avait déclaré qu'il n'était pas toujours bon pour les patrons d'être mis au courant de tout.

Je me sentais bien aujourd'hui en rentrant chez moi en voiture. L'été touche presque à sa fin. Un jaune mordoré et granuleux danse dans la lumière. Cela me rappelle les émissions de télévision de mon adolescence. La nuit, il commence à faire froid. Il va bientôt me falloir allumer le radiateur à gaz dans le petit appartement que je loue à six kilomètres du centre. Il n'est pas particulièrement joli, cet appartement : une chambre-séjour, un petit coin cuisine et une salle d'eau minuscule, mais c'est ce que j'ai trouvé de moins cher. De toute façon, je n'ai pas l'intention de m'y éterniser. Il n'est pratiquement pas meublé : un canapé-lit, un lampadaire, un ordinateur avec modem. C'est tout. Lorsque je disparaîtrai, j'abandonnerai sans doute tout ça. L'ordinateur est vierge (enfin le sera lorsque j'aurai effacé du disque dur tout ce qui pourrait m'incriminer). Quant à la voiture, c'est une voiture de location. Elle aussi aura été nettoyée par l'agence qui me la loue bien avant que la police, grâce à elle, ne soit capable de découvrir ma piste.

La vieille dame qui me loge est une vraie pie. Elle se demande pour quelle raison quelqu'un comme moi, quelqu'un de bien élevé, qui présente bien, avec une bonne situation, voudrait choisir de vivre dans un immeuble minable, rempli de drogués, d'anciens détenus récemment relâchés et de chômeurs – pardon, de *privés de travail*. Je lui ai donc confié que je travaillais pour une grande manufacture internationale de logiciel, que je m'occupais spécifiquement de la gestion des ventes, que la compagnie m'avait promis dans mon contrat un pavillon mais que les entrepreneurs, au dernier moment, nous avaient fait faux bond. Elle a alors secoué la tête et s'est plainte du fait que l'on ne pouvait plus avoir confiance en les gens du bâtiment de nos jours et que c'était le cas dans le pays tout entier. Elle a aussi exprimé le vœu que, Noël venu, je sois chez moi dans ma propre maison.

« Parce que cela doit vraiment vous peser, n'est-ce pas, de ne pas être chez vous ? Et surtout à Noël ! » Ses yeux faibles de vieille femme se sont alors remplis de mélancolie. Je me demande si je devrais lui dire que la plupart des vieux meurent pendant les mois d'hiver et que les trois quarts des suicides aussi ont lieu pendant les fêtes de fin d'année. Pour le moment pourtant je dois continuer à jouer mon rôle. Je fais donc de mon mieux pour répondre à ses questions et je la laisse me raconter sa vie. Ma conduite à son égard est parfaite. En guise de remerciements, ma logeuse a mis des rideaux de perse à la fenêtre de ma chambre-séjour et elle a posé sur le bureau un vase de fleurs de papier tout poussiéreux. Elle me répète : « Vous pouvez toujours imaginer que c'est un petit chez-vous temporaire en attendant le vrai. Et n'oubliez pas que, s'il vous manque quelque chose, je suis toujours à votre disposition ! »

Saint Oswald – Lycée de garçons
Jeudi 23 septembre

Lundi, les ennuis ont commencé. J'ai su tout de suite que quelque chose était arrivé lorsque j'ai aperçu les voitures. La Volvo de Patrick Mat était déjà là, comme d'habitude. Pat est toujours le premier arrivé et, lorsqu'il a beaucoup de travail, il passe même la nuit dans son bureau. Mais que celle de Bob Strange soit là avant huit heures, cela ne s'était jamais vu ! Et la Jaguar de l'aumônier à côté d'une douzaine d'autres voitures dont une blanche et noire – la Police – dans le parking des professeurs devant la loge du *porter* !

Moi, je préfère prendre l'autobus. Aux heures de pointe, c'est plus rapide et, de toute façon, je n'ai jamais habité à plus de quelques kilomètres de mon lieu de travail et des magasins. D'ailleurs, j'ai ma carte de *senior*. Cela me permet de faire des économies. Je ne peux m'empêcher pourtant de penser qu'une erreur a peut-être été commise. Soixante-quatre ans, moi ? Il n'est quand même pas possible que j'aie déjà soixante-quatre ans !

J'ai remonté la longue allée qui conduit à Saint Oswald. Les peupliers commencent à se dorer des couleurs de l'automne et de petites fumerolles de vapeur blanche s'élèvent de la pelouse couverte de rosée. J'ai jeté, en passant, un coup d'œil dans la loge du *porter*. Fallow n'y était pas.

Dans la salle des profs, personne ne savait exactement ce qui se passait. Strange et Mat étaient dans le bureau du proviseur avec Tidy et Ellis, le brigadier de police responsable des écoles. Fallow était introuvable.

Je me suis demandé si nous n'avions pas été victimes d'un cambriolage. Cela arrive de temps en temps même si, le plus souvent, Fallow exerce très consciencieusement sa surveillance sur l'ensemble de l'École. Bien sûr, il est un peu lèche-bottes avec la direction et il chaparde aussi depuis des années. Rien de bien grave ! Un sac de charbon par-ci, un paquet de biscuits par-là. Il y a aussi cette amende d'une livre qu'il impose aux élèves qui lui demandent d'ouvrir leurs casiers. Mais, à part cela, il est assez dévoué et quand on pense qu'il gagne à peu près le dixième du salaire d'un professeur débutant, on apprend à fermer les yeux sur des peccadilles comme celles-là. J'espère qu'il ne lui est rien arrivé quand même.

Comme toujours, ce sont les élèves qui ont appris la vérité les premiers. Les rumeurs les plus folles avaient couru toute la matinée : Fallow avait fait une crise cardiaque, Fallow avait proféré des menaces contre le proviseur, Fallow avait été momentanément relevé de ses fonctions. Mais ce sont Sutcliff, McNair et Allen-Jones qui sont venus à moi à la récréation et m'ont demandé, de l'air hilare et finaud qu'ils prennent lorsqu'ils savent pertinemment bien que quelqu'un a des ennuis, s'il était vrai que Fallow avait été arrêté.

« Et qui vous a dit ça ? leur ai-je demandé avec un sourire délibérément ambigu.

— Oh ! Nous avons entendu quelqu'un en parler ! »

Toutes les écoles se ressemblent. Les secrets y sont monnaie courante. Je ne m'attendais pas vraiment à ce que McNair me révélât le nom de son informateur. Pourtant, à certains on peut accorder plus de confiance qu'à d'autres. À observer l'expression de son visage, j'en ai conclu qu'il s'agissait de quelqu'un d'assez haut placé.

Sutcliff a expliqué : « Ils ont arraché des panneaux dans la loge du *porter* et ils y ont découvert des tas de choses.

— Comme quoi ? »

Allen-Jones a haussé les épaules : « Qui sait ?

— Des cigarettes, peut-être ? »

Les garçons ont échangé un coup d'œil. Sutcliff a légèrement rougi. Allen-Jones a eu un petit sourire.

« Peut-être ! »

Plus tard, on a appris toute l'histoire. Fallow avait profité de ses voyages pas cher en France pour ramener en fraude des cigarettes dédouanées qu'il revendait aux élèves par l'intermédiaire du marchand de glaces qui était un copain à lui.

Il faisait d'excellents bénéfices. Pour une seule cigarette, il pouvait exiger jusqu'à une livre, selon l'âge du garçon. Les élèves de Saint Oswald ont beaucoup d'argent. D'ailleurs, le frisson de plaisir provoqué par la désobéissance au règlement, et sous le nez même du *second master* était irrésistible !

Leur combine remontait à des mois, à des années peut-être. La police avait découvert quatre douzaines de cartouches de cigarettes dissimulées dans la loge derrière un panneau secret et des centaines d'autres empilées jusqu'au plafond derrière de vieilles étagères à livres dans le garage de Fallow.

Le marchand de glaces et lui ont tout de suite avoué. Fallow, par contre, a entièrement nié avoir connaissance d'autres objets découverts dans sa loge, mais a été incapable d'expliquer leur présence. Cavalier a identifié le stylo qu'il avait reçu en cadeau pour sa *bar-mitzvah* et, moi, j'ai dû aller à contrecœur reconnaître mon Parker vert. D'un côté j'étais soulagé de savoir qu'aucun élève de ma classe ne les avait chipés mais, de l'autre, je savais que c'était un pas de plus vers la tombe pour Fallow. D'un seul coup, il avait perdu son toit, son gagne-pain et même sans doute sa liberté.

Je n'ai jamais pu découvrir qui avait alerté les autorités. On a bien parlé d'une lettre anonyme mais personne ne s'est vanté d'en avoir été l'auteur. Robbie Roach, un fumeur et ancien copain de Fallow, dit qu'il s'agit à coup sûr de quelqu'un de l'École, de quelque misérable petit rapporteur trop content d'avoir vendu la mèche. Il a raison sans doute, mais je me refuse à croire qu'un collègue puisse en être responsable.

Un élève, alors ? À la pensée que l'un de nos garçons ait été capable à lui seul de faire autant de mal, cela me paraît pire encore.

Un garçon comme Cavalier, peut-être ? L'idée, tout à coup, m'a traversé l'esprit. Il affiche maintenant une suffisance inhabituelle, l'air de celui qui *sait* – et que j'aime encore moins que son ancienne maussaderie. Cavalier ? Je n'ai vraiment aucune raison de le soupçonner. Pourtant, au fond de moi, là où les choses ont vraiment de l'importance, je *le soupçonne*. Quel que soit le mot que l'on utilise : préjugé ou instinct, peu importe, je suis sûr que ce garçon-là sait quelque chose.

Et entre-temps, le petit scandale continue. La Régie va mener une enquête, bien qu'il soit peu probable que l'École porte plainte officiellement – le proviseur piquant une crise de nerfs à la moindre suggestion de mauvaise publicité. Mrs. Cavalier a jusqu'ici refusé de retirer la sienne. Il faudra donc informer les gouverneurs de la situation. Des questions seront posées concernant le rôle exact du *porter*, sa nomination et son remplacement possible. Tidy se tient déjà sur la défensive et exige des rapports de police sur tous les membres du personnel non-enseignant. Bref, cette histoire a des répercussions sur l'École entière, du bureau de l'intendant jusqu'à la salle de préparations.

Les élèves en sont conscients. Anormalement bruyants, ils essaient de voir jusqu'où ils peuvent se permettre d'aller. Même si dans ce cas il ne s'agit que d'un *porter*, un membre de l'École est en disgrâce et un vent de révolte commence à souffler. Mardi, Meek est sorti tout pâle et très agité de son cours d'informatique avec des élèves de seconde. McDonaugh a distribué toute une série de retenues très sévères. Robbie Roach est soudain tombé victime d'une mystérieuse maladie – ce qui a rempli d'indignation la section entière, qui a dû se partager la surveillance de ses cours. Bob Strange s'est libéré de tous ses cours, prétextant qu'il était trop occupé à *autre chose*. Ce matin, au cours d'une assemblée désastreuse, le proviseur a déclaré – à l'amusement silencieux de tout son auditoire – qu'il n'y avait pas le moindre semblant de vérité dans les allégations concernant Mr. Fallow et que tout élève surpris à répandre pareils mensonges serait puni on ne peut plus sévèrement.

Mais c'est pourtant Patrick Mat, le *second master*, qui s'est montré le plus affecté par cette histoire – *Fallowgate*, comme Allen-Jones l'a surnommée. J'imagine que c'est, en partie, parce

155

qu'une telle situation dépasse complètement son entendement. Voilà maintenant plus de trente ans que Patrick sert Saint Oswald avec un dévouement sans égal et, quels que soient les défauts que l'on puisse lui trouver, Patrick est un homme scrupuleusement honnête. Sa philosophie tout entière (si on peut parler ainsi, car Patrick n'est pas un philosophe !) repose sur sa croyance fondamentale en la bonté naturelle des hommes, qui voudraient désespérément faire le bien alors même qu'ils font le mal. Ce talent qu'il a de voir en chacun un être fondamentalement bon est l'essence même de son succès auprès des garçons, car cela marche. Les faibles et les chahuteurs se sentent soudain saisis de honte devant sa fermeté et sa sincérité. Les professeurs eux-mêmes ont pour lui un respect et une admiration mêlés de crainte.

Mais Fallow a provoqué chez lui une sorte de crise. D'abord, parce que Patrick a été dupé et qu'il se rend responsable de n'avoir rien remarqué de ce qui se passait, et, ensuite, parce que cette histoire est la preuve implicite d'un certain mépris à son égard. Que Fallow, que Patrick avait toujours traité avec politesse et respect, ait agi envers lui de cette façon-là le remplit de honte et de consternation. Il se souvient de cette affaire de John Snyde et se demande si, là non plus, il n'avait pas de responsabilité dans l'histoire. Il ne dit rien de tout cela à personne, mais j'ai bien remarqué qu'il sourit moins que d'habitude, qu'il passe plus de temps dans son bureau, qu'il fait davantage de tours de piste le matin, et travaille encore plus tard le soir.

La section des langues étrangères a pourtant souffert moins que les autres. C'est dû en grande partie à Pearman, dont le cynisme naturel équilibre si bien l'attitude froide et distante de Strange et l'inquiétude constante qui perce sous les fanfaronnades du proviseur. Les cours de Gerry Grachvogel sont encore plus bruyants que d'habitude sans toutefois pour cela mériter une intervention de ma part. Geoff et Penny Nation, attristés, mais pas surpris outre mesure, hochent la tête devant la fourberie profonde de la nature humaine. Devine, lui, profite de cette histoire pour terroriser le pauvre Jimmy. Eric Scoones est de mauvaise humeur mais pas tellement plus que d'habitude. Dianne Dare et notre jeune écrivain, Keane, semblent fascinés par tout ce qui se passe.

Dans la salle des profs, ce matin, miss Dare m'a confié :
« C'est comme un feuilleton télévisé ici. On se demande toujours
ce qui va arriver dans le prochain épisode ! »

J'ai dû admettre que la bonne vieille École nous offrait de
temps en temps quelques distractions.

« C'est pour cela sans doute que vous refusez de partir ?
Enfin, ce que je veux dire, c'est... » Elle s'est soudain interrompue, consciente peut-être que ce qu'elle venait de dire impliquait
quelque chose de désagréable pour moi.

« Je refuse de partir, comme vous l'avez si élégamment
exprimé, parce que je suis un vieux dinosaure qui continue à
croire que ses élèves tirent encore quelque bénéfice de ses
cours ! Et aussi surtout parce que cela ennuie terriblement
Mr. Strange !

— Toutes mes excuses, vraiment, m'a-t-elle dit.

— Ne vous excusez pas, cela ne vous va pas. »

Il est si difficile d'expliquer ce qu'est pour nous Saint Oswald,
et la difficulté est encore plus grande lorsqu'il y a un gouffre de
plus de quarante ans entre les deux interlocuteurs. Jeune, jolie,
intelligente, un jour elle tombera amoureuse, aura peut-être des
enfants, elle aura une maison qui sera un chez-elle plutôt qu'une
annexe de la bibliothèque, elle ira en vacances à l'autre bout du
monde. C'est ce que je lui souhaite, du moins, l'alternative étant
de prendre sa place sur le banc avec les autres rameurs de la
galère et d'y rester enchaînée jusqu'à ce que son cadavre soit
jeté à la mer.

« Je n'ai vraiment pas voulu dire quelque chose de vexant,
monsieur.

—Vous ne l'avez pas fait. » Je me ramollis peut-être avec
l'âge, à moins que cette histoire de Fallow ne m'ait plus affecté
que je ne le pensais. « Je me sentais un peu... kafkaesque ce
matin, c'est tout, mais c'est Devine que j'en tiens responsable ! »

Comme je l'avais prévu, elle a ri. Pourtant il y avait quelque
chose dans son expression. Elle s'est plutôt bien adaptée à la vie
de Saint Oswald. Je l'observe partir rapidement à ses leçons avec
sa serviette, les bras chargés de piles de cahiers. Je l'entends
s'adresser aux élèves de sa voix claire et enjouée d'infirmière
en chef. Comme Keane, elle a une certaine assurance – très utile

dans un endroit comme celui-ci, où chacun doit défendre son domaine et où demander de l'aide est regardé comme un signe de faiblesse. Elle excelle à feindre la colère, à la cacher quand le besoin s'en fait sentir. Elle sait qu'un professeur est avant tout un acteur, qu'il doit être sûr de rester maître de la scène et faire en sorte que son public soit prêt à venir lui manger dans la main. Cette qualité-là est inhabituelle chez une femme si jeune. Je devine que miss Dare et Keane sont nés pour être profs, comme je sais que cela n'est pas le cas du pauvre Meek, hélas.

J'ai noté : « Il est sûr que vous êtes arrivée à un moment particulièrement intéressant : inspection, réorganisation, complot et trahison – la facture même de Saint Oswald – si vous êtes capable d'y survivre !

— Mes parents étaient tous deux dans l'enseignement et je sais exactement à quoi m'attendre ! »

Voilà donc l'explication ! J'aurais dû le deviner. J'ai alors pris une grande tasse sur l'égouttoir, près de l'évier – pas la mienne, qui n'a toujours pas reparu – et je lui ai proposé : « Un petit thé ? »

Elle a souri : « La drogue du professeur ! »

J'ai vérifié le contenu de la fontaine à thé et j'ai rempli deux tasses. Au cours des années je me suis adapté à boire le thé sous sa forme la plus primitive. Pourtant la boue brune accumulée au fond de ma tasse a pris soudain l'aspect d'une potion empoisonnée. J'ai haussé les épaules. J'ai ajouté du lait et du sucre en me répétant que *ce qui ne me tue pas me rend moins vulnérable.* Cette devise-là est peut-être particulièrement appropriée à une école comme la nôtre, toujours en équilibre entre la farce et la tragédie.

Du regard, j'ai fait le tour de mes collègues assis en groupes le long des murs de la vieille salle des profs et, soudain, j'ai ressenti comme un coup de poignard inattendu, une profonde affection pour eux. McDonaugh lisait le *Mirror* dans son coin ; à côté, Monument lisait son *Telegraph*. Pearman discutait avec Kitty Teague des meilleurs passages de la littérature érotique du XIXᵉ siècle français, Isabelle Tapi rajustait son rouge à lèvres et nos deux représentants de la S.D.N. partageaient chastement une banane. Mes chers vieux collègues, mes bons vieux collaborateurs.

Comme je le disais, il est difficile de faire comprendre à un étranger ce que Saint Oswald représente pour nous : le bruit qui monte des couloirs le matin, l'écho sonore des pas des garçons sur la pierre des marches, l'odeur de brûlé du pain grillé qui s'élève du réfectoire, le chuintement si particulier des sacs de sport trop pleins traînés sur le plancher fraîchement ciré, les tableaux d'honneur avec leurs noms en lettres d'or qui remontent à une époque bien antérieure à celle de mon arrière-arrière-grand-père, le monument aux morts, les photos d'équipes avec leurs jeunes visages effrontés tout jaunis par les ans. Une métaphore pour l'éternité.

Ma parole, deviendrais-je sentimental, par hasard ! Ce doit être l'âge qui fait cela. Il y a un moment seulement, je me plaignais de mon sort et, maintenant, mes yeux sont tout embrumés. Le temps peut-être ? C'est bien Camus qui nous assure que nous devons imaginer Sisyphe heureux. Suis-je vraiment malheureux, moi ? Je sais seulement qu'un tremblement de terre nous a secoués, qu'il a ébranlé jusqu'à nos fondations, que l'air est encore plein de sa poussière et qu'un vent de révolte se lève à l'horizon. D'une certaine manière, je sais parfaitement bien que l'origine de la crise est beaucoup plus profonde que cette histoire de Fallow et que, quelle que soit sa nature, elle est encore loin d'être terminée. Et nous ne sommes encore qu'en septembre...

EN PASSANT

1

Lundi 27 septembre

Malgré les efforts les plus vaillants du proviseur, l'histoire de Fallow a fait la une du journal. Pas du *News of the World*, il ne fallait quand même pas s'y attendre, mais de notre journal local l'*Examiner*, ce qui est presque aussi bien. La rupture profonde entre l'École et la ville est telle qu'une histoire aussi sombre concernant Saint Oswald se répand ici à la vitesse de l'éclair, dans un déploiement de jubilation générale et sans pitié. L'article est vitriolique et triomphant à la fois. Fallow y fait tour à tour figure de vieil et loyal employé de l'École, victime d'un renvoi sommaire et sans arbitrage syndical pour un délit présumé mais non encore prouvé, et d'escroc sympathique qui, depuis des années, se venge d'un établissement pour jeunes snobs, entre les mains de bureaucrates anonymes et où l'enseignement est assuré par des intellectuels dont les méthodes sont totalement dépassées.

L'histoire y prend des allures bibliques de combat entre David et Goliath. Fallow y devient le porte-drapeau de la classe ouvrière dans une lutte contre l'abominable rouleau compresseur que représentent richesse et privilège. L'auteur (qui signe son article « La Taupe ») réussit à donner l'impression que Saint Oswald est criblé de corruption et de petites escroqueries, que ses méthodes pédagogiques remontent aux temps primitifs, que le tabac – et peut-être même la drogue – y règne en maître et que les bâtiments eux-mêmes ont tellement besoin de réparations qu'un accident grave semble inévitable. En appendice, à côté de l'article, figure un éditorial : « Ces écoles pour gosses de riches, devrait-on les abolir ? » Les lecteurs sont invités à faire part de leurs opinions et de leurs griefs contre Saint Oswald et la franc-maçonnerie d'anciens élèves qui soutiennent l'École.

J'en éprouve beaucoup de satisfaction. Ils l'ont imprimé en n'y apportant presque aucun changement. J'ai d'ailleurs promis de les tenir au courant de l'évolution de la situation. Dans le mail que je leur ai envoyé, je leur ai laissé croire que je représentais une source sûre, proche de l'École – ancien élève, élève actuel, gouverneur, peut-être même un professeur –, tout en laissant délibérément une certaine fluidité dans les détails, que je vais peut-être devoir modifier plus tard.

J'ai utilisé mon adresse électronique secondaire – *Lataupe@ hotmail.com* afin de décourager tout effort pour découvrir mon identité. Pas que j'aie peur que quelqu'un à l'*Examiner* ne se mette dans la tête de la découvrir. Non, ils sont plus accoutumés aux reportages sur les expositions canines ou sur la politique locale qu'aux investigations à la Sherlock Holmes. Nul ne peut savoir où cette histoire va finir. Je l'ignore moi-même. C'est sans doute cela qui la rend si excitante pour moi.

Il pleuvait ce matin, à mon arrivée à l'École. La circulation était encore plus lente que d'habitude et j'ai dû prendre sur moi pour ne pas donner cours à ma mauvaise humeur alors que je traversais la ville à une vitesse d'escargot. L'une des choses qui font que les gens du coin détestent Saint Oswald est la circulation que l'École engendre à l'heure de pointe : ces centaines de Jaguar toutes propres, aux chromes étincelants, ces Volvo solides et classiques, ces 4 x 4, ces transporteurs qui, tous les matins, engorgent les rues de leur cargaison de garçons tout propres avec leurs blazers et au regard étincelant sous leurs casquettes de lycéens.

Certains viennent en voiture alors qu'ils habitent à moins de deux kilomètres de l'École. Il faut bien empêcher ces garçons bien lavés, au regard étincelant, d'avoir à sauter par-dessus les flaques d'eau, d'avoir à respirer la fumée de tous ces pots d'échappement, pis encore, d'être peut-être contaminés par cette morne racaille, ces crasseux de Sunny Bank Park, à la voix criarde, à l'allure dégingandée, ces minables en cagoule de nylon et chaussures de sport éculées, ces filles avec leurs jupes trop courtes et leurs cheveux teints qui s'égosillent en s'interpellant. À leur âge, moi aussi j'allais à pied au collège, je portais les mêmes chaussures bon marché et les mêmes chaussettes maculées de boue. Et de nos jours, parfois, lorsque je prends ma voiture de location pour aller au travail, je la sens encore m'envahir, cette terrible rage, cette rage qui s'acharne contre l'être que j'étais et contre celui que je voulais devenir.

Je me souviens d'un jour, vers la fin de l'été. Léon s'ennuyait. Pour nous, c'était encore la période des vacances. Nous traînions sur le terrain de jeux de la commune – je me souviens du manège où la peinture avait disparu du métal sous les mains de générations et de générations d'enfants –, nous fumions des Camel (Léon fumait, je fumais donc aussi) en regardant passer les collégiens de Sunny Bank Park.

« Paumés, pouilleux et prolétaires ! » Ses longs doigts effilés étaient tout tachés d'encre et de nicotine. Dans l'allée, un petit groupe approchait : des collégiens de Sunny Bank Park aux chaussures poussiéreuses, poussant des cris et traînant leurs sacs par ce chaud après-midi d'été. Pas une bien grande menace. Nous avions pourtant parfois dû nous enfuir en courant, poursuivis par un de leurs gangs.

Un jour qu'il était seul, ils avaient coincé Léon, là-bas, derrière l'école, près des poubelles, et lui avaient donné des coups de pied. Encore une raison pour moi de les haïr. Je les détestais encore plus que ne le faisait Léon. Je faisais partie, moi, de ce qu'ils représentaient, après tout. Dans le groupe, il n'y avait que des filles : quatre marchaient de front et une traînait derrière – elle était de mon année. Toutes mâchaient du chewing-gum et parlaient très fort. Leurs jupes remontaient et découvraient leurs jambes couperosées. Elles sont passées devant nous, riant comme des folles et poussant des cris perçants.

J'ai bien remarqué que celle qui traînait derrière était Peggy Johnsen, la bonne grosse des cours de plein air de Mr. Bray.

165

Instinctivement, je lui ai tourné le dos mais pas assez vite pour que Léon n'ait surpris ma réaction et ne m'ait fait un clin d'œil.

« Alors ? »

Je connaissais bien cet air-là. Je l'avais déjà observé lors de nos incursions en ville, de nos raids dans les magasins de disques... dans tous nos petits actes de rébellion. Les yeux de Léon débordaient d'espièglerie et son regard ne se détachait pas de Peggy, qui avait commencé à se hâter pour rattraper les autres.

« Alors quoi ? »

Les quatre autres étaient déjà loin devant. Peggy, le visage inquiet et ruisselant de sueur, s'est soudain trouvée isolée. J'ai murmuré : « Oh, non ! » Cette pauvre fille sans malice et sans bien grande intelligence ne m'avait jamais rien fait. Elle me faisait même un peu pitié.

Léon m'a jeté un coup d'œil méprisant : « Allons, Dutoc, c'est ta petite amie ou quoi ? Viens ! » Et il est parti comme une flèche à travers le terrain de jeux en poussant des cris stridents. Je l'ai suivi, me persuadant que je n'avais pas d'autre choix.

Nous lui avons chipé ses affaires. Léon a fauché l'équipement de sport qu'elle avait dans un sac de plastique de Prisunic et moi, sa sacoche de toile décorée de petits cœurs peints au Corrector. Puis, l'abandonnant piaillant loin derrière nous, nous nous sommes enfuis en courant, bien trop vite pour qu'elle puisse nous suivre. J'aurais voulu tout simplement me sauver avant qu'elle ne pût me reconnaître mais, dans mon élan, je l'ai heurtée et renversée dans la poussière.

Léon en a bien ri. J'en ai ri, moi aussi, méchamment, sachant très bien que, dans une autre vie, c'est moi qui aurais pu tomber, moi qui aurais pu hurler à travers mes larmes : « Allez, venez donc, bande de saligauds, bande de petits cons ! » pendant qu'ils auraient envoyé dans les plus hautes branches d'un vieil arbre mes chaussures de sport attachées par leurs lacets et éparpillé les pages de mes classeurs comme des confettis au souffle chaud de cet après-midi d'été.

Pardon, Peggy ! J'étais presque sincère. Peggy n'était sûrement pas la plus mauvaise, loin de là. Mais, elle s'était trouvée là, répugnante, avec ses cheveux graisseux et son visage rouge de colère. Elle aurait pu être l'enfant de mon père. Alors, j'ai piétiné ses livres, vidé ses sacs, et jeté dans la poussière jaune son pauvre équipement de sport. Je vois encore sa culotte de gymnastique bleu marine, cette culotte aussi large que le short qui m'avait valu le surnom de Pète-sec.

« Sales snobs ! »

C'est la loi de la jungle, ai-je pensé. J'étais en colère contre elle, contre moi aussi. Et pourtant, ce succès cruel m'enivrait. J'avais franchi une autre ligne, j'avais encore réduit le gouffre entre moi-même et Saint Oswald, l'abîme entre la personne que j'étais vraiment et celle que je rêvais de devenir.

« Petits salauds ! »

Le feu était au vert mais la queue des voitures devant moi était bien trop longue pour que je puisse espérer passer. Quelques garçons ont vu là leur chance de traverser. J'ai reconnu McNair, l'un des favoris de Straitley, Jackson, le petit agressif de la même classe, et Anderton-Pullitt, qui avance en marchant de côté comme un crabe. À ce moment précis, la file de voitures a commencé à s'ébranler.

Jackson s'est précipité pour traverser. McNair en a fait autant. Maintenant, il y avait bien un espace d'une vingtaine de mètres entre moi et la voiture de devant. Si j'étais assez rapide, je pourrais sans doute passer, sinon, le feu passerait au rouge de nouveau et je devrais attendre encore cinq minutes au carrefour pendant que les autres voitures s'ébranleraient et défileraient avec lenteur devant moi. Mais Anderton-Pullitt, lui, ne s'est pas mis à courir. À treize ans, il ressemblait déjà à un adulte. Lorsque j'ai klaxonné d'impatience, il a traversé en prenant tout son temps, sans même me jeter un coup d'œil, comme si, en ignorant délibérément ma présence, il pouvait me faire disparaître. Avec sa serviette dans une main et les sandwichs pour son repas de midi dans l'autre, il a soigneusement traversé la route en faisant bien attention de contourner la flaque d'eau au milieu de la chaussée si bien que, lorsqu'il a eu enfin atteint l'autre côté, le feu avait encore changé et que j'ai dû attendre de nouveau.

C'est sans importance, je sais, pourtant il y a là une arrogance, une sorte d'indolence méprisante bien typique de Saint Oswald. Je me suis posé la question : comment aurait-il réagi si j'avais tout simplement démarré, si j'avais foncé vers lui ? Se serait-il alors mis à courir ou serait-il resté là, cloué sur place, stupide dans sa foi naïve, articulant encore dans son dernier soupir : *Vous ne feriez quand même pas cela ! Vous ne pourriez pas !*

Il n'était malheureusement pas question de renverser Anderton-Pullitt. D'abord, cette voiture m'est nécessaire, et ensuite, l'agence serait dans son droit d'avoir quelques soupçons si je la ramenais avec un pare-chocs embouti. Enfin, ai-je, pensé, il y a bien d'autres manières d'arriver au même résultat, et je me suis octroyé le droit de célébrer la chose. Alors, j'ai allumé la radio, et j'ai souri en attendant au feu qui ne semblait jamais vouloir changer.

J'ai passé la première moitié de l'heure de midi à surveiller la salle 59. Straitley n'y était pas (je dois en remercier Bob Strange), il devait être caché dans la réserve à livres ou être de patrouille dans les couloirs. La pièce était pleine de garçons. Les uns faisaient leurs devoirs, d'autres jouaient aux échecs ou bavardaient, s'arrêtant de temps en temps pour reprendre leur respiration après avoir avalé d'un coup une canette de Pschitt ou terminé un paquet de chips.

Les profs détestent les jours de pluie. Pour les élèves, il n'y a nulle part où aller. Condamnés à la récréation à rester enfermés, ils doivent être surveillés. La boue sur le parquet rend les accidents toujours possibles. Les salles de classe sont pleines et bruyantes. Les petites querelles y tournent vite à la bagarre. J'ai dû moi-même intervenir entre Jackson et Brasenose – un gros nounours qui n'a pas encore appris à se servir de son gabarit –, j'ai dû vérifier l'ordre et la propreté de la pièce, indiquer du doigt à Tayler la faute d'orthographe qu'il avait laissée dans son devoir, accepter une pastille de menthe de Pink, une cacahuète de Cavalier, puis j'ai bavardé quelques minutes avec ceux qui mangeaient des sandwichs au fond de la classe. Ensuite, mon service ayant pris fin, j'ai pu retourner dans la salle de préparations pour y attendre la suite des événements tout en buvant une tasse de thé d'un noir d'encre.

Je n'ai pas de classe sous ma responsabilité, bien sûr. Aucun des nouveaux. Cela nous donne un peu plus de temps libre et nous permet d'avoir une meilleure perspective de l'ensemble de l'École. De la ligne de touche où je suis, on a le temps d'observer les choses. Je sais à quels moments Saint Oswald est à son plus vulnérable, je connais les moments dangereux, ceux pendant lesquels il n'y a aucune surveillance, les minutes, les secondes vitales pendant lesquelles le doux ventre du géant n'est plus du tout protégé.

La cloche du début de l'après-midi en est un cas typique. Elle ne représente pas encore le moment de l'appel officiel mais indique pourtant que l'heure de midi est terminée. Il s'agit en principe d'un simple avertissement. Elle indique qu'il ne reste plus que cinq minutes avant l'appel. C'est un moment de battement, un temps mort. Ceux qui sont encore assis dans la salle des professeurs se préparent à rejoindre leur classe, ceux qui étaient de service s'accordent un répit de quelques minutes pour prendre leurs affaires (et jeter peut-être un coup d'œil rapide à un journal) avant d'aller eux-mêmes rejoindre leur classe.

À la vérité, cet intervalle de cinq minutes représente le point vulnérable d'une machine dont le mécanisme à part cela serait parfait. À ce moment-là, personne n'est responsable de la surveillance, la plupart des professeurs et des élèves sont encore dans les couloirs, en chemin vers leur destination de l'après-midi. Pas de surprise alors, que la plupart des incidents aient lieu à ce moment-là : bagarres, vols, petits actes de vandalisme, entorses au règlement commises au hasard, en route vers le cours suivant et sous couvert des déplacements engendrés par l'imminence des cours de l'après-midi. Voilà pourquoi cinq minutes se sont écoulées avant que l'on ne découvre qu'Anderton-Pullitt s'était effondré.

Cela aurait été plus rapide si le garçon avait été populaire. Il ne l'était pas. Toujours assis un peu à l'écart des autres et mangeant tous les jours, à petites bouchées lentes et appliquées, les mêmes sandwichs (*Marmite* et Vache-qui-rit sur pain spécial sans froment), il ressemblait plus à une tortue qu'à un garçon de treize ans. Chaque année, il y a quelqu'un comme lui, un enfant précoce et hypocondriaque, un garçon à lunettes, tellement rejeté par ses camarades qu'il en est à l'abri même de leurs brimades, apparemment aussi indifférent à l'isolement qu'aux insultes, un adolescent auquel sa manière pédante de s'exprimer, plus typique d'un vieillard, donne une réputation d'intelligence, et dont la politesse envers les professeurs fait un de leurs favoris.

Straitley le trouve amusant. Cela ne m'étonne pas. Quand il était gosse, il lui ressemblait sans doute. Moi, il m'ennuie prodigieusement. En son absence, le garçon me suit comme mon ombre lorsque je suis de service et me condamne à écouter d'une oreille distraite de longues conférences sur ses thèmes favoris : la science-fiction, les ordinateurs et l'aviation pendant la première guerre mondiale, sans oublier ses maladies réelles ou imaginaires : son asthme, les aliments que son système digestif ne supporte pas, ses allergies diverses, son agoraphobie, l'état de ses nerfs et de ses verrues.

Pendant mon instant de repos dans la salle de préparations, je me suis demandé, en écoutant des bruits au-dessus de ma tête, si Anderton-Pullitt souffrait d'une maladie réelle ou non.

Personne n'a rien remarqué. Personne n'écoutait. Robbie Roach qui, l'heure suivante, était libre et n'était pas chargé de classe non plus – trop d'activités postscolaires ! – était en train de fouiller dans son casier. J'y ai aperçu un paquet de cigarettes françaises (un cadeau de Fallow) qu'il a fait rapidement disparaître derrière une pile de cahiers. Isabelle Tapi, qui n'enseigne qu'à temps partiel et n'est donc pas non plus responsable de classe, lisait un livre de poche tout en buvant une bouteille d'Evian.

J'ai entendu sonner la cloche nous avertissant des cinq dernières minutes de répit. Elle a été suivie d'un brouhaha général, le *scherzo* débridé de garçons qui ont échappé à la surveillance, le bruit de quelque chose qui tombait (une chaise ?), puis un rapide crescendo de voix (Jackson et Brasenose qui recommençaient à se bagarrer ?) la chute d'une autre chaise, puis le silence. Straitley venait d'entrer sans doute. Comme je m'y attendais, j'ai entendu sa voix, le soudain silence des garçons suivi de la litanie familière de l'appel, cette litanie aussi facile à reconnaître que la monotone lecture des résultats de football du samedi après-midi.

« Adamczyk ?

— Présent, monsieur !

— Almond ?

170

— Présent, monsieur !
— Anderton-Pullitt ? »
Silence.
« Anderton-Pullitt ? »

2

Saint Oswald – Lycée de garçons
Mercredi 29 septembre

Aucune nouvelle des Anderton-Pullitt. Je suppose que c'est bon signe. On m'a dit que, dans certains cas, la réaction pouvait provoquer la mort en quelques secondes. Quand même, à la seule pensée que l'un de mes élèves ait pu mourir, vraiment mourir, et dans ma salle de classe pendant que je les surveillais, j'en ai les paumes moites et cela me donne des palpitations.

Au cours de toutes mes années d'enseignement, trois de mes élèves ont trouvé la mort. Tous les jours, de leur photo de classe sur le mur du couloir du milieu, ils me suivent du regard : Hewitt qui mourut d'une méningite pendant les vacances de Noël 1972, Constable qui fut écrasé par une voiture en 1986, dans la rue même où il habitait, alors qu'il essayait de rattraper son ballon de foot, et Mitchell, bien sûr, en 1989, Mitchell dont l'histoire n'a jamais cessé de me tourmenter. La mort les a emportés tous les trois à un moment où ils n'étaient plus sous la responsabilité de l'École. Pourtant, dans les trois cas, et surtout dans celui de Mitchell, je me sens coupable comme si cela avait été mon rôle d'être là, de les surveiller et de les protéger.

Et puis, il y a les Anciens, ceux qui avaient autrefois été dans ma classe mais nous avaient quittés depuis longtemps : Jamestone, victime d'un cancer à trente-deux ans, Deakin, tumeur au cerveau, Stanley, accident de voiture, Poulson qui s'est suicidé

172

– nul ne sait pourquoi – et qui a laissé derrière lui une femme et une fillette trisomique de huit ans. Tous sont encore *mes* élèves. Lorsque je repense à eux, je ressens encore un vide terrible et un chagrin profond mêlés à cette étrange, cette douloureuse, cette inexplicable impression que *j'aurais dû* être là.

Au début, j'ai pensé que le garçon nous jouait la comédie. Les élèves étaient tous énervés. Jackson se bagarrait avec quelqu'un dans un coin. J'étais pressé. Peut-être était-il déjà inconscient lorsque je suis entré ? Le temps de ramener le calme, de prendre mon registre, de trouver mon stylo, de précieuses secondes s'étaient écoulées. Les docteurs appellent cela choc anaphylactique. Dieu sait pourtant que j'en avais assez entendu parler par le gamin lui-même, mais j'avais toujours cru que ses ennuis étaient plus attribuables à une mère trop protectrice qu'à sa condition physique réelle.

Tout était là pourtant, dans son dossier médical, comme je l'ai découvert par la suite, mais trop tard, avec les multiples recommandations de sa mère concernant son régime, les exercices qui lui étaient autorisés, ceux qu'il devait éviter, les problèmes que posait l'uniforme – tous les tissus synthétiques lui irritaient la peau –, ses phobies, sa réaction à certains antibiotiques, sa position en ce qui concernait l'éducation religieuse à l'école et la difficulté qu'il avait à se faire accepter par les autres. Sous le sous-titre *Allergies* – une légère intolérance au froment – elle avait écrit en lettres majuscules d'imprimerie TOUS FRUITS OLÉAGINEUX avec un astérisque et plusieurs points d'exclamation.

Bien évidemment ces fruits-là sont interdits à Anderton-Pullitt. Il ne mange que ce que sa mère juge sans danger pour lui, et cela correspond exactement à ce que lui-même, avec son peu d'imagination, trouve aussi acceptable. Tous les jours, il arrive donc avec les mêmes choses pour son repas de midi : deux tranches de pain (sans froment) coupées en quatre et tartinées de *Marmite*, cette pâte à base de levure, et de Vache-qui-rit, une tomate, une banane, un petit paquet de boules de gomme (dont il élimine toutes celles qui ne sont pas rouges ou noires) et une canette de Fanta. L'heure entière de midi lui est nécessaire pour manger cela. Il n'achète jamais rien à la coopérative de l'École et n'accepte jamais aucune nourriture d'un autre élève.

Ne demandez pas comment j'ai réussi à le descendre de ma classe au rez-de-chaussée. Cela n'a pas été facile. Les autres tournaient en rond autour de moi sans rien faire d'utile. J'ai appelé un collègue pour avoir de l'aide. Personne n'est venu sauf Gerry Grachvogel qui se trouvait dans la pièce à côté. Il a eu l'air tout prêt à s'évanouir et a répété d'une voix haletante « Mon Dieu ! Mon Dieu ! » en se tordant nerveusement les mains et en jetant des coups d'œil inquiets à droite et à gauche. J'ai soulevé Anderton-Pullitt, je l'ai mis sur mon épaule puis j'ai dit à Gerry : « Va chercher quelqu'un pour m'aider et appelle une ambulance. *Modo fac.* »

Apparemment incapable de réagir, il est resté là, la bouche ouverte. C'est Allen-Jones qui a pris l'initiative. Il est descendu quatre à quatre en bousculant presque Isabelle Tapi qui montait comme par hasard. McNair s'est précipité vers le bureau de Patrick Mat pendant que Pink et Tayler m'ont aidé à empêcher Anderton-Pullitt, toujours inconscient, de tomber. Arrivé au couloir du bas, j'ai vraiment cru que mes poumons étaient remplis de plomb bouillant, et j'ai été soulagé lorsque Mat m'a ôté mon fardeau. Il semblait tout ragaillardi d'avoir enfin quelque chose de concret à faire et il a soulevé Anderton-Pullitt comme s'il n'avait été qu'un bébé.

Au loin, j'avais vaguement conscience que Sutcliff terminait l'appel à ma place pendant qu'Allen-Jones téléphonait à l'hôpital. « Ils disent que ce sera plus rapide si vous pouvez l'amener vous-même en voiture aux urgences, monsieur ! » Grachvogel s'évertuait à retrouver ses élèves qui s'étaient éparpillés dans toutes les directions pour voir ce qui se passait. Le Nouveau Proviseur émergeait maintenant de son bureau, l'air consterné, avec Mat à ses côtés et Marlene derrière, inquiète, qui essayait de voir par-dessus son épaule.

« Monsieur Straitley ! » Même dans une situation grave comme celle-ci, le proviseur maintient étrangement une certaine raideur compassée, comme s'il n'était pas fait de chair comme les êtres humains, mais d'une autre pâte : de plâtre, et de baleines de corset. « S'il vous plaît, quelqu'un pourrait-il me dire... » Mais autour de moi, l'air bourdonnait de bruits. C'étaient les pulsations assourdissantes de mon cœur qui m'impressionnaient le plus. Cela m'a rappelé les vieilles histoires d'aventures de mon enfance, dans lesquelles de téméraires explorateurs se frayaient un passage à travers la jungle et faisaient l'ascension de volcans au milieu du déchaînement cacophonique des tam-tams indigènes.

Je me suis appuyé contre le mur du couloir du bas, comprenant que mes jambes, jusque-là faites d'os, de veines, d'artères et de tendons, venaient soudain de se transformer en une sorte de gelée. Respirer m'était devenu un douloureux effort. Quelque part, à la hauteur du bouton du haut de mon petit gilet, un doigt énorme de géant semblait s'enfoncer encore et encore dans ma poitrine comme pour attirer mon attention sur quelque chose de très important. J'ai jeté un coup d'œil derrière moi à la recherche d'un siège où m'asseoir. Trop tard ! Le monde autour de moi a basculé et j'ai commencé à m'écrouler le long du mur.

« Monsieur Straitley ! » Vu d'en bas, le proviseur avait un air plus sinistre que jamais. Une idée farfelue m'a traversé l'esprit : *une tête réduite*, l'effigie du patron minimalisé. *C'est exactement ce qu'il faut pour apaiser la colère du dieu du volcan !* Malgré la douleur dans ma poitrine, je n'ai pu m'empêcher de rire. « Monsieur Straitley ! Monsieur Mat ! S'il vous plaît, quelqu'un pourrait-il enfin me dire ce qui se passe ? »

Le doigt invisible m'a de nouveau tapoté la poitrine et je me suis assis par terre. Toujours efficace, Marlene a réagi la première. Elle s'est agenouillée à mon côté, sans hésiter, et a déboutonné ma veste pour sentir les battements de mon cœur. Le bruit des tam-tams a redoublé. Maintenant, je devinais plutôt que je ne le sentais vraiment le mouvement des gens autour de moi.

« Monsieur Straitley, n'abandonnez pas, tenez le coup ! » Elle dégageait une odeur de femme, une odeur de fleurs. Je sentais bien que c'était le moment de faire une remarque spirituelle, mais je n'arrivais pas à trouver quelque chose à dire. J'avais toujours cette douleur à la poitrine et mes tympans bourdonnaient comme des tambours. J'ai essayé de me relever mais en vain. J'ai glissé encore davantage. Du coin de l'œil, j'ai eu conscience du logo Houpette rose décoré de sequins sur les chaussettes d'Allen-Jones et je me suis remis à rire.

Avant de perdre totalement conscience, mon dernier souvenir a été d'avoir aperçu soudain le visage du Nouveau Proviseur

dans mon champ de vision et d'avoir dit : « *Bwana,* les indigènes, i' n'entreront pas dans la cité interdite ! »

J'étais à l'hôpital lorsque je suis revenu à moi. Le docteur
m'assurait que j'avais eu de la chance et que cela n'avait été
qu'un incident cardiaque assez bénin dû à un effort physique
inhabituel. J'ai voulu me lever immédiatement, mais il me l'a
interdit, affirmant que l'on me garderait sous surveillance pendant trois ou quatre jours.

Une infirmière d'une quarantaine d'années, aux cheveux roses
et dont l'attitude me faisait penser à celle d'une assistante de
maternelle, m'a posé des questions avec un air de légère désapprobation comme s'il s'était agi d'un enfant qui persistait à
mouiller son lit : « Et maintenant, dites-moi, monsieur Straitley,
combien de cigarettes fumons-nous par semaine ?

— Je serais bien incapable de vous répondre, madame. Je
ne connais pas vos habitudes. » L'infirmière a paru agitée. J'ai
rapidement ajouté : « Oh ! C'est de moi seulement que vous
parliez peut-être ? Toutes mes excuses ! Je vous prenais pour
quelque membre de la famille royale. »

Elle a plissé les yeux de frustration. « Monsieur Straitley, j'ai
du travail à faire, vous savez !

— Moi aussi ! Latin, deuxième groupe de quatrième, premier
cours de l'après-midi ! »

Elle a répondu : « Je suis certaine qu'ils pourront tout à fait
bien se passer de votre présence pendant quelque temps. Personne n'est indispensable, vous savez ! »

C'était vrai sans doute mais triste aussi : « Et moi qui croyais
que votre devoir à vous était de me faire me sentir mieux !

— C'est exactement ce que j'ai l'intention de faire dès que
nous aurons fini de remplir ce petit questionnaire ! »

En trente minutes, dans un grand livre qui ressemblait
beaucoup à un registre d'appel, elle avait réussi à réduire Roy
Straitley, L. ès L., à quelques abréviations cryptiques, et coché
je ne sais combien des réponses possibles. Elle paraissait assez
satisfaite d'elle-même maintenant. Je dois avouer que tout
n'avait pas l'air bien rose pour moi. Âge : 64 ans. Profession...
sédentaire. Conduite : plutôt médiocre en ce qui concerne le

tabac, demanderait plus d'attention ; de laissant à désirer à mauvaise en ce qui concerne l'alcool. Présentation : quelque part entre léger embonpoint et frôlant l'obésité.

Le docteur a parcouru tout cela avec une expression de satisfaction lugubre. « C'est un avertissement, a-t-il conclu, un message des dieux ». Il m'a rappelé : « Vous n'avez plus vingt ans, vous savez. Il y a des choses que vous ne pouvez plus vous permettre maintenant. »

La vieille rengaine, quoi. Je la connais par cœur ! « Je sais, je sais : plus de tabac, plus d'alcool, plus de friture, plus de marathons, pas de petites femmes et pas de... »

Il m'a interrompu : « J'ai parlé à votre médecin : un certain Dr Bevans ?

— Oui, Bevans ! Je le connais très bien. 1975-1979. Un petit gars brillant. Mention très bien, section classique. A fait sa médecine à Durham !

— Sûr ! » Le monosyllabe indiquait sa désapprobation sans aucune ambiguïté. « Il me dit que votre état de santé lui cause des inquiétudes depuis quelque temps !

— Vraiment ?

— Vraiment ! »

Au diable les élèves brillants ! Voilà ce qui vous pend au nez quand vous permettez à des gamins d'étudier les classiques. Ils se mettent contre vous, les petits saligauds ! Et avant que vous n'ayez eu le temps de vous retourner, ils vous ont condamné à un régime sans graisse, vous ont recommandé un traitement pour évacuer l'eau et ont téléphoné à toutes les maisons de retraite pour vous y trouver une place !

« Allez ! Apprenez-moi la mauvaise nouvelle ! Qu'est-ce que le jeune blanc-bec me recommande cette fois-ci ? Bière chaude ? Hypnose ? Sangsues ? Je me souviens bien du jeune garçon rondelet qu'il était lorsqu'il était dans ma classe, toujours en train de faire des bêtises. Et c'est *lui* maintenant qui voudrait *me* dire ce que je dois faire ?

— Il a beaucoup d'affection pour vous, monsieur Straitley. » Ça y est, pensai-je.

« Mais vous avez soixante-cinq ans !

— Soixante-quatre. Mon anniversaire n'est pas avant le 5 novembre. C'est le soir du feu d'artifice ! »

D'un hochement de tête, il a balayé l'importance de cette date pourtant célèbre. « Vous semblez croire que vous pouvez continuer à vivre comme vous l'avez toujours fait.

— Et que puis-je faire d'autre ? Attraper le vertige sur un rocher à pic en faisant de l'escalade ? »

Le docteur a poussé un soupir : « Je suis certain qu'un homme de votre éducation pourrait trouver quelque chose d'agréable et de stimulant à faire pendant sa retraite. Un passe-temps quelconque ! »

Un passe-temps, vraiment ! « Mais je *ne prends pas* ma retraite !

— Soyez raisonnable, enfin, monsieur Straitley ! »

Saint Oswald est mon univers depuis trente ans au moins. En existe-t-il d'autres ? Je me suis assis sur le chariot d'hôpital et j'ai pivoté pour laisser mes jambes pendre sur le côté. « Je me sens parfaitement bien ! »

3

Jeudi 30 septembre

Pauvre vieux Straitley ! J'ai décidé d'aller lui rendre visite à l'hôpital dès la fin de la journée. C'est ainsi que j'ai appris qu'il avait jugé être assez remis pour quitter leur service de cardiologie, malgré la désapprobation de l'équipe soignante. Mais j'ai découvert son adresse dans la brochure de Saint Oswald. Je lui ai donc apporté une petite plante en pot que j'avais achetée chez le fleuriste de l'hôpital.

Je ne l'avais jamais observé dans une situation qui n'était pas à l'unisson de son caractère. Cette fois, j'ai soudain vu en lui un vieil homme à la barbe blanche et aux pieds blêmes et osseux dans de vieilles pantoufles de cuir tout éculées. C'était presque touchant lorsqu'il a paru heureux de ma visite et m'a déclaré : « Vous n'auriez pas dû vous inquiéter comme ça. Dès demain matin, je serai revenu à mon poste !

— Vraiment ? Si tôt ? » Je l'en ai presque aimé pour cela. J'ai aussi ressenti un peu d'inquiétude. J'éprouve trop de plaisir à notre petite partie d'échecs pour lui permettre de m'échapper à cause de ce moment de faiblesse. « Ne vaudrait-il pas mieux vous reposer pendant un jour ou deux ?

— Ah ! Vous n'allez pas vous y mettre aussi, a-t-il protesté. J'en ai déjà assez entendu à l'hôpital ! Vous devriez vous trouver un petit passe-temps, m'ont-ils conseillé – quelque activité bien tranquille, comme la taxidermie ou le macramé. Grands dieux !

Pourquoi ne me tendent-ils pas tout de suite la coupe de ciguë pour que l'on en finisse une fois pour toutes ? »

J'ai pensé qu'il dramatisait beaucoup et je le lui ai dit.

Il a fait la grimace et m'a avoué : « Oui, j'ai un certain don pour ça ! »

Il habite une petite maison à dix minutes à peine de l'École : deux pièces au rez-de-chaussée, et deux au premier étage. Le vestibule est tellement encombré de livres empilés jusqu'au plafond, les uns sur des étagères, d'autres par terre, qu'il est pratiquement impossible de discerner la couleur de la tapisserie. Les tapis sont usés jusqu'à la corde, sauf dans le salon où l'on devine encore le spectre d'un vieil Axminster couleur feuille morte. Une odeur de poussière et de cire traîne partout dans la maison, l'odeur du chien aussi, mort il y a cinq ans. Dans le vestibule, un énorme radiateur démodé (comme ceux que l'on a à l'École) dégage une chaleur étouffante. Dans la minuscule cuisine au sol revêtu de mosaïque, le mur est orné d'une multitude de photos de classe qui couvrent chaque espace libre.

Il m'a proposé du thé – il me l'a servi dans une grande tasse portant l'écusson de Saint Oswald – et des biscuits au chocolat, un peu rassis, je le soupçonne, qu'il a pris dans une boîte métallique sur la cheminée. J'ai remarqué qu'il semblait plus petit maintenant qu'il était dans son décor à lui.

« Comment va Anderton-Pullitt ? » À l'hôpital, il avait posé la question toutes les dix minutes, même après qu'on lui eut dit que le garçon était hors de danger. « Ont-ils découvert ce qui est arrivé ? »

D'un signe de tête j'ai répondu que non. « Mais vous pouvez vous rassurer. Personne ne vous en rend responsable, monsieur Straitley !

— Ce n'est pas là la question ! »

En effet, ce n'était pas là la question. Les photos qui couvraient les murs l'affirmaient avec leurs doubles rangées de jeunes visages. Je me suis demandé : Léon serait-il par hasard parmi les autres ? Et quelle serait ma réaction si j'apercevais maintenant son visage, ici, chez Straitley ? Quelle serait ma réaction surtout si, à côté de son visage, j'apercevais le mien, casquette enfoncée sur les yeux et blazer soigneusement boutonné sur ma chemise d'occasion ?

« Le malheur frappe toujours trois fois, a murmuré Straitley en tendant la main pour prendre un biscuit puis, s'étant ravisé, la retirant. D'abord Fallow, maintenant Anderton-Pullitt, il n'y a plus qu'à attendre pour savoir qui sera la prochaine victime. »

J'ai eu un sourire : « Je n'aurais jamais cru que vous puissiez être superstitieux, monsieur !

— Superstitieux ? Mais, à Saint Oswald, la superstition est ce qu'il y a de plus naturel ! » Il a fini par se décider à prendre tout de même un biscuit, qu'il a trempé dans son thé. « Personne ne peut y avoir enseigné aussi longtemps que moi sans finir par croire aux signes, aux présages et aux...

— Aux fantômes ? » ai-je ajouté sournoisement.

Alors, sans sourire, il m'a répondu : « Bien sûr ! L'École en est peuplée ! » Un moment, je me suis demandé si c'était à mon père qu'il pensait ou à Léon. Un moment, je me suis demandé si je n'étais pas un fantôme moi-même.

4

Au cours de l'été qui précéda mon treizième anniversaire, lentement, sans attirer grande attention, John Snyde commença à se laisser aller. Ce furent de tout petits détails au début, des choses presque imperceptibles vraiment lorsqu'on les compare à ce que ma vie entière était devenue – cette vie dont Léon était le centre et où le reste, réduit à des lignes incertaines sur un horizon lointain et flou, s'estompait peu à peu. Mais, au fur et à mesure que juillet avançait et que la fin du trimestre approchait, la mauvaise humeur toujours latente de mon père était devenue constante.

Je me souviens particulièrement de ses accès de fureur. Cet été-là, me semble-t-il, il ne décoléra pas. Il s'en prenait à moi, à l'École, aux tagueurs mystérieux qui couvraient le côté de la salle de sports de graffitis à l'aérosol. Il s'emportait contre les plus jeunes élèves, qui le dérangeaient avec leurs appels incessants pendant qu'il faisait les pelouses avec la grande tondeuse à moteur. Il en voulait amèrement aux deux plus grands qui avaient fait un petit tour dessus alors qu'il avait le dos tourné et étaient directement responsables de la réprimande officielle qu'il avait reçue ce jour-là. Il pestait contre les chiens du voisinage qui venaient crotter sur le terrain de cricket – c'était lui qui devait ensuite ramasser leurs ordures avec un mouchoir en papier, la main protégée par un sac de plastique retourné. Il jurait contre le gouvernement, contre le patron du pub local, contre les passants qui s'écartaient sur le trottoir pour l'éviter lorsqu'il rentrait du supermarché en marmonnant tout seul.

Un lundi matin, quelques jours seulement avant la fin du trimestre, il avait surpris un garçon de sixième en train de fouiller sous le comptoir dans la loge du *porter*. Le gamin avait expliqué qu'il cherchait un sac qu'il avait perdu mais John Snyde n'était pas homme à se laisser prendre par une excuse pareille. Il était trop facile de deviner quelles étaient ses intentions réelles : vol, vandalisme et autres délits commis dans le seul espoir de provoquer la disgrâce de John Snyde. Le garçon avait déjà découvert la petite bouteille de whisky irlandais cachée sous une pile de vieux journaux et ses yeux luisaient de méchanceté satisfaite. C'est du moins ce que mon père avait pensé et, reconnaissant en lui l'un de ses jeunes tourmenteurs – un gamin avec une gueule de singe et des manières insolentes –, il avait décidé de lui donner une bonne leçon.

Je ne pense pas qu'il ait vraiment fait mal au garçon. John Snyde était peut-être plein d'amertume mais il était sincèrement loyal. Même s'il détestait certains individus à Saint Oswald : l'Intendant, le proviseur, les élèves surtout, il respectait l'établissement lui-même. Le garçon, hélas, essaya de jouer au plus malin et dit à mon père : *Vous n'avez pas le droit de me toucher.* Puis, il exigea qu'on le laissât sortir et, finalement, d'une voix qui perçait les oreilles de mon père (qui s'était couché vraiment très tard le dimanche soir, cela se voyait bien), il se mit à hurler : *Laissez-moi, laissez-moi sortir !* jusqu'à l'arrivée de Tidy qui, à côté, dans le bureau de l'intendance, accourut voir ce qui se passait.

Il vit Matthews – c'était le nom du garçon au visage de singe – tout en larmes. John Snyde était un grand bonhomme et, même lorsqu'il n'était pas en colère, il intimidait. Ce jour-là, il était franchement exaspéré. Tidy vit les yeux injectés de sang de mon père, ses vêtements tout fripés, il vit le visage ruisselant de larmes du garçon, la tache humide qui s'élargissait sur son pantalon gris d'uniforme, et en tira la conclusion apparemment inévitable. Ce fut la goutte d'eau qui fit déborder le vase. John Snyde dut comparaître le matin même devant le proviseur – Patrick Mat fut témoin de l'entrevue pour garantir la légitimité de la procédure – et John Snyde reçut son deuxième et dernier avertissement.

L'Ancien Proviseur n'aurait pas fait une chose pareille. Mon père en était bien convaincu. Shakeshafte était parfaitement conscient des difficultés que rencontrait celui qui devait travailler dans une école. Il aurait su, lui, apaiser la situation sans faire toute cette histoire. Mais le Nouveau, venant du secteur public, se faisait le champion de ce qui était politiquement correct, de l'action directe, immédiate et publique, même si elle était simpliste. D'ailleurs, sous son extérieur sévère, ce n'était qu'une lavette, au fond. Il n'allait sûrement pas laisser passer cette occasion de montrer à tous le ferme leader qu'il était, capable de prendre des décisions (surtout quand cela ne présentait aucun danger pour sa carrière personnelle).

Il annonça qu'il y aurait enquête, que, pour le moment, Snyde pouvait continuer son service, mais qu'il devrait s'adresser tous les jours à l'intendant pour recevoir ses instructions et ne devait sous aucun prétexte avoir de contact avec les élèves. Au moindre *incident* – le mot fut prononcé avec l'air de satisfaction pharisaïque du bien-pensant qui a fait vœu de ne jamais toucher à l'alcool –, le renvoi serait immédiat.

Mon père était persuadé que Mat était de son côté. Ce bon vieux Mat, disait-il, quel dommage de perdre ainsi son temps à un simple boulot de bureaucrate, c'est lui qui aurait dû devenir proviseur. Bien sûr, il était évident que mon père se serait entendu avec ce grand type bourru au nez de joueur de rugby et aux goûts de prolétaire. Mais, c'était à Saint Oswald que Mat avait voué sa loyauté et, même s'il avait une certaine sympathie pour les griefs que mon père avait exprimés, je savais très bien que s'il devait jamais choisir, c'était l'École qui ferait l'objet de son choix.

Enfin, avait-il dit, les vacances permettraient à mon père de se ressaisir. Il buvait trop, et le savait très bien. Il se négligeait aussi. Mais, au fond, c'était un brave homme qui, depuis presque cinq ans maintenant, s'était loyalement consacré à l'École. Il était tout à fait de taille à s'en sortir.

C'était bien une formule de Mat, ça. *Être de taille à se sortir de là.* Il parle de la même façon aux élèves, comme un officier s'adresse à ses soldats, comme l'entraîneur de rugby remonte le moral de son équipe. Avec mon père, il multipliait les clichés. *Tu peux te sortir de là. Accepte la punition comme un homme. Plus ils sont grands et plus ils tombent de haut.*

Une langue que mon père appréciait et comprenait. Pendant un certain temps, cela lui permit de reprendre courage. Comme il l'avait promis à Mat, il diminua sa consommation d'alcool, il alla se faire couper les cheveux et prit davantage soin de son apparence. Conscient de *s'être laissé aller*, comme Mat le lui avait dit, il avait même commencé à faire des exercices de musculation, le soir, devant la télévision, pendant que je lisais un roman tout en rêvant qu'il n'était pas mon père.

Et puis les vacances arrivèrent et, avec elles, les pressions diminuèrent. Son service était moins lourd, il n'y avait plus d'élèves pour le rendre intolérable. Il pouvait tondre le gazon sans être interrompu. Il patrouillait sans escorte le domaine de Saint Oswald et gardait l'œil sur les tagueurs possibles et les chiens errants.

J'aurais pu imaginer mon père presque heureux à cette époque-là. Les clefs dans une main, une bouteille de bière légère dans l'autre, il parcourait son petit empire dans la certitude qu'il y avait sa place, qu'il était un rouage peut-être tout petit, mais néanmoins essentiel dans le grand mécanisme. C'était ce que Mat lui avait dit. C'était donc vrai.

Moi, j'avais bien autre chose en tête. J'avais accordé trois jours à Léon au début des vacances avant de lui téléphoner pour fixer une rencontre. Il avait été aimable mais n'avait manifesté aucune hâte, expliquant que sa mère et lui recevaient des amis dont il était censé s'occuper. Pour moi, cela avait été un choc, après tout ce que j'avais si minutieusement préparé pour nous deux. J'avais pourtant accepté la situation sans me plaindre, sachant très bien que la meilleure façon de traiter les petits accès de perversité de Léon était de le laisser agir et de faire semblant de les ignorer.

« Ce sont des amis de ta mère ? avais-je demandé plus pour l'encourager à parler que pour obtenir une réponse.

— Ouais ! Les Tynan et leur gosse. C'est un peu ennuyeux mais Charlie et moi devons aider ma mère. Tu sais : passer les sandwichs au concombre, servir le sherry et toutes ces choses-là. » À l'entendre, on aurait juré qu'il regrettait la situation. Je ne pouvais cependant me défaire de l'idée qu'il souriait en disant cela.

« Leur gosse ? » avais-je répété, imaginant un jeune garçon jovial et intelligent, tellement plus intéressant que moi aux yeux de Léon.

— Ouais ! Francesca ! Une petite grosse qui ne parle que de poneys. Charlie est là, heureusement, sans cela, il aurait fallu que je m'occupe d'elle aussi !

— Oh ! » Je n'avais pas réussi à empêcher ma voix de paraître un peu lugubre.

« Ne t'en fais pas ! m'avait dit Léon. Cela ne va pas durer longtemps. Je te passerai un coup de fil, d'accord ? »

Cela m'agaçait terriblement. Je ne pouvais pas, bien entendu, refuser de donner mon numéro de téléphone à Léon, mais j'avais très peur que ce ne fût mon père qui répondît à son appel. « Hé, ne t'inquiète pas, je te verrai moi-même sans doute ! »

J'attendis donc, en proie à une inquiétude et un ennui profonds, hésitant entre le désir de rester près du téléphone à attendre le coup de fil de Léon et l'envie folle d'enfourcher mon vélo pour aller faire un tour dans son quartier, dans l'espoir de l'y rencontrer par hasard. Je n'avais pas d'autre ami que lui. Lire ne faisait qu'aggraver mon impatience. Écouter des disques me faisait penser davantage encore à Léon. L'été était pourtant splendide – un de ces étés qui n'existent que dans certains livres et dans le souvenir –, un été bleu turquoise, une chaleur peuplée d'abeilles et du bruissement des feuilles. Pour moi, cependant, il aurait aussi bien pu pleuvoir tous les jours. Sans Léon, l'été ne m'offrait aucun plaisir. Je traînais un peu partout, chapardant ici et là dans les magasins, par pur dépit.

Au bout d'un certain temps, mon père remarqua mon humeur. Son intention sincère de se réformer l'avait doté d'une nouvelle – même si elle ne devait être que temporaire – perspicacité. Il commença à faire des commentaires à propos de mon apathie, de ma mauvaise humeur. C'est *l'âge ingrat*, répétait-il. Il me recommanda la vie au grand air et beaucoup d'exercice.

Il avait raison : je grandissais. Cela sautait aux yeux. Au mois d'août, j'allais avoir treize ans. Je faisais une poussée de croissance. Toujours maigre comme un poulet, je me rendais compte pourtant que mon uniforme de Saint Oswald avait maintenant l'air étriqué, surtout le blazer – il m'en faudrait bientôt un autre – et que mon pantalon lui-même semblait avoir raccourci de cinq centimètres.

Une semaine entière s'était écoulée, puis une autre. Les vacances passaient et je ne pouvais rien y faire. Léon était-il parti ? Passant à vélo devant chez lui, j'avais remarqué une porte-fenêtre s'ouvrant sur un patio, j'avais entendu des voix et des rires flotter dans l'air tiède. Je n'aurais pu dire pourtant combien de personnes étaient présentes, ni reconnaître la voix de mon copain parmi les autres.

Je me posais des questions à propos des visiteurs. Léon avait parlé d'un banquier, d'une secrétaire assez haut placée, comme l'était sa mère. Des gens importants qui grignotaient des sand-wichs au concombre et sirotaient des boissons glacées sous la véranda. Des gens comme John et Sharon Snyde ne pourraient jamais être, quel que soit un jour leur compte en banque. Le genre de parents que j'aurais rêvé avoir.

Cette pensée devint pour moi une obsession. Je commençai à imaginer les Tynan : lui, en veste de lin, elle, en robe blanche, Mrs. Mitchell à leurs côtés tenant dans une main une carafe de Pimm's, dans l'autre un plateau chargé de grands verres, Léon et sa sœur, Charlie, assis sur la pelouse à leurs pieds, tous baignés de poudre d'or par la lumière et cet éclat intérieur qui font d'eux des êtres si différents de moi, ce je-ne-sais-quoi dont j'avais pris conscience la première fois, à Saint Oswald, le jour où j'avais franchi la ligne.

Et elle était là, devant moi, cette ligne si proche qu'elle m'en narguait, je la voyais presque, toute dorée, me condamnant à renoncer à tout ce que je désirais. Que me fallait-il faire de plus ? N'avais-je pas passé ces trois derniers mois dans le bastion même de mes ennemis, comme le loup chassé du clan se mêle à la meute des chiens pour dérober un peu de leur pâtée ? Pour-quoi alors cette impression de rejet ? Pourquoi Léon n'avait-il pas encore téléphoné ?

Se pouvait-il qu'il eût vaguement deviné cet autre moi que je croyais lui avoir si bien caché ? Se pouvait-il qu'il eût honte d'être vu en ma compagnie ? Sans doute ! Je n'osais sortir de la loge de peur que l'on ne m'y aperçût. Quelque chose, en moi, révélait sans doute ma médiocrité. Une odeur peut-être, ou ce moiré de mauvais goût des tissus synthétiques, quelque chose enfin qui lui avait mis la puce à l'oreille. J'en perdais la raison. Je décidai d'en avoir le cœur net. Ce dimanche-là, je m'habillai donc avec soin, pris mon vélo et me dirigeai vers le quartier où Léon habitait.

C'était un coup d'audace. J'avais déjà rôdé dans ce quartier à bicyclette, mais cela ne comptait pas vraiment. Je n'avais encore jamais pénétré dans la maison elle-même. Lorsque je poussai le portail pour avancer dans l'allée qui menait jusqu'à la véranda, je me rendis compte que mes mains tremblaient un peu. C'était une grande maison édouardienne, à double façade, avec des pelouses devant et sur le côté, un petit jardin boisé derrière, avec un kiosque et un verger entouré de hauts murs.

La grosse galette, quoi ! aurait dit mon père avec un mépris plein d'envie. Pour moi, ce que je voyais là représentait le monde de livres que j'avais lus : *Hirondelles et Amazones* et *Le Club des Cinq.* C'étaient les verres de limonade servis sur la pelouse, c'était le monde du pensionnat, des pique-niques au bord de la mer, de la cuisinière toujours de bonne humeur qui préparait des scones pour le goûter, de la mère d'une élégance raffinée à demi allongée sur un sofa, du père souvent absent pour affaires mais toujours indulgent, qui fumait la pipe et avait toujours raison. Je n'avais pas encore treize ans et déjà je sentais désespérément le poids de ces treize années. C'était comme si l'on m'avait volé mon enfance, du moins, *cette enfance-là,* celle que moi aussi je méritais.

Je frappai. J'entendais un bruit de voix venir de derrière la maison, celle de la mère de Léon qui disait quelque chose à propos de Mrs. Thatcher et des syndicats, une voix d'homme aussi – *La seule façon d'y mettre fin serait...* –, le tintement étouffé d'une cruche pleine de glaçons avec laquelle quelqu'un se versait à boire, et puis, tout à coup, la voix de Léon – très proche, me sembla-t-il : « *Vae.* N'importe quoi, mais surtout pas de politique, s'il vous plaît ! Quelqu'un aimerait-il une vodka-citron glacée ?

— Oui, moi ! » C'était Charlie, la sœur de Léon.

188

« Moi aussi. » Cette fois, la voix était plus grave et bien timbrée.

Cela devait être Francesca. Lorsque Léon m'avait parlé d'elle au téléphone, son nom m'avait paru plutôt ridicule. Maintenant ma certitude était ébranlée. Je m'écartai de la porte de devant pour longer la façade de la grande maison. Dans le cas où l'on m'apercevrait, je pourrais toujours expliquer que j'avais frappé mais que je n'avais reçu aucune réponse. Je jetai un coup d'œil de l'autre côté de la maison.

C'était exactement comme je l'avais imaginé. Derrière, à l'ombre d'un grand arbre qui jetait une mosaïque d'ombre et de lumière et sous lequel on avait disposé des tables et des chaises, il y avait une autre véranda. Mrs. Mitchell était là, blonde et jolie, vêtue d'un jean et d'un corsage blanc qui la faisait paraître très jeune, Mrs. Tynan aussi, en sandales et robe de lin, puis Charlotte, assise sur la balançoire que l'on avait construite spécialement pour elle ; et enfin, juste en face de moi, se trouvait Léon, vêtu d'un jean, d'un tee-shirt tout passé et de vieilles chaussures de tennis.

Je me dis qu'il avait grandi. En quelques semaines, ses traits s'étaient accusés, son corps s'était allongé. Ses cheveux, déjà à la limite extrême de ce qui était toléré à Saint Oswald, lui tombaient maintenant dans les yeux. Il aurait pu être n'importe qui, comme cela, sans son uniforme. Il aurait ressemblé à n'importe lequel des garçons de mon école, sans ce vernis, ou plutôt cette patine que l'on acquiert au cours d'une vie entière dans une maison comme celle-là, à étudier le latin avec Quaz dans la tour du clocheton, ou à déguster des canapés de saumon fumé en buvant une vodka-citron glacée – au lieu d'un demi pour faire descendre le *fish and chips* –, sans jamais avoir à s'enfermer à clef dans sa chambre le samedi soir.

Une vague d'émotion me souleva, un amour, un désir éperdu, pas simplement pour Léon mais pour tout ce qu'il représentait aussi. Ce désir était si puissant, si mystiquement adulte par son intensité même, que, pendant un moment, la fille qui était à côté de Léon ne retint pas mon attention ; Francesca, la petite grosse folle de poneys, à propos de laquelle il avait au téléphone affiché un tel mépris. Soudain, je l'aperçus et, un instant,

189

oubliant même de me cacher, je restai là immobile de surprise et d'effroi.

Elle avait peut-être été, il y a longtemps, petite et grosse et folle de poneys, mais maintenant... les mots me manquaient pour la décrire. Je ne connaissais personne à qui je pusse la comparer. Mon expérience des filles que l'on disait désirables se limitait à Pepsi, aux femmes des magazines de mon père et aux Tracey Delacey de ce monde. J'aurais été bien incapable de dire pourquoi elles étaient si désirables. Enfin, cela ne vous surprend pas, n'est-ce pas ?

Je pensai à Pepsi avec ses faux ongles et son odeur de laque pour les cheveux, à Tracey mâchonnant son chewing-gum avec sa figure maussade et ses jambes marbrées. Je pensai aux femmes des magazines, à la fois dévoreuses et effarouchées, étalées, ouvertes comme des macchabées sur le marbre d'un laboratoire. Je pensai à ma mère, à Cinabre.

Cette fille-là était d'une tout autre espèce. Quatorze, quinze ans peut-être, mince et bronzée, le symbole même de ce monde de jeunes dieux. Cheveux négligemment relevés en queue-de-cheval, minuscule croix d'or reposant au creux de sa poitrine, longues jambes fines sous un short kaki, pieds de danseuse pointant avec une grâce naturelle, visage que le soleil peignait de taches lumineuses à travers toute cette verdure. La raison pour laquelle Léon n'avait pas téléphoné, c'était elle, c'était cette fille, cette fille splendide.

« Hé ! Dutoc ! »

Mon Dieu ! Ma présence avait été remarquée. J'aurais voulu m'enfuir en courant mais déjà Léon s'approchait, étonné mais pas mécontent ; la fille le suivait à quelques pas derrière. Moi, j'avais l'impression d'étouffer, le cœur réduit à la taille d'une noix. J'essayai de sourire, un masque seulement s'installa sur mon visage. Je dis : « Salut, Léon ! Bonjour, madame Mitchell. Je passais justement par ici, alors... »

Vous pouvez peut-être imaginer ce que fut cet après-midi-là. J'aurais voulu m'enfuir. Léon ne m'en laissa pas l'occasion. Là, sur la pelouse, derrière la maison, ce fut pour moi deux heures d'affreuse tristesse. Je bus cette limonade qui me retournait l'estomac, je répondis à la mère de Léon qui m'interrogeait à propos de ma famille, j'encaissai sur l'épaule les grandes claques de Mr. Tynan qui se demandait quelles bêtises Léon et moi avions bien pu faire à l'école.

Une vraie torture. J'avais un terrible mal de tête, mon estomac était douloureux. Pourtant, je dus poliment sourire et répondre à toutes leurs questions pendant que Léon et sa *copine* – car il n'y avait aucun doute, elle était sa *copine* – étaient allongés à l'ombre sur la pelouse et se murmuraient des choses à l'oreille, la main brune de Léon négligemment posée sur celle plus dorée de Francesca, le gris de ses yeux, déjà baigné de la lumière de l'été, tout illuminé par la présence de cette fille.

Je ne pourrais pas vous dire ce que je répondis à leur interrogatoire. Je me souviens seulement que la mère de Léon fut particulièrement, insupportablement gentille à mon égard, qu'elle fit tout son possible pour me mettre à l'aise, qu'elle me fit parler de mes vacances, de mes passe-temps, de mes opinions. Je donnai des réponses presque au hasard, avec l'instinct de l'animal qui sent qu'il ne doit pas faire un seul mouvement pour ne pas se trahir. Je dus satisfaire leur curiosité. Pourtant, le silence de Charlotte pendant qu'elle m'observait aurait dû éveiller mon attention, mais mon esprit était entièrement absorbé par ma propre souffrance.

Mrs. Mitchell finit par s'apercevoir de quelque chose. Elle s'approcha de moi et fit une remarque sur ma pâleur.

« Migraine ! » expliquai-je en essayant de sourire. Léon jouait avec le miel roux d'une longue mèche de cheveux de Francesca. « J'en souffre de temps en temps, ajoutai-je, ne pouvant plus penser à autre chose à dire. Il vaudrait peut-être mieux que je rentre à la maison et que je m'étende un moment. »

La mère de Léon hésitait à me laisser partir ainsi. Elle offrit de me donner un cachet d'aspirine et me proposa de m'allonger dans la chambre de Léon. Elle se montrait si pleine d'attentions que mes yeux se remplirent presque de larmes. Elle dut finir par lire quelque chose sur mon visage car elle se mit à sourire, me tapota l'épaule et dit : « Très bien, mon petit Julien. Rentrez chez vous et allongez-vous pendant une heure ou deux. Vous avez raison. C'est sans doute la meilleure chose à faire après tout. »

191

J'acquiesçai avec gratitude. Je me sentais vraiment malade. « Merci, madame Mitchell. J'ai vraiment apprécié votre gentillesse. » Léon me fit au revoir d'un geste de la main. Sa mère insista pour que j'emporte, enveloppée dans une serviette de papier, une énorme tranche de gâteau tout collant de confiture. Comme je m'éloignais le long de l'allée pour rentrer chez moi, je l'entendis dire d'une voix basse mais qui portait : « Quel curieux petit bonhomme, Léon, si poli et réservé ! C'est un de tes copains ? »

5

Saint Oswald – Lycée de garçons
Mardi 5 octobre

Le rapport officiel de l'hôpital nous est arrivé hier. Choc anaphylactique – sans doute accidentel – causé par l'ingestion de
cacahuètes ou de substances contaminées par des cacahuètes.

Bien entendu, cela a fait toute une histoire. Mrs. Anderton-
Pullitt a déclaré à Patrick Mat – qui était présent – que c'était
un vrai scandale, que l'École était censée fournir à son fils un
environnement sans danger pour sa santé. Pourquoi donc n'y
avait-il eu aucune surveillance au moment où son fils s'était
écroulé ? Comment son professeur avait-il pu ne pas remarquer
que le malheureux James avait perdu connaissance ?

Patrick a fait de son mieux pour amadouer la mère affligée. Il
est vraiment dans son élément dans ce genre de situation, il sait
comment apaiser les protagonistes, son épaule est assez large
pour que l'on vienne y pleurer et il donne une impression très
convaincante d'autorité. L'incident ferait l'objet d'une enquête
approfondie, a-t-il promis, tout en donnant à Mrs. Anderton-
Pullitt son entière assurance de l'extrême conscience professionnelle de Mr. Straitley, qui avait fait ce qu'il pouvait pour
éviter tout risque à son fils.

Ledit fils était d'ailleurs, au même moment, assis dans son lit,
occupé à lire un magazine d'aéronautique, l'air tout à fait heureux de son sort.

Au même moment aussi, le père, ancien joueur de cricket à l'échelle nationale et gouverneur de Saint Oswald, usait de sa réputation et de sa position pour essayer d'obtenir de l'administration de l'hôpital ce qui restait des sandwichs de son fils – sandwichs qui avaient été soumis à une analyse pour essayer d'y déceler un résidu possible de fruits oléagineux. Il a averti que si l'on en découvrait la moindre trace, un certain fabricant de produits alimentaires destinés aux personnes souffrant d'allergies allait y perdre jusqu'à son dernier sou, et cela sans parler de toutes les succursales qui revendaient lesdits produits. Comme par hasard, il n'y avait pas eu d'analyse, pour la bonne raison qu'avant même qu'on eût pu en entreprendre une, on avait découvert la cacahuète coupable presque intacte au fond de la canette de Fanta que James avait bue.

Les Anderton-Pullitt avaient d'abord été frappés de stupéfaction. Comment cette cacahuète s'était-elle retrouvée dans la boisson de leur fils ? Leur première réaction avait été de prendre contact avec la compagnie responsable de cette boisson, avec l'intention de la traîner en justice. Il s'était hélas rapidement avéré que prouver la négligence de la part de la compagnie serait au mieux une tâche extrêmement difficile : la canette ayant été ouverte, il était tout à fait concevable que n'importe quoi aurait alors pu y tomber.

Y tomber ou y être mis.

Pas moyen d'échapper à cette conclusion. Si quelque chose avait été mêlé à la boisson de James, le coupable devait obligatoirement être un élève de sa classe. Beaucoup plus grave encore, le coupable devait avoir été parfaitement conscient du risque que son geste faisait courir à la victime et des conséquences fatales qu'il aurait pu entraîner. Dans un accès de furie et d'indignation, les parents, sans même passer par Mat, se sont adressés directement au proviseur, à qui ils ont annoncé leur intention de remettre l'affaire entre les mains de la police s'il n'était pas prêt à poursuivre lui-même l'enquête jusqu'au bout.

J'aurais dû être là pour ça. Mon absence était impardonnable. Cependant, à mon réveil, chez moi, le matin, après mon bref séjour à l'hôpital, je me suis senti si las, si terriblement vieux, que j'ai passé un coup de fil à Saint Oswald pour prévenir Bob

Strange que je ne serais pas en mesure de reprendre le travail le lendemain.

Strange a paru surpris et m'a dit : « Je ne m'attendais pas non plus à vous voir. Je partais du principe que l'on vous garderait à l'hôpital pendant le week-end au moins. » Le ton officiel et chichiteux ne réussissait pas à déguiser sa désapprobation réelle devant la rapidité de ma sortie d'hôpital. « Je peux très bien vous trouver un remplaçant pour six semaines. Sans problème !

— Cela ne sera pas nécessaire. Je serai de retour lundi. »

Lundi, la nouvelle s'était déjà répandue. Il y avait eu enquête sur ce qui s'était passé dans ma classe le vendredi après-midi. On avait fait comparaître les témoins pour les questionner. On avait fouillé les casiers et passé des coups de téléphone. Devine avait été consulté en tant que responsable de la santé et de la sécurité à l'École. Mat, Strange et Pooley – président des gouverneurs – avaient passé des heures et des heures avec les Anderton-Pullitt dans le bureau du proviseur. Résultat ? Quand je suis arrivé lundi matin, ma classe entière était en effervescence. L'affaire concernant Cavalier avait de loin éclipsé l'article récent dans l'*Examiner*, particulièrement fâcheux avec sa sinistre implication qu'une *taupe* se terrait parmi nous. Les résultats de l'enquête du proviseur étaient irréfutables. Ce jour-là, Cavalier avait acheté un paquet de cacahuètes à la coopérative de l'École et l'avait introduit dans la salle de classe à l'heure du déjeuner. Au début, il avait essayé de nier mais plusieurs témoins, dont un professeur, s'étaient souvenus du fait. Cavalier avait donc fini par avouer qu'il avait bien acheté des cacahuètes mais avait nié avec véhémence en avoir mis dans la boisson de qui que ce soit. En larmes, il avait déclaré qu'il aimait bien Anderton-Pullitt et ne lui aurait jamais fait de mal.

Or, on avait rédigé un rapport lors du renvoi temporaire de Cavalier à la suite de la bagarre qu'il avait eue avec Jackson. Une liste de témoins avait été dressée et, bien sûr, le nom d'Anderton-Pullitt figurait parmi les autres. Le motif était maintenant très clair.

Bien entendu, en cour d'assises, cela n'aurait pas eu beaucoup de poids, mais une École n'est pas un tribunal. Une École a son règlement à elle, ses propres méthodes pour l'appliquer et ses garanties personnelles. Comme l'Église et l'Armée, elle protège les siens. À mon arrivée, Cavalier avait déjà comparu en jugement. Déclaré coupable, il avait été renvoyé jusqu'après les vacances de la mi-trimestre.

Je n'étais pourtant pas satisfait de la situation. Je ne pouvais vraiment pas croire qu'il fût coupable.

Et je l'ai dit, ce midi-là, à Dianne Dare, dans la salle des profs : « Ce n'est pas que je l'en croie incapable. C'est un petit *ignoramus* rusé et hypocrite, plus enclin à faire un mauvais coup en cachette qu'à rechercher un public mais... » Et j'ai soupiré. « Je n'aime pas cette histoire. Je n'ai aucune sympathie pour ce garçon-là mais je ne peux pas croire qu'il ait pu être aussi stupide ! »

Pearman, qui se trouvait tout près, a alors déclaré : « Il ne faut jamais sous-estimer le pouvoir de la stupidité !

— Non, mais dans ce cas précis, si le garçon était parfaitement conscient de ce qu'il faisait, cela relèverait de l'intention criminelle !

— S'il était conscient des conséquences de son acte... », a interrompu Light, assis à *sa* place, sous la pendule, « ... on devrait l'enfermer. On voit bien dans les journaux ce dont les jeunes sont capables de nos jours – viols, agressions, meurtres et Dieu sait quoi encore – et l'on n'a même pas le droit de les foutre en taule ! Et tout ça parce que ces chiffes molles nous l'interdisent ! »

McDonaugh a alors fait observer d'un ton lugubre : « De mon temps, nous avions la canne, au moins !

— Je m'en fous ! a explosé Light. Que l'on ramène donc le service militaire ! Ça leur apprendra ce que c'est que la discipline ! »

Moi, j'ai pensé : *Quel con !* Mais il a continué à haranguer son auditoire pendant quelques minutes encore, d'un ton musclé, totalement dépourvu de la moindre parcelle de matière grise, sous le regard brûlant d'Isabelle Tapi qui l'écoutait dans le *coin yaourt*.

Hors du champ de vue de l'orateur, le jeune Keane écoutait aussi. D'une grimace rapide, il en a fait une bonne imitation et son fin visage s'est déformé en une parodie exacte et intelligente

196

de l'expression de l'autre. Moi, j'ai fait semblant de n'avoir rien remarqué et j'ai porté la main à mes lèvres pour cacher mon sourire.

Toujours derrière son journal, Roach a grogné : « C'est bien gentil de parler de discipline mais quelles sanctions sont encore à notre disposition ? Ils font une bêtise, nous les mettons en retenue, ils font quelque chose de plus grave et nous les renvoyons chez eux – ce qui est précisément le contraire ! Où est la logique là-dedans ?

— Aucune logique, a répondu Light. Mais, il est important que l'on nous *voie* faire quelque chose – que Cavalier soit coupable ou non !

— S'il ne l'est pas ? » a demandé Roach.

McDonaugh a fait un geste comme pour repousser une pensée désagréable. « Aucune importance ! Ce qui compte vraiment, c'est la discipline. Peu importe *qui* est le coupable. Il hésitera avant de refaire sa bêtise s'il est sûr de recevoir des coups de canne la minute où il sera pris. »

Light a approuvé d'un signe de tête. Keane a fait une autre mimique. Dianne a simplement haussé les épaules. Pearman a eu un petit sourire ironique et supérieur.

Roach a déclaré d'un ton très sûr de lui : « Cavalier est coupable. C'est exactement le genre d'imbécillité dont ce garçon est capable ! »

Moi, je n'aime toujours pas cette histoire-là. Il y a quelque chose de pas catholique là-dessous.

Contrairement à leur habitude, les garçons se montrent étrangement réticents à parler. Une histoire de ce genre aurait d'ordinaire fourni un divertissement bienvenu dans la routine de l'École, avec ses secrets, ses bagarres, ses menues mésaventures et ses minables petits scandales – tout ce monde mystérieux de l'adolescence. Cette fois pourtant, les choses étaient différentes. Une limite avait été franchie. Même ceux qui n'avaient jamais eu une seule bonne parole pour Anderton-Pullitt n'éprouvaient que malaise et désapprobation devant ce qui s'était passé.

Jackson a expliqué : « Enfin, ce n'est pas qu'il ait tout à fait disjoncté, n'est-ce pas, monsieur ? Enfin, vous savez bien ce que j'veux dire ! Ce n'est pas qu'il soit débile ni quelque chose comme ça ! Mais on ne pourrait pourtant pas dire non plus qu'il soit cent pour cent normal ! »

Tayler qui souffre d'allergies lui-même, a demandé : « Il va pouvoir s'en remettre complètement, n'est-ce pas, monsieur ?

— Oui et c'est bien heureux ! » Le garçon devait pour le moment rester chez lui mais, selon les dires de tous, il s'était parfaitement remis de l'incident. « Car cela aurait pu le TUER. »

Un silence était tombé. Les garçons avaient échangé des regards gênés. Rares étaient ceux qui s'étaient jamais trouvés face à la mort, sauf à la perte d'un chien ou d'un grand-parent. Alors, l'idée que l'un d'eux ait pu trouver la mort, comme ça, sous leur nez, dans leur propre salle de classe, leur paraissait soudain plutôt effrayante.

« Cela a dû être un accident, a enfin déclaré Tayler.

— Je le pense aussi, ai-je dit, espérant avoir raison.

— Le Dr Devine dit que, si nous en avions besoin, nous pourrions recevoir les soins d'un conseiller thérapeute.

— Et vous en avez besoin ?

— Est-ce que cela voudrait dire que nous louperions vos leçons, monsieur ? »

Je l'ai dévisagé et je l'ai vu sourire.

« Je voudrais bien voir ça ! Sûrement pas ! »

Tout au long de la journée, cette atmosphère de malaise s'est aggravée. Allen-Jones était agité, Sutcliff déprimé, Jackson querelleur, Pink inquiet. Et le vent s'en est mêlé aussi. Le vent, comme le savent tous les enseignants, rend les élèves plus turbulents, la discipline plus difficile. Le vent faisait claquer les portes, et frappait violemment aux fenêtres. Octobre avait fait une entrée théâtrale et l'automne soudain s'était installé chez nous.

J'aime l'automne. J'aime l'arrivée spectaculaire de ce grand fauve doré secouant sa crinière de feuilles et rugissant aux talons de l'année qui s'enfuit apeurée. Saison de périls, de furieuses rafales et de calmes trompeurs, de feux d'artifice où les enfants vont, les poches pleines de marrons. C'est la saison pendant laquelle je me sens le plus proche de ce garçon d'autrefois, de ce garçon qui était moi. C'est en automne que Saint Oswald vit son moment le plus dramatique, lorsque les tilleuls revêtent leurs belles chasubles d'or et que les grandes orgues du vent résonnent dans la tour comme des voix humaines.

Et cette année, pour moi, l'automne représente plus encore : quatre-vingt-dix-neuvième trimestre, trente-troisième automne. Une moitié de ma vie s'est passée là. Cette année dont les trimestres se font pour moi plus pesants que les autres. Je me demande si le jeune Bevans n'a pas raison après tout. Pourquoi me faut-il ressentir la retraite comme une condamnation à mort ? Encore un trimestre et j'atteindrai ma Centaine. S'arrêter à ce moment-là est loin d'être déshonorant. D'ailleurs, tout change. C'est dans la nature des choses. Pour moi, hélas, il est trop tard, je suis trop vieux pour changer.

En rentrant chez moi lundi soir, j'ai jeté un coup d'œil dans la loge du *porter*. On n'avait pas encore trouvé de remplaçant pour Fallow. Entre-temps, Jimmy Watt avait donc accepté de se charger d'autant de ses tâches qu'il lui était possible. L'une d'entre elles était de rester dans la loge et d'y répondre aux appels téléphoniques. Hélas, il n'était pas très doué pour cela. Il avait tendance à raccrocher par erreur au lieu de transférer les communications. C'est ainsi que beaucoup d'appels ce jour-là n'avaient pas été transmis à leur destinataire et que la mauvaise humeur était générale.

L'intendant est responsable de cet état de choses. Jimmy fait ce qu'on lui demande de faire, mais il est bien incapable d'initiative. Il sait parfaitement changer un fusible, remplacer une serrure, il peut aussi balayer les feuilles et même grimper à un poteau télégraphique pour en retirer une paire de chaussures lancée par un brimeur et restée accrochée par les lacets sur les fils. Light l'a surnommé Jimmy Quarante Watts. Il se moque de son visage lunaire, de la lenteur de son débit lorsqu'il parle. Light était un brimeur lui-même, il n'y a pas si longtemps. Cela se voit encore à son visage congestionné et agressif de petite brute, à sa démarche étrangement circonspecte – stéroïdes ou hémorroïdes ? Je n'en suis pas sûr ! Le fait est que Jimmy n'aurait jamais dû être laissé responsable de la loge. Tidy le savait très bien. Mais c'était plus simple – et moins coûteux, bien sûr – de se servir de lui dans l'intérim en attendant une nouvelle nomination. D'ailleurs, Fallow était depuis plus de quinze ans au service de l'École et on ne pouvait pas ainsi, du jour au lendemain, jeter un homme à la rue, quelle qu'en fût la raison. Je réfléchissais justement à tout ça en passant devant la loge. Je n'avais jamais eu de sympathie particulière pour Fallow mais il avait fait partie de l'École – une petite partie, d'accord, mais une partie nécessaire – et son absence se faisait sentir.

Lorsque je suis passé devant, il y avait une femme dans la loge. Je ne me suis posé aucune question, partant du principe qu'il s'agissait là d'une secrétaire envoyée par l'agence de l'École pour prendre les communications et remplacer Jimmy quand ses nombreuses tâches le forçaient à s'absenter. Vêtue d'un tailleur, la femme semblait un peu âgée pour être une intérimaire de l'agence. Ses cheveux grisonnaient et il y avait quelque chose de vaguement familier dans son visage. J'aurais dû demander qui elle était. Devine nous parle toujours d'intrus, de massacres à l'américaine dans les écoles et d'à quel point il serait facile à un fou dangereux de pénétrer dans la nôtre et de la mettre à feu et à sang. C'est bien de lui de penser comme ça. Après tout, n'est-il pas chargé de la santé et de la sécurité de l'École ? Il faut bien qu'il justifie sa prime.

J'étais pressé cependant, et je n'ai pas adressé la parole à la femme aux cheveux gris. Ce n'est que lorsque j'ai vu sa photo et lu l'en-tête dans le journal local que je l'ai reconnue, mais il était alors trop tard. La taupe mystérieuse était de nouveau sortie de son trou. Et cette fois, la victime, c'était moi.

6

Lundi 11 octobre

Eh bien, comme vous pouvez l'imaginer, Mrs. Cavalier n'a pas reçu avec calme l'annonce du renvoi temporaire de son fils unique. Vous connaissez le genre de femme : richissime, arrogante, légèrement névrosée, souffrant de cette cécité étrange qui affecte seulement les mères qui ont des fils adolescents. Le matin suivant la décision du proviseur, elle est arrivée l'air martial et a exigé qu'il lui accorde un entretien. Comme de bien entendu, le proviseur était absent. En catastrophe, une réunion a été improvisée, comprenant Mat, mal fichu et très nerveux, Devine, en tant que délégué à la santé et à la sécurité, et moi-même, en l'absence de Roy Straitley.

En tailleur Chanel noir et assise très droite sur une chaise, Mrs. Cavalier nous lançait à tous trois, de ses yeux de diamant jaune, des regards meurtriers.

« Madame Cavalier, a expliqué Devine, le garçon aurait pu mourir. »

Cela n'a pas impressionné Mrs. Cavalier qui a laissé tomber : « Je comprends tout à fait votre inquiétude puisque, à ce moment-là, il n'y avait aucune surveillance, mais cela n'a strictement rien à voir avec mon fils. »

Mat l'a interrompue : « Ce n'est pas exactement la vérité, a-t-il commencé. Plusieurs membres du personnel étaient de service à différentes périodes de l'heure de midi bien que...

— Et quelqu'un a-t-il vu mon fils déposer une cacahuète dans la boisson de l'autre garçon ?

— Madame Cavalier, cela n'est pas...

— Eh bien, l'a-t-on vu ou non ? »

Mat avait l'air mal dans sa peau. C'était le proviseur après tout qui avait pris la décision de renvoyer temporairement Cavalier. Mat aurait peut-être traité différemment la chose. « Les preuves sembleraient le désigner, madame Cavalier, mais je ne voudrais pas insinuer là qu'il y ait eu intention coupable de sa part. »

D'une voix sans appel, elle a déclaré : « Mon fils ne ment jamais.

— Tous les gosses mentent ! »

C'était bien une remarque à la Devine celle-là. Vraie, sans aucun doute, mais pas exactement du genre à apaiser Mrs. Cavalier. Elle l'a dévisagé : « Vraiment ? a-t-elle relevé. Alors, peut-être devriez-vous réexaminer l'exactitude du témoignage d'Anderton-Pullitt en ce qui concerne cette *prétendue* bagarre entre Jackson et mon fils. »

Devine a accusé le coup : « Madame Cavalier, je ne pense vraiment pas que cette histoire-là ait quelque chose à voir avec la question qui nous préoccupe.

— Ah, non ? Eh bien, je le pense, moi ! » Elle s'est alors tournée vers Mat. « Ce qui me paraît évident à moi, c'est l'action concertée dont mon fils se trouve la victime. Tout le monde est au courant des petits chouchous de Mr. Straitley – ses *petits amis*, je crois que c'est ainsi qu'il les appelle mais je ne me serais pas attendue à ce que *vous* preniez sa défense dans cette affaire. Mon fils a été malmené, accusé, humilié, maintenant il est renvoyé – même si cela n'est que temporaire, la chose restera dans son dossier scolaire et pourrait affecter ses ambitions uni-versitaires –, et tout cela sans même lui donner l'occasion de se disculper. Vous êtes-vous demandé pourquoi ? En avez-vous la moindre idée ? »

Mat était complètement démonté par cette attaque. Aussi réel qu'il soit, son charme est sa seule arme. Mais le sourire chaleu-reux qui avait apprivoisé mon père ne semblait avoir aucune prise sur cet iceberg fait femme, il ne faisait qu'accroître sa colère.

« Faut-il que ce soit moi qui vous le dise ? Mon fils a été accusé de vol, d'agression et maintenant, si je comprends bien, de tentative d'assassinat. » Mat a essayé de l'interrompre mais, d'un geste de la main, elle lui a imposé le silence. « Et savez-vous pourquoi *lui* plutôt qu'un autre ? Avez-vous posé la question à Mr. Straitley ? Avez-vous interrogé les autres garçons ? » Elle a fait une pause pour juger de l'effet de son discours. Son regard s'est posé sur moi ; je l'ai, d'un hochement de tête, encouragée à poursuivre. Alors, de la même voix que son fils dans la salle de classe de Straitley, elle a laissé tomber, comme la trompette du Jugement dernier : « Parce qu'il est *juif*. Mon fils est victime d'une campagne antisémite et je veux que cela fasse l'objet d'une enquête sérieuse ! » Elle a lancé vers Mat un regard plein de menace. « Si je n'obtiens pas cette enquête-là, dès demain matin, vous pouvez vous attendre à recevoir une lettre de mon avocat. »

Dans le silence abasourdi qui a suivi, Mrs. Cavalier s'est soudain levée et a disparu dans le tir de mitraillette de ses hauts talons. Devine avait l'air très ébranlé. Patrick Mat s'est assis en passant la main sur son front. Moi, je me suis permis le plus minuscule des sourires.

Bien sûr, nous avons tous été d'accord : pas un mot de l'entretien ne filtrerait hors de ces quatre murs. Devine nous l'avait signifié dès le départ, et j'avais accepté avec l'air de franchise et de respect qui convenait à la situation. Je n'aurais normalement pas dû être là, ma présence comme témoin n'avait été nécessaire que parce que le professeur responsable du garçon était absent et que je me trouvais comme par hasard libre. Personne d'ailleurs ne regrettait l'absence de Roy. Mat et Devine étaient tous deux convaincus que le vieil homme, aussi sympathique qu'il fût, n'aurait fait qu'aggraver une situation déjà explosive.

« Bien sûr, il n'y a pas la moindre parcelle de vérité dans cette accusation, a dit Mat qui se remettait de ses émotions avec une tasse de thé. Il n'y a jamais eu d'antisémitisme à Saint Oswald. Jamais ! »

Devine, lui, avait l'air moins convaincu : « Moi aussi, comme n'importe qui, j'éprouve beaucoup de sympathie pour Roy

Straitley, mais personne ne pourrait nier que, parfois, sa conduite est pour le moins bizarre. Simplement parce qu'il est ici depuis plus longtemps que les autres, il a tendance à imaginer qu'il peut agir en dictateur. »

J'ai alors pris la parole : « Il est bien certain qu'il n'y a chez Mr. Straitley aucune mauvaise intention, mais le travail est stressant pour un homme de son âge et nous sommes tous capables d'une erreur de jugement de temps en temps. »

Le regard de Mat s'est attaché sur moi. « Que voulez-vous dire ? Vous avez entendu quelque chose ?

— Oh non, monsieur !

— C'est sûr ? » Le zèle inquisiteur de Devine était évident.

« Sûr, monsieur ! Je voulais simplement dire que...

— Vous vouliez dire quoi exactement ?

— Rien, monsieur, vraiment. Je pense seulement qu'il est remarquablement alerte pour un homme de son âge. Récemment pourtant, je n'ai pas pu m'empêcher de noter... » Avec une hésitation étudiée, j'ai parlé du registre d'appel qu'il n'avait toujours pas retrouvé, des mails qu'il avait omis de lire, de l'histoire exagérée qu'il avait faite à propos de son vieux stylo vert, sans oublier le moment crucial pendant lequel, en l'absence de registre, il n'avait pas remarqué l'élève inconscient qui expirait presque sur le plancher de la salle de classe.

Lorsque votre intention est d'incriminer un ennemi, la meilleure tactique est de nier sa culpabilité avec insistance. C'est ainsi que, tout en protestant de mon admiration et de mon profond respect pour Roy Straitley, j'ai pu en toute innocence laisser entendre le reste. J'ai, de la même manière, établi ma loyauté – entière même si un peu naïve – envers l'École tout en plantant, comme une écharde, le doute dans l'esprit de Mat et de Devine, les préparant ainsi pour la prochaine une que le journal local allait comme par hasard afficher la même semaine.

MONSIEUR, VOUS NOUS CASSEZ LES NOIX !

Colin Cavalier, un jeune homme timide et travailleur, a trouvé à Saint Oswald des tensions sociales et intellectuelles de plus en plus difficiles à supporter. Il a confié à notre reporter : « Les brimades sont constantes à l'École mais la plupart des élèves n'osent pas se plaindre. L'École permet à certains d'agir à leur guise simplement parce qu'ils ont des professeurs de leur côté et que celui qui porte plainte est assuré de s'attirer des ennuis. »

Colin Cavalier n'a certainement pas, lui, la personnalité d'un élément perturbateur. Pourtant, si nous devons en croire les rapports faits contre lui par son professeur principal, Roy Straitley, soixante-cinq ans, en trois semaines à peine il a été successivement jugé coupable de vol, de mensonge, de brimade, pour être finalement renvoyé temporairement à la suite d'une accusation étrange d'agression sur la personne d'un camarade, James Anderton-Pullitt, treize ans, qui s'est étranglé en avalant une cacahuète.

Nous avons interviewé John Fallow, renvoyé de Saint Oswald il y a deux semaines, après quinze années de loyaux services : « Je suis bien content de voir le jeune Cavalier tout à fait prêt à se défendre, a-t-il déclaré à notre reporter. Mais les Anderton-Pullitt sont gouverneurs de l'École alors que les Cavalier ne représentent qu'une famille de parents ordinaires. »

Patrick Mat, cinquante-quatre ans, *second master* et porte-parole de Saint Oswald nous a assuré : « Il s'agit ici d'une affaire qui ne concerne que la discipline intérieure à l'École. Une enquête doit être menée en profondeur avant qu'une décision ne soit prise. »

Et pendant ce temps, Colin Cavalier devra poursuivre son éducation tout seul dans sa chambre pendant deux semaines, privé du droit d'assister aux cours pour lesquels sa famille doit payer 7 000 livres par an. Si, pour la famille de l'élève moyen de Saint Oswald, cette somme ne représente pas grand-chose, pour les Cavalier, des gens comme tout le monde, cela représente un peu plus qu'un simple paquet de cacahuètes.

Mon amour-propre se trouve satisfait de ce petit article-là : un pot-pourri de faits, de suppositions et d'humour discret qui convient parfaitement à la situation. Il restera pendant un certain temps sur le cœur de ces arrogants de Saint Oswald. Mon seul regret est de ne pas pouvoir le signer de mon nom, pas même de mon nom d'emprunt, bien qu'il soit évident que la Taupe en soit l'auteur.

Ma couverture est une journaliste. Comme je l'avais fait auparavant, je lui ai envoyé un courrier électronique avec quelques détails supplémentaires pour faciliter son reportage. Et l'article est paru, flanqué d'une photo du jeune Cavalier tout propre dans son bel uniforme scolaire et resplendissant de santé, et d'une vieille photo de classe, remontant à 1997, sur laquelle Roy Straitley, entouré d'élèves, semble avoir le teint brouillé de quelqu'un qui vient de faire la noce.

Bien sûr, pour le journal local, toute critique de Saint Oswald est bienvenue. Arrivé au week-end, on avait déjà entendu parler deux fois de l'affaire dans la presse nationale, la première fois, dans une minuscule rubrique facétieuse à la page 10 de *News of the World* et une seconde fois, dans un éditorial plus analytique et plus sérieux du *Guardian* sous le titre de « Justice sommaire dans nos écoles privées ».

Tout bien considéré, j'ai fait du bon travail. J'ai pris soin pour le moment de ne pas parler d'antisémitisme mais j'ai par contre rédigé une description touchante des Cavalier, des gens honnêtes mais pauvres. C'est exactement ce que les lecteurs veulent trouver, une histoire arrivée à des gens comme eux (ou qu'ils croient comme eux) prêts à se saigner aux quatre veines pour envoyer leurs enfants dans la meilleure école possible. (J'aimerais bien les voir se priver de bière pour payer les 7 000 livres de frais scolaires, alors que l'État leur offre la même chose pour rien !)

Mon père aussi lisait *News of the World* et lui aussi avait la tête pleine de ces mêmes clichés pesants : *L'éducation de vos enfants est votre meilleur investissement* et *Si l'on s'éduque, c'est pour la vie !* Autant qu'il m'était possible de le juger, il s'en était pourtant arrêté là et s'il avait jamais été conscient de l'ironie cachée derrière ces slogans-là, il n'en avait jamais fait montre.

7

Saint Oswald – Lycée de garçons
Mercredi 13 octobre

Ce matin, Cavalier était de retour. Il affichait un air courageux de martyr, l'air de celui qui a été victime d'une agression, et un petit sourire narquois aussi. Les autres ont accueilli son retour avec circonspection mais sans antagonisme. J'ai remarqué que Brasenose, qui d'habitude l'évite comme la peste, a fait tout ce qu'il pouvait pour se montrer amical, s'asseyant à côté de lui à midi et lui offrant même la moitié de sa barre de chocolat. C'était comme si Brasenose, la victime habituelle, avait découvert en Cavalier, récemment innocenté, un défenseur possible et qu'il faisait tous ses efforts pour s'en faire un copain.

Anderton-Pullitt aussi était de retour. Avoir frôlé la mort ne semblait pas l'avoir beaucoup affecté. Il avait apporté un nouveau livre sur l'aviation pendant la première guerre mondiale dont il allait pouvoir nous rebattre les oreilles. Quant à moi, j'aurais pu me sentir plus mal. C'est ce que j'ai affirmé à Dianne Dare lorsqu'elle a émis des doutes sur la sagesse de mon si rapide retour à mon poste et, plus tard, à Patrick Mat lorsqu'il m'a accusé d'avoir l'air fatigué.

Lui-même, je dois le reconnaître, n'a pas l'air d'être tellement dans son assiette en ce moment. D'abord, cette histoire de Fallow, puis l'accident d'Anderton-Pullitt et finalement cette affaire avec Cavalier. J'ai appris par Marlene que Patrick avait

207

passé plusieurs nuits dans son bureau à l'École. J'ai bien vu qu'il avait le visage encore plus rouge que d'habitude et qu'il avait les yeux tout injectés de sang. Rien qu'à la façon dont il m'a abordé, j'ai tout de suite deviné que le Nouveau Proviseur l'avait envoyé me parler de quelque chose et que Mat n'en était pas particulièrement content. Mais, en tant que *second master*, il doit faire ce que le proviseur lui demande, quelle que soit son opinion sur le sujet.

« Vous avez l'air totalement épuisé, Roy. Êtes-vous bien sûr qu'il soit sage d'être revenu ?

— Je n'ai rien que les mains d'une jolie petite infirmière ne pourraient guérir. »

Il n'a même pas eu un sourire. « Après ce qui est arrivé, j'aurais cru que vous auriez au moins pris une ou deux semaines de congé. »

Je voyais très bien où il voulait en venir et, d'un ton sec, j'ai déclaré : « Mais il ne s'est rien passé ! »

Il s'est exclamé : « Allons ! Ce n'est pas tout à fait vrai ! Vous avez fait une crise cardiaque !

— Une question de nerfs, rien de plus ! »

Il a soupiré : « Roy, voulez-vous bien être raisonnable ?

— N'essayez pas de me sermonner, Patrick, je ne suis pas un de vos élèves !

— Ne vous fâchez pas ! Nous pensions simplement que...

— *Nous*, c'est-à-dire le proviseur et Strange ?

— Nous pensions simplement qu'une période de repos vous ferait beaucoup de bien. »

Je l'ai regardé droit dans les yeux, mais lui a évité mon regard. Je commençais à sentir la moutarde me monter au nez. J'ai dit : « Une période de repos. Oui, bien sûr. Je comprends que cela vous arrangerait si je prenais un congé de plusieurs semaines. Cela permettrait aux choses de décanter et vous laisserait l'occasion d'apaiser les esprits ? Cela vous permettrait aussi de préparer le terrain pour les nouvelles initiatives de Mr. Strange ? »

J'avais deviné, et cela le rendait furieux. Je devinais aussi qu'il avait quelque chose à m'annoncer, mais il ne disait rien. Son visage déjà empourpré virait au volet. « Roy, vous n'avez plus l'énergie de vos vingt ans. Il vous arrive d'oublier des choses, il faut bien le reconnaître. Vous n'avez plus l'élan de votre jeunesse !

— Personne ne l'a ! »

Il a froncé les sourcils : « Il a été question d'un renvoi temporaire possible.

— Ah, Vraiment ? » La chose avait dû être suggérée par Strange, ou Devine, peut-être, qui voudrait bien s'approprier la salle 59 et, avec elle, le dernier bastion de mon petit empire. « Je suis bien sûr que vous *leur* avez expliqué ce qui se passerait s'ils osaient essayer. Un renvoi, même temporaire, sans avertissement officiel préalable ? » Je ne suis pas un syndicaliste ardent ; Pisse-Vinaigre en est un par contre, et le proviseur aussi. « Que ceux qui font du règlement leur bible l'appliquent ! Ils le savent très bien, n'est-ce pas ? »

Une fois de plus, Patrick a évité mon regard. « J'aurais tant voulu ne pas avoir à vous dire ceci, mais vous ne me laissez pas le choix.

— À me dire quoi ? lui ai-je demandé tout en sachant très bien de quoi il s'agissait.

— Vous allez recevoir un avertissement officiel.

— Et par qui est-il rédigé ? » ai-je demandé comme si je ne l'avais pas su. Strange, bien sûr. Strange qui avait déjà mis en question la valeur de la matière que j'enseigne, Strange qui avait réduit mon emploi du temps, Strange qui espérait maintenant m'éliminer pour permettre aux *Costards* et aux *Barbus* de conquérir le monde.

Mat a soupiré : « Écoutez, Roy, ne croyez pas que vous soyez le seul à avoir des ennuis !

— Là n'est pas la question ! Certains cependant... » Oui, certains reçoivent un salaire supérieur aux autres pour résoudre précisément ces problèmes-là. Il est vrai pourtant qu'il nous arrive rarement de penser à la vie privée de nos collègues, à leurs enfants, à leur vie amoureuse, à leur foyer. Les élèves sont toujours étonnés de nous rencontrer dans un décor autre que celui de l'École : quand nous faisons nos courses au supermarché, par exemple, ou chez le coiffeur ou au café. Ils sont à la fois étonnés et ravis. Comme s'ils avaient par hasard rencontré une célébrité dans la rue. *Je vous ai vu en ville samedi, monsieur !* Comme

209

s'ils pensaient vraiment que, du vendredi soir au lundi matin, nous restions pendus derrière la porte de notre salle de classe comme la blouse grise des instituteurs d'autrefois.

J'en étais moi-même coupable, je l'avoue. Aujourd'hui, en voyant Mat – et je veux dire en le *voyant vraiment* –, avec sa musculature de joueur de rugby devenue graisse en dépit de son jogging quotidien et son visage aux traits tirés – vraiment tirés –, le visage de celui qui n'a jamais tout à fait compris à quelle rapidité l'on passe de quatorze à cinquante ans, j'ai ressenti pour lui une sympathie étrange et inattendue.

« Écoutez, Patrick, je sais que vous... »

Mais déjà Mat s'était détourné. Il s'éloignait d'un pas lourd le long du couloir du haut, les mains dans les poches, les épaules légèrement voûtées. C'était une attitude que je l'avais vu prendre bien des fois lorsque notre équipe de rugby venait de perdre contre Saint Henry, et je connaissais trop bien Mat aussi pour croire que le chagrin que sa démarche suggérait n'était rien d'autre que du cinéma. Non, il était vraiment en colère. En colère contre lui-même peut-être – c'est un brave type même si sa position le condamne à dire *amen* à ce que veut le proviseur –, mais en colère surtout devant mon refus de coopérer, devant mon manque d'esprit de corps, devant mon incapacité à comprendre à quel point sa position à lui était difficile.

Je la comprenais très bien pourtant, mais personne ne devient *second master* dans une école comme Saint Oswald sans avoir à démêler quelques petits problèmes. Il savait pertinemment que le proviseur ne serait que trop heureux de pouvoir faire de moi son bouc émissaire. Après tout, ce n'était plus comme si j'avais encore une longue carrière devant moi. Et je coûtais cher aussi. Et de toute façon, j'approchais de la retraite. Pour bien des gens, mon départ serait un soulagement. On me remplacerait par un jeunot, un *Costard*, champion d'informatique et vétéran des cours de pédagogie moderne, le candidat idéal pour l'avancement rapide. Ce petit malaise dont j'avais été victime avait dû leur donner de l'espoir, une excuse pour se débarrasser du vieux Straitley sans causer trop de problèmes : une retraite anticipée – mais digne quand même – pour ennuis de santé, une plaquette d'argent, une enveloppe contenant un chèque de la part des collègues, un discours flatteur en guise de remerciement.

Quant à l'affaire Cavalier et tout le reste... Bah ! Rien de plus facile que d'en laisser retomber discrètement la responsabilité sur les épaules d'un ancien collègue ! *C'était avant votre arrivée, un* baron, *vous savez ? Un brave type au fond mais incapable de s'adapter, sans esprit d'équipe, enfin pas un type comme vous et moi.*

Eh bien, monsieur le proviseur, vous vous mettez le doigt dans l'œil ! Je n'ai pas la moindre intention de prendre ma retraite ni de disparaître. Quant à votre avertissement officiel, *pone ubi sol non lucet.* J'achèverai ma Centaine ou l'effort me tuera. Je suis bien décidé à voir mon nom inscrit à votre tableau d'honneur.

Je me sentais encore d'humeur belligérante lorsque je suis rentré ce soir. Le doigt invisible me tapotait de nouveau la poitrine, doucement mais avec insistance, là, juste au milieu. J'ai donc pris deux des pilules que Bevans m'a prescrites et je les ai avalées avec un petit verre de sherry – un tonique – avant de me mettre à corriger les cahiers de ma classe de seconde. Quand j'ai terminé, il faisait déjà nuit. Je me suis levé pour fermer les rideaux, à sept heures, et un mouvement dans le jardin a attiré mon attention. Je me suis appuyé à la fenêtre pour mieux voir.

Mon jardin est étroit et tout en longueur – une sorte de retour à l'époque de la culture en bandes alternées – ; d'un côté, il y a une haie, de l'autre, un mur et, entre les deux, poussent pêle-mêle toute une variété de légumes et d'arbustes. Un vieux marronnier dont les branches s'étendent jusque dans Dog Lane se dresse tout au bout. Il est immense et séparé du jardin potager par une clôture. Dessous, la mousse envahit un petit coin d'herbe. En été, j'aime m'asseoir là – ou plutôt j'aimais m'y asseoir avant que le seul fait d'avoir à me relever ne commençât à demander un tel effort –, et là se trouve aussi la petite cabane en ruines dans laquelle je range certaines bricoles.

Je n'ai encore jamais été cambriolé. Je ne crois pas posséder grand-chose de valeur, à part mes livres, qui ne présentent pas grand intérêt pour les voleurs. Dog Lane pourtant a une certaine réputation. Au coin de la rue se trouve un pub, source constante de bruit nocturne, au bout, un magasin où l'on vend du *fish and chips*, source inépuisable de détritus et de papiers graisseux, et, tout à côté, le collège de Sunny Bank Park, qui engendre tout ce que vous pouvez imaginer : bruit, ordures, sans oublier la ruée infernale qui, deux fois par jour, passe devant ma porte et ferait prendre pour des moutons nos garçons les plus indisciplinés. Je suis assez tolérant en ce qui concerne mon marronnier. Je suis prêt à fermer les yeux sur les intrus qui sautent par-dessus la clôture pendant la saison des marrons. En octobre, ici, un marronnier devient propriété publique, c'est normal. Les élèves de Sunny Bank Park eux-mêmes y ont droit.

Cette fois pourtant, c'était différent. D'abord, les cours étaient terminés depuis très longtemps. Il faisait noir et plutôt froid. De plus, il y avait quelque chose de désagréablement furtif dans le mouvement qui avait attiré mon attention.

Le visage pressé contre la vitre, j'ai aperçu trois ou quatre silhouettes à l'autre bout du jardin. Trop minces pour être pleinement adultes. Des garçons alors ? Maintenant, j'entendais leurs voix un peu assourdies par la vitre.

Cela m'a surpris. Les voleurs de marrons, d'habitude, sont rapides et discrets. La plupart des habitants de la rue connaissent ma profession et la respectent. Les collégiens de Sunny Bank Park, auxquels j'ai dû dire un mot à propos de leur vilaine habitude de laisser tomber des papiers, n'ont que rarement – si jamais – récidivé.

J'ai cogné plusieurs fois sur la vitre, sûr qu'ils allaient prendre leurs jambes à leur cou et s'enfuiraient. Mais au lieu de cela, ils sont restés un moment immobiles sous mon vieux marronnier et, quelques secondes plus tard, je les ai entendus éclater d'un rire moqueur – il n'y avait aucun doute à cela.

« Je ne vais sûrement pas tolérer cela ! » En quatre enjambées, j'étais sorti : « Eh ! vous, là-bas ? ai-je tonné de ma meilleure voix de professeur. Où vous croyez-vous ? »

Au fond du jardin, les rires ont redoublé. Deux des intrus se sont enfuis, je pense. J'ai brièvement aperçu leurs silhouettes se découper dans la lumière crue des enseignes au néon quand ils ont repassé la clôture. Les deux autres sont restés tapis dans l'obscurité qui les protégeait, rassurés par la longueur de l'étroite allée.

« Vous pourriez dire ce que vous faites ici ? » C'était bien la première fois depuis des années qu'un élève, même un élève de

212

Sunny Bank Park, osait me défier. Une vague d'adrénaline m'a soulevé et le doigt invisible m'a de nouveau tapoté la poitrine. « Approchez !

— Et si nous refusons, alors quoi ? » C'était une voix jeune et insolente. « Tu crois vraiment qu'tu pourrais m'rattraper, eh ! gros plein d'soupe ?

— J'pourrait sûrement pas, le vieux croulant ! »

Dans l'accès de la colère, je me suis permis une petite pointe de vitesse et, comme un buffle qui charge, je me suis engagé dans l'allée. Il faisait très noir, hélas. Elle était toute gluante de mousse. Mon pied a dérapé de côté et j'ai perdu l'équilibre.

Je ne suis pas tombé mais il s'en est fallu de peu. Je me suis tordu le genou. Lorsque, de nouveau, j'ai jeté un regard vers eux, ils s'enfuyaient avec des ricanements par-dessus la clôture, dans une galopade de brodequins, comme une envolée d'oiseaux sinistres.

8

Saint Oswald – Lycée de garçons
Jeudi 14 octobre

C'était vraiment peu de chose : un petit incident agaçant au plus, et qui n'avait causé aucun mal à personne. Et cependant... il y avait une époque où, quel que fût l'effort à fournir, j'aurais rattrapé ces garçons-là et les aurais ramenés par les oreilles. Plus maintenant, bien sûr ! Les collégiens de Sunny Bank Park sont trop bien au courant de leurs droits. C'était la première fois pourtant, depuis bien des années, que mon autorité était si délibérément mise en question. Mais les élèves savent déceler la faiblesse. Tous le savent. Cela avait d'ailleurs été une erreur de ma part de me mettre à courir ainsi dans l'obscurité après ce que m'avait dit Bevans. D'abord c'était un signe de précipitation, c'était aussi un manque de dignité, une erreur de stagiaire. Au lieu d'agir ainsi, j'aurais bien mieux fait de sortir sans bruit dans Dog Lane et de les y attendre pour les cueillir juste au moment où ils repassaient par-dessus la palissade. Ce n'étaient après tout que des garçons de treize ou quatorze ans, à en juger par leurs voix. Depuis quand Roy Straitley permettait-il à quelques gamins de le narguer ?

J'ai ressassé l'incident beaucoup plus qu'il n'en valait la peine. C'est sans doute pourquoi j'ai si mal dormi. À moins que ce petit verre de sherry n'en soit responsable ? Ou peut-être cette conversation avec Mat qui continuait à me trotter dans la tête ?

La chose certaine est que je me suis réveillé sans me sentir plus reposé. J'ai fait ma toilette, je me suis habillé, je me suis fait griller du pain et j'ai bu une grande tasse de thé en attendant le facteur. Comme je l'avais prévu, à sept heures et demie, le couvercle de ma boîte à lettres s'est refermé avec un claquement sec et, comme je m'y attendais, la lettre dactylographiée, sur papier à en-tête de Saint Oswald et signée E. Gray, Proviseur, B.A. (Hons) et Dr B. D. Pooley, président des gouverneurs, était dans le courrier. Elle m'informait qu'un double de la présente avait dûment été inséré dans mon dossier personnel et qu'il y resterait pendant douze mois, période après laquelle il en serait retiré à la condition qu'aucune autre plainte n'eût été portée contre moi dans l'intervalle et après avoir obtenu l'accord de l'ensemble du corps des gouverneurs. Et blablablabla...

N'importe quel autre jour, je n'y aurais pas accordé plus d'attention, mais la fatigue m'avait rendu vulnérable. Je me suis donc acheminé vers Saint Oswald à pied, sans enthousiasme, le genou encore endolori après ma mésaventure d'hier soir. Sans trop savoir pourquoi, j'ai fait un petit détour par Dog Lane pour y découvrir les traces des intrus d'hier soir.

C'est à ce moment-là que je l'ai aperçue. Il m'aurait d'ailleurs été bien difficile de ne pas la remarquer : une croix gammée à la pointe de feutre rouge se détachait sur la palissade, avec le mot HITLER écrit dessous en grandes lettres. Le graffiti était récent. À coup sûr, c'était l'œuvre des intrus d'hier soir, des collégiens de Sunny Bank Park – s'ils étaient vraiment du collège ! Je n'avais pas oublié la caricature épinglée sur le tableau d'affichage de ma classe me montrant sous la silhouette d'un petit nazi obèse coiffé d'une toque universitaire, ni ma conviction, à ce moment-là, que Cavalier était derrière tout cela.

Avait-il pu découvrir mon adresse ? Pas bien difficile ! Mon numéro de téléphone était dans la brochure du lycée, et des dizaines d'élèves avaient pu me remarquer lorsque je rentrais à pied chez moi. Malgré tout, je n'arrivais pas à croire que Cavalier, Cavalier surtout, aurait osé faire une telle chose.

L'enseignement requiert un talent de bluffeur bien sûr, mais pour m'avoir à ce jeu-là, il faudrait quelqu'un d'une autre trempe que Cavalier. Non, je me suis dit que cela ne devait être que pure coïncidence. C'était le gribouillage d'un potache de Sunny Bank Park alors que, rentrant chez lui, le nez dans son cornet de *fish and chips* il avait soudain jeté les yeux sur ma belle palissade toute propre et n'avait pas pu supporter la vue de cette surface encore vierge.

Dès le week-end, il faudrait que je la passe au papier de verre et que je remette une couche de peinture spéciale anti-graffiti. D'ailleurs, elle en avait justement besoin et, comme tout professeur le sait très bien, un graffiti en attire un autre et un autre et un autre. Cependant, tout en poursuivant mon chemin vers Saint Oswald, je ne pouvais m'empêcher de penser que toutes les choses désagréables qui s'étaient passées ces dernières semaines – le scandale Fallowgate, la campagne menée dans le journal local, les jeunes intrus d'hier soir, cette malencontreuse et ridicule histoire de cacahuète d'Anderton-Pullitt et même le court message officiel et guindé du proviseur, ce matin – avaient d'une façon ou d'une autre un lien, un lien obscur, irrationnel ; qu'elles étaient avant tout et surtout *délibérées*.

Les vieilles écoles, comme les vieux navires, sont criblées de superstitions, Saint Oswald en particulier : les fantômes d'anciens élèves ou d'anciens professeurs peut-être, ou les rites et traditions qui permettent à leurs roues antiques de tourner encore, même en grinçant. Il faut bien le reconnaître, ce trimestre ne nous a apporté depuis le début que des choses désagréables. Parmi nous, il doit y avoir un porte-malheur. Si je pouvais seulement savoir de qui il s'agit !

Lorsque je suis entré ce matin dans notre salle des professeurs, je l'ai trouvée anormalement silencieuse. Les autres avaient dû avoir vent de l'avertissement que j'avais reçu car, toute la journée, chaque fois que je suis entré dans une pièce, les conversations se sont soudain interrompues. Dans le regard de Pisse-Vinaigre brillait aussi une lueur qui ne laissait rien présager de bon.

Les Nation semblaient s'être unis pour m'éviter. Grachvogel prenait un air furtif. Scoones gardait ses distances encore plus que d'habitude et l'humeur de Pearman lui-même paraissait bien loin de cette jovialité qui est la sienne d'ordinaire. Kitty aussi semblait particulièrement préoccupée. Elle a à peine répondu à mon salut lorsque je suis entré. Cela m'a beaucoup peiné. Nous avons toujours été bons copains, Kitty et moi. J'espérais bien que rien n'était arrivé qui changerait notre relation. Je ne croyais pas pourtant que quelque chose se fût passé – après tout, les petits incidents de la semaine dernière ne l'avaient pas concernée directement. Cependant, à coup sûr, il y avait quelque chose dans son regard lorsqu'elle a levé les yeux et m'a aperçu. Je suis allé m'asseoir près d'elle pour boire ma tasse de thé – j'ai remplacé celle du jubilé de Saint Oswald, celle qui a disparu, par une grande tasse marron que j'avais chez moi –, mais Kitty a semblé très occupée par ses corrections et m'a à peine dit un mot.

Mon repas de midi n'a été qu'un misérable panaché de légumes qu'une tasse de thé sans sucre a eu bien du mal à faire descendre – Merci, Bevans ! Tu te venges bien ! J'ai emporté ma tasse dans la salle 59. La plupart des garçons avaient choisi de sortir, à l'exception d'Anderton-Pullitt, toujours absorbé dans la lecture de son livre sur l'aviation, et de Waters, Pink et Lemon qui jouaient tranquillement aux cartes dans un coin.

Je corrigeais mes copies déjà depuis dix minutes lorsque j'ai levé les yeux et vu Meek, notre *Jeannot Lapin* barbu, debout, à côté de mon bureau, une feuille rose à la main. Son visage blême avait une expression de haine et de déférence à la fois.

« J'ai reçu ce formulaire ce matin, monsieur ! » m'a-t-il dit en me tendant la feuille de papier. Il ne m'a jamais pardonné d'être intervenu au cours d'une de ses leçons et d'avoir été témoin de son humiliation. C'est pour cette raison qu'il m'appelle *Monsieur*, comme s'il était un des garçons, d'une voix sourde et monocorde qui me rappelle celle de Cavalier.

« Qu'est-ce que c'est ?

— Un formulaire d'évaluation, monsieur !

— Bon dieu ! J'avais complètement oublié ! » C'est bien sûr, de nouveau, la période de l'évaluation des professeurs. Dieu nous préserve de nous trouver dans la situation où nous n'aurions pas réuni tous les documents nécessaires avant l'inspection générale annoncée pour décembre. Je devine que, pour moi aussi, il y a un de ces formulaires. Le Nouveau Proviseur a toujours manifesté beaucoup d'enthousiasme pour cet exercice d'évaluation intérieur à l'École. C'est Bob Strange qui en a introduit l'idée. C'est aussi un fervent partisan de la prolifération des conférences pédagogiques, des cours annuels de gestion pour cadres et d'une échelle de salaires liée aux résultats obtenus. Personnellement, je ne vois pas la justice d'un tel système. La qualité des résultats obtenus reflète la qualité des élèves que l'on a dans sa classe, n'est-ce pas ? Enfin, tout cela permet à Strange de ne jamais être longtemps devant une classe lui-même et c'est ce qu'il y a de plus important pour lui.

Le principe général de l'évaluation est très simple. Chaque jeune professeur est observé pendant un cours et *évalué* par un plus ancien. Chaque professeur responsable de l'ensemble de l'enseignement d'une discipline est observé par un professeur chargé de l'ensemble de l'éducation d'une année entière. Celui qui est responsable d'une année entière est observé par l'un des vice-principaux, c'est-à-dire Patrick Mat et Bob Strange. Ces deux-là sont observés par le proviseur lui-même. Dans le cas de Strange – qui passe si peu de temps dans la salle de classe –, on se demande si cela en vaut vraiment la peine ! Le proviseur, un ancien professeur de géographie, ne fait pratiquement jamais cours. Il passe la plupart de son temps à des conférences ou à haranguer des groupes de jeunes étudiants à propos de la sensibilisation nécessaire aux problèmes du racisme et de la drogue.

Meek m'a dit : « J'apprends là-dessus que vous viendrez m'observer cet après-midi. » Il n'avait pas l'air bien enthousiaste. « Pendant mon cours d'informatique avec les quatrième.

— Merci, monsieur Meek ! » Je me suis demandé qui pouvait bien être le petit marrant qui m'avait choisi pour *évaluer* un cours d'informatique ! Comme si je ne pouvais pas le deviner ! Et un cours fait par Meek en plus ! Bon, tant pis ! L'ennuyeux, c'est que cela va me faire perdre une heure de liberté.

Il y a des jours comme ça, dans une carrière d'enseignant, des jours où tout va mal. J'en sais quelque chose ! J'en ai vu quelques-uns de ces jours-là, où la meilleure chose à faire serait de rentrer chez soi et de retourner se coucher. Eh bien, la journée d'aujourd'hui a été de ce genre-là : un long chapelet de petits incidents et de tracasseries, de papiers par terre, de cahiers perdus, de débuts de bagarres, de tâches administratives ennuyeuses, de corvées supplémentaires et de remarques entendues dans les couloirs – que je n'étais pas sûr d'interpréter correctement !

Un accrochage avec Eric Scoones à propos d'un écart de conduite de Sutcliff, le fait que je n'aie toujours pas retrouvé mon registre d'appel (ce qui m'a attiré des ennuis avec Marlene), le vent qui s'est levé et n'est jamais le bienvenu, la fuite d'eau dans les W.C. des élèves et l'inondation qu'elle a provoquée dans une partie du couloir de la mezzanine, l'air satisfait de Cavalier (pour une raison qui m'échappe), celui de Pisse-Vinaigre aussi, les changements de salle (pour certains cours) que la fuite d'eau avait entraînés et dont on nous avait prévenus par courrier électronique. (Courrier électronique, allez voir ça un peu !) Et c'est comme cela que je suis arrivé en retard ce matin lorsque j'ai dû remplacer, pour un cours d'anglais, Roach qui était absent.

Être l'un des *vieux* vous donne un certain avantage. Votre réputation, une fois établie, comme étant celui avec lequel on ne fait pas le mariole, il vous devient rarement nécessaire d'avoir à punir. Votre réputation vous précède – *Avec Quasimodo, pas question de faire l'idiot !* –, et cela rend la vie facile et agréable pour tout le monde. Aujourd'hui pourtant, la situation était différente. Cela arrive parfois. Un autre jour, je n'aurais sans doute pas réagi de la même façon. Le groupe était assez important : trente-cinq élèves de quatrième – les plus faibles, pas un seul latiniste dans leurs rangs. Ils ne me connaissaient donc pas vraiment. Je ne pense pas non plus que le tout dernier article dans la presse locale ait fait grand-chose pour améliorer la situation !

Je suis arrivé avec dix minutes de retard. Le groupe était déjà bruyant. Personne n'avait laissé de travail pour les occuper. À mon entrée, je me serais attendu à ce qu'ils se lèvent et se taisent. Mais ils ont continué à faire précisément ce qu'ils faisaient avant mon arrivée : parties de cartes, bavardages, discussions animées au fond de la classe où des chaises avaient été renversées et partout cette terrible odeur de chewing-gum qui flottait dans l'air.

Cela n'aurait pas dû provoquer ma colère. Tout bon professeur connaît la différence entre les deux sortes de colère : la réelle et la feinte. La feinte fait partie de l'armure du professeur, c'est le bluff du vieux combattant, mais la colère réelle, au contraire, doit être évitée à tout prix, sinon les élèves, ces maîtres dans l'art de la manipulation, sauront qu'ils ont réussi à marquer un point.

Je me sentais épuisé. La journée, dès le début, avait mal commencé. Ces garçons-là ne me connaissaient pas. J'étais encore sous le coup de ce qui s'était passé la veille au soir dans mon jardin. *I'pourrait sûrement pas, le vieux croulant !* Ces jeunes voix perçantes m'avaient paru trop familières, trop plausibles pour que je les oublie. Un garçon a levé les yeux vers moi puis s'est tourné en ricanant vers celui qui était assis à côté de lui. J'ai cru entendre : « *Monsieur, vous nous cassez les noix !* » accompagné d'un gloussement moqueur. Cette fois, il m'a semblé que la voix était plus forte.

« J'ai dit "Silence" ! » En temps normal un rugissement de ce genre ne manque jamais d'impressionner, mais j'avais oublié Bevans et son conseil de me ménager. Le doigt invisible s'est violemment enfoncé dans mon sternum au milieu de mon rugissement. Ceux qui étaient assis au fond de la classe se sont mis à ricaner. Sans aucune raison, je me suis demandé si l'un d'entre eux n'était pas par hasard l'un des intrus de la veille. *Tu crois vraiment que tu pourrais m'attraper, eh ! gros plein de soupe ?*

Dans toutes les situations de ce genre, on peut s'attendre à des victimes, évidemment. Huit d'entre eux se sont retrouvés en retenue à midi – ce qui était peut-être un peu exagéré mais la façon dont un professeur impose sa discipline est quelque chose de très personnel après tout, et Strange n'aurait pas dû foutre le nez là-dedans ! C'est pourtant précisément ce qu'il a fait. Il est passé au mauvais moment devant la porte de ma classe. Comme par hasard, il a entendu ma voix et a regardé par la fenêtre à l'instant précis où je forçais l'un des coupables à se retourner en le prenant par la manche de son blazer.

« Monsieur Straitley ! » De nos jours, bien sûr, tout contact avec un élève est interdit !

Le silence s'est fait. La manche s'était décousue sous le bras. « Vous l'avez bien vu, monsieur. Il m'a frappé ! »

Ils savaient tous que ce n'était pas vrai. Strange lui-même le savait. Son visage pourtant est resté impassible. Le doigt invisible s'est enfoncé de nouveau dans ma poitrine. Le garçon – Pooley, c'était son nom – a tendu comme preuve son blazer déchiré en disant : « Et c'était un blazer tout neuf ! »

Cela non plus n'était pas vrai. C'était évident pour tout le monde. Le tissu était tout râpé et la manche était un peu trop courte. C'était un blazer de l'année précédente qui attendait d'être remplacé. Mais j'étais allé trop loin. Je le voyais clairement maintenant. J'ai alors suggéré : « Peut-être pourriez-vous aller raconter votre version de l'histoire à Mr. Strange ? » Je me suis retourné vers la classe maintenant silencieuse.

Le *third master* m'a jeté un regard venimeux. J'ai alors ajouté : « Oh ! Lorsque vous en aurez terminé avec Mr. Pooley, veuillez avoir l'obligeance de me le renvoyer. Nous avons à régler les détails de sa retenue. »

Strange n'avait plus le choix. Il devait sortir et emmener Pooley avec lui. Je ne pense pas qu'il ait beaucoup apprécié d'avoir ainsi été mis à la porte par un collègue mais c'était de sa faute, n'est-ce pas ? Il n'aurait jamais dû se mêler de cette histoire. J'avais, hélas, l'impression que les choses ne s'arrêteraient pas là. C'était une trop bonne occasion pour qu'il la laissât passer. Je me suis alors souvenu – un peu trop tard – que l'élève en question était le fils aîné du Dr B. D. Pooley, président des gouverneurs, dont, très récemment, j'avais lu le nom sur un avertissement officiel.

J'étais tellement furieux après cet incident que je suis allé dans une mauvaise salle pour l'évaluation de Meek. Je suis arrivé dans la bonne avec une demi-heure de retard. Tout le monde s'est retourné à mon entrée, sauf Meek dont le visage blême s'est figé de mécontentement.

Je me suis assis tout au fond de la pièce où m'attendait une chaise sur laquelle on avait posé le formulaire officiel rose. Je l'ai rapidement parcouru. C'était le formulaire habituel avec des cases à cocher pour préparation, communication, stimulation, inspiration et discipline, en accordant pour chaque section une note de 1 à 5. Il y avait aussi, en plus, comme sur un questionnaire d'hôtel, un espace pour commentaires et observations.

Je me suis demandé quelle sorte d'opinion j'étais censé avoir. Les élèves se tenaient à peu près tranquilles – à part les deux du fond qui se poussaient du coude. La voix de Meek était criarde, avec les tonalités aiguës d'un hautbois entre les lèvres d'un débutant. Les écrans des ordinateurs se comportaient tout à fait normalement et créaient des effets optiques capables à coup sûr de provoquer des migraines – ce qui me semblait être le but de l'exercice. Donc, tout bien considéré, la leçon avait été satisfaisante. J'ai adressé à l'infortuné Meek un sourire plein d'encouragement et je me suis esquivé avant la fin dans l'espoir d'avoir le temps de prendre une tasse de thé rapide avant le début de la leçon suivante. Je suis allé déposer le formulaire rose dans le casier du *third master*.

En l'y mettant, j'ai aperçu quelque chose par terre, à mes pieds : un petit carnet rouge. Je l'ai rapidement ouvert. Il était à demi couvert d'une petite écriture en pattes de mouche. Sur la page de garde, un nom était écrit : C. KEANE.

Ah ! Keane ! J'ai regardé autour de moi mais le jeune prof d'anglais n'était pas là. J'ai donc mis le carnet dans ma poche pour le lui remettre plus tard. C'était une erreur, comme la suite le montrera. Enfin, vous savez ce que l'on dit des gens qui écoutent aux portes ?

Tous les professeurs ont leur petit carnet. Remarques à propos d'élèves. Listes de noms. Jours et heures de service. Détails et dates à propos de petites rancunes – ou de grosses ! Un carnet de ce genre vous en apprend autant sur son propriétaire que sa grande tasse à thé. Celui de Grachvogel est bien présenté et organisé par rubriques de couleurs différentes. Celui de Kitty est sévère et sans fioritures. Noir et de format impressionnant, celui de Devine ne contient presque rien. Scoones utilise les mêmes vieux carnets de compte depuis 1961. Les Nation se servent d'agendas vendus au profit d'une œuvre de charité quelconque. Pearman, lui, trimballe une liasse de bouts de papier de tous formats, d'autocollants, de pense-bête et de vieilles enveloppes.

Maintenant que celui du jeune Keane m'était tombé sous la main, je n'ai pu résister à la tentation d'y jeter un coup d'œil. Lorsque je me suis dit que je ne devrais peut-être pas le lire, il était trop tard. J'avais déjà gobé l'appât, l'hameçon et même le plomb !

Le jeune homme était écrivain, je le savais déjà. Il avait l'air satisfait de celui qui n'est là que pour observer, heureux de tout ce dont il est témoin parce qu'il sait très bien que cela ne durera pas longtemps. Je n'avais jamais pu deviner qu'il aurait déjà relevé tant de choses : les petites prises de bec, les rivalités, les petits secrets de la salle des profs. Il y en avait des pages et des pages d'une écriture si fine et si serrée qu'on la déchiffrait avec difficulté, des analyses de caractère, des croquis, des remarques qu'il avait entendues, des commérages, de très vieilles histoires, d'autres plus récentes.

J'ai feuilleté le carnet, peinant parfois pour en lire la minuscule écriture. Ce scandale à propos de Fallow y figurait, l'épisode des fruits oléagineux et celui des chouchous aussi. Il y avait des références à la petite histoire de l'École avec les noms de Snyde, de Dutoc et de Mitchell et une coupure de journal relatant cette vieille et bien triste histoire. Il y avait aussi une photocopie d'une partie d'une photo officielle de Saint Oswald, une photo en couleurs aussi, prise au cours d'une fête sportive dans une autre école secondaire, avec des filles et des garçons assis, jambes croisées, sur la pelouse, et une mauvaise photo où John Snyde avait l'air d'un criminel, comme la plupart des gens que l'on voit à la première page d'un journal.

Plusieurs feuillets étaient couverts de dessins humoristiques et de caricatures : le proviseur raide et glacé en Don Quichotte avec Mat en Sancho Pança, Bob Strange, en androïde branché sur son ordinateur, *mon* Anderton-Pullitt avec lunettes protectrices et casque d'aviateur, Cavalier et son béguin pour l'un des nouveaux profs y étaient étalés sans merci ; miss Dare y figurait, prof sévère portant lunettes et gros bas, avec Scoones, en Rottweiler, grondant à ses mollets. J'y étais moi aussi, bossu en toge noire, me balançant à la tour du clocheton, Kitty sous le bras en Esméralda bien en chair.

Cela m'a fait sourire et m'a aussi un peu gêné. J'ai toujours eu un petit faible pour Kitty Teague, rien de répréhensible, évidemment ! Mais je ne m'étais jamais rendu compte à quel point cela sautait aux yeux. Je me suis aussi demandé si Kitty avait connaissance de cette caricature.

Et j'ai pensé : qu'il aille au diable, ce jeune homme-là ! J'avais bien deviné, dès le début, que c'était un blanc-bec, n'est-ce pas ? Je l'avais trouvé sympathique pourtant, et pour être entièrement franc, je le trouve toujours sympathique.

Roy Straitley. Latiniste. Ancien élève. Dévoué. La soixantaine. Fumeur. Rondouillard. Se coupe lui-même les cheveux. Porte tout le temps la même vieille veste de tweed marron avec des pièces aux coudes. – Ça alors, mon jeune blanc-bec, c'est un mensonge ! J'ai un costume bleu marine parfaitement correct que je porte aux enterrements et, une fois par an, à la distribution des prix ! – *Ses distractions : enquiquiner la direction et flirter avec le prof de français. Surprenant : les élèves semblent éprouver beaucoup d'affection pour lui.* – Et Colin Cavalier, vous l'oubliez peut-être ? – *Albatros au cou de B. Strange. Brave type. Inoffensif.* – Inoffensif, vraiment ? Ça alors !

Enfin, cela aurait pu être pire. Sous Penny Nation j'ai lu : *Vipère de bénitier* et sous Isabelle Tapi : *Cocotte à la parisienne.* Ce type-là a un certain tour de plume, il n'y a pas à le nier. J'aurais bien voulu continuer ma lecture mais la cloche a justement sonné pour l'appel et, à regret, j'ai rangé le carnet dans mon tiroir avec l'intention d'en poursuivre la lecture dès que j'en aurais le temps.

L'occasion ne s'est pas présentée. Lorsque je suis retourné à ma salle de classe, à la fin de l'après-midi, le tiroir était vide, le carnet avait disparu. À ce moment-là, j'ai cru tout simplement que Keane qui, comme Dianne, de temps en temps, fait cours dans ma classe, l'avait découvert et repris. Évidemment, je ne l'ai pas interrogé à ce propos. Ce n'est que plus tard, lorsque les scandales ont commencé à éclater les uns après les autres, que j'ai établi un rapport possible entre ce petit carnet rouge et cette Taupe omniprésente, si familière avec l'École et qui semblait avoir si bien percé nos petites intrigues.

9

Vendredi 15 octobre

Encore une semaine qui a bien tourné, à mon avis. Surtout lorsque j'ai pu récupérer ce carnet avec tout ce qu'il contenait d'incriminant pour moi. Straitley en a peut-être lu une partie, mais pas tout sans doute. L'écriture y était trop serrée pour les yeux d'un homme de son âge. D'ailleurs, s'il avait eu des soupçons et en avait tiré une conclusion, je l'aurais déjà deviné à sa façon de se comporter à mon égard. Enfin, cela aurait été pure folie de conserver ce carnet, je m'en rendais bien compte. C'est pour cela que, non sans regret, je l'ai brûlé avant qu'il ne tombe sous le nez de quelqu'un qui saurait l'utiliser contre moi. Il va peut-être falloir que je repense à cela, mais pas aujourd'hui. Non, aujourd'hui, j'ai des choses plus importantes à régler.

Les vacances de la mi-trimestre sont arrivées. J'ai bien décidé d'utiliser cette période sans élèves à mon avantage – je ne suis pas en train de parler ici des corrections que j'ai à faire. Non, presque tous les jours, cette semaine, je serai à l'École. J'ai arrangé cela avec Patrick Mat qui, lui aussi, trouve difficile de s'absenter longtemps de Saint Oswald, et avec le chef de la section d'informatique, Mr. Beard, avec lequel j'ai un accord tacite.

Cet arrangement est parfaitement franc et innocent, d'ailleurs. Après tout, mon intérêt pour la technologie n'est pas quelque chose de nouveau et je sais que l'on n'est jamais mieux à l'abri des soupçons que lorsque l'on fait ouvertement les choses. Mat, bien sûr, approuve mon zèle. Lui-même ne connaît pas grand-chose aux ordinateurs mais il me regarde d'un œil paternel et, de temps en temps, émerge de son bureau pour s'assurer que je n'ai pas besoin de son aide.

J'ai établi une fois pour toutes mon manque d'aptitude à l'informatique. Quelques erreurs élémentaires et délibérées m'ont acquis une réputation de bonne volonté mais de manque de flair dans ce domaine, ce qui permet à Mat de se sentir agréablement supérieur tout en me mettant à l'abri des soupçons, si jamais je devais en être victime. Cela m'étonnerait d'ailleurs. Si, plus tard, les raisons de ma présence à l'École devaient attirer des questions, je sais pouvoir compter sur Patrick pour témoigner de mon manque de connaissances pour avoir été capable d'avoir conçu la chose.

À Saint Oswald, chaque membre du personnel a son adresse électronique, formée des deux ou trois initiales de son nom accolées à l'adresse électronique du site web de l'École. En principe, tout le monde est censé vérifier deux fois par jour le contenu de son courrier, pour le cas où Bob Strange aurait une note de service urgente à nous passer. En pratique, certains ne le font jamais. Roy Straitley et Eric Scoones sont parmi les coupables. Bien d'autres qui utilisent le système ont omis de personnaliser leur boîte à lettres et continuent à utiliser le mot de passe d'origine – MOTDEPASSE – pour accéder à leurs messages. Mais même ceux qui, comme Mat, s'imaginent être de petits génies en informatique, ont des mots de passe très simples à deviner. Mat utilise le nom de son joueur de rugby préféré. Strange, qui pourtant devrait être plus méfiant, a une série de codes très prévisibles : le nom de jeune fille de sa femme, sa date de naissance, etc.

Non, cela n'a pas exigé de ma part beaucoup d'imagination. Fallow, qui, tous les soirs, utilise le système, garde une liste des codes de chacun dans un carnet qu'il cache dans la loge, à côté de la boîte de disquettes sur lesquelles il accumule ce qu'il télécharge sur Internet et dans laquelle personne n'a jamais pris la peine de mettre le nez. En reprenant à l'envers la filière qu'il a suivie et en prenant soin d'utiliser une identité différente, j'ai réussi à laisser une piste très facile à remonter. J'ai fait aussi quelque chose de plus sophistiqué. En invalidant pendant quelques minutes la cloison protectrice de l'interconnecteur de l'École et en envoyant un document accessoire minutieusement préparé à admin@Saintoswalds.com à partir de l'une de mes adresses hotmail, j'ai réussi à introduire un virus tout bête, destiné à demeurer à l'état dormant dans le système avant d'être programmé pour lancer une attaque spectaculaire dans quelques semaines.

Ce travail de préparation n'était pas folichon, je le sais, mais j'y avais quand même trouvé quelque satisfaction et, ce soir-là, j'avais décidé de m'accorder le droit de célébrer mon succès en passant la soirée à La Dive Bouteille, où j'aurais peut-être pris avec plaisir quelques verres. C'était une mauvaise idée ! Je n'avais pas pensé au nombre de mes collègues et de grands élèves qui étaient des habitués de l'endroit. Je n'avais pas encore bu la moitié de mon premier verre lorsque j'ai vu leur petit groupe arriver. J'ai reconnu Jeff Light, Gary Grachvogel et Robbie Roach, le géographe à cheveux longs, accompagnés de deux ou trois jeunes gens de dix-sept à dix-huit ans qui auraient très bien pu être des élèves de terminale de Saint Oswald.

Cela n'aurait pas dû me surprendre. Ce n'est un secret pour personne que Roach recherche leur compagnie. Light aussi. Grachvogel, au contraire, semblait légèrement furtif mais c'est son air habituel. Il a au moins le bon sens, lui, de savoir que l'on ne gagne rien à fraterniser avec les troupes, comme le dit Straitley.

Moi, j'aurais aimé rester. C'était tentant. Je n'avais aucune raison de me montrer timide. Pourtant l'idée de rechercher la compagnie de ceux-là, « de me défouler avec eux en m'envoyant quelques petits verres derrière la cravate », comme se plaisait à dire Light, m'était odieuse. Heureusement pour moi, la table où j'étais se trouvant tout près de la porte, j'ai pu sortir rapidement sans me faire remarquer pendant qu'ils s'approchaient du bar.

J'ai reconnu la voiture de Light, une Probe noire qu'il avait laissée dans l'allée derrière le pub. J'ai bien eu envie de lui défoncer sa glace mais j'ai pensé aux caméras de surveillance situées dans la rue. Cela aurait été vraiment bête de risquer de me faire prendre à cause d'une impulsion stupide. J'ai donc choisi le chemin des écoliers pour rentrer chez moi. La soirée était douce, et je m'étais promis de jeter encore un coup d'œil à la palissade de Roy Straitley.

Le graffiti avait disparu. Cela ne me surprenait pas vraiment. Même s'il lui était impossible de l'apercevoir de chez lui, sa seule présence avait dû le rendre furieux. De la même façon, il devait bouillir de colère à l'idée que les intrus de l'autre jour fussent tout à fait capables de recommencer. Je pourrais peut-être arranger quelque chose pour provoquer cela, rien que pour voir sa réaction, mais pas ce soir. Ce soir, je voulais m'offrir une distraction bien plus satisfaisante encore.

De retour dans mon petit studio avec ses rideaux de perse, j'ai débouché ma deuxième bouteille de champagne – j'en ai acheté une caisse de six et j'ai bien l'intention de les avoir toutes bues avant Noël. J'ai rédigé quelques lettres essentielles et j'ai décidé de descendre à la cabine publique, en face de chez moi, et d'appeler le commissariat de police du quartier pour les avertir qu'un chauffard, au volant d'une Probe noire immatriculée LIT3, se dirigeait en conduisant comme un cinglé du côté de La Dive Bouteille.

C'est une façon d'agir que mon thérapeute essaie de décourager en moi aujourd'hui. Elle m'assure que j'agis trop souvent sous le coup d'une impulsion, que j'ai trop souvent tendance à passer des jugements hâtifs, que j'ignore trop souvent – et je devrais combattre cela – ce que les autres pourraient ressentir. Mais je ne courais aucun risque. Je n'avais pas laissé mon nom. D'ailleurs, comme vous le savez, Light le méritait bien. Comme Mr. Bray, l'homme est un grand vantard, une brute, un individu qui trouve tout à fait normal de ne pas respecter la loi, le genre de type persuadé que quelques bières peuvent faire de lui un pilote de course. Vous connaissez le genre. Ces Oswaldiens, on lit en eux comme dans un livre ouvert.

C'est précisément là qu'est leur point faible. Light est, bien sûr, un arrogant et un idiot par-dessus le marché, mais Straitley, qui n'est sûrement pas idiot, lui, possède une arrogance semblable. *Qui oserait s'attaquer à moi ? Qui oserait s'en prendre à Saint Oswald ?*

Eh bien, moi, messieurs !

ÉCHEC !

1

L'été le plus chaud de toutes les mémoires fut celui pendant lequel les nerfs de mon père craquèrent. Au début, il avait été ravi de cette chaleur, qui représentait pour lui un retour aux étés légendaires de sa jeunesse, le moment de sa vie où il avait été le plus heureux, à l'en croire. Mais le soleil implacable avait continué à briller et l'herbe des pelouses de Saint Oswald avait jauni puis roussi ; alors son humeur s'était aigrie et il avait commencé à se mettre en colère pour la moindre chose.

L'entretien des pelouses était de sa responsabilité, évidemment. Il devait les maintenir bien vertes. Il avait essayé les rampes d'arrosage, mais l'immense surface à protéger du soleil était bien trop grande pour que cela fût vraiment efficace. Il avait dû concentrer son attention sur le gazon du terrain de cricket et laisser le reste se dessécher puis disparaître peu à peu sous l'œil brûlant et sans paupière d'un soleil de plomb. Mais cela ne représentait qu'un seul des soucis de mon père. L'auteur des graffitis avait récidivé et, cette fois, en technicolor. Une fresque carrée de six pieds de haut était apparue sur le mur de côté du pavillon des sports.

Mon père avait passé deux jours entiers à le faire disparaître et une semaine de plus à repeindre le mur du pavillon. Il s'était bien juré que, si jamais le petit salaud recommençait, il recevrait de sa part la raclée de sa vie. Le coupable pourtant réussissait à lui échapper. Deux fois encore, des graffitis à l'aérosol avaient décoré l'intérieur et les alentours de Saint Oswald. Malgré les couleurs crues des caricatures de certains profs, ils représentaient, à leur manière, une certaine forme d'expression artistique. C'est alors que mon père commença à sortir de nuit pour surveiller l'École. Il se posta derrière le pavillon avec un carton de douze bières, sans jamais pouvoir apercevoir le coupable. Comment ce dernier réussissait à échapper à sa surveillance continua à demeurer un mystère pour John Snyde.

Et puis les souris se mirent de la partie. Il y a des souris dans tous les grands bâtiments. À Saint Oswald plus qu'ailleurs. Depuis la fin du dernier trimestre, elles avaient en foule envahi les couloirs. Même moi, j'en apercevais de temps en temps du côté de la tour du clocheton. Je savais très bien qu'il allait falloir mettre fin à cette prolifération avec du poison et qu'il allait falloir ramasser les cadavres avant que la rentrée n'arrive et que les parents n'aient une raison de se plaindre.

Cela déclencha la rage de mon père, convaincu que des élèves avaient laissé traîner de la nourriture dans leurs casiers. Il accusa les femmes de service de négligence et passa des jours et des jours à ouvrir un à un les casiers pour les inspecter mais sans résultat. Son exaspération redoubla.

Puis les chiens s'en mêlèrent. La chaleur les affectait comme elle affectait mon père, les rendaient léthargiques dans la journée et agressifs le soir. À la nuit tombante, les propriétaires – qui se gardaient bien de les promener pendant les heures de canicule de la journée – les laissaient courir dans le terrain vague derrière le domaine de Saint Oswald, Là, ils se pourchassaient en meute, aboyant et arrachant l'herbe de leurs griffes. Ces chiens-là n'avaient aucun respect pour la propriété privée et, malgré tous les efforts de mon père pour les empêcher d'entrer, ils se faufilaient à travers la clôture qui défendait les terrains de sport et venaient crotter sur la pelouse du terrain de cricket que mon père venait d'arroser. D'instinct, ils semblaient deviner où cela allait le plus irriter John Snyde qui, tous les matins, devait, d'un air dégoûté, faire le tour des terrains avec sa pelle à crottes, tout en se querellant avec des interlocuteurs imaginaires et en avalant bruyamment les dernières gouttes de bière éventée de la cannette qu'il avait à la main.

La passion que j'éprouvais pour Léon me préoccupait tellement qu'il me fallut un certain temps pour me rendre compte que John Snyde perdait la raison, et encore plus longtemps pour m'en inquiéter. Mon père et moi n'avions jamais été proches. Je n'avais jamais su déchiffrer ses états d'âme. Son visage était maintenant en permanence un masque de pierre figé dans une expression de colère stupéfiée. À une certaine époque, j'aurais compté sur autre chose de sa part. Mais John Snyde était l'homme qui avait cru pouvoir résoudre mes problèmes d'intégration avec des leçons de karaté, alors, devant cette situation infiniment plus délicate, que pouvais-je raisonnablement bien espérer de lui ?

Papa, j'adore un garçon qui s'appelle Léon !

Non, je savais que je n'avais aucune chance.

J'essayai pourtant. Je me répétais que, lui aussi, avait été jeune, qu'il avait été amoureux, qu'il avait ressenti la passion ou quelque chose de ce genre. Je sortais de temps en temps une bière du réfrigérateur et la lui apportais. Je préparais le thé pour nous deux, je passais des heures en sa compagnie devant ses émissions de télévision préférées (*Knight Rider* et *Dukes of Hazzard*) dans l'espoir de surprendre dans ses yeux autre chose qu'un regard vide. Mais l'état mental de John Snyde déclinait rapidement. En halluciné, il s'enfonçait dans sa dépression comme dans un duvet. Ses yeux ne reflétaient rien d'autre que les couleurs de l'écran de télévision. Il ne remarquait pas plus que les autres ma présence. J'aurais aussi bien pu être pour lui l'Homme invisible comme je l'étais à Saint Oswald.

Deux semaines après le début de ces grandes vacances torrides, une double catastrophe survint. Je fus entièrement responsable de la première. En ouvrant une fenêtre pour monter sur le toit de l'École, je déclenchai l'alarme et la sirène se mit à hurler. Mon père réagit avec une rapidité que je n'aurais pu imaginer et il s'en fallut de peu pour qu'il me surprît en flagrant délit. En l'occurrence, je réussis quand même à rentrer à la maison avant lui et j'étais en train de remettre le passe-partout à sa place lorsque mon père arriva et me découvrit le trousseau de clés à la main.

J'essayai de m'en sortir au bluff, affirmant avoir entendu la sirène puis remarqué qu'il avait oublié les clés et expliquant que je m'apprêtais justement à les lui apporter. Il ne crut pas mon

mensonge. Toute la journée, il avait eu les nerfs à vif. Il soup-
çonnait déjà que quelqu'un avait déplacé ses clefs. Dans mon
esprit cela ne faisait plus aucun doute : j'allais recevoir une
raclée. Je ne pouvais pas atteindre la porte sans passer devant
lui, et un simple coup d'œil m'apprit que je n'avais pas la
moindre chance de lui échapper.

Ce n'était pas la première fois qu'il me frappait. John Snyde
avait toujours été un champion du coup de poing à bout de bras.
Le coup atteignait son but peut-être trois fois sur dix et donnait
l'impression d'avoir été assené avec une massue de pierre. Le
plus souvent, je réussissais pourtant à l'esquiver. Quand mon
père me revoyait, il n'était plus ivre et avait totalement oublié la
cause de sa colère contre moi. Mais la situation, cette fois, était
différente. D'abord, il n'était pas ivre. Ensuite, j'étais coupable
d'un crime impardonnable. J'avais pénétré dans l'enceinte de
Saint Oswald. J'avais osé défier l'autorité du *head porter*. Pendant un instant, je pus tout lire dans son regard : la colère qui
l'étouffait, sa frustration, les chiens, les graffitis, la lèpre jaune
qui rongeait les pelouses, les moqueries des gosses qui le mon-
traient du doigt, l'élève au visage simiesque, le mépris silencieux
de gens comme l'Intendant et le Nouveau Proviseur. Je ne pourrais pas dire combien de fois il me frappa mais, lorsqu'il s'arrêta
enfin, mon nez saignait et mon visage n'était que meurtrissures.
Heureusement j'avais pu trouver refuge dans un coin et protéger
ma tête de mes bras. Lui, se tenait debout au-dessus de moi avec
une expression hébétée, les mains grandes ouvertes comme le
meurtrier de certaines pièces de théâtre.

« Mon Dieu ! Oh, mon Dieu ! »

Il se parlait à lui-même. Le sang qui coulait de mon nez m'occupait trop pour que je fisse vraiment attention à ce qui se passait. Enfin, j'osai baisser les bras. J'avais l'estomac douloureux
et l'impression que, d'un instant à l'autre, j'allais vomir. Je réussis pourtant à éviter la nausée.

Mon père s'était éloigné. Il était allé s'asseoir à la table, la
tête dans les mains. « Mon Dieu ! pardon ! pardon ! » répétait-
il, sans que je pusse savoir si ce qu'il disait s'adressait à moi ou
au Tout-Puissant. Lorsque enfin je me relevai lentement, il ne
me jeta pas un coup d'œil. Le visage toujours dans ses mains, il

commença à parler. Je me tins à une prudente distance, sachant par expérience à quel point son humeur pouvait être changeante. Je devinai pourtant qu'un ressort s'était brisé en lui.

Secoué de sanglots, il avoua : « Pardonne-moi. Tu vois, je ne peux plus en encaisser davantage. Je n'en peux vraiment plus, nom de dieu ! » Et il me révéla alors la toute dernière, la plus terrible de toutes ces choses qui avaient alimenté sa fureur cet après-midi-là. Alors que je l'écoutais, d'abord avec surprise, puis avec une horreur grandissante, je compris que j'allais vraiment vomir après tout. Je m'enfuis en courant et je sortis dans l'éblouissement de ce soleil qui, sur le bleu du ciel, découpait jusqu'à l'horizon l'interminable défilé des bâtiments de Saint Oswald. Et dans ce soleil qui mêlait à l'herbe chaude le parfum de Cinabre, les oiseaux chantaient comme des imbéciles, les oiseaux chantaient et ne s'arrêtaient pas de chanter.

J'aurais dû le deviner sans doute, c'était de ma mère qu'il s'agissait. Trois mois auparavant, elle avait recommencé à lui écrire, au début en termes vagues puis en donnant de plus en plus de détails. Mon père ne m'avait rien dit de ses lettres mais, en y réfléchissant bien, leur arrivée avait dû plus ou moins coïncider avec ma première rencontre avec Léon et le début du déclin de son état mental.

« Je ne voulais pas t'en parler. Je préférais ne pas y penser. Je m'imaginais qu'en n'en parlant pas, cela allait peut-être disparaître, qu'on allait nous laisser tranquilles tous les deux.

— Me parler de quoi ?

— Pardon !

— Me parler de quoi ? »

Et il me raconta alors l'histoire, avec de grands sanglots, pendant que je m'essuyais la bouche en écoutant ces imbéciles d'oiseaux. Il essayait depuis trois mois de me la cacher. Et je compris en un seul coup ses colères, son retour à l'alcool, son visage maussade, ses changements d'humeur irrationnels et dangereux. Il me raconta tout, la tête toujours dans les mains comme si elle allait peut-être éclater sous l'effort. Moi, je l'écoutai avec une impression grandissante d'horreur alors qu'il peinait en cherchant ses mots.

Apparemment, la chance avait davantage souri à Sharon Snyde qu'au reste de la famille. Elle s'était mariée très jeune et m'avait donné naissance quelques semaines seulement avant son dix-septième anniversaire. Lorsqu'elle nous avait quittés pour de bon, elle n'avait que vingt-cinq ans. Comme mon père, Sharon aimait les clichés. Je devinai que, dans ses lettres, il y avait eu beaucoup d'explications simplistes de ses états d'âme. Elle disait qu'elle *avait voulu partir pour découvrir son moi intime* tout en avouant qu'*il y avait eu des torts des deux côtés,* qu'elle s'était trouvée *dans une situation émotionnellement mauvaise* pour elle et en donnant toute une série d'excuses semblables pour expliquer sa désertion.

Mais elle avait changé, assurait-elle, elle était devenue *adulte*. On aurait dit qu'elle parlait de nous comme de jouets avec lesquels elle était maintenant trop grande pour jouer – un tricycle, peut-être, qu'enfant elle aurait aimé, mais qui serait trop petit pour elle maintenant. Je me demandais si elle avait toujours le même parfum, Cinabre, ou s'il lui paraissait maintenant dépassé aussi.

En tout cas, elle s'était remariée avec un étranger, un étudiant qu'elle avait rencontré dans un bar à Londres et elle vivait avec lui à Paris. Xavier était un homme merveilleux. Nous l'aimerions sûrement tous les deux. D'ailleurs, elle adorerait que nous fassions sa connaissance. Il était professeur d'anglais dans un lycée de Marne-la-Vallée, il était passionné de sport et il adorait les enfants.

Cela l'amenait d'ailleurs à la deuxième raison pour laquelle elle nous écrivait. Xavier et elle avaient eu beau essayer et essayer, ils n'avaient pas réussi à avoir d'enfants. Bien qu'elle n'eût jamais trouvé assez de courage pour m'écrire elle-même, elle n'avait jamais oublié son petit elfe chéri et pas une journée n'avait passé sans qu'elle eût pensé à moi.

Et elle avait fini par convaincre Xavier. Il y avait bien assez de place pour trois dans leur appartement. J'avais assez d'intelligence pour n'avoir aucune difficulté à assimiler la langue. Je pourrais ainsi avoir de nouveau une vraie famille, une famille qui m'aimerait, et assez d'argent pour me faire oublier ce que je n'avais pas eu pendant toutes ces années.

J'en avais les jambes coupées. Quatre années s'étaient écoulées, ou presque, et pendant ce temps le besoin désespéré que j'avais ressenti de ma mère s'était peu à peu changé en indifférence – et moins encore. À la pensée de la revoir, de cette réconciliation dont elle rêvait, une gêne morne et craintive m'envahit. À la lumière de ces nouveaux détails, je la voyais maintenant clairement, cette Sharon Snyde avec sa nouvelle couche de vernis, sa laque de sophistication bon marché. Elle m'offrait à vil prix une nouvelle vie, toute faite, pour compenser toutes ces années de désespoir. Le seul problème était que je n'en voulais plus.

« Oh mais si, bien sûr ! » dit mon père. Sa violence avait fait place à une sensiblerie démesurée, à un attendrissement sur sa situation à lui et cela me remplissait presque autant de colère. C'était la sentimentalité banale du brimeur qui a « Maman et Papa » tatoués sur les articulations couvertes de sang de ses poings, c'était l'indignation de la brute à propos de la perversité du pédophile dont parlent les journaux, les larmes du tyran à propos d'un chien écrasé par une voiture. « Tu vois, c'est ta chance à toi, ta seconde chance ! Moi, si elle le voulait, je l'accueillerais les bras ouverts, oui, dès aujourd'hui je la reprendrais.

— Eh bien, pas moi ! dis-je. Ce que j'ai ici me suffit.

— Ouais ! Ça te suffit vraiment, alors que tu pourrais avoir tout ça ?

— Tout ça, quoi ?

— Paris et tout le reste : l'argent, une vraie vie...

— Mais j'ai déjà une vie ici !

— Et l'argent alors ?

— Elle peut bien le garder son argent. Nous en avons assez !

— Ouais, d'accord, si tu le dis...

— Ce n'est pas une blague, Papa. Faut pas la laisser faire ! Je veux rester ici, moi ! Tu ne peux pas me forcer.

— J'ai dit d'accord.

— Promis ?

— Ouais !

— Promis, vraiment ?

— Ouais ! »

Mais je remarquai bien qu'il évitait de rencontrer mon regard et, ce soir-là, lorsque je vidai les ordures dehors dans la grande poubelle, je découvris que celle de la cuisine était pleine de cartes qu'il avait grattées. Il y en avait bien une vingtaine, davantage peut-être, des Loto, des Striker, et des Gros Lot. Elles scintillaient parmi les boîtes de conserve et les feuilles de thé comme autant de décorations sur un sapin de Noël.

3

Cette histoire de Sharon Snyde fut, de tous les coups que cet été-là m'avait portés, sûrement le plus douloureux. D'après ses lettres que mon père m'avait cachées et que je lisais maintenant avec une horreur grandissante, son projet était bien avancé. Xavier était, en principe, d'accord pour l'adoption. Sharon avait fait des recherches au niveau des écoles. Elle avait même pris contact avec les services sociaux locaux. Ils lui avaient envoyé des informations concernant mes absences répétées au collège, mon manque de progrès et mon comportement. Cela ne pouvait que consolider sa position contre celle de mon père.

Elle n'en avait d'ailleurs aucun besoin. Après des années d'efforts, John Snyde avait finalement abandonné, ne se lavant plus que rarement, ne sortant guère que pour aller acheter des frites ou chercher un repas rapide au restaurant chinois. Il dépensait la plus grande partie de son argent en bière et en cartes à gratter et, pendant les semaines qui suivirent, il devint de plus en plus taciturne.

À tout autre moment, j'aurais accueilli avec grand plaisir la liberté que sa dépression m'accordait. J'étais libre d'aller au pub, au cinéma. Avec mes clefs – j'avais fait faire des doubles après ce qui m'était arrivé la dernière fois –, j'étais libre d'errer dans les bâtiments de Saint Oswald aussi souvent que m'en prenait la fantaisie. Ce n'était pas très souvent. Sans mon copain, la plupart de nos distractions habituelles, pour moi, avaient perdu tout intérêt. Je les abandonnai rapidement pour, à la place, traîner – si l'on peut vraiment dire cela – avec Léon et Francesca.

Chaque couple d'amoureux a son souffre-douleur, un chaperon bien utile, un tiers qui monte la garde quand cela devient nécessaire. Cela me brisait le cœur mais je leur étais nécessaire. Je me consolais en me répétant que, même si cela ne durait pas, Léon avait besoin de moi.

Nous avions une cabane (que Léon appelait notre *club*) dans le bois qui prolongeait les terrains de sport de Saint Oswald. Nous l'avions construite loin du sentier avec ce qui restait d'une autre, abandonnée depuis longtemps. C'était une jolie petite cabane de rondins fendus en deux et au toit de lourdes et épaisses branches de pin. Nous y venions souvent. Je restais à la porte, à faire le guet et à fumer en essayant désespérément de ne pas prêter l'oreille aux petits bruits qui sortaient de la cabane derrière mon dos.

Léon, à la maison, cachait bien son jeu. J'arrivais chez lui à vélo tous les matins. Mrs. Mitchell nous avait préparé un piquenique et nous partions nous promener dans les bois. Ma présence rendait tout cela bien innocent. Personne n'aurait pu deviner les longues heures passées sous les arbres, les rires étouffés qui fusaient de l'intérieur de la cabane où tous deux étaient allongés dans l'ombre, la vision fugitive que j'avais de son dos nu et brun comme un pain de seigle, de ses fesses que le soleil retouchait adorablement d'ombre et de lumière.

C'étaient les bons jours, ceux-là. Durant les mauvais, Léon et Francesca s'enfuyaient tout simplement dans les bois en riant, me laissant derrière eux, inutile et stupide. Un trio ? Nous ne l'étions jamais. D'un côté, il y avait Léon et Francesca, un croisement étrange de deux espèces différentes enclin à de violents changements d'humeur, à des accès d'enthousiasme féroce et à une étonnante cruauté et, de l'autre, il y avait moi, l'imbécile fidèle, le tiers sur qui ils pouvaient éternellement compter.

Francesca n'était jamais tout à fait satisfaite de ma présence. Elle était plus âgée que moi – quinze ans, peut-être. D'après ce que je comprenais, elle avait perdu son innocence – voilà ce que vous apporte une éducation dans une école catholique –, et elle était déjà follement amoureuse de Léon. Lui tirait parti de cet amour, il lui disait des douceurs à voix basse, il la faisait rire. Mais tout cela était de la frime. De lui, elle ne savait rien. Elle ne l'avait jamais vu lancer les tennis de Peggy Johnsen pour les accrocher aux fils téléphoniques. Elle ne l'avait jamais vu chiper des disques à l'étalage d'un magasin en ville, ni, d'une main sûre, par-dessus le mur de la cour, envoyer de petites poches pleines d'encre sur la chemise blanche d'un élève du collège de Sunny Bank Park. Mais il lui parlait de choses dont il ne m'avait jamais parlé, de musique, de Nietzsche, de sa passion pour l'astronomie, et moi je les suivais, le panier de pique-nique à la main, le cœur plein de haine pour tous les deux mais bien incapable pourtant de m'éloigner.

Je la détestais, bien sûr, mais rien ne le justifiait. Elle était toujours assez polie envers moi et la vraie cruauté venait toujours de Léon lui-même. Je détestais leurs chuchotements, leurs rires de connivence qui me rejetaient et ne faisaient que souligner leur intimité.

Je détestais aussi cette façon qu'ils avaient de se toucher continuellement. Ce n'était pas les baisers seulement, ni leurs ébats amoureux, mais les milliers de petits contacts : une main posée sur une épaule, un genou qui en effleurait un autre, sa main à elle sur sa joue à lui comme une étoffe de soie s'accrochant à du Velcro. Je ressentais chacun de ces attouchements comme une décharge statique. Ils provoquaient en moi un fourmillement, ils me brûlaient, m'électrisaient.

Le plaisir dont ils m'emplissaient m'était plus douloureux que n'importe quelle torture. Au bout d'une semaine, j'aurais pu hurler d'ennui de jouer leur chaperon. Pourtant, mon cœur battait en même temps à un rythme désespéré. Je redoutais nos promenades mais, chaque nuit elles m'occupaient et m'empêchaient de dormir. J'en repensais les plus petits détails avec une minutie qui me faisait souffrir. C'était un mal insidieux. Je fumais bien plus que je ne l'aurais voulu. Je me rongeais les ongles jusqu'à les faire saigner. Mon visage se couvrit de vilains boutons. À chaque pas, j'avais l'impression d'avancer sur des éclats de verre.

Et le pire était de savoir que Léon se rendait compte de tout cela. Il aurait eu bien du mal à ne pas le faire d'ailleurs. Il jouait avec moi comme un matou fier de sa proie. Il jouait sans remords et avec la même cruauté indifférente.

Regarde ! Tu as vu ce que j'ai attrapé ? Mais regarde-moi donc !

« Alors, qu'est-ce que tu en penses ? » Francesca, pendant un bref moment, était hors de portée de voix. Elle s'était attardée pour faire pipi ou pour ramasser des fleurs, je ne m'en souviens plus.

« Ce que je pense de quoi ?

— De Franckie, espèce d'imbécile ! De qui penses-tu que je te parlais ? »

C'était encore le début et, sous le coup de la surprise, je rougis.

« Elle est... gentille !

— Gentille ? » Léon se mit à sourire.

« Ouais !

— Tu voudrais bien qu'on se la partage, hein ? T'en voudrais bien toi aussi si je te laissais faire ? » Ses yeux brillaient de méchanceté satisfaite.

Je secouai la tête et, sans le regarder, répondis : « Sais pas.

— Sais pas ! Eh bien, quoi, Dutoc ? T'es une petite tante ou quoi ?

— Va t'faire foutre, Léon ! » Je rougis davantage et détournai les yeux.

Léon m'observait, toujours souriant. « Allons ! Je l'ai bien vu. Je t'ai vu nous épier quand nous étions à notre club. Tu ne dis jamais rien, mais tu ne gardes pas les yeux dans ta poche, hein ? Tu regardes et tu apprends, c'est ça ? »

Je compris tout d'un coup qu'il croyait que moi aussi je la désirais. Il pensait que je l'aurais voulue rien que pour moi. J'eus du mal à ne pas rire. Il avait tellement, tellement, si totalement tort que c'était à en crever de rire. Je dis : « Écoute, elle est O.K. mais elle n'est pas mon type, c'est tout !

— Ton type ? » Sa voix avait perdu de son âpreté maintenant. Son rire était contagieux. Il lui hurla : « Hé, Franckie ! Dutoc me dit que tu n'es pas son type de fille ! » Il se retourna vers moi, et du bout des doigts, d'un geste presque tendre, il me toucha le visage. « Attends encore cinq ans, mon p'tit gars, dit-il d'un ton de sincérité moqueuse. Et s'ils ne sont pas encore descendus, viens me voir ! »

243

Et il prit la fuite à travers le bois, les cheveux au vent, l'herbe fouettant ses chevilles nues dans sa course. Cette fois-ci, il ne courait pas pour s'éloigner de moi. Il courait parce qu'il était jeune et plein de vie, parce qu'il avait quatorze ans, parce qu'il possédait une sensualité arrogante et éhontée. Pour moi, il paraissait désincarné, moitié ombre moitié lumière sous la voûte verdoyante des arbres, un être magnifique fait d'air et de soleil, un immortel. Je le suivis de loin, incapable de le rattraper. Derrière, Francesca protestait et Léon courait toujours à toute vitesse en poussant des hurlements, franchissant en bonds gigantesques les fins nuages blancs des hautes ciguës pour disparaître dans l'obscurité du bois.

Je me souviens encore si clairement de ce moment-là. Un moment de pure liesse, une écharde de rêve qu'aucune raison, aucun événement n'avait façonné. Je croyais vraiment que nous pourrions être immortels. Rien n'avait plus d'importance pour moi : ni ma mère, ni mon père, ni même Francesca. Là-bas, dans les bois, j'avais entrevu quelque chose, et même s'il m'était impossible d'espérer pouvoir jamais le posséder, je savais que ce moment-là resterait gravé en moi pour toujours.

Là, dans les hautes herbes, à travers lesquelles je me frayais un passage, je chuchotai : « Léon, je t'aime ! » Et pour le moment, cela était plus que suffisant.

4

Je savais que c'était sans espoir. Léon ne me verrait jamais comme je le voyais, moi. Il ne ressentirait jamais à mon égard qu'une amitié un peu méprisante. Pourtant les quelques miettes de son affection faisaient mon bonheur : une tape sur le bras, un grand sourire, quelques paroles – *T'es un brave type, Dutoc !* – suffisaient à me transporter, pendant des heures parfois. Je n'étais pas Francesca bien sûr, mais Francesca allait bientôt retourner dans son école de bonnes sœurs alors que moi, moi...

Toute la question était là, n'est-ce pas ? Sharon Snyde avait téléphoné régulièrement tous les deux jours, le soir, au cours de la quinzaine qui avait suivi cette révélation de mon père. M'enfermant à clef dans ma chambre, j'avais refusé de prendre l'appareil. Je n'avais pas répondu à ses lettres non plus. Je ne l'avais pas remerciée de ses cadeaux.

Mais on ne peut pas complètement faire disparaître le monde des adultes. J'avais beau élever le son de ma radio, j'avais beau passer des heures loin de la maison, je ne pouvais échapper aux machinations de Sharon.

Mon père, qui aurait peut-être pu faire quelque chose pour m'en sauver, avait abandonné la partie. Il passait son temps devant la télévision à boire de la bière pour faire descendre les pizzas qu'il consommait en quantité au lieu de faire son travail. Et le temps qui me restait, ce temps si précieux pour moi, s'écoulait.

Mon petit elfe chéri,

As-tu aimé les vêtements que je t'ai envoyés ? Je n'étais pas sûre de la taille à choisir mais ton père m'a dit que tu en prenais une au-dessous de celle de ton âge.

J'espère que je ne me suis pas trompée. Je voudrais que tout soit parfait quand nous allons nous retrouver. Je n'arrive pas à croire que tu vas avoir treize ans bientôt. Ce ne sera plus long, n'est-ce pas, mon petit elfe ? Au cours des quelques jours à venir, tu devrais recevoir ton billet d'avion. Attends-tu cette visite avec la même impatience que moi ? Xavier, lui, est très excité à l'idée de faire ta connaissance, même s'il l'appréhende un peu aussi. Je devine qu'il a peur de se sentir exclu. Nous aurons sûrement tant de choses à nous dire pour rattraper les quatre années perdues.

Ta mère qui t'aime,
Sharon.

C'était vraiment incroyable. Elle était sincère, vous voyez, elle pensait que rien n'avait changé, qu'il lui serait possible de reprendre sa vie là où elle l'avait laissée, qu'elle retrouverait son petit elfe, le petit ange qu'elle jouerait à habiller. Mon père le pensait aussi. C'était encore pis, il le voulait. De façon perverse, il encourageait cette illusion comme si, en me laissant partir, comme on jette du ballast par-dessus bord, il espérait que cela pourrait peut-être l'empêcher de sombrer lui-même.

« Ça ne coûte rien d'essayer ! » Il se faisait conciliant maintenant, comme un père indulgent devant un enfant récalcitrant. Depuis le jour de son accès de violence envers moi, il n'avait pas élevé la voix une seule fois. « Allons, fais un effort ! Tu vas peut-être même bien t'amuser !

— Non, je n'irai pas. Je ne veux pas la voir !

— C'est moi qui te le dis, tu aimeras Paris.

— Non !

— Tu t'y habitueras.

— Sûrement pas ! D'ailleurs, ce n'est qu'une visite, n'est-ce pas ? Je ne vais pas vivre là-bas en permanence, ni rien de ce genre-là ? »

Il ne répondit rien.

« Je te le dis : c'est une simple visite, tu sais. »

Toujours rien.

« Papa ? »

Oh ! Je fis bien tous mes efforts pour l'encourager à se battre, mais quelque chose en lui s'était brisé. Violence et agression avaient fait place à l'indifférence. Il prenait encore plus de poids, il oubliait ses clefs, il négligeait les pelouses ; le gazon du terrain de cricket, privé de son arrosage quotidien, se desséchait et disparaissait. Sa léthargie, son échec semblaient destinés à m'ôter toute possibilité de choisir de rester vivre ici, en Angleterre, plutôt que d'aller à Paris vivre cette vie que Sharon et Xavier avaient si soigneusement préparée pour moi.

C'était un déchirement entre ma loyauté pour Léon et le besoin de plus en plus fréquent de couvrir la négligence de mon père. Je me mis à faire, de nuit, l'arrosage du terrain de cricket, j'essayai même de tondre les pelouses. La Machine infernale avait pourtant d'autres idées et je ne réussis qu'à scalper l'herbe, ce qui ne fit qu'aggraver sa laideur. Sur le terrain de cricket, malgré tous mes soins, elle refusa de repousser.

C'était inévitable. Tôt ou tard, quelqu'un allait bien remarquer ce qui se passait. Et, un dimanche, après une promenade dans les bois, je rentrai à la maison pour découvrir Patrick Mat, assis, mal à l'aise, dans l'un de nos bons fauteuils et mon père, en face de lui, sur le sofa. Je pouvais presque sentir la tension dans l'atmosphère. À mon entrée, Mat se retourna. Je m'apprêtais à m'excuser et à ressortir précipitamment, mais l'expression sur le visage de Mat me força à m'arrêter net. J'y lus le remords, la pitié et la colère mais surtout un profond soulagement. C'était l'expression de celui qui n'est que trop content de n'importe quelle diversion pour se sortir d'une situation désagréable. Son sourire était peut-être aussi jovial et ses joues aussi roses que d'habitude lorsqu'il répondit à mon salut mais je n'en fus pas dupe un instant.

Je me demandai qui avait bien pu porter plainte. Un voisin, un passant, un professeur, un parent d'élève – qui en voulait pour son argent – peut-être ? Les raisons ne manquaient pas. L'École elle-même étant l'objet d'attentions constantes, elle devait toujours se maintenir au-dessus de tout reproche. Les gens qui travaillaient pour elle aussi devaient demeurer irréprochables. Le ressentiment des gens de la ville était déjà assez grand envers Saint Oswald sans qu'il y eût besoin de l'alimenter davantage. Un *porter* comprenait cet état de choses. C'était la raison pour laquelle Saint Oswald avait des *porters*.

Je me retournai vers mon père. Il évita mon regard et ne quitta pas des yeux Mat, déjà à mi-chemin vers la porte. « Ce n'est pas ma faute. Je... nous venons de traverser une mauvaise passe tous les deux. Vous leur direz ça, monsieur. Ils vous écouteront, vous ! »

Le sourire de Mat, maintenant dépourvu d'humour, s'élargit jusqu'aux oreilles. « Je ne sais pas, John. C'est votre dernier avertissement après cette autre histoire... Frapper un élève, enfin, ça ne se fait pas ! »

Mon père fit un effort pour se lever. Je vis son visage que la détresse rendait presque tendre et je me sentis mourir de honte : « S'il vous plaît, monsieur ! »

Mat le vit aussi. Avec sa haute stature, il semblait remplir l'encadrement de la porte. Un instant, son regard se posa sur moi. J'y lus la pitié mais pas le moindre indice qu'il eût reconnu en moi quelqu'un qu'il aurait déjà rencontré. Pourtant, il avait dû me voir plus d'une dizaine de fois à Saint Oswald. Cette incapacité à me reconnaître était pour moi pire que tout. Je voulais attirer son attention, je voulais lui dire : *Mais, monsieur, ne me reconnaissez-vous pas ? C'est moi, Dutoc ! Un jour, j'ai gagné deux points pour Amadeus. C'est vous qui me les avez accordés. Vous m'avez même demandé de venir vous voir pour faire partie de l'équipe de cross-country !*

Mais c'était une impossibilité. J'avais trop bien réussi à le tromper. Je les avais pris pour des êtres tellement supérieurs, ces professeurs de Saint Oswald. Maintenant, Mat était là, devant moi, tout rouge, tout gêné, exactement comme Mr. Bray le jour où j'avais finalement précipité sa chute. Comment aurait-il pu nous aider ? Non, nous étions bien seuls et je le savais.

« Tenez le coup, John. Moi, je ferai ce que je pourrai ! »

— Merci, monsieur ! » Il tremblait maintenant. « Vous êtes un ami ! »

Mat lui posa sa grosse main sur l'épaule. Il savait vraiment comment se comporter. Sa voix était enjouée et chaleureuse. Il souriait toujours. « Courage, John ! Je sais que vous pourrez le faire. Avec un peu de chance, d'ici septembre, tout sera de nouveau rentré dans l'ordre et personne n'aura besoin de savoir. Mais, surtout, pas d'histoire, hein ? Et John... » Il lui donna une grande tape amicale sur le bras comme s'il tapotait gentiment un énorme labrador. « Pas d'alcool, n'est-ce pas ? Encore un autre accident et même moi serai bien incapable de vous aider ! »

Mat tint parole jusqu'à un certain point. La plainte fut retirée ou, du moins, momentanément oubliée. De temps en temps, il venait prendre des nouvelles de mon père, qui semblait reprendre un peu courage. Encore plus important, l'intendant avait embauché une sorte d'homme à tout faire, un type bizarre, Jimmy Watt, pour décharger mon père de ses tâches les plus irritantes de *porter* et lui permettre ainsi de se consacrer à son *vrai* travail.

C'était notre ultime espoir. Sans son poste de *porter*, je savais qu'il n'avait aucune chance contre Sharon et Xavier. Mais je savais qu'il fallait encore qu'il veuille me garder aussi, et qu'il fallait pour cela que je devienne ce qu'il voulait que je sois. À mon tour alors, je le pris en main. Je regardai les matchs de football à la télévision, je mangeai mon poisson-frites dans sa poche de papier journal, je me débarrassai de mes livres, je me portai volontaire pour tout le travail de maison. Au début, il me dévisagea d'un air d'abord soupçonneux, puis ahuri, et finalement avec une sorte d'approbation maussade. Cette attitude fataliste qui avait été la sienne lorsqu'il avait appris la situation de ma mère semblait s'être un peu érodée. Avec un sarcasme plein d'amertume, il parlait de sa vie de Parisienne, de son petit étudiant snob de mari, de cette incroyable certitude qu'elle avait d'avoir le droit de réapparaître dans sa vie à lui et de lui en dicter les termes.

Alors je m'enhardis, je lui mis dans l'esprit l'idée qu'il était tout à fait capable de déjouer ses plans, de lui prouver une fois pour toutes qui était le patron, de faire semblant d'abonder dans le sens de ses minables ambitions pour la prendre totalement au dépourvu et lui opposer un refus définitif. Cela faisait résonner en lui une corde qui lui plaisait, cela lui donnait le rôle qu'il avait toujours voulu jouer. Il s'était plu dans la compagnie d'autres hommes et éprouvait une terrible méfiance devant les *machinations* des femmes.

« Elles sont toutes les mêmes ! » me dit-il une fois, oubliant que c'était à moi qu'il s'adressait, et il se lança dans une de ses fréquentes déclarations. « Les garces ! Une minute elles sont là, tout sourire, et l'autre, elles vous poignardent dans le dos avec un couteau de cuisine. Et elles s'en sortent toujours bien ! Il n'y a qu'à voir ça dans les journaux ! On n'a aucune chance contre elles, nous ! Un grand type, bien baraqué, et une toute petite bonne femme. Enfin, c'est bien évident qu'il doit l'avoir fait souffrir, lui avoir fait quelque chose, n'est-ce pas ? Il avait bien dû la battre ou abuser de ses droits ou quelque chose de ce genre ! Et avant qu'on ait eu le temps de se retourner, elle est au banc des témoins, elle papillonne des cils et obtient la garde des gosses, la maison, le fric et Dieu sait quoi encore.

— Pas ma garde, en tout cas !

— Allons, tu ne peux pas vraiment vouloir dire ça ? Paris ? Un bon lycée ? Une nouvelle vie ?

— Je te le répète. C'est ici que j'ai l'intention de rester !

— Mais enfin, *pourquoi,* tu pourrais me le dire ? » Il me regardait avec la stupéfaction du chien que l'on refuse de laisser sortir. « Tu pourrais avoir tout ce que tu voudrais : vêtements, disques... »

Je secouai la tête avec obstination. « Je n'en veux pas. Elle ne peut tout de même pas revenir dans ma vie comme ça après cinq années et essayer de m'acheter avec le fric de son Français ! » Il m'observait vraiment maintenant. Un pli barrait son front au-dessus de ses yeux bleus. Je continuai. « Pendant tout ce temps-là, tu as toujours été là, toi. Tu t'es occupé de moi. Tu as fait de ton mieux. » Il hocha légèrement la tête et je sus qu'il m'écoutait de toute son attention « On s'est bien débrouillés, n'est-ce pas, Papa ? Pourquoi aurait-on besoin d'eux maintenant ? »

Silence. Je savais pourtant que j'avais touché là une corde sensible. Il finit par dire : « Tu n'as manqué de rien... » Je n'aurais pu jurer s'il s'agissait là d'une question ou non.

Je poursuivis : « Nous nous débrouillerons encore. Nous avons toujours su nous débrouiller. Frappe vite et frappe le premier ! N'abandonne jamais ! Ne te laisse pas abattre par les petits cons ! N'est-ce pas, Papa ? »

Un autre silence tomba, un silence profond à s'y noyer. Et puis, tout à coup, il se mit à rire, d'un rire jeune et surprenant, d'un rire plein de soleil. « D'accord ! On va essayer... », dit-il.

Et c'est ainsi que commença le mois d'août, sur une note d'espoir. Mon anniversaire tombait trois semaines plus tard et, dans quatre semaines, ce serait la rentrée. Mon père avait encore assez de temps pour remettre le domaine en état, pour terminer les travaux d'entretien, poser des souricières dans les bâtiments et finir de repeindre le pavillon des sports avant la rentrée de septembre. Je repris mon optimisme. Et ce n'était pas sans raison non plus. Mon père n'avait pas oublié notre conversation dans le salon. Cette fois, il semblait vraiment faire un effort.

Cela me permit d'espérer. J'avais un peu honte de ma conduite à son égard auparavant. Ma vie avec John Snyde n'avait pas été sans problème, mais il avait été honnête au moins. Il avait fait de son mieux. Il n'avait pas disparu de ma vie pour y revenir ensuite et essayer de m'acheter. Par comparaison avec la conduite de ma mère, les matchs de foot et même les leçons de karaté me paraissaient des choses moins ridicules, plutôt des efforts, maladroits peut-être, mais sûrement sincères pour se rapprocher de moi.

Alors, je fis à mon tour des efforts pour l'aider. Je commençai à nettoyer la maison, à faire la lessive à sa place. Je l'encourageai à se raser. Je lui montrai obéissance et affection – ou presque. Il fallait à tout prix qu'on lui laissât son poste de *head porter*. C'était essentiel. C'était ma seule ligne de défense contre le projet de Sharon. C'était surtout ce qui m'assurait l'accès à Saint Oswald et à Léon.

Léon. N'est-il pas étrange qu'une obsession naisse d'une autre ? Tout avait commencé par Saint Oswald : le défi que je lui avais lancé, le plaisir de la supercherie, le besoin désespéré de me trouver une niche à moi, d'être un peu plus que l'enfant de John et de Sharon Snyde. Maintenant, Léon seul comptait : être avec lui, connaître tous les détails de sa vie, faire qu'il m'appartînt d'une façon que je ne pouvais pas encore tout à fait m'expliquer. Il n'y avait aucune raison précise à cela. Sans aucun doute, c'était un bel adolescent, gentil aussi, à sa façon à lui. Mais il m'avait surtout donné une place dans sa vie, il m'avait procuré le moyen de me venger de Bray, mon tourmenteur. Avant lui, j'avais connu la solitude, le désespoir, la faiblesse et la peur.

Je savais pourtant que rien de tout cela n'était une explication. En vérité, dès le premier moment où je l'avais aperçu, debout, dans le couloir du milieu, avec sa mèche sur les yeux et le moignon de cravate qui tirait impudemment une langue effrontée, j'avais su. Un filtre s'était introduit dans mon monde à moi, il divisait le temps en *avant-Léon* et *après-Léon* et à partir de ce moment-là, rien n'avait jamais pu être pareil.

La plupart des adultes partent du principe que les émotions de l'adolescence ne comptent pas vraiment, que ces violents accès de rage et de haine, ces moments atroces de gêne et d'horreur, ces élans d'amour abject et désespéré passeront avec l'âge, qu'ils font partie de la puberté, qu'ils ne sont rien qu'une sorte de répétition générale avant le vrai spectacle. Ce n'est pas vrai. À treize ans, tout compte. Tout a des bords tranchants. Tout vous blesse. Certaines drogues, bien sûr, peuvent redonner l'illusion de cette intensité d'émotions mais, chez un adulte, raison, logique et prudence infectent tout. À treize ans, je n'avais aucun besoin de cela. Je savais précisément ce que je voulais et, avec l'entêtement de l'adolescence, je m'apprêtai à me battre jusqu'à la mort pour l'obtenir. Non, je n'irais pas à Paris. Quel qu'en fût le prix, je ne partirais pas.

5

Saint Oswald – Lycée de garçons
Lundi 25 octobre

Tout bien considéré, la seconde moitié de ce premier trimestre commence mal. Le vent d'octobre se fait violent, arrachant les feuilles d'or des arbres et cinglant d'une pluie de marrons la cour intérieure. Les élèves s'en ressentent. Pluie et vent sont d'infaillibles indicateurs de chahut dans la salle de classe, pendant la récréation, et, après ce qui est arrivé la dernière fois que je les ai laissés sans surveillance, je n'ose pas relâcher mon attention un seul instant. Donc, pour Straitley, pas de récréation ! Pas même une misérable tasse de thé ! J'étais de si mauvaise humeur que je m'en suis pris à tout le monde, à mes deux clowns eux-mêmes, qui pourtant, d'habitude, réussissent à me dérider.

Ils se sont donc tous tenus tranquilles malgré le vent qui faisait rage. J'ai flanqué deux élèves de troisième en retenue pour ne pas m'avoir rendu leur devoir. À part cela, c'est à peine si j'ai dû élever la voix. Ils ont peut-être deviné quelque chose – une vague odeur d'ozone avant l'éclair d'un orage – qui les a avertis que ce n'était pas le moment de faire le mariole.

D'après ce que je comprends, la salle des profs a été le théâtre d'un nombre de petites prises de bec : des remarques désagréables à la suite d'évaluations, une panne d'ordinateur au secrétariat, et une querelle entre Pearman et Scoones à propos du nouveau programme de français. De plus, Roach a perdu sa carte de crédit et accuse Jimmy d'avoir oublié de fermer à clef la porte de la salle de travail. Tidy, l'intendant, a pris la décision de faire payer le thé et le café – jusque-là gratuits pour les professeurs – 3,75 livres par semaine, à partir d'aujourd'hui. En sa qualité de responsable de la santé et de la sécurité à l'École, Devine a fait une demande officielle pour l'installation d'un détecteur de fumée dans le couloir du milieu, espérant sans doute me forcer à abandonner mon dernier repaire de fumeur, la vieille réserve à livres.

D'un côté plus positif pour moi, Strange n'a pas donné suite à cette histoire de Pooley et de son blazer déchiré. Je dois dire que j'en suis un peu surpris. Je m'attendais bien à trouver un second avertissement dans mon casier. Je ne peux qu'imaginer que Bob a déjà complètement oublié l'incident ou qu'il l'a mis sur le compte de l'atmosphère de folie causée par l'approche des vacances et a par conséquent décidé de ne pas poursuivre plus loin l'affaire.

D'ailleurs, il y a des choses plus importantes à régler qu'un problème de doublure déchirée. À la suite d'un incident quelconque en ville, pendant le week-end, l'insupportable Light s'est fait retirer son permis de conduire, Kitty me l'a raconté. Il semble d'ailleurs qu'il y ait quelque chose de plus derrière cette histoire mais, comme j'ai été forcé de rester toute la journée dans la tour du clocheton, je n'ai pas pu entendre les potins de la salle des profs et j'ai dû m'en remettre aux élèves pour avoir des nouvelles.

Les rumeurs allaient bon train, comme d'habitude. L'une affirmait que Light avait été arrêté à la suite d'un coup de téléphone anonyme à la police. Une autre racontait que l'alcootest avait prouvé que Light avait absorbé dix fois plus d'alcool que le règlement ne le permettait. Une autre encore assurait que, lors de son arrestation, on avait découvert qu'il transportait dans sa voiture des élèves de Saint Oswald dont l'un était justement au volant.

Je dois avouer qu'au début rien de tout cela ne m'a vraiment inquiété. De temps en temps, un prof comme Light nous arrive, un bouffon arrogant qui, trompant tout son monde, réussit à entrer dans la profession, espérant y trouver de longues vacances et un boulot facile. Ce genre de type ne reste pas longtemps en général. S'il ne se fait pas chasser par les élèves, c'est par autre chose et, après son départ, la vie continue comme s'il n'avait jamais été là.

Au fur et à mesure que la journée s'est avancée, j'ai commencé à deviner qu'il y avait dans cette histoire-là quelque chose de plus que les entorses de Light au Code de la route. La classe de Gerry Grachvogel, à côté de la mienne, était anormalement bruyante. Alors, pendant un moment de liberté, je suis allé jeter un coup d'œil à l'intérieur. J'ai aperçu la plus grande partie de mes quatrième S : Cavalier, Johnson, Anderton-Pullitt et les autres suspects, bavarder entre eux pendant que Grachvogel, assis, regardait par la fenêtre d'un air si malheureux et si indifférent à ce qui l'entourait que j'ai maîtrisé ma première impulsion – qui était d'intervenir – et que je suis retourné dans ma classe sans dire un mot.

Chris Keane m'y attendait. Quand je suis entré, il m'a demandé : « Je n'ai pas laissé traîner un petit carnet ici, par hasard, avant les vacances ? Un carnet relié en cuir rouge ? J'y note toutes mes idées. »

J'ai pensé que, pour une fois, il avait perdu un peu de son calme habituel mais, me rappelant certaines de ses remarques dévastatrices, j'ai très bien compris pourquoi.

« En effet, j'ai trouvé un carnet dans la salle des profs avant les vacances de la mi-trimestre, lui ai-je dit. Mais j'ai cru que vous l'aviez repris. »

Keane a secoué la tête. Je me suis demandé si je devais lui dire ou non que j'avais jeté un coup d'œil à l'intérieur de ce carnet mais, remarquant son air furtif, j'ai décidé de m'abstenir.

D'un ton innocent j'ai demandé : « Préparations de classe sans doute ? »

Keane a répondu : « Non, pas vraiment !

— Demandez donc à miss Dare. Elle fait cours ici quelquefois. Elle l'a peut-être aperçu et ramassé. »

J'ai bien vu que Keane, en l'apprenant, a eu l'air vaguement inquiet. Connaissant le contenu révélateur de ce petit carnet, je me suis dit qu'il avait réellement des raisons de l'être. Pourtant, il me paraissait plutôt calme. Il a dit simplement : « Ne vous faites pas de souci ! Je suis sûr que je finirai tôt ou tard par le retrouver. »

En y réfléchissant bien, au cours des dernières semaines, pas mal de choses ont pris l'habitude étrange de disparaître : les stylos, par exemple, le carnet de Keane, la carte de crédit de Roach. Bien sûr, cela arrive de temps à autre. Un portefeuille, j'aurais compris cela, mais pourquoi quelqu'un aurait voulu voler une vieille tasse à thé du Jubilé de Saint Oswald ou, à plus forte raison, mon registre d'appel (qui n'a toujours pas reparu), cela m'échappait. À moins que cela ne fût tout simplement dans l'intention de m'ennuyer ? Dans ce cas-là, cette personne avait réussi au-delà de tout espoir. Je me suis demandé quels autres petits objets, apparemment insignifiants, avaient récemment disparu et s'il y avait un lien quelconque entre leurs disparitions.

J'en ai fait part à Keane qui m'a répondu : « Saint Oswald est une école comme les autres et, dans une école, il y a, hélas, toujours des choses qui disparaissent. »

Pas dans une école comme Saint Oswald, ai-je pensé.

J'ai bien vu aussi son sourire ironique lorsqu'il a quitté ma classe. On aurait juré que j'avais exprimé ma pensée à haute voix.

À la fin des cours de l'après-midi, je suis retourné dans la classe de Grachvogel, espérant découvrir ce qui l'avait tant affecté. Gerry est un assez brave gars. Pas un professeur-né, sans doute, mais un type intelligent, cultivé et dont l'enthousiasme est réel pour la matière qu'il enseigne. Cela m'ennuyait donc de le savoir si déprimé. Mais lorsque j'ai passé la tête dans l'entre-bâillement de la porte à quatre heures, il était déjà parti. Dans son cas, cela aussi est anormal. Gerry a l'habitude de s'attarder après les cours pour utiliser un ordinateur ou préparer ses innombrables supports visuels. C'était bien la première fois que je l'avais vu disparaître sans refermer sa porte à clef.

Quelques-uns de mes garçons étaient encore là, assis à leurs bureaux, occupés à recopier ce qui était écrit au tableau. Je n'ai pas été surpris de reconnaître parmi eux Anderton-Pullitt, toujours consciencieux, et Cavalier qui, absorbé par son travail, n'a pas même levé les yeux mais dont le petit sourire ironique m'a affirmé qu'il avait tout à fait conscience de ma présence.

Je lui ai demandé : « Dites-moi, Cavalier, Mr. Grachvogel a-t-il dit qu'il reviendrait ?

— Non, monsieur ! » Sa voix était parfaitement neutre. « Je crois qu'il est parti, monsieur, a dit Anderton-Pullitt.

— Ah ! Eh bien, rangez vos affaires, messieurs, et filez vite. Je ne voudrais pas que l'un de vous manque son autobus !

— Je ne prends pas l'autobus, monsieur ! » C'était la voix de Cavalier de nouveau. « Ma mère vient me chercher en voiture. Il y a trop de pervers dans les rues de nos jours. »

J'essaie vraiment d'être juste. Et je dois avouer que je tire un certain orgueil de mon esprit de justice et de mon jugement solide. D'accord, je suis quelquefois un peu brusque mais je suis toujours juste. Je ne menace jamais de sanctions que je sais ne pouvoir imposer. Je ne fais jamais de promesses que je sais ne pouvoir tenir. Les élèves le reconnaissent et le respectent. Avec le vieux Quaz, ils savent où ils en sont. Il ne permet pas aux émotions de troubler son travail.

C'est ce que j'espère, au moins, car, en vieillissant, je deviens de plus en plus sentimental. Cela ne m'empêche pas quand même de remplir consciencieusement ma tâche, j'espère.

Cependant, dans la carrière de tout professeur, il y a des moments où il perd son objectivité. Voir Cavalier ainsi, la tête encore penchée sur son bureau mais jetant des regards furtifs de tous côtés, m'a une fois de plus rappelé ce danger. Je me méfie de Cavalier. Il y a en lui quelque chose que j'ai toujours détesté. Cela ne devrait pas arriver, je sais, mais les professeurs sont des êtres humains après tout ! Nous avons tous nos préférences, c'est sûr. Ce qu'il faut éviter à tout prix, c'est l'*injustice*. C'est ce que j'essaie de faire. Je suis pourtant conscient que, dans mon petit groupe, Cavalier est le marginal, le traître, le porte-malheur, celui qui ne sait jamais où s'arrêter, qui confond plaisanterie et insolence, taquinerie et méchanceté. Garçon maussade, au teint de papier mâché, chouchouté par sa mère, il rend tout le monde responsable de ses erreurs sauf lui-même. Il ne vaut pas un pet de lapin ! Pourtant, je le traite exactement comme les autres. Je montre même à son égard plus d'indulgence qu'envers les autres car j'ai conscience de l'antipathie que j'éprouve pour lui.

Aujourd'hui, pourtant, il y a quelque chose dans son comportement qui me met mal à l'aise. C'est comme s'il savait quelque chose, quelque secret malsain dont il se réjouissait et qui pourtant l'empoisonnait. Car, malgré sa suffisance, il n'a pas l'air en bonne santé. Une nouvelle plaque d'acné marque son visage blême et ses maigres cheveux bruns et plats luisent d'un moiré graisseux. Une poussée d'hormones sans doute ! Malgré tout, je ne peux pas écarter de mon esprit l'idée que ce garçon-là sait quelque chose. S'il s'était agi de Sutcliff ou d'Allen-Jones, je n'aurais eu qu'à le leur demander. Mais avec Cavalier...

« S'est-il passé quelque chose, aujourd'hui, pendant la leçon de Mr. Grachvogel ?

— Monsieur ? » Une impassibilité prudente se lisait sur le visage de Cavalier.

J'ai continué : « J'ai entendu des cris !

— Ce n'était pas moi ! a dit Cavalier.

— Bien sûr que non ! »

Je n'avais aucune chance avec lui. Cavalier ne parlerait pas. J'ai haussé les épaules. J'ai quitté la tour du clocheton pour me diriger vers le bureau de la section de langues où devait avoir lieu notre première réunion de la seconde moitié du trimestre.

Grachvogel serait là. Je pourrais peut-être échanger quelques mots avec lui avant qu'il ne rentre à la maison : Cavalier, me suis-je dit, pouvait bien attendre. Au moins jusqu'à demain.

À la réunion, je n'ai pas vu Gerry. Les autres étaient tous là pourtant, ce qui m'a fait penser que mon collègue devait être malade. Gerry ne manque jamais une réunion. Il adore les cours de perfectionnement. Il chante à pleine voix à l'assemblée du matin et n'a jamais oublié son service d'étude. Aujourd'hui il n'était pas là. Lorsque j'ai fait allusion à son absence, la réponse de Devine a été si glaciale que j'ai regretté ma remarque. Il est encore de mauvaise humeur à propos de mon ancien bureau sans doute, me suis-je dit. Pourtant, dans son attitude, il y avait plus que la désapprobation habituelle. Pendant la réunion, j'ai été anormalement taciturne. J'essayais de me souvenir de tout ce que j'avais bien pu faire pour provoquer ce vieil imbécile. Vous ne me croiriez sans doute pas si je vous disais que j'éprouve une certaine affection pour lui, malgré tout, y compris pour ses beaux costumes. Il représente l'une des rares constantes de ce monde qui change beaucoup trop rapidement. Il y en a trop peu comme lui.

La réunion s'est poursuivie, Pearman et Scoones se querellant à propos des avantages et des inconvénients des différentes épreuves des diverses commissions d'examens, Devine, drapé dans une dignité glaciale, Kitty manquant de sa vivacité habituelle, Isabelle se faisant les ongles et Geoff et Penny Nation assis tout droits, exactement dans la même position, comme des jumeaux, pendant que Dianne Dare observait tout comme si nos réunions étaient le spectacle le plus fascinant du monde.

Il faisait noir lorsque nous avons terminé. Le bâtiment était désert. Les femmes de service elles-mêmes étaient déjà parties. Seul, Jimmy poussait consciencieusement la cireuse électrique sur le parquet du couloir du bas. Lorsque je l'ai croisé, il m'a dit : « Bonne nuit, patron ! Encore une de passée, hein ? »

Je lui ai répondu : « Cela doit vous donner un sacré boulot ! » Pendant le renvoi temporaire de Fallow, Jimmy avait hérité de toutes les tâches du *head porter*. Cela représentait un travail phénoménal. J'ai continué : « Et le nouveau, quand va-t-il arriver ?

— Dans quinze jours, m'a répondu Jimmy avec un sourire qui a fendu son visage rond. Il s'appelle Shuttleworth. C'est un supporter d'Everton. Je crois qu'on pourra s'entendre quand même ! »

À mon tour, j'ai souri : « Vous n'aviez pas envie de poser votre candidature vous-même ?

— Non, patron ! Y'a bien trop d'emmerdements ! » m'a répondu Jimmy en secouant la tête.

Lorsque je suis arrivé à la hauteur du parking du lycée, il pleuvait à seaux. La voiture des Nation quittait déjà son emplacement réservé. Eric n'a pas de voiture – sa vue est trop mauvaise. D'ailleurs, il habite tout à côté de l'École. Pearman et Kitty étaient encore dans le bureau où ils s'occupaient de paperasses. Depuis le début de la maladie de sa femme, Pearman a de plus en plus pris l'habitude de compter sur Kitty. Isabelle Tapi retouchait son maquillage – Dieu sait combien de temps cela allait lui prendre ! Je savais que je ne pouvais pas décemment demander à Devine de me déposer chez moi.

« Miss Dare, pourrais-je vous dem... ?

— Mais bien sûr, montez donc ! »

Je l'ai remerciée et je me suis assis à côté d'elle dans sa petite Corsa. J'ai bien souvent pensé qu'il en est des voitures comme des bureaux : elles reflètent souvent le caractère de leur propriétaire. Celle de Pearman est d'un désordre exceptionnel. À l'arrière de celle des Nation, on lit : SUIVEZ JÉSUS, PAS MOI ! Et un petit nounours est pendu au tableau de bord de celle d'Isabelle.

Celle de Dianne, bien au contraire, est nette, propre, et fonctionnelle. Pas un seul petit jouet ridicule, pas le moindre slogan humoristique. Cela me plaît. C'est la preuve d'un esprit méthodique. Si je possédais une voiture, moi, elle ressemblerait probablement à la salle 59 avec des panneaux de bois et de grandes plantes poussiéreuses.

Quand j'ai fait part de ces réflexions à miss Dare, elle en a ri. En s'engageant dans la rue principale, elle m'a dit : « Je n'avais jamais pensé à ça, mais c'est un peu comme les chiens et leurs propriétaires, n'est-ce pas ?

— Ou comme les profs et leurs tasses !

— Vraiment ? » Apparemment, elle ne l'a pas encore remarqué. La tasse blanche à rayure bleue qu'elle utilise lui a été fournie par la cantine de l'École. Pour une si jeune femme, miss Dare semble remarquablement indifférente à ces petites conneries-là. (Je dois avouer que, sur le sujet des jeunes femmes, mon expérience personnelle ne va pas bien loin !) Je pense aussi que cela fait partie de son charme. Je me suis dit qu'elle devait bien s'entendre avec le jeune Keane – calme et raisonnable, lui aussi, pour un nouveau – mais, lorsque je lui ai demandé comment elle s'entendait avec les autres nouveaux, elle a simplement haussé les épaules.

À tout hasard, j'ai demandé : « Trop de travail ? »

Elle a répondu : « Non, pas mon genre. Conduire avec des élèves dans la voiture quand on a trop bu ! Jusqu'où peut aller la stupidité ? »

Bien dit, à mon avis ! Cet imbécile de Light avait certainement terni sa réputation avec cette stupide escapade en ville.

Easy, lui, n'était qu'un *Costard* facile à remplacer. Quant à Meek, il allait sûrement donner sa démission d'un jour à l'autre. « Et Keane ?

— Je ne lui ai jamais vraiment parlé.

— Vous devriez, vous savez. C'est un gars du coin. J'ai dans l'idée qu'il est peut-être votre type. »

Je vous avais prévenu que je devenais sentimental. Je vous l'accorde, à me regarder on ne le dirait pas. Mais miss Dare a quelque chose en elle qui provoque cela chez moi. Une apprentie *Dragon* si j'en ai jamais vu, plus agréable à l'œil pourtant que la plupart des dragons que j'ai connus. Je n'ai aucune difficulté à l'imaginer dans trente ou quarante ans, une deuxième Margaret Rutherford dans *Les Meilleurs Jours de notre vie* – en plus mince, sans doute, mais avec le même sens de l'humour.

C'est si facile de se laisser absorber ici, vous savez ! À Saint Oswald, nous sommes soumis à des lois différentes de celles qui gouvernent le monde extérieur. Le temps, par exemple, passe ici bien plus rapidement qu'ailleurs. Regardez-moi ! J'approche du moment où je vais avoir fait ma Centaine. Pourtant, lorsque je me regarde dans le miroir, je vois encore le garçon que j'étais autrefois, un garçon aux cheveux gris peut-être, avec trop de poches sous les yeux sans doute et – il n'y a pas à s'y tromper – l'air vaguement dissipé de l'ancien clown de la classe.

J'ai essayé, sans réussir, de faire comprendre une fraction de tout cela à miss Dare mais nous arrivions justement près de chez moi et la pluie avait cessé. Je lui ai donc demandé de me déposer à l'angle de Dog Lane, expliquant que je voulais jeter un coup d'œil à ma clôture pour m'assurer que l'auteur des graffitis n'avait pas recommencé.

« Je vous accompagne. » m'a-t-elle dit, en garant sa voiture au bord du trottoir.

Je lui ai répondu : « Il ne faut pas vous donner cette peine ! » Mais elle a insisté. Je me suis rendu compte de l'ironie de la situation. *Elle* se faisait du souci pour *moi*. Cette pensée m'a ramené à la réalité. C'était tout de même gentil de sa part. D'ailleurs, peut-être avait-elle raison car, à peine nous étions-nous engagés dans l'allée que nous l'avons aperçu. Trop grand sûrement pour passer à côté sans le remarquer ! Pas un simple graffiti mais une fresque énorme, en couleurs, peinte à l'aérosol, un portrait de moi avec moustache et croix gammée.

Pendant trente secondes, nous sommes restés là à le regarder, bouche bée. La peinture semblait toute fraîche. Je me suis soudain senti secoué de cette sorte de rage folle qui vous empêche de trouver le mot que vous cherchez, une rage que je n'ai ressentie que trois ou quatre fois dans toute ma carrière de professeur. Rejetant pour une fois les nuances raffinées de la langue latine, c'est en solides termes anglo-saxons que je lui ai donné cours. Je connaissais celui qui était responsable de ce mural, je le connaissais sans l'ombre d'un doute. Même si je n'avais pas remarqué par terre le petit objet long et fin qui était tombé dans le triangle d'ombre au pied de la clôture, j'aurais reconnu son style. C'était celui du dessin humoristique que j'avais ôté du tableau d'affichage de ma classe, celui dont j'avais soupçonné Colin Cavalier d'être l'auteur.

« Cavalier ? a dit miss Dare, d'un ton étonné. Mais c'est une petite souris, il est si timide ! »

Souris ou pas, j'étais sûr de moi. D'ailleurs, c'est un garçon rancunier et il me déteste. De savoir que sa mère, le proviseur, les journaux et Dieu sait quels autres mécontents partageaient son opinion lui avait sans doute donné une sorte de courage hypocrite. Je me suis penché pour ramasser le petit objet au pied de la clôture. J'ai senti de nouveau le doigt invisible s'enfoncer dans ma poitrine. J'ai senti mon sang couler à flots dans mes veines. Comme un poison fatal, il répandait la colère dans mon corps tout entier et, privait le monde autour de moi de ses couleurs.

« Mr. Straitley ? » Dianne avait l'air inquiète maintenant. « Vous sentez-vous bien ?

— Parfaitement bien ! » J'avais repris mes esprits. Je tremblais encore mais j'étais plus calme. La bête en moi était maîtrisée. « Regardez !

— C'est un stylo ! a dit Dianne.

— Pas n'importe quel stylo ! » J'en étais bien sûr. J'avais passé assez de temps à le chercher avant qu'il ne soit découvert dans la loge, dans la cachette secrète du *porter*. J'en aurais parié

262

n'importe quoi, c'était le stylo que Colin Cavalier avait reçu en cadeau à l'occasion de sa bar-mitzvah, ce fameux stylo qui avait coûté cinq cents livres sterling, d'après sa mère, et sur lequel on avait fait graver ses initiales, C.C., pour être plus sûr.

6

Mardi 26 octobre

Ce stylo, quelle bonne idée. C'est un Mont-Blanc, vous savez, l'un des moins chers, et pourtant, même celui-là serait tout à fait hors de mes moyens à moi. Vous ne le croiriez peut-être pas, de nos jours, à me regarder. Le bon marché tape-à-l'œil a disparu, remplacé par un élégant et impénétrable vernis de sophistication. C'est l'une des nombreuses choses que Léon m'a léguées, avec Nietzsche et un certain penchant pour la vodka au citron. Il n'avait lui-même aucun talent artistique. Pourtant, il appréciait toujours mes peintures murales et s'avouait surpris de me découvrir capable de faire des portraits si ressemblants.

J'avais eu souvent, bien sûr, l'occasion d'étudier mes modèles. J'avais des carnets entiers couverts d'esquisses. Encore plus utile, je réussissais à forger n'importe laquelle des signatures que me donnait Léon – ce qui nous assurait, en toute impunité, la possibilité d'innombrables mots d'excuse et de permissions de sortie.

J'ai beaucoup de chance, je n'ai pas perdu ce talent-là. Pendant mon heure de liberté, j'ai pu filer à l'anglaise et sortir pour compléter le portrait. L'entreprise comportait moins de risques que l'on ne pourrait l'imaginer, car Dog Lane n'est pas vraiment fréquentée, sauf par les élèves du collège de Sunny Bank Park. J'ai pu revenir à temps pour ma dernière leçon de l'après-midi. Tout a très bien marché. À part cet innocent de Jimmy occupé à repeindre le portail et qui m'a adressé son grand sourire béat lorsque ma voiture est passée devant lui, les autres n'y ont vu que du bleu. À ce moment-là pourtant, je me suis dit qu'il me faudrait peut-être faire quelque chose à propos de Jimmy. Non qu'il soit jamais capable de me *reconnaître*, ni de se souvenir de quelque chose, mais un brin de chanvre que l'on a négligé de démêler risque de s'embrouiller davantage et, dans le cas de Jimmy, cela dure depuis trop longtemps. D'ailleurs, sa vue m'irrite. Le gros Fallow était un fainéant mais Jimmy, avec sa bouche dégoulinante de salive et son sourire servile de chien couchant, est pire encore. Ce qui m'étonne le plus, c'est qu'il ait survécu si longtemps ici, qu'on ait toléré même sa présence à l'École – si jalouse de sa réputation. Si je m'en souviens, il s'agit du cas typique d'un handicapé gardé sous surveillance au sein de la communauté, d'un être aussi peu coûteux et aussi facile à remplacer qu'une ampoule de quarante watts. Oui, *facile à remplacer*, cela le décrit parfaitement !

À midi, ce jour-là, j'ai discrètement dérobé trois petites choses : un tube d'huile à valves qui appartenait à un tromboniste, l'un des élèves de Straitley (Niu, un jeune Japonais), un tournevis volé dans l'atelier de Jimmy, et, bien sûr, le fameux stylo de Colin Cavalier. Ni vu ni connu. Personne n'a remarqué non plus ce que j'ai fait de ces trois objets lorsque le moment est venu pour moi de m'en servir.

Car la chose la plus importante est de savoir choisir son moment. Je savais très bien que, hier soir, Straitley et les autres linguistes seraient à la réunion (sauf Gerry Grachvogel qui souffrait d'une de ses migraines à la suite de son petit entretien désagréable avec le proviseur). Lorsque la réunion prendrait fin, les autres profs seraient déjà tous rentrés chez eux (sauf Patrick Mat qui s'attarde d'habitude jusqu'à huit ou neuf heures du soir à l'École). Je ne pensais pourtant pas que sa présence pût me poser un problème. Son bureau, situé dans le couloir du bas, deux étages au-dessous, est bien trop éloigné de la section de langues étrangères pour qu'il puisse entendre quoi que ce soit.

Pendant un moment, j'étais de nouveau l'enfant dans la confiserie qui ne sait plus quelle sucrerie choisir. Jimmy devait clairement être ma toute première victime. Pourtant, si tout se déroulait comme prévu, je pourrais lui ajouter un membre de la section de langues pour bonne mesure. Mais qui ? Pas Straitley, bien sûr, pas encore ! J'ai une idée pour lui et elle prend tout doucement forme. Scoones, alors ? Devine ? Teague ?

Logiquement, cela devait être quelqu'un dont la classe se trouvait dans la tour du clocheton, un célibataire, de façon que son absence ne fût pas remarquée trop tôt, quelqu'un de particulièrement vulnérable, comme la gazelle blessée qui traîne la patte à l'arrière du troupeau, une gazelle sans défense... une femme... dont la terrible expérience serait certaine de provoquer un vrai scandale.

Isabelle Tapi était le seul choix possible. Isabelle avec ses hauts talons et ses pulls moulants, Isabelle qui, tous les mois, s'absentait pour *indisposition*, Isabelle qui était pratiquement sortie avec tous les mâles de moins de cinquante ans de la salle des professeurs – à l'exception de Gerry Grachvogel (qui a d'autres préférences).

Sa salle de classe est dans la tour, juste au-dessus de celle de Straitley. C'est une toute petite salle, de forme bizarre, chaude l'été, froide l'hiver, avec des fenêtres sur quatre côtés. De la porte, pour l'atteindre, il faut encore grimper un petit escalier étroit de douze marches de pierre. Ce n'est pas une salle très pratique. Du temps de mon père, elle servait d'entrepôt. Elle est d'ailleurs à peine assez grande pour permettre à un groupe entier de s'asseoir. De là, aucune possibilité de se servir d'un téléphone portable même si votre vie en dépend. Jimmy déteste cette salle-là. Les femmes de service l'évitent comme la peste. Il est pratiquement impossible de monter un aspirateur dans le haut de ces petites marches. D'ailleurs, la plupart des profs, à moins d'avoir fait eux-mêmes cours dans la tour, sont à peine conscients de son existence.

Pour ce que j'avais l'intention de faire, c'était l'idéal. J'ai donc attendu la fin des cours. Je savais très bien qu'Isabelle n'irait pas à la réunion de la section avant d'avoir pris une tasse de café et échangé quelques niaiseries avec cet insupportable prof de gym. Cela m'accorderait donc entre cinq et dix minutes – ce qui était amplement suffisant pour mon projet.

À mon arrivée, j'ai bien vu que la salle était déserte. J'ai donc sorti mon tournevis et, m'asseyant sur les marches de l'escalier, les yeux à la hauteur de la poignée de la porte, j'ai observé le mécanisme de fermeture. Il est assez simple : une seule broche carrée qui relie la poignée au levier. Vous appuyez sur la poignée, la broche tourne et le levier se relève. Rien de plus facile ! Mais ôtez la broche et vous pourrez appuyer autant que vous le voudrez, la porte restera fermée.

J'ai rapidement dévissé la poignée, légèrement entrouvert la porte, ôté la broche puis, coinçant mon pied pour empêcher la porte de se refermer, j'ai remis en place vis et poignée. Et voilà ! De l'extérieur, la porte s'ouvrirait parfaitement normalement mais, une fois à l'intérieur...

Bien entendu, on ne peut jamais être tout à fait sûr de rien. Isabelle pourrait très bien ne pas retourner dans sa salle de classe. Les femmes de service pourraient aujourd'hui être anormalement consciencieuses. Jimmy pourrait se décider à monter pour jeter un coup d'œil – pas que j'y croie vraiment ! J'aime imaginer que je connais mieux Saint Oswald que la plupart des gens qui y travaillent. J'ai eu bien des occasions d'en observer la routine. De toute façon, la moitié du plaisir ne réside-t-elle pas précisément dans l'incertitude ? Je me suis d'ailleurs dit que, si mon plan échouait, je pourrais toujours recommencer le lendemain.

7

Saint Oswald – Lycée de garçons
Mercredi 27 octobre

La nuit dernière, j'ai très mal dormi. Le vent, peut-être, ou le souvenir de l'action perfide de Cavalier ? Ou la pluie qui, juste après minuit, a soudain mitraillé ma fenêtre ? Ou mes rêves plus inquiétants et plus réalistes qu'ils ne l'ont été depuis des années ?

Avant de me coucher j'avais, bien entendu, pris un ou deux petits verres de bordeaux (que Bevans n'aurait sans doute pas approuvés, je l'imagine, pas plus qu'il n'aurait approuvé le bœuf en croûte en conserve que j'avais dégusté pour les accompagner). En tout cas, je me suis éveillé vers trois heures et demie du matin avec une soif de pendu, un mal de crâne terrible et le vague pressentiment que le pire était encore à venir.

Je me suis mis en route pour l'École assez tôt. Je voulais m'éclaircir les idées, me donner le temps de penser à un plan pour régler cette histoire de Cavalier. La pluie tombait toujours. Quand je suis arrivé au grand portail de Saint Oswald, mon chapeau et mon manteau étaient complètement trempés.

Sept heures quarante-cinq seulement. Il n'y avait encore que quelques voitures dans le parking : celles du proviseur, de Patrick Mat et, à ma surprise, celle d'Isabelle Tapi, sa petite Mazda bleu ciel. Je réfléchissais à l'étrangeté de la chose (Isabelle n'arrive que très rarement avant huit heures et demie.

La plupart du temps, il est presque neuf heures !) lorsque j'ai entendu derrière moi le bruit d'une voiture qui approchait rapidement. Je me suis retourné. J'ai alors vu la vieille Volvo toute sale de Pearman décrire brusquement un grand demi-cercle pour venir se ranger dans le parking presque désert en laissant un sillage de traces en doubles croches de caoutchouc brûlé sur l'asphalte mouillé. Kitty Teague était assise à côté de lui. Quand ils sont descendus, Kitty s'abritant de la pluie sous un journal et Pearman avançant à grandes enjambées, ils m'ont semblé tendus tous les deux.

J'ai tout de suite pensé qu'il s'agissait peut-être d'une mauvaise nouvelle à propos de Sally, la femme de Pearman. Je ne l'avais aperçue qu'une seule fois depuis le traitement qu'elle avait subi. Elle m'avait paru toute jaune et desséchée malgré son brave sourire. Je m'étais alors douté que ses cheveux bruns étaient une perruque.

Lorsque Pearman est entré avec Kitty sur ses talons, j'ai compris, à son expression hagarde, qu'il s'agissait de quelque chose d'encore bien plus grave. Il n'a pas répondu à mon bonjour quand il a poussé la porte. Il m'a d'ailleurs à peine vu. Lorsque mon regard a rencontré celui de Kitty qui arrivait derrière, elle a éclaté en sanglots. Je suis resté stupéfié. Avant que je n'aie eu le temps de revenir de mon étonnement, Pearman avait déjà disparu dans le couloir. Il ne restait de lui que l'empreinte humide de ses pas sur le parquet ciré.

Alors, j'ai demandé : « Pour l'amour de Dieu, qu'est-ce qui se passe donc ? »

Kitty, se couvrant le visage de ses mains, a répondu : « C'est Sally. Quelqu'un lui a écrit. La lettre est arrivée au courrier ce matin. Elle l'a ouverte au petit déjeuner. »

Sally et Kitty avaient toujours été très proches, je le savais, une telle détresse me paraissait pourtant injustifiée. « Une lettre ? Mais quelle lettre ? »

Kitty a paru un moment incapable de me répondre puis elle m'a regardé à travers la débâcle de son maquillage et a murmuré : « Une lettre anonyme à propos de Chris et moi.

— Vraiment ? » Il m'a fallu un certain temps pour comprendre ce qu'elle me disait. Kitty et Pearman ? *Pearman* et miss Teague ?

Je dois vraiment avoir pris un coup de vieux. Je n'avais jamais eu le moindre soupçon. Je savais qu'ils étaient amis, que Kitty l'avait toujours aidé, et bien plus souvent que ne le réclamait sa position mais... Malgré mes efforts pour l'en empêcher, elle m'a alors tout raconté : comment ils avaient décidé d'épargner Sally qui était si gravement malade, comment ils avaient pourtant espéré se marier un jour et maintenant... maintenant.

J'ai emmené Kitty dans la salle des profs, je lui ai fait du thé, j'ai attendu pendant dix minutes, avec ma tasse, à la porte des cabinets des dames. Kitty est enfin sortie, les yeux encore rouges, mais avec une nouvelle couche de poudre beige. Lorsqu'elle a aperçu la tasse de thé, elle a de nouveau fondu en larmes.

Je n'aurais jamais pu croire Kitty Teague capable d'un tel déluge. Depuis huit ans qu'elle était à Saint Oswald, je ne l'avais jamais connue même proche des larmes. Je lui ai alors tendu un mouchoir et je lui ai mis la tasse dans les mains. Je me sentais gauche. J'aurais voulu que quelqu'un de plus compétent que moi arrive pour me relayer (miss Dare peut-être ?) Puis, je me suis fait des reproches d'avoir eu une telle pensée.

« Ça va ? » Question maladroite de l'homme pourtant plein de bonnes intentions ! Kitty m'a fait non de la tête. Bien sûr que ça n'allait pas ! Je le savais très bien. Le *Tweedy* n'est pas connu pour son doigté avec les femmes mais il fallait pourtant bien que je dise quelque chose.

« Voudriez-vous que j'aille chercher quelqu'un ? »

Je suppose que ma première pensée a été Pearman en tant que chef de la section. Toute cette histoire me semblait, après tout, tomber sous sa responsabilité. À moins que Mat, peut-être... ? Il est d'habitude spécialiste des problèmes personnels des collègues. Ou Marlene ? C'est ça, Marlene ! Avec quel soulagement et quelle affection je me suis rappelé son efficacité discrète le jour où je m'étais effondré ! Marlene, qui pour les élèves semblait si abordable. Marlene, si compétente et qui, sans dépression, avait tenu le coup à travers un divorce et un deuil. Elle saurait ce qu'il fallait faire dans une occasion comme celle-ci et, même si elle ne le savait pas, elle connaîtrait au moins ce code secret sans lequel un homme n'a pas la moindre chance de pouvoir communiquer avec une femme en larmes.

Marlene venait justement de sortir du bureau de Mat lorsque je suis arrivé. Je devine que je suis comme tous les autres et que je pars du principe que son efficacité est tout ce qu'il y a de plus normal. J'ai commencé : « Marlene, je me demande si, par hasard, vous... ? »

Elle m'a regardé avec une sévérité parfaitement feinte. « Monsieur Straitley ! » Elle m'appelle toujours Monsieur Straitley alors que tous les professeurs depuis des années l'appellent par son prénom. « Vous n'avez toujours pas retrouvé ce registre d'appel, je suppose ?

— Hélas, non !

— Hum ! Cela ne m'étonne pas ! De quoi s'agit-il alors ? »

Je lui ai expliqué ce qui se passait avec Kitty sans donner trop de détails.

Marlene a semblé inquiète. Elle a déclaré d'un ton las. « Un malheur n'arrive jamais seul. Je me demande quelquefois pourquoi je me fais du souci à propos de cette école, vous savez ! D'abord, il y a Patrick qui se tue au boulot, puis les autres qui ne sont pas à prendre avec des pincettes depuis l'annonce de cette inspection générale, et maintenant ça ! »

Un instant, elle m'a paru si soucieuse que j'ai eu honte de lui avoir demandé son aide.

« Non, ne vous inquiétez pas, m'a-t-elle dit en remarquant mon expression. Je vais m'en occuper. Je suis bien sûre que votre section a déjà assez à faire. »

Et elle avait bien raison. La section entière aujourd'hui s'est trouvée réduite à miss Dare, la S.D.N. et moi pendant la plus grande partie de la journée. Devine s'était libéré de ses cours pour se consacrer à des tâches administratives et Gerry était toujours absent. Pendant mon temps libre, ce matin, j'ai dû remplacer à la fois Tapi, avec une classe de sixième en français, et Pearman, avec une classe de quatrième, tout en faisant en même temps une évaluation de routine pour l'un de nos nouveaux. Il s'agissait cette fois de l'irréprochable Easy.

Cavalier était absent. Cela m'a donc empêché de lui poser des questions à propos des graffitis sur ma palissade et du stylo que j'avais découvert à son pied. J'ai rédigé un rapport complet de l'incident. J'en ai remis une copie à Patrick Mat et une autre à

Mr. Beard, chef de la section d'informatique, qui se trouve aussi être responsable de l'ensemble des quatrième. Je peux attendre. J'ai maintenant la preuve des agissements de Cavalier et je vois venir avec impatience le moment de pouvoir personnellement *m'occuper de lui*. Plaisir que je dois remettre à plus tard, si l'on peut dire.

À la récréation, j'ai fait le service de Pearman qui devait surveiller le couloir et, après le déjeuner, j'ai pris ensemble sa classe, celle de Tapi et celle de Grachvogel, en plus de la mienne, dans la salle des fêtes. Dehors, la pluie tombait en cataractes. Dans le couloir, c'était un défilé incessant de gens qui entraient et ressortaient du bureau du proviseur. Cela a continué tout au long de cet interminable après-midi.

Quelques minutes avant la fin des cours, Marlene est arrivée et m'a remis une convocation urgente de Patrick. Pearman était là lorsque je suis entré. Il avait l'air au bout de son rouleau. Miss Dare était assise près de la table. À mon arrivée, elle m'a jeté un regard compatissant. J'ai compris qu'il fallait nous attendre à des ennuis.

« Il s'agit de Cavalier, je devine ? » J'avais été surpris, d'ailleurs, de ne pas l'apercevoir à la porte du bureau de Patrick mais j'en avais déduit que Patrick lui avait sans doute déjà parlé. Pourtant, normalement, aucun élève n'aurait dû être questionné avant que je n'aie eu le temps de parler moi-même au *second master*.

Un instant, Patrick a eu l'air de ne pas tout à fait comprendre, puis il a secoué la tête. « Oh, non ! Tony Beard est tout à fait capable de s'en occuper ! Il est responsable des quatrième, après tout, n'est-ce pas ? Non, il s'agit de quelque chose qui a eu lieu hier soir, après votre réunion. » Patrick contemplait ses mains. C'est toujours signe qu'il ne se sent pas tout à fait sûr de son terrain. J'ai bien remarqué que ses ongles étaient rongés presque jusqu'à la cuticule.

« De quoi s'agit-il ? »

Pendant un instant, il n'a pas levé les yeux vers moi.

« La réunion s'est bien terminée juste après six heures ? a-t-il demandé.

— Correct ! Et miss Dare m'a ramené chez moi en voiture.

— Je le sais, a dit Patrick. Vous avez tous quitté le bâtiment en même temps, sauf miss Teague et Mr. Pearman qui sont encore restés une vingtaine de minutes. »

J'ai haussé les épaules. Je me demandais bien où il voulait en arriver avec tout ça et pourquoi il se croyait obligé de prendre cet air si officiel. Je l'ai regardé sans rien découvrir qui puisse m'éclairer.

« Miss Dare me dit qu'en sortant, vous avez vu Jimmy dans le couloir du bas et qu'il cirait le plancher en attendant de pouvoir fermer l'École.

— Correct ! Pourquoi ? Que s'est-il passé ? »

J'ai pensé que cela pouvait peut-être expliquer l'attitude de Patrick. Comme Fallow avant lui, Jimmy avait été nommé par Patrick et, à ce moment-là, cette nomination lui avait attiré un certain nombre de critiques. Pourtant, Jimmy avait toujours rempli consciencieusement ses fonctions. Il ne débordait pas d'intelligence, évidemment, mais il se montrait loyal et, à Saint Oswald, cela comptait pour beaucoup.

« Jimmy Watt a été renvoyé à la suite de l'incident qui s'est passé hier soir. »

Je ne pouvais y croire. « Quel incident ? »

Miss Dare m'a regardé. « Apparemment, il n'a pas vérifié toutes les classes avant de fermer l'École à clef. Isabelle s'est trouvée enfermée, on ne sait pas trop comment, elle a été saisie de panique, a glissé dans l'escalier et s'est cassé la cheville. On ne l'a trouvée que vers six heures ce matin.

— Elle va bien quand même ?

— Ça serait la première fois ! »

Sa réponse m'a fait rire. C'était bien typique de l'humour de Saint Oswald et l'air lugubre du *second master* rendait la réflexion encore plus drôle. « Vous pouvez bien rire, a interrompu Patrick d'une voix sévère. Une plainte officielle a été déposée. Le responsable de la santé et sécurité à l'École – il s'agissait de Devine – a été mis sur l'affaire. D'après Isabelle, quelqu'un a renversé quelque chose sur les marches de l'escalier, de l'huile, croit-elle.

— Oh ! » C'était moins drôle. « Vous pouvez sûrement lui faire entendre raison ? »

273

Patrick a soupiré : « J'ai essayé, vous pouvez m'en croire, mais miss Tapi semble persuadée que, derrière cela, il y a un peu plus qu'un oubli de la part de Jimmy, elle semble croire qu'il y a eu action malintentionnée et elle connaît ses droits, ça, je vous l'assure ! »

Bien sûr qu'elle les connaissait. Ce genre de femme-là connaît toujours ses droits. Devine qui était aussi son représentant syndical l'aurait sûrement déjà mise en courant du montant précis des dédommagements qu'elle pourrait réclamer. Indemnité pour blessure survenue sur le lieu de travail, indemnité pour invalidité temporaire – sûrement personne ne pouvait s'attendre à ce qu'elle vienne donner ses cours avec une cheville dans le plâtre, plus une indemnité si elle peut prouver la négligence et une autre pour traumatisme mental. Elle fera des réclamations pour tout ce que vous pouvez imaginer : état de choc, douleurs vertébrales, fatigue chronique, etc., et moi je vais devoir la remplacer pendant au moins douze mois.

Quant à la publicité ! Cette histoire allait faire les délices du journal local. Cavalier tomberait dans l'oubli car, comme victime, Tapi, avec ses longues jambes et son air courageux de martyr, était d'une tout autre classe.

D'un ton amer, Patrick a dit : « Comme si nous n'avions pas assez à faire à la veille d'une inspection ! Dites-moi, Roy, y a-t-il d'autres petits scandales en préparation dont il faudrait que je sois au courant ? »

8

Vendredi 29 octobre

Sacré Mat, va ! C'est quand même drôle qu'il ait parlé de scandales. J'en connais justement au moins deux. L'un a déjà commencé à se répandre et à déferler avec la lente et sinistre inéluctabilité d'un raz de marée et le second prend tout doucement forme.

Avez-vous remarqué comment la littérature nous rebat les oreilles de lamentables paroles de consolation à propos des mourants, de leur patience et de leur compréhension ? L'expérience m'a pourtant appris que les mourants peuvent parfois se montrer aussi cruels et aussi incapables de pardonner que ceux qu'ils laissent derrière eux avec tant de regret. Sally Pearman était de ce genre. Après avoir seulement lu cette lettre – qui représente, je dois l'avouer, une de mes meilleures réussites –, elle a eu toute la série des réactions habituelles à la situation : fait changer les serrures, appelé son homme de loi, envoyé les gosses chez leur grand-mère et jeté les vêtements du mari sur la pelouse. Bien sûr, Pearman ne sait pas mentir. On pourrait même dire qu'il avait presque souhaité que l'on découvrît sa liaison (car elle est bien catholique, son expression de tristesse mêlée à du soulagement ! Cela lui apporte un certain réconfort, sans doute).

Pour Kitty Teague, hélas, c'est bien autre chose. Elle n'a plus personne pour la consoler maintenant. À demi écrasé par le poids de son sentiment de culpabilité toute masochiste, Pearman lui adresse à peine la parole et évite de rencontrer son regard. En secret, c'est elle qu'il rend responsable de la situation. Elle est femme après tout. Sally, encore plus irréprochable à cause du remords qu'il ressent à son égard, disparaît petit à petit dans une brume de nostalgie. Kitty *sait* qu'elle ne pourra jamais sortir gagnante de leur pauvre histoire.

Elle est absente aujourd'hui. Pour cause de stress, selon les apparences. Pearman, lui, fait ses cours mais il semble distrait. Sans Kitty à ses côtés pour l'aider, il est terriblement mal organisé. En conséquence, il oublie de nombreuses choses : l'évaluation qu'il devait faire d'Easy, son service de surveillance. Il a passé toute l'heure de midi à chercher une pile de dissertations de ses élèves de terminale qu'il avait égarées. Elles sont d'ailleurs dans le casier de Kitty, dans la salle de préparations. Je le sais. C'est moi qui les y ai mises.

Ne vous trompez pas pourtant. Je n'ai rien contre cet homme mais je dois poursuivre mon plan. Je trouve tout simplement plus efficace de me concentrer sur une seule section plutôt que de disperser mes efforts dans le lycée tout entier. J'opère méthodiquement, pierre par pierre, si l'on peut dire.

Quant à mes autres activités... l'histoire Tapi n'a pas paru dans les journaux d'aujourd'hui. C'est bon signe. Cela me dit que le journal local la réserve pour le week-end. La rumeur publique m'a fait savoir qu'Isabelle est très *frappée* par sa terrible expérience, qu'elle en accuse l'École entière – et Patrick Mat en particulier qui, semblerait-il, n'a pas exprimé tout à fait assez de compassion pour la victime au moment où elle en avait tant besoin –, qu'elle s'attend au soutien absolu de son syndicat et à une offre de compensation généreuse de la part de Saint Oswald, à l'amiable ou devant un juge.

Grachvogel est de nouveau absent. J'ai entendu dire que le pauvre type est sujet aux migraines, mais je croirais plutôt que son absence a plus à voir avec les coups de téléphone inquiétants qu'il a reçus. Depuis cette soirée passée en compagnie de Light et de quelques élèves, il ne semble pas vraiment en forme. Nous vivons évidemment à une époque où toute discrimination est interdite, que ce soit pour des raisons de race, de religion ou de sexe (Ah !). Il sait pourtant qu'un homosexuel, dans un lycée de garçons, est extrêmement vulnérable. Il s'étonne que sa conduite ait pu le trahir et se demande *qui* a bien pu percer son secret.

En toute autre circonstance, il aurait pu consulter Pearman et lui demander son aide. Pearman, hélas, a déjà assez d'ennuis. Devine qui, en principe, est son patron et aussi chef de section, serait bien incapable de comprendre la situation. D'ailleurs, Gerry ne peut blâmer personne d'autre que lui-même. Il aurait bien dû deviner qu'il était dangereux de sortir avec Jeff Light. Où avait-il la tête ? Light déborde de testostérone et court moins de risques que lui. Tapi en a parfaitement conscience. Je me demande pourtant quelle sera la réaction d'Isabelle lorsqu'elle découvrira le développement de cette histoire ! Pour le moment, Light se révèle plein de sympathie pour elle. Syndicaliste endurci, toute situation qui lui donne l'occasion de critiquer le système le remplit de plaisir. Tant mieux ! Mais qui sait ? Cela pourrait bien aussi lui retomber sur le dos. Avec un peu d'aide, évidemment !

Et Jimmy Watts ? Il est bel et bien parti ! On l'a remplacé par une nouvelle équipe venue de la ville pour faire le nettoyage sous contrat. Personne ne le regrette, sauf l'intendant – ces agents de service-là coûtent bien plus cher, travaillent sans jamais faire de zèle et sont toujours très au courant de leurs droits – et Mat, peut-être, qui a toujours eu un faible pour les cas désespérés (comme mon père) et qui aurait aimé accorder à Jimmy une seconde chance. Mais ce n'est sûrement pas le cas du proviseur, qui a réussi, en un temps record – pas très légal d'ailleurs –, à se débarrasser de l'innocent. Cela pourrait très bien être l'objet d'un article intéressant pour la Taupe lorsque cette histoire de Tapi sera tombée dans l'oubli ! Il s'est enfermé dans son bureau depuis deux jours, ne communiquant que par intercom et par l'intermédiaire de Bob Strange – le seul de la hiérarchie administrative à demeurer totalement indifférent aux petites perturbations qui agitent l'École.

Et Roy Straitley ? Ne croyez pas que je l'aie oublié ! Lui moins que n'importe lequel des autres ! Il n'est jamais éloigné de ma pensée. Ses nombreux services supplémentaires le tiennent occupé et c'est justement ce dont j'ai besoin pour la prochaine phase de mon projet de démolition. Roy commence doucement à mijoter. J'étais dans la salle d'informatique, à la fin de l'après-midi. J'ai reconnu sa voix dans le couloir. J'ai pu ainsi entendre une conversation intéressante entre Straitley et Beard à propos de Colin Cavalier et d'Adrien Meek, le nouveau de la section d'informatique.

Straitley protestait : « Mais je ne lui ai pas flanqué un sale rapport ! J'ai assisté à son cours, j'ai rempli le formulaire et j'ai donné une opinion équilibrée de la leçon. C'est tout !

— Discipline ? Médiocre ! a lu Beard. Organisation ? Faible ! Charisme ? Inexistant ! Vous appelez vraiment cela un jugement équilibré ? »

Un silence est tombé. Straitley a dû jeter un coup d'œil au rapport car il a fini par déclarer : « Mais je n'ai pas écrit cela !

— Cela ressemble pourtant beaucoup à votre écriture ! »

Silence encore plus long. J'ai pensé un moment sortir de ma cachette pour voir la gueule de Straitley mais j'ai pris sur moi. Je ne voulais pas attirer trop d'attention sur moi et surtout pas dans un endroit qui allait bientôt devenir le lieu du crime.

« Je n'ai pas écrit cela ! a répété Straitley.

— Qui l'a donc fait, alors ?

— Je ne sais pas. Un petit plaisantin quelconque !

— Roy ! » La voix de Beard commençait à trahir son malaise. J'ai déjà entendu cette intonation-là, celle de celui qui hésite, tout en commençant à s'impatienter, le ton conciliant de celui qui doit calmer un fou qui d'une seconde à l'autre pourrait devenir dangereux.

« Écoutez, Roy. Je suis d'accord avec des critiques méritées et tout ça, et je sais que le jeune Meek n'est pas notre plus brillante recrue...

— Non, c'est vrai ! a dit Straitley. Je ne lui ai pourtant pas collé un mauvais rapport. Vous n'avez pas le droit de mettre cela dans son dossier si je ne l'ai pas écrit !

— Bien sûr que non, Roy, mais...

— Mais quoi ? » On sentait l'énervement monter à son tour dans la voix de Straitley. Il n'a jamais aimé avoir affaire aux types du genre professionnel et je devinais que toute cette histoire l'agaçait prodigieusement.

« Êtes-vous bien certain de ne pas avoir tout simplement... *oublié* ce que vous avez écrit ?

— *Oublié* ? Que voulez-vous dire ? »

L'autre s'est interrompu : « Je voulais dire que vous auriez pu être pressé et... »

J'ai posé la main sur ma bouche pour étouffer mon rire. Beard n'est pas le premier à avoir suggéré que Roy Straitley paraissait un peu *diminué*, pour utiliser une expression de Mat. C'est moi qui ai planté cette idée-là dans quelques esprits. Il est d'ailleurs responsable de petits accès de conduite déraisonnable, il souffre d'oublis chroniques et a admis la perte de plusieurs petits objets. Cela rend donc la chose encore plus plausible. Bien sûr, Straitley n'y a jamais pensé.

« Monsieur Beard. Il est vrai que je vais bientôt compléter ma Centaine, mais je suis encore bien loin de la sénilité. Et maintenant, si nous parlions de quelque chose d'important ? » Je me suis demandé ce que Meek penserait si je lui apprenais que Straitley considérait son évaluation comme quelque chose de peu d'importance. « Peut-être avez-vous réussi à trouver assez de temps, malgré votre horaire chargé, pour lire mon rapport sur cette histoire de Cavalier ? »

Devant mon ordinateur, j'ai souri.

« Ah, *Cavalier* ! »

Je vous l'ai déjà dit. Je suis tout à fait capable de m'identifier à un élève du genre de Cavalier. À dire vrai, pourtant, je ne lui ressemblais en rien. Il y avait chez moi bien plus de ténacité, de méchanceté, de vraie connaissance de la vie. J'aurais cependant pu devenir comme lui si j'avais appartenu à une famille plus aisée et si j'avais eu de meilleurs parents. Cavalier, lui, a accumulé une énorme dose de ressentiment et cela peut servir mes plans. Sa maussaderie naturelle l'empêchera de faire des confidences à quelqu'un avant d'avoir vraiment atteint le bout de son rouleau. Si nos prières avaient été des chevaux, comme nous le disions lorsque nous étions gosses, il y a belle lurette que le vieux Straitley aurait été écrasé sous leurs sabots ! Cela étant, j'ai donné à Cavalier quelques leçons particulières (dans un domaine bien différent des disciplines habituelles) et là, à défaut de toute autre chose, il a fait preuve d'un certain talent.

Je n'ai pas eu beaucoup de mal. Et, au début, on n'aurait pas pu m'accuser de quoi que ce soit. Un mot ici. Une petite poussée là. Un jour qu'il me suivait comme un petit chien dans la cour où j'étais de service, je lui ai dit : « Imagine que tu sois dans ma classe et que je sois responsable de toi. Si tu as un petit problème et si tu as peur d'en parler à Mr. Straitley, viens donc me voir ! »

Cavalier a beaucoup de petits problèmes. Pendant plus de deux semaines, j'ai dû écouter ses lamentables doléances, ses petites rancunes. Personne ne l'aime. Les profs s'en prennent toujours à lui. Les autres élèves voient en lui un *être rampant* et le traitent de *paumé*. Il est toujours malheureux, sauf lorsqu'il se réjouit de la déconfiture d'un autre. À la vérité, j'ai fait de lui mon instrument pour répandre quelques petites rumeurs – quelques-unes à propos de cet infortuné Grachvogel dont les absences ont été remarquées et discutées avec enthousiasme. Quand il reviendra – s'il revient – il devra s'attendre à lire des détails de sa vie privée, accompagnés de quelques fioritures que les élèves auront sans doute ajoutées, un peu partout dans l'École, sur les bureaux et sur les murs des cabinets.

La plupart du temps, Cavalier est tout à fait heureux de se plaindre et je reçois ses confidences. Bien que je comprenne parfaitement maintenant pourquoi Straitley déteste le garçon, je dois avouer que les progrès qu'il fait me remplissent de satisfaction. Dans le domaine de l'hypocrisie, de la maussaderie et d'une méchanceté pure et silencieuse, il fait montre de dons naturels véritables.

C'est dommage que je doive m'en débarrasser. Mais, comme l'aurait dit mon vieux père, on ne fait pas d'omelette sans faire de victime !

9

Saint Oswald – Lycée de garçons
Vendredi 29 octobre

Ce Beard, quel âne ! Le parfait crétin quoi ! Qui avait pu avoir l'idée saugrenue de le rendre responsable d'une année et croire qu'il pourrait se débrouiller dans ce poste-là ? M'a pratiquement accusé de sénilité à propos de ce foutu formulaire pour l'évaluation de Meek ! A eu, en plus, la témérité de mettre mon jugement en doute à propos de Colin Cavalier ! Aurait aimé davantage de *preuves*, si vous pouvez croire ça ! A voulu savoir si j'en avais touché un mot au gamin !

Si je lui en avais touché un mot ! Bien sûr que oui ! Et si vous avez jamais vu un menteur de première classe, c'est bien lui. Ça se voit dans le regard, à la façon dont les yeux fuient constamment vers la gauche comme s'il y avait quelque chose là, quelque chose qu'il fallait éviter – du papier hygiénique collé à ma chaussure, peut-être, ou une grande flaque d'eau ! Oui, c'est dans l'expression d'humilité, les protestations emphatiques, la succession des *Vraiment, monsieur !*, des *Je vous le jure, monsieur !* accompagnés de l'air rusé et satisfait de celui qui *sait* et qui se cache derrière tout ça.

Moi, j'étais bien certain que tout cela s'arrêterait dès que je lui aurais mis le stylo sous le nez. Alors, je l'ai laissé s'enferrer, parler, protester, jurer sur la tête de sa mère et puis... je lui ai montré ce fameux stylo, le stylo gravé avec les initiales C.C. (Colin Cavalier) que j'avais découvert sur le lieu du crime.

Il est resté là, la bouche ouverte. Sa figure s'est allongée. Nous étions seuls dans la tour du clocheton. C'était l'heure de midi. Dehors, l'air était vif, le soleil brillait. Dans la cour de récréation, les élèves jouaient aux gendarmes... à la poursuite de l'automne. J'entendais leurs cris au loin comme des appels de mouettes portés par le vent. Cavalier les entendait lui aussi et, d'un air d'envie, il s'est tourné à demi vers la fenêtre.

« Alors ? » J'ai essayé de ne pas adopter le ton du vainqueur. Après tout, ce n'était qu'un gamin. « Ce stylo vous appartient bien, n'est-ce pas, Cavalier ? »

Pas de réponse. Les mains dans les poches, Cavalier se faisait tout petit devant moi. Il savait que son affaire était grave, qu'elle pourrait entraîner un renvoi. Je lisais clairement sur son visage qu'il s'en rendait compte : trace indélébile de son acte sur son dossier scolaire, déception de sa mère, fureur de son père, écroulement possible de toutes ses aspirations. « N'est-ce pas, Cavalier ? »

D'un hochement de tête, il a répondu oui.

Alors, je l'ai envoyé au professeur responsable de son année. Il n'y est jamais allé. Brasenose l'a aperçu plus tard à l'arrêt d'autobus, cet après-midi-là, mais il n'a pas trouvé cela bizarre. Un rendez-vous chez le dentiste, peut-être ? Ou un petit saut clandestin au magasin de disques ou au café ? Personne d'autre ne se souvient d'avoir vu ce garçon en uniforme de Saint Oswald, sac à dos de nylon noir, cheveux plats, air de celui qui porte tout le poids du monde sur ses épaules.

« Bien sûr que je lui en ai *touché un mot !* Il n'a d'ailleurs pas répondu grand-chose. Pas après que je lui ai mis son stylo sous le nez ! »

Beard a paru soucieux. « Je vois ! Et que lui avez-vous dit exactement ?

— Je lui ai fait la leçon à propos de ses écarts de conduite.

— Y avait-il un témoin ? »

Je commençais à en avoir plein le dos de ses questions. Bien sûr qu'il n'y avait pas eu de témoin ! Qui aurait pu en être témoin à la récréation de midi, un jour de grand vent, avec quelque mille élèves dans la cour ? J'ai exigé une explication. « Que se passe-t-il exactement, Beard ? Les parents se sont-ils encore plaints ? C'est ça ? Ai-je, une fois encore, accusé injustement leur petit chéri ? Ou savent-ils pertinemment que leur fils est un fieffé menteur et que si l'affaire n'avait pas mis en cause la réputation de Saint Oswald, je l'aurais déjà déposée entre les mains de la police ? »

Beard, après une profonde aspiration, a déclaré : « Je crois qu'il serait préférable d'aller continuer ailleurs cette conversation. » Il était visiblement mal à l'aise. Il n'était que huit heures, nous étions dans le couloir du bas, pratiquement désert encore. « J'aurais voulu que Patrick Mat soit présent mais il n'est pas dans son bureau et je ne réussis pas à l'obtenir au téléphone non plus ! Mon Dieu !... a-t-il ajouté en tirant nerveusement sur sa petite moustache. Je crois qu'il vaudrait mieux poursuivre cet entretien en présence des autorités responsables. »

Je m'apprêtais à lui répondre quelque chose de cinglant à propos des professeurs qui ont accepté d'être responsables d'une année et des *autorités* lorsque Meek est entré. Après m'avoir décoché un regard venimeux, il s'est adressé à Beard, d'une voix monocorde : « 'Y a quelque chose de bizarre dans le laboratoire d'informatique. Je pense que vous devriez y aller. »

Beard a eu l'air franchement soulagé. Les ennuis d'ordinateurs, ça, c'était son domaine ! Aucun contact humain désagréable ! Aucune incohérence de raisonnement ! Aucun mensonge. Rien que des machines à programmer et à décoder ! J'étais au courant du problème qu'il avait eu toute la semaine – un virus quelconque, c'est ce que l'on m'avait dit. Cela m'avait d'ailleurs rempli de joie. Les courriers électroniques avaient dû être complètement interrompus et les cours d'informatique transférés à la bibliothèque pendant plusieurs jours.

« Toutes mes excuses, monsieur Straitley, mais mon devoir m'appelle ! » a-t-il dit du ton du condamné dont le sursis a été annoncé à la dernière minute.

Dans mon casier, à la fin de l'heure de midi, j'ai découvert une note administrative de Mat, rédigée à la main. Pas avant, hélas ! Pourtant Marlene m'a dit l'avoir déposée immédiatement après l'appel du matin. La journée avait déjà, bien sûr, été fertile en incidents : absence de Grachvogel, dépression de Kitty, brave effort de Pearman pour prouver que tout allait bien malgré son air pâle, ses cheveux ébouriffés et les grands cernes noirs sous ses yeux. Marlene – qui sait toujours tout – m'a appris qu'il a passé la nuit dernière à l'École et qu'il n'est pas rentré chez lui depuis mercredi, jour où sa femme a reçu la lettre anonyme l'informant de la longue infidélité de son mari. Kitty, me dit Marlene, se croit responsable de tout cela, elle s'accuse d'avoir été la cause des ennuis de Pearman, elle s'interroge pour savoir si ce n'est pas de sa faute que l'informateur mystérieux a découvert la vérité.

Pearman n'a pas dit un mot. Il reste distant. C'est bien la réaction d'un homme, ça, ajoute Marlene. Trop absorbé par ses propres problèmes pour remarquer le chagrin inconsolable de la pauvre Kitty !

Ce n'est pas moi qui voudrais faire de commentaires ! Dans ces histoires-là, je ne prends parti pour personne. J'espère simplement que Pearman et Kitty pourront continuer à travailler ensemble. Je n'aimerais perdre ni l'un, ni l'autre. Surtout cette année, alors que tant d'autres choses ont déjà mal tourné.

Il y a, cependant, une petite consolation. De façon surprenante, Eric Scoones se révèle quelqu'un sur lequel on peut compter dans un univers devenu soudainement fragile. Difficile à vivre lorsque tout va bien, il devient précieux lorsque tout va mal. C'est ainsi qu'il a pris la relève de Pearman dans ses devoirs de chef de section sans la moindre plainte, je dirais même avec une certaine satisfaction. Il aurait, bien sûr, aimé devenir lui-même chef de section. Alors qu'il n'a pas le charme de Pearman, il aurait peut-être été excellent dans ce poste-là car il est méticuleux dans tout ce qui touche à l'administration. Hélas, l'âge l'a aigri et ce n'est qu'en période de crise que je retrouve le vrai Eric Scoones, le jeune homme d'il y a trente ans, consciencieux et plein d'énergie, l'organisateur infatigable, le jeune Turc plein d'ambition.

Mais Saint Oswald ne fait qu'une bouchée de ces qualités-là : l'énergie, l'ambition, les rêves. C'est à cela que je réfléchissais, assis dans la salle des profs, pendant les cinq dernières minutes de la récréation de midi, ma vieille tasse à thé dans une main et un simple biscuit dans l'autre – après tout, il est bien normal que je tire quelque chose de ma contribution à la cagnotte des profs ! À cette heure-là de la journée, la pièce est toujours pleine de monde, un peu comme le terminus d'une grande ligne vomissant ses voyageurs qui se dispersent vers toutes sortes de destinations. Les habitués : Roach, Light – étrangement silencieux – et Easy, toujours assis dans leurs fauteuils et profitant des cinq minutes supplémentaires pour parcourir le *Daily Mirror* avant le début des cours de l'après-midi, Monument, endormi, Penny Nation et Kitty, dans le coin des dames, miss Dare, plongée dans sa lecture, et le jeune Keane venu rapidement se reposer quelques instants après avoir été de surveillance à midi. Lorsqu'il m'a aperçu, il m'a dit : « Oh ! Monsieur Straitley, Mr. Mat vous cherchait. Il vous a envoyé un message, je crois ? »

Un message ? Par courrier électronique, sans doute ! Quand finira-t-il par comprendre ?

J'ai trouvé Mat dans son bureau, englué à l'écran de son ordinateur, il portait ses grosses lunettes. Il les a immédiatement retirées. Il est très conscient de son image et ces grosses lunettes conviendraient mieux à un vieil universitaire qu'à un ancien joueur de rugby.

« Eh bien ! Il vous faut un sacré bout de temps pour réagir, vous ! »

D'une petite voix soumise, j'ai répondu : « Toutes mes excuses ! J'ai dû louper votre message !

— Laissez tomber le baratin ! Vous oubliez toujours de vérifier si vous avez des notes administratives ! J'en ai ras le bol, Straitley ! J'en ai ras le bol de vous faire venir à mon bureau comme un vulgaire élève de première qui ne m'a pas rendu son devoir ! »

Je n'ai pas pu m'empêcher de sourire. J'ai un faible pour ce type-là, vous savez. Ce n'est pas un *Costard* et pourtant, Dieu en est témoin, il fait un sacré effort ! Lorsqu'il est en colère, il y a en lui une franchise que vous pourriez toujours chercher en vain chez un type comme le proviseur. J'ai répondu poliment : « *Vere dicis ?*

— Et vous pouvez arrêter ça aussi, et tout de suite ! a dit Mat. Nous sommes dans un vrai merdier et vous en êtes responsable ! »

285

Je l'ai dévisagé. Non, il ne plaisantait pas. « Que se passe-t-il ? Une autre plainte ? » Je pensais sans doute au blazer de Pooley à ce moment-là. Et pourtant, une affaire comme celle-là aurait dû relever de la juridiction de Beard.

« Pis que cela ! a répondu Patrick. Il s'agit de Cavalier. Il a fait une fugue !

— Quoi ? »

Patrick m'a foudroyé du regard. « Après ce petit entretien que vous avez eu avec lui au début de l'heure du déjeuner, il a pris son sac et a quitté l'École. Personne, et je veux bien dire PER-SONNE, ni ses parents ni ses copains, pas un être vivant ne l'a vu depuis ! »

MAT

1

Dimanche 31 octobre

Veille de la fête de Halloween. J'ai toujours particulièrement aimé cette soirée-là. Plus que celle du 5 novembre, en tout cas, avec ses célébrations de mauvais goût. J'ai toujours pensé qu'il était malsain d'encourager les enfants à fêter l'horrible mort d'un homme dont le seul crime réel était d'avoir eu des ambitions que sa position sociale lui interdisait.

C'est vrai, j'ai toujours eu un faible pour Guy Fawkes. Peut-être parce que je me trouve dans la même situation. Pour me débarrasser de mon monstrueux adversaire, je dois comploter sans aucune autre ressource que mon intelligence. Fawkes, lui, avait été trahi. Moi, je n'ai personne avec qui discuter de mes plans dévastateurs, donc pas d'alliés qui puissent me trahir. Alors, si je le suis, je ne pourrais qu'en blâmer mon imprudence ou ma propre stupidité, pas quelqu'un d'autre.

Le *savoir*, simplement, suffit à me réjouir. C'est un travail bien solitaire que le mien. Je souhaiterais souvent avoir quelqu'un avec qui partager mes succès ou les tracas que m'apporte jour après jour le combat que je mène. Cette semaine marque la fin d'une autre phase de ma campagne. Le picador a fini de fatiguer la bête, c'est au matador de faire son entrée.

En un certain sens, c'était dommage. J'avais commencé par Cavalier ce trimestre-ci, son aide m'avait été précieuse et, bien sûr, je n'avais personnellement rien contre ce garçon-là. Pourtant, à un moment ou à un autre, je devais m'en débarrasser. Il en savait trop – qu'il en fût conscient ou pas – pour que je puisse lui permettre de continuer.

Je m'attendais à une crise, bien entendu. Comme tous les artistes, j'ai le tempérament provocateur. La réaction de Straitley devant l'inspiration toute personnelle de mon petit chef-d'œuvre sur la palissade, derrière son jardin, avait certainement dépassé toutes mes espérances. Je savais aussi qu'il découvrirait le stylo et qu'il en tirerait inévitablement la seule conclusion logique.

Ces vieux *barons* de Saint Oswald, on peut si facilement prévoir leurs réactions, je vous l'avais bien dit. On appuie sur les commandes pour faire passer le courant et hop ! Les voilà partis. Cavalier était un fruit mûr, prêt à être cueilli, et Straitley était déjà programmé. Quelques paquets de Camel avaient suffi à encourager les collégiens de Sunny Bank Park à exacerber la paranoïa d'un vieil homme. Avec Cavalier, j'avais fait la même chose. Le terrain était préparé, les protagonistes à leur place pour la rencontre. Il ne restait plus qu'à attendre la confrontation finale.

J'avais la certitude qu'il viendrait. Je lui avais suggéré. *Imagine que je sois responsable de ta classe...* Il est venu, bien sûr, et tout droit. Il est arrivé en larmes et le pauvre garçon m'a tout raconté.

« Calme-toi, Colin ! lui ai-je dit en le poussant insensiblement dans le couloir de la mezzanine vers un petit réduit rarement utilisé et qui, parfois, sert de bureau. De quoi Mr. Straitley t'a-t-il *exactement* accusé ? »

Avec beaucoup de reniflements et d'attendrissements sur son malheur, il m'a raconté.

« Je vois ! »

Mon cœur s'est mis à battre plus vite. La machine s'était mise en branle. Trop tard pour l'arrêter. Mon gambit avait réussi. Je n'avais plus rien à faire qu'à regarder les puissants de Saint Oswald s'entre-déchirer.

« Qu'est-ce que je dois faire ? » Il était proche de la crise d'hystérie maintenant. L'inquiétude avait rabougri comme un pruneau son visage déjà maigre. « Il va prévenir ma mère, appeler la police. Je vais être renvoyé ! » Le renvoi, oui, cet ultime déshonneur qui supplante colère des parents et poursuites de la police dans la hiérarchie des conséquences à craindre.

« Tu ne seras pas renvoyé, lui ai-je dit d'un ton assuré.

— Comment pouvez-vous le savoir ?

— Colin, regarde-moi ! » Silence. Cavalier secouait la tête d'un mouvement frénétique. « *Regarde*-moi ! » Alors, toujours agité d'un tremblement, il a levé les yeux vers moi et, lentement, la crise nerveuse a commencé à se calmer.

« Écoute-moi, Colin », lui ai-je dit. Courtes phrases. Contact oculaire. Ton convaincu. Les profs utilisent cette technique-là. Les docteurs, les prêtres et les autres illusionnistes aussi. « Écoute-moi bien ! Tu ne seras pas renvoyé. Fais ce que je te dis. Viens avec moi et tout ira bien. »

Il m'attendait à l'arrêt d'autobus, près du parking réservé aux professeurs, comme je le lui avais demandé. Il était quatre heures moins dix. Il faisait déjà sombre. Pour une fois, j'avais quitté ma classe dix minutes avant l'heure. La rue était encore déserte. J'ai arrêté la voiture en face de lui. Cavalier y est monté, il s'est assis à côté de moi, le visage blême de terreur et d'espoir. Je lui ai dit d'une voix douce : « Ne t'en fais pas, Colin. Je te ramène chez toi. »

Cela ne faisait pas partie de ce que j'avais envisagé. Vraiment ! Vous pensez sans doute que c'était pure folie de ma part mais, en quittant Saint Oswald, cet après-midi-là, et en m'engageant dans cette rue qu'une fine pluie d'octobre embrumait déjà, je n'avais pas encore tout à fait décidé ce que j'allais faire de Colin Cavalier. J'ai tendance à être plutôt perfectionniste. J'aime avoir tout envisagé. Cependant, il vaut parfois mieux compter sur son instinct. C'est Léon qui m'a appris cela, vous savez, et je dois avouer que certains de mes coups les plus spectaculaires se sont révélés être des coups que je n'avais pas prémédités, des coups de génie faits sous l'impulsion du moment.

Avec Colin Cavalier, c'est exactement le cas. L'idée m'est venue comme ça, en longeant en voiture le jardin public.

Je vous l'ai déjà dit, j'ai toujours eu un faible pour Halloween. Enfant, je préférais cette fête à celle du 5 novembre dont je me méfiais un peu avec sa commercialisation ridicule et ses grotesques réjouissances autour du gigantesque barbecue. Mais ce dont je me méfiais encore plus, c'était du grand feu de joie, organisé au jardin public par le conseil municipal, qui permettait aux gens de venir en foule s'entasser devant un incendie de proportions inquiétantes pour contempler ce qui était finalement un assez minable petit feu d'artifice. Il était fréquemment accompagné d'une fête foraine, organisée par des gens du voyage un peu cyniques et prêts à saisir n'importe quelle occasion. Il y avait le stand du marchand de hot-dogs, celui de l'hercule – où l'on peut mesurer sa force et où *Ici tout le monde gagne* –, un stand de tir avec des ours en peluche à l'air miteux qui pendent le long du mur comme des trophées, un vendeur de pommes enrobées de caramel – dont la pulpe est réduite à une boue brune qui s'écrase sous des écailles de sucre candi rouge vif – et des équipes de pickpockets qui se frayaient hypocritement un chemin à travers la foule en liesse.

J'ai toujours détesté ce spectacle sans vraie raison d'être. Le bruit, la sueur, la racaille, la chaleur et cette violence toujours prête à éclater m'ont toujours paru répugnants. C'est la vérité. Que vous le croyiez ou non, je déteste la violence ! Son manque d'élégance, surtout, je crois. Sa stupidité grossière et brutale. Mon père, lui, adorait justement le feu de joie du 5 novembre pour les raisons précises qui me le faisaient détester. Il n'était, semblait-il, jamais plus heureux qu'en ces occasions-là lorsque, bouteille à la main, visage tout cramoisi de chaleur, antennes de Martien oscillant sur son front (ou était-ce des cornes de diable ?), il tendait le cou pour mieux voir les fusées traverser le ciel enfumé et éclater avec des *brapp brapp brapp* sonores.

C'est pourtant justement alors que je pensais à lui que l'idée m'est venue. Une idée si élégante dans sa conception qu'elle m'a fait sourire. Oui, Léon aurait été fier de moi. Mon double problème d'élimination et d'absence de traces s'en trouvait résolu d'un seul coup.

J'ai allumé mon clignotant, j'ai tourné vers l'entrée du parc dont les énormes grilles étaient ouvertes – le seul jour de l'année où l'accès avec un véhicule est autorisé au public – et j'ai lentement continué le long de l'allée principale.

« Qu'est-ce qu'on vient faire ici ? » a demandé Cavalier qui avait maintenant tout oublié de son inquiétude. Un écouteur négligemment pendu à son oreille, il grignotait une barre de chocolat achetée à la coopérative de l'École tout en jouant avec son beau portable de pointe à un jeu électronique quelconque.

Je lui ai répondu : « Je veux brûler quelque chose dont je dois me débarrasser. »

Autant que je puisse en juger, c'est le seul avantage de ce feu du 5 novembre. Cela permet aux gens de se débarrasser de tout ce qui les encombre : planches, palettes, magazines, cartons sont toujours bien accueillis, tout ce qui peut brûler, d'ailleurs. On accepte aussi des pneus, de vieux canapés, de vieux matelas, des piles de journaux et on encourage les gens à apporter tout ce qu'ils peuvent.

Bien sûr, on avait déjà soigneusement, méthodiquement dressé le bûcher : une admirable construction pyramidale de trente pieds de haut, faite, couche après couche, de vieux meubles, de jouets cassés, de papiers, de vêtements jetés, de sacs et de cageots, sans oublier, pour appeler l'origine de la tradition, de multiples effigies de Guy Fawkes. Des dizaines d'effigies. Certaines avec des inscriptions pendues à leur cou, d'autres beaucoup plus rudimentaires, alors que d'autres aussi semblaient étrangement humaines. Les *Guys* étaient assis, debout, allongés, dans toute une variété de positions, sur le bûcher que l'on n'avait pas encore allumé. À une cinquantaine de mètres, on avait installé un cordon protecteur. Une fois le bûcher allumé, la chaleur deviendrait si intense, que s'en approcher voudrait dire s'exposer à être dévoré par les flammes.

J'ai garé la voiture aussi près de la zone interdite que je le pouvais et j'ai dit : « C'est impressionnant n'est-ce pas ? » Je ne pouvais pas aller plus loin car des bennes remplies de choses à brûler me bloquaient le passage. J'ai pensé que, de toute façon, cela suffirait.

Cavalier a répondu : « Pas mal ! Qu'est-ce que vous avez apporté ?

— Regarde toi-même ! » Descendant de la voiture, j'ai ajouté : « Tu vas peut-être devoir me donner un coup de main car c'est trop grand pour que je puisse me débrouiller sans aide. »

Cavalier est descendu à son tour, sans même ôter son écouteur. Un instant, j'ai cru qu'il allait se plaindre mais comme j'ouvrais le coffre, il est arrivé sur mes talons. Il a jeté un coup d'œil blasé vers l'énorme bûcher.

« Beau portable !

— Ouais !

— J'aime un beau feu de joie, pas toi ?

— Ouais !

— En tout cas, j'espère qu'il ne va pas se mettre à pleuvoir. Je ne trouve rien de plus agaçant qu'un feu de joie qui refuse de flamber. Enfin, ils ont bien dû mettre quelque chose pour empêcher cela, de l'essence, par exemple. Cela semble toujours si bien marcher ! »

Tout en parlant, j'ai pris soin de me trouver entre Cavalier et la voiture. C'était inutile, je suppose. Le garçon n'était pas très méfiant. Tout bien considéré, mon geste pourrait être considéré comme ma contribution à la préservation de la qualité de la réserve génétique de l'humanité.

« Allez, Colin, tu viens ? »

Il s'est avancé d'un pas.

« Bien. » Une main au creux des reins. Une petite poussée. Et hop ! Un court instant, j'ai revu ce stand des foires de ma jeunesse, celui où l'on allait mesurer sa force, où tout le monde était un gagnant et j'ai imaginé que je levais le maillet très haut, que l'odeur de fumée et de pop-corn, mêlée à celle des saucisses de Francfort et des oignons frits, chatouillait mes narines, j'ai revu le sourire de mon père sous ses ridicules antennes de Martien, j'ai vu Léon, une Camel entre ses doigts tout tachés d'encre, qui me souriait d'un air encourageant.

Alors, de toutes mes forces, j'ai soudain refermé le coffre. J'ai entendu le bruit indescriptible et pourtant si familier, si rassurant, qui me disait qu'une fois de plus j'avais gagné.

2

Il y avait pas mal de sang.

Comme je l'avais prévu d'ailleurs. C'est pour cela que j'avais pris mes précautions. Pourtant, il va quand même falloir porter mes vêtements chez le teinturier.

Ne croyez pas que j'aie éprouvé un plaisir quelconque à ce que j'ai fait. Je juge toute violence répugnante. J'aurais de beaucoup préféré le laisser tomber de très haut ou le voir s'étrangler avec une cacahuète. N'importe quoi plutôt que cette méthode-là, trop primitive et trop salissante, à mon goût. Pourtant, on ne peut pas le nier, c'était une solution et une bonne solution. D'ailleurs, Cavalier, lui-même, n'avait-il pas déclaré une fois qu'on ne lui permettrait pas de vivre ? De toute façon, j'ai besoin de lui pour la phase suivante.

Il sera une sorte d'appât, si vous voulez.

J'ai emprunté quelques instants son portable, que j'ai nettoyé avec de l'herbe mouillée, puis je l'ai éteint et mis dans ma poche. J'ai ensuite couvert le visage du garçon avec un sac-poubelle noir – j'en garde toujours quelques-uns dans la voiture pour le cas où j'en aurais besoin –, je l'ai maintenu, bien serré, avec un élastique. J'ai répété l'opération pour ses mains. J'ai installé le corps dans un vieux fauteuil que quelqu'un avait déposé assez près de la base du bûcher. Je l'ai maintenu tout droit avec un gros paquet de magazines attachés par une ficelle. On aurait cru voir n'importe laquelle des effigies de Guy Fawkes qui attendaient là d'être brûlées sur le bûcher – la mienne était un peu plus réaliste que les autres peut-être.

Pendant que je l'arrangeais, un vieil homme est passé près de moi avec son chien. Il m'a dit bonsoir, le chien a aboyé et ils ont poursuivi leur chemin. Ni l'un ni l'autre n'a prêté attention au sang sur l'herbe. Quant au corps lui-même, j'ai remarqué que tant que vous ne vous comportez pas comme un meurtrier, vous ne passerez pas pour un meurtrier aux yeux des autres, même si tous les signes sont là pour prouver le contraire. Si jamais je me décide un jour à faire carrière dans le grand banditisme – c'est toujours possible car j'aime croire que j'ai plus d'une corde à mon arc ! – je mettrai un masque sur mon visage, un pull à rayures et je porterai un sac sur lequel on lira BUTIN. Si quelqu'un m'aperçoit, il pensera que je vais à une soirée « Voleurs » et ce sera tout. Je sais que la plupart des gens sont très peu observateurs, surtout pour ce qui se passe juste sous leur nez.

J'ai fêté mon succès en allumant un feu, moi aussi. Après tout, c'est la tradition.

J'ai d'ailleurs découvert que la loge brûlait très bien, compte tenu de sa longue histoire d'humidité. Mon seul regret a été que le nouveau *porter* – Shuttleworth, je crois qu'il s'appelle – n'ait pas encore emménagé. Enfin, la loge était déserte et Jimmy temporairement renvoyé, je n'aurais donc pas pu choisir de moment plus favorable.

Il y a, bien entendu, un certain nombre de caméras de surveillance à Saint Oswald, bien que la plupart soient dirigées vers le grand portail et l'imposante entrée, mais j'aurais pu parier que la loge ne serait pas une de leurs priorités. Pour l'occasion pourtant, j'ai porté un immense sweat-shirt à capuche pour déguiser mon identité. L'écran de surveillance ne révélerait rien d'autre que la silhouette encapuchonnée de quelqu'un qui portait un sac de collégien à l'épaule, deux bidons sans étiquette, et qui courait le long de l'enceinte extérieure de l'École dans la direction de la loge.

Y pénétrer m'a été facile mais, une fois à l'intérieur, les souvenirs qui semblaient sourdre des murs m'ont été plus difficiles à supporter : l'odeur de mon père, cette aigre puanteur, l'âcre parfum du fantôme de Cinabre. La plupart des meubles appartenaient à Saint Oswald. Ils étaient toujours là : le dressoir, la grande horloge, la lourde table et les chaises de la salle à manger (que nous n'avions jamais utilisée). Sur la tapisserie de la salle de séjour, le rectangle plus pâle où mon père avait suspendu un cadre – la gravure mièvre d'une fillette avec son petit chien –, de façon surprenante, m'a retourné le cœur.

Soudain, le souvenir de la maison de Roy Straitley a ridiculement envahi mon esprit. J'ai revu les rangées de photos de garçons qui souriaient dans leurs uniformes passés. Dans ces visages effrontés et pleins d'esprit, le regard de ces jeunes morts était fixé pour toujours. C'était terrible. Non, c'était pis que cela, ce n'était pas *original*. J'avais imaginé prendre tout mon temps à arroser allégrement d'essence ces vieux tapis et ces vieux meubles. J'avais imaginé le plaisir que j'allais en tirer. Mais, au contraire, c'est à la hâte et en secret que j'ai accompli ce que j'avais à faire et que j'ai fui comme un vil maraudeur, comme un intrus. C'était une impression que je n'avais jamais plus ressentie depuis cette fameuse journée où j'avais posé les yeux sur le magnifique bâtiment, avec ses fenêtres étincelantes de soleil, et où j'avais tant désiré qu'il pût, un jour, être mien.

Léon n'avait jamais compris cela, lui. Il n'avait jamais vraiment *vu* Saint Oswald. Il n'avait jamais reconnu son élégance, son histoire, la perfection de son arrogance. Pour lui, Saint Oswald était tout simplement une autre école avec des pupitres sur lesquels graver son nom, des murs sur lesquels laisser des messages, des professeurs à défier et à tourner en dérision. Mais tu avais tort, Léon ! Puérilement tort. Dangereusement tort.

J'ai donc incendié la loge. Pourtant, au lieu de l'allégresse à laquelle je m'étais attendue lorsque les flammes ont commencé à gronder et se sont mises à danser, je n'ai éprouvé qu'un remords furtif – la plus minable et la plus futile des émotions.

Le temps que la police arrive, j'avais repris tous mes esprits. J'avais déjà ôté mon grand sweat-shirt et remis quelque chose de plus convenable. Avant de m'éloigner, j'ai passé les quelques minutes nécessaires à leur dire ce qu'ils voulaient entendre – un ado, la tête couverte d'une capuche, s'enfuyait –, à leur permettre aussi de découvrir les bidons et le sac d'école abandonnés. Les pompiers étaient aussi arrivés dans l'intervalle et j'ai pu m'écarter pour leur permettre de faire leur travail. Il ne restait d'ailleurs plus grand-chose à faire. La plus grande partie de la loge était déjà réduite en cendres avant que leur voiture ne vienne se garer dans l'allée.

Une blague de lycéen, voilà ce que dira le journal local, lundi matin. Une farce de Halloween qui a tragiquement mal tourné. Mon champagne avait peut-être perdu un peu de son mousseux mais je l'ai bu quand même. J'ai passé aussi quelques coups de téléphone de routine avec le portable emprunté à Cavalier. J'ai entendu des pétarades de feu d'artifice et les voix des jeunes fêtards, déguisés en sorcières, en goules et en vampires, qui se pourchassaient le long des ruelles sous ma fenêtre.

Si je m'arrange pour m'asseoir à un endroit précis, d'ici je peux apercevoir Dog Lane. Je me demande si Straitley, lui aussi, est assis à sa fenêtre ce soir, lumières baissées, rideaux tirés. Il s'attend sûrement à avoir des ennuis. Que ce soit Cavalier qui en soit responsable ou quelqu'un d'autre, des collégiens ou des fantômes. Car Straitley croit aux fantômes et il a bien raison ! Ce soir, ils sont sortis en foule comme de vieux souvenirs, des spectres que l'on aurait libérés simplement pour tourmenter les vivants.

Alors, qu'ils les tourmentent ! Les morts n'ont pas souvent l'occasion de s'amuser. Moi, j'ai joué mon rôle. J'ai poussé mon petit bâton dans les grands rouages de l'École. Appelez cela une offrande si vous voulez, un sacrifice dans le sang. Si cela ne les satisfait pas, rien ne pourra les satisfaire.

3

Saint Oswald – Lycée de garçons
Lundi 1ᵉʳ novembre

Quelle pagaille ! Le chaos total. J'ai bien vu le feu s'allumer hier soir mais j'ai cru qu'il s'agissait du feu de joie que nous avons tous les ans pour commémorer la découverte du complot de Guy Fawkes, un peu plus tôt que prévu tout simplement, et pas exactement, non plus, à l'endroit habituel. Lorsque j'ai entendu la voiture des pompiers pourtant, j'ai soudain eu envie d'aller voir. Cela me rappelait tellement cette autre fois, vous comprenez, les hurlements des sirènes dans l'obscurité, Patrick Mat avec son maudit mégaphone comme un metteur en scène de cinéma pris d'un accès de folie.

L'air était glacial lorsque je suis sorti et j'étais bien content de mon pardessus et du foulard à carreaux que j'avais passé autour de mon cou – un cadeau de Noël d'un élève qui remonte à l'époque où ces choses-là se faisaient encore. Partout, il y avait cette odeur, que je trouve agréable, de fumée, de brouillard et de poudre. Malgré l'heure tardive, une bande de gosses dévalaient la ruelle avec un sac de plastique contenant le produit de leur racket : des bonbons, des biscuits et des chocolats. L'un d'eux, un petit fantôme, a laissé tomber, en passant devant moi, un papier d'emballage – celui d'une mini-barre de chocolat au caramel, si mes souvenirs sont exacts. Sans réfléchir, je me suis immédiatement baissé pour le ramasser.

« Eh ! Dis donc, toi ! » ai-je tonné de ma voix de professeur habitué à la tour du clocheton.

Le petit fantôme, un gamin de huit ou neuf ans, s'est arrêté tout net.

« Tu as laissé tomber quelque chose ! lui ai-je dit en lui tendant le papier.

— J'ai fait quoi ? m'a demandé le petit fantôme comme si j'étais devenu soudainement fou.

— Tu as laissé tomber quelque chose ! » ai-je répété d'un ton patient, et j'ai ajouté, en indiquant du doigt une poubelle située à une dizaine de mètres : « Tu vois cette poubelle là-bas. Tu y vas et tu déposes ça dedans !

— Je... quoi ? » Derrière lui, les autres riaient et se poussaient du coude. L'un a ricané derrière son masque de plastique de supermarché. Des élèves d'école primaire de Sunny Bank, me suis-je dit, avec un soupir, ou de futurs gros durs de la rue de l'Abbaye. Quels parents autres que ceux de ces quartiers-là permettraient à des gamins de huit ou neuf ans de rôder dans les rues à onze heures et demie du soir ?

J'ai répété : « Tu mets ça dans la poubelle, s'il te plaît. Je suis certain que tes parents ne t'ont pas appris à laisser tomber des papiers dans la rue ! » J'ai souri un instant à la demi-douzaine de petites frimousses levées vers moi et qui me contemplaient d'un air étonné. Il y avait un loup, trois fantômes, couverts de draps de lit, un vampire crasseux dont le nez coulait et un petit personnage que je n'ai pas pu identifier : une goule ou un lutin ou l'une de ces créatures sans nom sortie tout droit d'un de ces films d'horreur à l'américaine.

Le petit fantôme m a dévisagé puis a regardé le papier.

Comme il commençait à se diriger vers la poubelle, j'ai approuvé : « Eh bien voilà ! »

Il s'est alors retourné avec un sourire grimaçant qui a découvert ses vilaines dents jaunes de fumeur endurci. « Tu peux aller t'faire foutre ! » m'a-t-il crié en s'enfuyant à toute vitesse dans la ruelle et en laissant tomber le papier de chocolat. Les autres aussi se sont mis à courir mais dans l'autre direction en éparpillant leurs papiers partout, et j'ai entendu leurs moqueries et leurs insultes pendant qu'ils disparaissaient dans la brume glacée.

Je n'aurais pas dû me mêler de cela. En tant que prof, même à Saint Oswald – qui représente, après tout, un lieu plutôt privilégié –, j'en ai vu de tous genres. Ces jeunes de Sunny Bank, eux, appartiennent à une autre espèce. L'alcoolisme, la drogue et la violence fleurissent dans ce bouillon de culture que crée la pauvreté de leur quartier. Les insultes et la crasse leur sont aussi familières qu'un *salut, mon pote !* ou un *j'dois m'barrer*. Ils n'y voient aucun mal, enfin, pas vraiment. Et pourtant, cela m'a plus affecté peut-être que cela n'aurait dû le faire. Ce soir-là, j'avais déjà donné trois corbeilles pleines de sucreries à des gamins et, parmi ces sucreries, il y avait un certain nombre de mini-barres de chocolat.

J'ai ramassé le papier avec un serrement de cœur inattendu et je l'ai déposé dans la poubelle. Je deviens vieux, c'est tout. J'attendais encore des jeunes, de l'humanité tout entière d'ailleurs, je crois, un comportement qui était maintenant totalement dépassé. Même si je soupçonnais – si je savais peut-être, au fond de mon cœur – que l'incendie avait quelque chose à voir avec Saint Oswald, je ne m'y *attendais* pas vraiment. Cet optimisme déraisonnable qui a toujours été le fond de ma nature, pour le meilleur ou pour le pire, m'interdit de voir le plus mauvais côté des choses. C'est d'ailleurs la raison pour laquelle j'ai été sincèrement surpris en arrivant à l'École de voir la voiture des pompiers et de réaliser que la loge était en feu.

Cela aurait pu être pis, bien sûr. La bibliothèque aurait pu être la proie de l'incendie. Longtemps avant moi, en 1845, elle l'avait été. Plus de mille livres avaient été réduits en cendres et, parmi eux, de très rares avaient été perdus. Une bougie que quelqu'un avait négligé de surveiller peut-être ? Mais rien dans les archives de l'École n'avait suggéré une intention criminelle.

C'était le cas pourtant, cette fois. Le capitaine des pompiers a dit, dans son rapport, que de l'essence avait été utilisée. Un témoin a vu s'enfuir en courant un garçon dont la tête était couverte d'une capuche. Plus grave encore, on avait trouvé la sacoche de Cavalier, un peu abîmée par les flammes mais encore parfaitement reconnaissable, avec ses livres et ses cahiers soigneusement étiquetés avec son nom et sa classe.

Mat était, bien sûr, immédiatement arrivé. Il avait aidé les pompiers avec une telle énergie qu'un moment je l'avais pris pour l'un d'eux. Mais il s'était approché à travers la fumée, les yeux rougis, les cheveux dressés sur la tête, le visage si cramoisi par l'émotion et la chaleur qu'on aurait dit qu'il allait avoir une attaque.

Il m'a dit, en haletant pour retrouver sa respiration : « Il n'y a personne à l'intérieur ! » Je l'ai vu, avec une grande horloge sous le bras, courir comme un pilier avant s'apprêtant à marquer un essai. « Je pensais que je pourrais essayer de sauver quelques petites choses », m'a-t-il dit avant de repartir en courant, sa silhouette massive rendue presque fluette par l'ampleur de l'incendie. Je l'ai rappelé mais le bruit a couvert ma voix. Quelques instants plus tard, il essayait de faire passer un coffre de chêne massif par la porte de devant déjà dévorée par les flammes.

Comme je l'ai dit, c'était le chaos complet.

Ce matin, un cordon de protection a été établi autour du lieu du sinistre. Certains débris sont toujours rouges et fument encore. L'École tout entière garde l'odeur d'un feu de joie. Dans la classe, personne ne parle de quoi que ce soit d'autre. La nouvelle de la disparition de Cavalier, puis celle de l'incendie sont suffisantes pour encourager les rumeurs, qui sont le fruit d'une imagination si débridée que le proviseur n'a pas eu d'autre choix que d'annoncer une réunion extraordinaire des professeurs pour discuter des possibilités qui s'offraient à nous.

Sa technique habituelle est de nier ce qu'il est possible de nier : cette histoire de John Snyde, démentie, le scandale *Fallowgate*, réfuté avec vigueur. Sa Majesté a maintenant bien l'intention de récuser cette « affaire Cavalier » – comme Allen-Jones l'a baptisée –, surtout au moment où le journal local s'obstine à poser les questions les plus impertinentes dans l'espoir de déterrer un nouveau scandale. Demain, bien sûr, toute la ville sera au courant. Les élèves, comme d'habitude, parleront et la nouvelle se répandra. Un garçon disparaît. Un incendie criminel a lieu. L'École l'a peut-être provoqué – qui sait ? – en tolérant brimades et représailles. Aucune lettre n'a été trouvée. Le garçon a pris la fuite. Où et pourquoi ?

Personnellement, *je* croyais – *nous* le croyions tous, d'ailleurs – que la raison de la présence de la police ce matin était Cavalier. Ils sont arrivés à huit heures et demie : cinq agents – trois en civil –, une femme, quatre hommes. Le sergent Ellis, notre représentant des forces de police dans les établissements de la ville – un vieux de la vieille, un gars qui a l'habitude des relations publiques et des tête-à-tête entre hommes, n'était pas parmi eux. Cela aurait pourtant dû me mettre la puce à l'oreille. Mais j'étais trop préoccupé par mes propres ennuis pour leur accorder beaucoup d'attention.

C'était d'ailleurs le cas de tout le monde et nous avions de bonnes raisons. La moitié de la section était absente. Les ordinateurs avaient été mis hors d'état par un méchant virus. Les garçons, en proie à des tas de conjectures, étaient agités par des idées de révolte. Les professeurs étaient tendus, incapables de concentration. Je n'avais pas vu Mat depuis la veille. Marlene m'a appris qu'on avait dû le traiter pour inhalation de fumée, qu'il avait refusé de rester à l'hôpital et qu'il avait passé le reste de la nuit à l'École à évaluer les dégâts et à rédiger un rapport pour la police.

Bien sûr, les échelons supérieurs de notre administration en général m'accusent officieusement d'être la cause de tout cela. C'est du moins ce que Marlene m'a laissé entendre après avoir jeté les yeux sur une lettre dictée par Bob Strange à sa secrétaire et dont le texte attendait d'être approuvé par Mat. Je n'ai pas eu l'occasion de la lire, pourtant j'en devine aussi bien le style que le contenu. Bob Strange est le spécialiste du coup de grâce donné sans trace de sang, ayant déjà rédigé une bonne douzaine de lettres de ce genre au cours de sa carrière. *Notre attention, ayant été attirée récemment sur certains événements... il est regrettable mais hélas inévitable que... à la suite d'incidents sur lesquels il nous est maintenant impossible de fermer les yeux... un congé sabbatique a été accordé avec salaire complet, jusqu'à ce que...*

Il y avait des allusions à mon comportement étrange, à la multiplicité de mes oublis, à ce curieux incident avec Anderton-Pullitt, sans oublier, bien sûr, cette évaluation bâclée de Meek, le blazer déchiré de Pooley et toute une série de menus incidents bien impossibles à éviter au cours d'une carrière d'enseignant, incidents tous notés, datés, numérotés et conservés pour pouvoir servir d'arguments, plus tard, dans une occasion comme celle-ci.

Alors viendrait la main tendue, la mention – qui lui resterait dans le gosier – de trente-trois années de *bons et loyaux services*, l'assurance de profond respect, exprimée avec une petite moue crispée. Et derrière tout cela, on pourrait déchiffrer : vous êtes maintenant une gêne pour nous. Toujours la même histoire. En un mot, c'était la coupe de ciguë que me préparait Bob Strange.

Je ne peux pas dire que j'en sois tellement surpris. Mais, pendant tant d'années, j'avais tellement donné de moi à l'École ! Je m'étais imaginé que j'étais devenu une sorte d'être privilégié, je suppose. Hélas, les choses ne se passent pas comme ça. La machine qui sert de cœur à Saint Oswald est aussi dépourvue d'émotions, aussi incapable de pardon que les ordinateurs de Strange. Il ne s'agit pas de méchanceté ici, mais de la logique des chiffres. Je suis vieux. Je leur coûte cher. Je suis inefficace, je suis *de trop*. Un rouage usé, faisant partie d'un mécanisme désuet qui n'a plus de véritable raison d'être. Alors, si un scandale éclate, qui pourrait mieux que moi jouer le rôle de bouc émissaire ? Strange est si sûr que je ne ferai pas d'histoire. Ce serait, d'abord, un manque total de dignité et ne réussirait qu'à aggraver le scandale dans lequel Saint Oswald est déjà plongé. On ajouterait à ma pension une généreuse indemnité. Patrick Mat préparerait un beau discours, bien tourné pour la réunion d'adieu. Il y ferait allusion à mon état de santé et aux multiples plaisirs que ma retraite imminente me procurerait. Et, derrière tous les lauriers, derrière toute la pompe, serait dissimulée la coupe empoisonnée.

Qu'il soit maudit ! Je pourrais presque me persuader que, depuis le début, tout était calculé. Mon bureau abandonné à l'envahisseur, ma disparition du prospectus de l'École, son ingérence dans mes affaires. La raison pour laquelle il avait encore cette lettre sur son bureau était que le pauvre Mat n'était pas là pour l'approuver. Strange avait besoin d'avoir Mat de son côté. Et il l'aurait. Bien que j'éprouve beaucoup de sympathie pour Mat, je ne me fais aucune illusion quant à l'objet de sa loyauté. D'abord et toujours, Saint Oswald ! Et le **proviseur** ? Je savais qu'il ne serait que trop heureux de remettre l'affaire entre les mains des gouverneurs. Le Dr Pooley après ça pourrait s'en donner à cœur joie ! Et qui allait vraiment se soucier de moi ? Et de ma Centaine qui, maintenant, dans la situation où je me trouvais, aurait pu aussi bien être encore à des années-lumière.

À midi, j'ai reçu une note administrative de Devine, écrite à la main, pour une fois – les ordinateurs étaient toujours hors d'action, je suppose – et qu'un élève de son groupe de seconde m'a apportée :

R.S. Convocation immédiate à mon bureau. M.R.D.

Je me suis interrogé. Devine faisait-il, lui aussi, partie du complot ? Cela ne m'aurait pas étonné de lui. Je l'ai donc obligé à attendre. J'ai corrigé quelques cahiers, plaisanté avec les élèves et avalé une tasse de thé. Dix minutes plus tard, Devine est arrivé, hors de lui. En voyant l'expression de son visage, d'un geste de la main, j'ai renvoyé les garçons et je lui ai accordé mon entière attention.

Vous allez peut-être vous imaginer que je mène une sorte de vendetta contre Pisse-Vinaigre. Pas du tout ! À la vérité, je dois avouer que, la plupart du temps, j'éprouve un certain plaisir à nos prises de bec, même si nous avons des idées bien différentes dans le domaine de la pédagogie, de l'uniforme, de la santé et de la sécurité à l'École, de l'ordre et du comportement en général.

Cependant, je sais quand je dois m'arrêter et, dès que j'ai vu son expression, j'ai perdu toute envie de faire enrager le vieil idiot. Il semblait malade. Pas simplement pâle – c'est sa couleur naturelle –, mais jaune, hagard et vieux. Sa cravate était de travers, ses cheveux, si soigneusement coiffés d'ordinaire, étaient hérissés comme ceux d'un homme qui serait sorti dans une rafale de vent. Sa démarche elle-même, si rapide et si saccadée d'habitude, avait changé. Il est entré dans ma classe en titubant comme un jouet mécanique arrivé au bout de sa course et s'est lourdement assis sur le bureau le plus proche.

« Qu'est-ce qui se passe ? »

Il n'y avait pas la moindre trace de raillerie dans ma voix maintenant. J'ai immédiatement pensé à un décès soudain : sa femme, un élève, un collègue proche. Seule une terrible nouvelle aurait pu l'affecter de cette façon-là.

Qu'il n'eût pas saisi l'occasion de se plaindre de mon absence de réaction à sa convocation urgente suffisait pour m'indiquer que sa détresse était réelle. Il est resté assis quelques instants sur le bureau, son étroite poitrine inclinée jusqu'à en toucher presque ses genoux protubérants.

J'ai sorti une Gauloise que j'ai allumée et la lui ai tendue. Il y avait des années qu'il ne fumait plus. Il l'a pourtant saisie sans dire un mot.

J'ai attendu qu'il parle. Je n'ai peut-être pas la réputation d'avoir beaucoup de doigté mais je sais comment opérer avec un élève tourmenté. Devine, selon toutes les apparences, était en proie à un terrible tourment. Vieil élève, aux cheveux gris, au visage ravagé par le souci, il avait maintenant ramené les genoux contre sa poitrine dans un geste désespéré de protection.

« La police, a-t-il dit dans une sorte de spasme.

— La police... et alors ?

— Ils ont arrêté Patrick Mat ! »

Il m'a fallu un certain temps pour apprendre toute l'histoire. D'abord, Devine ne la connaissait pas. Il croyait que cela avait quelque chose à voir avec les ordinateurs, bien que personne ne fût certain des détails. Le nom de Cavalier était mêlé à cette histoire. On questionnait les élèves des classes de Mat mais personne ne semblait savoir de quoi il était accusé.

Cependant je comprenais très bien pourquoi Devine était saisi de panique. Il avait toujours essayé d'être en bons termes avec la direction. Il était naturellement terrifié à l'idée d'être impliqué dans ce nouveau et mystérieux scandale. Les gens de la police qui étaient venus l'avaient longuement interrogé. Ils semblaient particulièrement s'intéresser au fait que Patrick avait plusieurs fois reçu chez lui Mr. et Mrs. Pisse-Vinaigre et ils s'apprêtaient à passer son bureau au peigne fin pour y découvrir des *preuves*.

« Des preuves de quoi ? a demandé Devine en écrasant le mégot de sa Gauloise. Que peuvent-ils s'attendre à trouver ? Si seulement je le savais ! »

Une demi-heure plus tard, deux des enquêteurs sont partis en emportant l'ordinateur de Mat. Lorsque Marlene leur en a demandé la raison, ils n'ont donné aucune réponse. Trois sont restés pour *poursuivre leur enquête*, en particulier dans les salles d'informatique qui sont, pour le moment, interdites à l'ensemble des professeurs. L'un des trois, la femme, est venu dans ma salle de classe pendant le dernier cours de l'après-midi. Elle m'a demandé QUAND j'avais utilisé mon poste de travail, la dernière fois. Je lui ai répondu d'un ton sec que je ne me servais JAMAIS d'ordinateurs et que les jeux électroniques ne présentaient pour moi aucun intérêt. Elle m'a quitté avec l'air mécontent d'un inspecteur s'apprêtant à rédiger un très mauvais rapport.

Le groupe auquel je faisais cours était maintenant bien incapable de reprendre un travail sérieux. Nous avons donc joué au pendu, en latin, pendant les dix minutes qui restaient. Mon esprit n'arrivait pas à se fixer et le doigt invisible – qui ne s'éloigne jamais beaucoup – me tapotait le sternum avec de plus en plus d'insistance.

Lorsque la leçon a pris fin, je me suis mis à la recherche de Beard, le chef de la section d'informatique. Je l'ai trouvé réticent. Il m'a parlé de virus qui avaient affecté le réseau, de postes de travail, de systèmes de protection des mots de passe, de télécopies d'Internet... de toutes ces choses qui n'éveillent pas plus ma curiosité que les œuvres de Tacite n'éveillent celle de Beard.

Résultat ? Je n'en sais pas plus maintenant que je n'en savais à midi. J'ai été obligé de rentrer chez moi après avoir attendu en vain plus d'une heure que Bob Strange daigne sortir de son bureau. Je me sentais frustré et terriblement inquiet. Quelle que soit la cause de tout cela, ce n'est pas fini. Nous ne sommes encore qu'en novembre, et j'ai l'impression que les ides de mars viennent déjà de commencer.

4

Mardi 2 novembre

Mon élève a, de nouveau, été l'objet de l'attention des journaux. Cette fois, des journaux nationaux – La Taupe, bien entendu, y était pour un petit quelque chose mais, même sans elle, tôt ou tard son histoire aurait fini par y paraître.

Le *Daily Mail* fait tomber la responsabilité sur le dos des parents, le *Guardian* voit en lui une victime, le *Telegraph* en profite pour publier un éditorial sur le vandalisme et les moyens de le combattre. Tous me procurent beaucoup de satisfaction. La mère de Cavalier, en pleurs, a lancé un appel télévisé à Colin lui jurant qu'il n'avait rien à craindre et l'implorant de rentrer à la maison.

Mat a reçu une lettre l'informant de son renvoi temporaire en attendant les conclusions de l'enquête dont il est l'objet. Cela ne me surprend pas. Ce qu'ils ont découvert sur son ordinateur a certainement dû aider à prendre cette décision. Gerry Grachvogel a, lui aussi, dû être appréhendé maintenant et d'autres vont bientôt le rejoindre. La nouvelle a causé un bruit qui a ébranlé l'École comme une explosion – celle de la bombe à retardement que j'avais mise en place, comme par hasard, pendant les vacances de la mi-trimestre.

Un virus pour immobiliser les défenses du réseau. Un ensemble soigneusement élaboré de liaisons Internet. Un catalogue de courriels *hotmail*, accessibles à l'École, reçus du poste de travail de Cavalier et adressés à ce même poste. Une sélection d'images – des vues fixes pour la plupart mais accompagnées de quelques extraits intéressants de sites *web*, envoyées à toute une série d'adresses électroniques de profs et téléchargées dans leurs fichiers personnels, protégés par leurs mots de passe.

Rien de tout cela, bien sûr, n'aurait été mis à jour sans l'investigation, menée par la police, du courrier de Colin Cavalier. Mais, en ces temps de *chat rooms* et de dangereux individus virtuels, il est toujours sage de s'assurer d'avoir couvert toutes les possibilités.

Cavalier représente la victime classique – un adolescent solitaire, impopulaire parmi ses camarades d'école. Je savais parfaitement bien que, tôt ou tard, l'idée leur viendrait à l'esprit. En l'occurrence, cela avait été assez tôt. Mr. Beard avait aidé un peu en vérifiant les différents postes terminaux. Après cela, il ne leur était plus resté qu'à suivre la filière découverte.

Le reste est simple. C'est une leçon qu'ils doivent apprendre, ces messieurs de Saint Oswald, une leçon que j'ai apprise, moi, il y a plus de dix ans. Ces gens-là sont tellement satisfaits d'euxmêmes, tellement naïfs, tellement arrogants ! Ils doivent enfin comprendre ce que j'ai compris moi-même devant leur grande pancarte ENTRÉE INTERDITE : à savoir que les règlements et les lois du monde ne sont maintenus que par cette même combinaison – bien fragile – de bluff et d'autosatisfaction, qu'il n'existe pas de règle que l'on ne puisse enfreindre, que pénétrer sans permission dans un lieu interdit – comme tout autre acte criminel d'ailleurs – restera impuni tant qu'il n'y aura pas de témoin. Dans l'éducation de n'importe quel enfant, cette leçon est très importante et, comme le disait mon père, l'éducation est la chose la plus précieuse du monde.

Mais pourquoi ? allez-vous demander. C'est aussi ce que je me demande encore moi-même. Pourquoi ? Pourquoi, après toutes ces années, cette terrible obstination ?

Simple désir de vengeance ? Si seulement, les choses étaient si simples ! Mais vous et moi, nous savons que la raison en est bien plus profonde. Je dois avouer que le désir de vengeance en fait partie quand même. Pour Julien Dutoc, peut-être. Pour l'être craintif et pitoyable que j'étais. Pour cet enfant qui se cachait dans l'ombre et aurait désespérément voulu être quelqu'un d'autre.

Mais moi ? De nos jours, j'ai trouvé la sérénité. Je suis un membre respecté de la société. J'ai une profession (pour laquelle je me suis découvert un talent inattendu). Pour Saint Oswald, je suis peut-être toujours l'Homme invisible mais j'ai, de loin, dépassé le rôle de simple imposteur et, pour la première fois, je m'interroge : me serait-il possible de rester ici plus longtemps ?

La chose est bien tentante. Mes débuts se sont révélés prometteurs et, comme on le sait, au cours d'une révolution, les officiers sur le terrain obtiennent rapidement de l'avancement. Cela pourrait m'arriver. Je posséderais alors tout ce que Saint Oswald a à offrir : la richesse, la puissance et la gloire.

Devrais-je saisir au vol ce qui m'est offert ? Je me le demande.

Dutoc, lui, l'aurait saisi. Mais Dutoc était tout à fait content, heureux même, de passer inaperçu. Pas moi !

Alors, qu'est-ce que je peux bien vouloir ?

Qu'est-ce que j'ai toujours voulu ?

S'il ne s'agissait que d'une revanche pure et simple, j'aurais pu mettre le feu au bâtiment principal au lieu de le mettre à la loge du *porter*. Le nid de guêpes tout entier aurait alors flambé. J'aurais pu verser de l'arsenic dans la fontaine à thé de la salle des professeurs ou de la cocaïne dans le jus d'orange de l'équipe première de rugby. Mais où aurait été le plaisir ? N'importe qui serait capable de tels gestes, alors que personne ne pourrait faire ce que j'ai réalisé, personne n'a jamais fait encore ce que je suis en train d'élaborer. Il ne manque plus au tableau de ma victoire finale qu'un simple détail : mon vrai visage, celui de l'artiste parmi la foule des figurants. Au fur et à mesure que le temps passe, ce petit détail acquiert de plus en plus d'importance pour moi.

En anglais, le mot *regard* évoque respect et admiration. En français, il ne veut rien dire de plus que *prise de conscience*. C'est tout ce que je veux : que l'on prenne conscience de mon existence. C'est tout ce que j'ai toujours voulu. Être plus que *le douzième chasseur un instant aperçu*. Même un être invisible peut un jour projeter une ombre. Mais mon ombre à moi – qui s'est allongée au cours des années – s'est perdue dans l'obscurité des couloirs de Saint Oswald depuis bien longtemps.

Plus maintenant. Cela a déjà commencé. Le nom de Snyde a été prononcé. Celui de Dutoc aussi. Et avant que Saint Oswald ne s'effondre dans une spirale inévitable, je vous promets que l'on me *verra*, que l'on prendra enfin conscience de mon existence.

En attendant, je vais me contenter d'inculquer un moment une certaine forme d'éducation. Il n'y a pas d'examen dans ma discipline. Survivre est le seul critère à remplir. Dans ce domaine-là, j'ai une certaine expérience. Après tout, je dois bien reconnaître que Sunny Bank Park m'a quand même appris quelque chose. Le reste était chez moi un talent naturel – c'est, du moins, ce que j'aime à croire. Si j'avais vraiment été élève à Saint Oswald, ce talent-là aurait été subtilement combattu. On l'aurait remplacé par le latin, Shakespeare et les douces promesses, les rassurantes affirmations de ce monde privilégié. Car Saint Oswald enseigne surtout à ses élèves à se conformer, il développe chez eux l'esprit d'équipe, le respect du règlement. Patrick Mat excelle à tout cela – ce qui fait de lui le choix parfait pour ma première victime réelle.

Je l'ai déjà dit. La meilleure façon d'abattre Saint Oswald est de viser le cœur. Pas la tête. Et le cœur de Saint Oswald est Mat. Honnête, rempli de nobles intentions, aimé et respecté des élèves comme de ses collègues, ami fidèle pour ceux qui ont des ennuis, bras ferme sur lequel les plus vulnérables peuvent s'appuyer, conscience droite, entraîneur dévoué, source d'inspiration pour tous, c'est un homme admiré des hommes, un sportif, un gentleman, un administrateur qui ne se décharge jamais d'une seule de ses responsabilités, qui travaille sans compter et avec joie, pour le bien de l'École et le fait sans jamais un mot de plainte. Toujours célibataire. Comment aurait-il pu se marier ? Comme celui de Straitley, son dévouement pour Saint Oswald lui interdit toute vie de famille normale. Les êtres vils le soupçonnent peut-être d'avoir d'autres tendances ? De nos jours surtout, où le simple désir de travailler avec des enfants attire immédiatement des soupçons. Mais Mat ? *Mat ?*

Personne ne le croit coupable. La salle des profs est pourtant étrangement divisée. Certains s'indignent avec véhémence de cette abominable accusation (Straitley en fait partie). D'autres (Bob Strange, les Nation, Jeff Light, Paddy McDonaugh) chuchotent à mi-voix. Des bribes de conversations – des clichés, des suppositions –, autant de signaux de fumée qui alourdissent l'atmosphère de la pièce. *Il n'y a pas de fumée sans feu ! J'ai toujours pensé qu'il était trop parfait pour y croire vraiment ! Il s'entendait trop bien avec les élèves, vous voyez ce que je veux dire ?*

Il est surprenant d'observer à quel point il est facile pour nos amis de nous tourner le dos dès que l'intérêt ou la peur ont gratté le vernis de la camaraderie. Je le sais, moi. Et lui doit maintenant commencer à s'en apercevoir aussi.

La réaction, devant cette sorte d'accusation, se déroule en trois phases. D'abord, on nie avec véhémence, ensuite, la véhémence fait place à la colère et enfin, on capitule. Mon père lui, dès le début, avait agi en coupable : furieux, il s'exprimait maladroitement, incapable de comprendre ce qui arrivait. Patrick Mat avait dû mieux se débrouiller. Le *second master* de Saint Oswald n'était pas homme à se laisser intimider. Pourtant les preuves étaient là, indéniables. Ouvertures et sorties de conversations dans les *chat rooms* après les heures de cours à partir de son poste de travail protégé par un mot de passe. Message texté par Cavalier sur son portable et reçu par celui de Mat, le soir de l'incendie. Images conservées dans la mémoire de son disque dur, beaucoup d'images — toutes de garçons – montrant des choses dont Patrick, dans son innocence, ignorait jusqu'à l'existence. Bien sûr, il avait tout nié. D'abord, avec une sorte d'amusement et un sourire forcé qui avaient peu à peu fait place au choc, à l'indignation et à la fureur pour se transformer enfin en un état de confusion larmoyante qui l'avait plus condamné que n'importe laquelle des *preuves* que la police avait trouvées.

Ils avaient fouillé sa maison. Ils avaient confisqué des tas de photos qu'ils avaient emportées comme *preuves* pour l'affaire. Photos de classes, d'équipes de rugby. Ses élèves qui lui souriaient depuis des années étaient bien loin d'imaginer qu'ils deviendraient un jour des *preuves* au cours d'une enquête. Il y avait les albums aussi. Des dizaines d'albums, pleins de photos de garçons, de voyages scolaires, de matchs disputés à l'extérieur, de derniers jours de classe, de garçons pataugeant nu-pieds dans une rivière du Pays de Galles, de garçons aux membres minces, aux cheveux embroussaillés, en excursion sur une plage, bien en rangs, torse nu et souriant au photographe.

Tant de garçons, avaient-ils remarqué. N'était-ce pas un tout petit peu... *bizarre* ?

Il avait protesté, bien sûr ! Il faisait partie de l'enseignement, et tous les enseignants possédaient ce genre de photos-là. Straitley aurait pu le confirmer, leur dire que, malgré les années, personne n'est jamais oublié, que certains visages restent imprimés dans la mémoire de façon inattendue. Tant de garçons étaient passés devant lui comme autant de saisons. Il était tout naturel d'en garder une certaine nostalgie et encore plus naturel, en l'absence de toute famille, de ressentir de l'affection pour ses élèves...

Mais quelle sorte d'*affection* ? La salissure se cachait là. Ils le devinaient et l'encerclaient comme des hyènes malgré ses protestations. Il a nié avec dégoût mais ils se sont montrés compréhensifs, ils ont parlé de stress, de dépression, ils ont offert leur aide.

L'accès de son ordinateur était protégé par un mot de passe. Quelqu'un d'autre, bien sûr, aurait pu en prendre connaissance. Quelqu'un d'autre aurait pu aussi utiliser son ordinateur et quelqu'un d'autre aurait pu y planter les photos accusatrices. Mais la carte de crédit que l'on avait utilisée pour payer était la sienne. La banque avait confirmé le fait. Et Mat n'arrivait pas à expliquer comment sa propre carte avait pu être utilisée pour télécharger des centaines de photos sur le disque dur de l'ordinateur de son propre bureau.

Laissez-nous vous aider, Mr. Mat !

Ah ! Je connais le genre. Ils avaient maintenant découvert sa vulnérabilité, pas la débauche dont on l'avait soupçonné mais quelque chose d'infiniment plus dangereux : son désir d'être approuvé, la passion fatale de plaire.

Parlez-nous de ces garçons, Patrick !

La plupart des gens ne le soupçonnent pas. Ils voient sa taille, sa force, son dévouement sans limite et ils ne voient pas, derrière cette façade, l'être pitoyable, inquiet, peureux, celui qui fait inlassablement des tours de piste dans un effort désespéré de se

313

maintenir en tête. Car Saint Oswald est un terrible maître dont la mémoire est infinie. Rien n'y est oublié, rien n'est jamais mis de côté. Même une carrière comme celle de Mat a connu des échecs, a témoigné d'erreurs de jugement. Il le sait très bien, comme je le sais moi-même. Ses élèves représentent ce dont il est sûr. Leurs visages heureux lui rappellent qu'il a réussi dans sa profession. Il se sent *stimulé* par leur jeunesse.

Ricanements dans les coulisses.

Non, ce n'est pas ce qu'il voulait dire !

Que voulait-il dire exactement, alors ? C'est la curée maintenant. La meute des chiens autour de l'ours, les petits garçons assemblés autour de mon père qui les maudissait et jurait, son gros derrière débordant largement du siège de la Machine infernale pendant qu'ils dansaient en rond et poussaient des cris perçants.

Parlez-nous de ces garçons, Patrick !

Parlez-nous de Cavalier !

« Comment peut-on être aussi bête ? a dit Roach dans la salle des profs. Faut vraiment être con comme la lune, n'est-ce pas, pour utiliser son propre nom et sa propre carte de crédit ? »

Ce qu'il ne sait pas encore, c'est que lui-même est sur le point d'être découvert. Déjà certaines filières remontent jusqu'à lui. Ses sorties avec Jeff Light et Gerry Grachvogel sont déjà connues. D'après ce que j'ai entendu, le pauvre Gerry fait déjà l'objet d'une investigation bien que sa nervosité extrême ne fasse pas de lui un témoin très sûr. Des images pornographiques ont été découvertes sur son ordinateur. Elles ont été payées avec sa carte de crédit.

Light a déclaré : « Moi, j'ai toujours pensé que c'était un drôle de type... 'voulait être un peu trop proche des élèves, si vous voyez ce que je veux dire ? »

Roach, d'un signe de tête, a acquiescé : « Cela prouve bien qu'à notre époque, on ne peut être sûr de personne ! »

C'était bien vrai. D'une certaine distance, je suivais leur conversation avec un amusement ironique. Comme ils sont naïfs, ces messieurs de Saint Oswald ! Ils laissent leurs clefs dans leur veste, au dossier de leur fauteuil, leur portefeuille dans un tiroir de leur bureau dont ils oublient de fermer la porte à clef. Il ne faut qu'un instant pour voler une carte de crédit et cela ne requiert aucun talent car, d'habitude, on peut remettre la carte à sa place avant que son propriétaire n'ait eu conscience de sa disparition.

Celle de Roach est la seule que je n'aie pas pu remettre à temps. Il s'est rendu compte de sa disparition avant que je ne puisse le faire. Mais Mat, Light et Grachvogel, eux, n'ont pas cette excuse-là. Mon seul regret est que cela n'ait pas réussi avec Roy Straitley. J'aurais aimé les prendre tous, comme des crabes, dans le même panier. Cela aurait été le fin du fin. Mais le rusé renard ne possède même pas de carte de crédit et d'ailleurs, personne ne l'aurait cru capable de mettre un ordinateur en marche !

Cela peut changer, bien sûr. Entre lui et moi, la partie ne vient que de commencer, et je m'y prépare depuis si longtemps qu'il me serait intolérable de la voir finir trop vite. Déjà, il est sur le point d'être renvoyé. Il le serait d'ailleurs déjà si ce n'était pas pour l'absence du *second master* et le fait qu'il soit devenu essentiel à sa section pendant la crise dans laquelle elle se trouve plongée.

Vendredi, ce sera son anniversaire, le jour du feu de joie. Je suppose qu'il voit cet anniversaire approcher avec appréhension. C'est souvent le cas chez les vieux. J'aimerais pourtant lui faire parvenir un petit cadeau, quelque chose qui lui fasse oublier les choses désagréables qui ont eu lieu cette semaine. Jusque-là, je n'ai pu penser à rien mais j'ai beaucoup eu à faire récemment.

Donnez-moi le temps d'y réfléchir.

Depuis je n'ai plus jamais aimé les anniversaires, vous savez. Jouets, gâteau, chapeaux de papier, invitations, pendant des années, j'avais rêvé de ces choses-là – sans jamais les avoir – comme j'avais rêvé de Saint Oswald et de sa patine de richesse et de respectabilité. Quand arrivait le jour de son anniversaire, Léon allait au restaurant. On lui permettait de boire du vin. Il devait porter une cravate. Pour moi, jusqu'à mon treizième anniversaire, il n'y avait jamais eu de restaurant. *D'l'argent foutu par les f'nêtres* disait, en grommelant, John Snyde. Même avant que ma mère nous quitte, mon anniversaire m'avait paru une célébration hâtive et bâclée : un gâteau acheté au supermarché, des bougies que l'on remettait soigneusement dans une vieille boîte à tabac pour l'année d'après avec des miettes de sucre glacé collant encore à leur base de couleur pastel. Mes cadeaux m'étaient remis dans leur sac de plastique de Prisunic, avec leurs étiquettes. Quelquefois, nous chantions *Bon anniversaire, nos vœux les plus sincères*, mais avec la même gêne constante et le même manque d'enthousiasme réel des gens qui travaillent dur pour gagner leur pain.

Après son départ, cela s'est arrêté, bien sûr. S'il se souvenait par hasard de la date, mon père me donnait des *sous* pour mon anniversaire en me disant de m'acheter *que'qu'chose qui m'ferait plaisir* mais il n'y avait aucune invitation, ni cartes, ni party. Une fois, Pepsi avait fait un effort : une pizza avec des bougies autour et un gâteau au chocolat qui était tout retombé d'un côté. J'avais essayé d'en éprouver de la gratitude mais je savais que c'était un anniversaire saboté. L'effort de Pepsi, dans sa naïveté, représentait pour moi pire que rien. S'il n'y avait rien eu du tout, j'aurais au moins pu oublier quel jour c'était !

Mais, cette année-là, c'était différent. Je me souviens encore avec clarté de ce mois d'août. C'était comme un rêve. L'air était chaud, chargé de poivre et de poudre, embaumé d'herbe et de résine. C'était un moment de bonheur frénétique et de terrible découverte. Moins de deux semaines avant mes treize ans, mon père me préparait une surprise.

Il ne me l'avait pas dit exactement mais je le devinais. Il était excité, nerveux, secret, passant d'un moment d'irritation extrême devant ce que je faisais à des débordements de nostalgie larmoyante pendant lesquels il m'assurait que je grandissais. Il m'offrait alors des canettes de bière en me disant qu'il espérait que je me souviendrais de son bon vieux papa, qui avait toujours fait de son mieux pour moi, lorsque je quitterais la maison, un jour.

La chose la plus surprenante était que, maintenant, il dépensait. Lui qui avait toujours été si pingre qu'il conservait ses mégots pour en faire de minuscules boudins qu'il appelait ses « cadeaux gratuits du vendredi », avait enfin découvert l'effet thérapeutique des achats non essentiels. Un costume neuf – pour les jours d'entrevues, disait-il. Une chaîne d'or avec un médaillon. Une caisse entière de Stella Artois – lui qui se faisait un orgueil de mépriser les bières étrangères ! – et six bouteilles de whisky qu'il gardait dans la cabane derrière la loge, sous un vieux dessus-de-lit de chenille. Il y avait aussi des cartes à gratter – des dizaines de cartes. Un canapé neuf. Des vêtements pour moi qui grandissais. Des sous-vêtements. Des tee-shirts. Des disques. Des souliers.

Et puis, il y avait les coups de téléphone. Des appels, tard le soir, lorsqu'il me croyait déjà au lit. Je pouvais l'entendre parler à mi-voix durant ce qui me paraissait des heures et des heures. J'ai même pensé un moment qu'il prenait contact avec une agence S.O.S. SEXE ou qu'il tentait de renouer avec Pepsi. Il y avait, dans ces conciliabules de la nuit, la même furtivité. Une fois, sur le palier, j'ai surpris quelques bribes de ce qu'il disait, quelques mots seulement, mais ils sont restés gravés dans mon esprit de façon désagréable.

Combien alors ? Silence. *D'accord ! C'est la meilleure chose à faire. Un enfant a besoin d'une mère.*

Une mère ?

Jusque-là, ma mère à moi avait écrit tous les jours. Après un silence total qui avait duré cinq ans, on ne savait plus que faire pour l'arrêter. C'était une avalanche de cartes postales, de lettres et de paquets que je repoussais le plus souvent, sans les ouvrir, sous mon lit. L'enveloppe contenant mon billet d'avion retenu pour septembre aussi. Je croyais que mon père avait peut-être enfin accepté que je ne voulais rien de Sharon Snyde, rien qui pût me rappeler ma vie avant Saint Oswald.

Et puis, soudain, les lettres se sont arrêtées net. Cela aurait dû m'inquiéter bien davantage. C'était comme si elle préparait quelque chose qu'elle avait bien l'intention de me cacher.

Les jours passaient pourtant et rien n'arrivait. Les coups de téléphone ont cessé aussi – à moins que mon père n'ait été plus prudent –, en tout cas, je n'ai plus rien entendu et, de nouveau, avec la précision de l'aiguille d'une boussole, mes pensées se sont retournées vers mon nord magnétique.

Léon. Léon. Encore Léon. Il n'avait jamais été bien loin de mes pensées. Le départ de Francesca l'avait laissé distant et renfermé. Je faisais pourtant de mon mieux pour le distraire mais rien ne semblait plus l'intéresser. Il ne montrait que mépris pour nos jeux habituels. Son humeur oscillait entre une gaieté d'halluciné et un abattement profond dont il refusait de sortir. Pire encore. Dans cette solitude où il se complaisait, il ressentait ma présence comme une intrusion. Il me demandait d'un ton sarcastique si j'avais vraiment d'autres copains que lui. Il se moquait de ma jeunesse, de mon manque d'expérience.

Si seulement il avait su ! Dans ce domaine-là, j'avais des années-lumière d'avance sur lui. Après tout, j'avais déjà remporté une victoire contre Mr. Bray et j'allais bientôt en remporter de plus grandes. Mais, en présence de Léon, j'avais toujours été gauche. Mon comportement était toujours celui de quelqu'un de plus jeune qui voulait désespérément plaire. Il l'avait deviné et était devenu cruel. Il était à l'âge où tout semble clair, nouveau, évident, où les adultes se montrent incroyablement stupides, où l'égoïsme domine toutes les autres préoccupations, où un dangereux cocktail d'hormones donne une intensité cauchemardesque à chaque émotion.

Mais le pire, c'est que Léon était amoureux de Francesca Tynan. Amoureux à s'en ronger les ongles. Terriblement, cruellement amoureux. Et elle était retournée dans son pensionnat dans le Cheshire. Presque tous les jours, il lui parlait, en secret, au téléphone, et accumulait d'énormes factures qui ne seraient découvertes que trop tard, à la fin du trimestre.

Il me disait – et cela n'était pas la première fois – que rien ne pouvait se comparer à *ça*. C'était sa phase de folie. Bientôt, il tomberait dans le sarcasme et le mépris qu'il éprouvait pour moi et ne me cachait plus. « Comme les autres, tu peux toujours *en* parler. Moi, je le *sais*, je l'ai *fait*, je l'ai *vraiment* fait. La seule chose que tu puisses espérer, toi, et qui s'en rapprocherait très vaguement, c'est un petit tripotage derrière les vestiaires avec tes petits copains des classes primaires. »

Faisant semblant de croire à une plaisanterie de sa part, j'ai esquissé une grimace pour ne pas alourdir l'atmosphère. Pourtant, il ne plaisantait pas. Il y avait chez lui, à ces moments-là, une méchanceté profonde qui ressemblait presque à de la sauvagerie. Ses cheveux lui retombaient sur les yeux. Son visage était blême. Une odeur acide émanait de son corps. Sa bouche maussade s'ornait d'une nouvelle poussée de boutons.

« Je parie que tu aimerais ça, eh ! Pédé ! Petite tante ! Oui, je parie que tu aimerais ça ? » Il me regardait. Dans ses yeux ardoise, j'ai lu une dangereuse lueur de compréhension. « Petite tante ! » répétait-il en ricanant méchamment. Puis, comme une saute de vent, son humeur changeait. Le soleil réapparaissait. Il redevenait Léon, parlait d'un concert auquel il voulait assister et des cheveux de Francesca dans lesquels se jouait la lumière, il parlait d'un disque qu'il avait acheté et des longues jambes de Francesca, puis d'un nouveau James Bond. Pendant un moment, j'ai presque pu croire à une plaisanterie de sa part mais la froide lueur d'intelligence de son regard est revenue à ma mémoire et je me suis posé la question : comment avais-je bien pu me trahir ?

J'aurais dû y mettre fin immédiatement. Je savais que la situation ne pouvait pas s'améliorer. Mais j'étais faible devant lui, incapable de raisonner, je ne savais à quoi me résoudre. Je croyais encore que je pourrais le regagner, que tout pourrait redevenir comme avant. Il me fallait y croire. C'était le seul grain d'espoir sur la lugubre plage de mon horizon. D'ailleurs, il avait besoin de moi. Il ne reverrait pas Francesca avant Noël au moins. Cela me donnait cinq mois. Cinq mois pour le guérir de cette obsession, pour ôter le venin qui avait empoisonné notre camaraderie.

Oh ! J'ai dû flatter ses caprices plus qu'il ne l'aurait fallu, j'imagine ! Mais personne au monde n'est plus cruel qu'un amoureux – à moins de compter celui qu'une maladie mortelle a déjà condamné, et avec lequel il a en commun certains traits de caractère. Renfermé, égoïste, manipulateur, instable, il réserve sa tendresse à l'objet de son amour – ou à lui-même – et se retourne contre ses amis comme un chien enragé. Léon se comportait ainsi. Pourtant je l'adorais, et même davantage, maintenant qu'il souffrait comme moi.

Gratter la croûte d'une plaie pour l'aviver peut devenir une source perverse de plaisir. C'est ce que font les amoureux. Ils recherchent constamment les causes de leurs plus intenses tourments. Ils les exploitent, se sacrifiant sans cesse pour le bien de l'être aimé, avec cette obstination stupide que les poètes, à tort, prennent souvent pour l'altruisme. Pour Léon, sa façon à lui, c'était de parler de Francesca. La mienne était de l'écouter parler d'elle. Après quelque temps, la torture est devenue insupportable. L'amour, comme le cancer, monopolise tellement la vue de ceux qui en sont victimes qu'ils perdent tout pouvoir de mener une conversation sur un autre sujet. C'est si ennuyeux pour ceux qui doivent les écouter qu'ils finissent par ne plus rien ressentir. C'est ainsi qu'au désespoir, j'ai fini par tenter de découvrir le moyen de briser la monotonie de l'obsession dont il souffrait.

« J'parie que tu n'pourrais pas ! » Nous étions devant un magasin de disques et c'était moi qui parlais. « Allez, vas-y ! Si tu en as encore l'audace ! »

Surpris, il m'a jeté un coup d'œil puis son regard s'est perdu derrière moi dans la direction du magasin. Une ombre est passée sur son visage, l'ombre de plaisirs disparus, peut-être ? Puis, il a souri. J'ai alors cru voir, dans ses yeux gris, comme un vague reflet, celui de l'ancien Léon, du garçon sans souci et sans passion qu'il avait été.

« C'est à moi que tu dis cela ? »

Alors, nous avons joué à ce seul jeu auquel le nouveau Léon acceptait encore de se livrer. C'est ainsi que le *traitement* a commencé. Désagréable, violent, mais nécessaire, comme une chimio agressive pour attaquer un cancer. Ce n'était pas l'agressivité qui nous manquait. Il fallait seulement la diriger vers les autres plutôt que vers nous-mêmes.

Au début, nous nous sommes contentés de petits vols : disques, livres, vêtements que nous entassions dans notre cachette dans les bois, derrière Saint Oswald. Puis, le *traitement* s'est intensifié : graffiti sur les murs, vandalisation des abris aux arrêts d'autobus. Nous bombardions de cailloux les voitures qui passaient, nous renversions les pierres tombales du vieux cimetière de l'église, nous accablions d'insultes les vieux qui promenaient leurs chiens dans notre domaine. Au cours de ces quinze jours, mon humeur oscillait constamment entre accablement total et bonheur délirant. Nous étions de nouveau un duo, Butch et Sundance. Pendant quelque temps, il oubliait Francesca. L'exaltation qu'elle avait éveillée en lui était éclipsée par une autre plus puissante, plus dangereuse aussi.

Cela ne durait jamais. Mon *traitement* ne combattait que les symptômes de la maladie, pas son origine. Je découvrais, à mon grand chagrin, que notre malade exigeait des doses de plus en plus fortes s'il devait guérir du tout. C'était à moi le plus souvent qu'il incombait d'inventer de nouvelles gageures. Je trouvais de plus en plus difficile de penser à des choses novatrices et scandaleuses que nous pourrions exécuter tous les deux.

Magasin de disques ?

Non !

Cimetière ?

Pas original !

Kiosque à musique ?

Déjà fait !

Il avait raison. La nuit précédente, nous avions pénétré par effraction dans le jardin public. Nous y avions brisé chacun des sièges du kiosque à musique et les petites grilles qui le décoraient. J'avais eu honte de ce que nous faisions. Je me souvenais de ma jeunesse, de l'époque où ma mère m'y emmenait en promenade quand l'été avait un parfum de gazon frais coupé, de hot-dogs et de barbe à papa, et résonnait de l'harmonie de la musique des mineurs. Je me souvenais encore de Sharon Snyde, assise sur une de ces chaises de plastique bleu et fumant une cigarette. Moi, je passais et repassais devant elle en faisant des *rataplan* sur un tambour invisible. Un court moment, j'ai eu l'impression d'avoir perdu mon chemin. J'avais six ans alors. J'avais encore une mère qui sentait le tabac et Cinabre. Rien alors, pour moi, ne paraissait plus crâne et plus splendide qu'un kiosque à musique en plein été. Seuls les gens vraiment méchants détruisaient des choses comme ça.

« Qu'est-ce qui t'arrive, Dutoc ? » Il se faisait déjà tard. Au clair de lune, le visage de Léon luisait, sombre et rusé. « T'en as déjà assez ? »

Oui, j'en avais assez. Plus qu'assez. Mais il m'était impossible d'avouer cela à Léon. Après tout, cela ne faisait-il pas partie du *traitement* que j'avais inventé pour lui ?

« Viens ! m'a-t-il dit d'un ton pressant. Imagine que tu fasses ton apprentissage d'un certain savoir-faire ! »

C'était précisément ce que je faisais. Ma réponse a jailli. Léon m'avait donné l'ordre de détruire le kiosque à musique. À mon tour, je l'ai défié d'attacher des boîtes de conserve au pot d'échappement de toutes les voitures garées devant le commissariat de police. Les enjeux montaient. Nos plans devenaient de plus en plus compliqués, surréels quelquefois : une rangée de cadavres de pigeons suspendus à la grille du jardin public, une série de tableaux en couleurs sur le mur de l'église méthodiste. Nous passions notre temps à abîmer les murs, à briser les vitres, à semer la peur parmi les petits enfants d'un bout à l'autre de la ville. Il ne restait qu'un seul endroit.

« Saint Oswald !

— Pas question ! » Jusque-là, nous avions évité le domaine de l'École – à part ce petit chef-d'œuvre d'expression personnelle sur le mur du pavillon ! Dans quelques jours, ce serait mon anniversaire, et avec mes treize ans, arriverait cette surprise mystérieuse et tant attendue. Mon père faisait un gros effort. Il s'efforçait de prendre un air détaché, je le voyais bien. Il ne buvait plus. Il avait recommencé ses exercices. La maison était d'une propreté parfaite. Mon père avait posé sur son visage un masque dur, une sorte de sourire figé, pour ne pas trahir ses émotions. Il me faisait penser à Clint Eastwood dans *Le Voyageur des hauts plateaux* – un Clint Eastwood en plus gros, quand même ! Mais c'était la même expression, celle de celui qui se prépare à la confrontation finale et apocalyptique. Moi, j'approuvais. Cela indiquait un esprit ferme et résolu. Je n'allais pas tout gâcher avec quelque petit exploit imbécile !

« Allez, Dutoc ! *Fac ut vivas !* Il faut bien vivre un peu !

— À quoi bon ? Je ne devais pas montrer trop d'hésitation ou Léon penserait que je n'osais pas relever son défi. Nous avons déjà fait Saint Oswald des milliers de fois !

— Mais pas ça ! » Ses yeux brillaient. « Je te parie que tu serais incapable de grimper sur le toit de la chapelle ! » Et il s'est mis à sourire. À cet instant, j'ai vu l'homme qu'il aurait pu devenir, l'homme au charme destructeur, à l'humour irrésistible. Comme un coup de poing, j'ai pris conscience de mon amour pour lui, de cette unique et pure émotion ressentie au cours des complications de mon adolescence passée dans la crasse. J'ai compris que s'il m'avait demandé de me précipiter du toit de la chapelle, j'aurais sans doute accepté sans hésitation.

« Le toit ? »

Il m'a fait oui d'un signe de tête.

J'en riais presque. J'ai dit : « D'accord ! Je t'en rapporterai même un petit souvenir ! »

Il m'a répondu. « Pas besoin ! J'y vais aussi ! » S'apercevant de ma surprise, il a ajouté : « Tu ne pensais quand même pas que je te laisserais y monter tout seul ? »

6

Saint Oswald – *Lycée de garçons*
Mercredi 3 novembre

Cinq jours ont passé. Toujours pas de nouvelle de Cavalier. De Mat non plus. Mais j'ai vu Mat, l'autre jour, au supermarché. Il poussait un chariot rempli de nourriture pour chats – je ne pense même pas qu'il en ait un –, il avait l'air hébété. Je lui ai adressé la parole mais il ne m'a pas répondu. Il semblait sous l'influence de médicaments puissants. Je dois avouer que je n'ai pas eu le courage d'entamer la conversation.

Je sais quand même que Marlene passe tous les jours pour s'assurer qu'il va bien. Elle a du cœur, cette femme ! On ne pourrait pas en dire autant du proviseur, qui a interdit à tout membre du personnel de l'École d'avoir la moindre communication avec Mat tant que l'on n'était pas allé au fond de cette histoire.

Aujourd'hui, nous avons encore eu la police toute la journée. Ils étaient trois. Ils ont interrogé les profs, les élèves, les secrétaires et les autres employés avec l'efficacité toute mécanique d'une équipe d'inspecteurs. Ils ont mis en place une ligne téléphonique spéciale, destinée à encourager les garçons à confirmer anonymement ce qui avait déjà été établi. Beaucoup s'en sont servis pour affirmer que Mr. Mat n'aurait jamais été capable de faire quoi que ce soit de mal. D'autres ont été appelés pendant les cours, ou en dehors des cours, pour répondre à leurs questions.

Cela rend impossible tout enseignement. Ma classe refuse de parler d'autre chose. Mais comme on m'a informé très clairement que toute discussion sur le sujet ne ferait qu'aggraver le cas de Patrick, je dois mettre fin à toute tentative de leur part d'en discuter. La plupart sont profondément attristés par l'accusation. J'ai découvert Brasenose en pleurs dans les toilettes du couloir de la mezzanine pendant mon cours de latin – leçon 4. Même Allen-Jones et McNair, sur lesquels d'ordinaire on peut compter pour voir le ridicule de la plupart des choses, sont demeurés accablés et sans réaction. Toute la classe est comme cela. Anderton-Pullitt, lui-même, semble encore plus bizarre que d'habitude. Il se déplace maintenant avec un boitillement exagéré qui s'ajoute à la liste des choses dont il souffrait déjà.

Les derniers messages du téléphone arabe nous ont appris que Gerry Grachvogel aussi a été interrogé et va peut-être être inculpé. Des rumeurs encore plus ahurissantes courent. Si on les croit, tous les professeurs absents sont des suspects.

Le nom de Devine a été prononcé. Il est absent aujourd'hui. Cela ne devrait rien vouloir dire, bien entendu. C'est ridicule. Hier matin dans un article du journal local – qui affirmait obtenir ses sources de quelqu'un de l'École, d'un élève sans doute –, on laissait entendre qu'un réseau de pédophiles, d'une ampleur sans précédent et qui opérait depuis longtemps, avait été découvert dans l'*enceinte sacrée* de la Bonne Vieille École.

Comme je l'ai dit, totalement ridicule ! J'enseigne depuis trente-trois ans à Saint Oswald. Je sais donc de quoi je parle. Ce genre de choses ne pourrait jamais arriver ici. Pas que nous valions mieux que les autres (malgré ce qu'en pense notre journal local) mais parce que, tout simplement, dans un monde fermé comme le nôtre, un secret ne demeure pas bien longtemps secret. Pour un type comme Bob Strange, barricadé dans son bureau à préparer l'emploi du temps, peut-être ! Pour les *Costards* qui ne voient jamais rien que ce qui leur arrive sous forme de pièce jointe à un courriel, peut-être ! Mais pour moi ? Pour les garçons ?

Jamais !

Oh ! Comme tout le monde, j'ai eu ma part de collègues pas très... orthodoxes. Le fameux Dr Jehu, soi-disant licencié d'Oxford, qui s'est révélé plus tard n'être qu'un simple Mr. Jehu, licencié de Durham, où il s'était fait une certaine réputation, semblait-il. C'était il y a bien longtemps, avant que les journaux ne s'emparent de ce genre d'histoire. Il nous avait alors quittés sans bruit, sans scandale, discrètement, comme la plupart d'entre eux, et sans avoir fait de mal à personne. Mr. Tythe-Weaver aussi, ce prof de dessin qui aurait voulu lancer la mode des poses... sans feuille de vigne – *in naturalibus*. Et Mr. Taton qui était tombé sous le charme d'un jeune étudiant d'anglais dont il était l'aîné de plus de quarante ans. Même notre Grachvogel que tous les élèves reconnaissent comme un homosexuel – totalement inoffensif d'ailleurs –, mais qui craint de perdre son poste s'il venait à être découvert. Pour lui, c'est trop tard, j'en ai peur. Mais le pauvre garçon n'est pas un pervers comme le suggèrent les cocoricos du journal local. Quant à Light, c'est peut-être un insupportable crétin, mais je ne pourrais pas dire qu'il soit davantage un pervers que Grachvogel. Quant à Devine, ne me faites pas rigoler ! Et Mat ! Vraiment, je le connais ! Et, ce qui est encore plus important, les élèves le connaissent aussi et l'apprécient. Croyez-moi, s'il y avait eu en lui la moindre trace de quelque chose qui eût pu être un sujet de soupçon, les élèves auraient été les premiers à le flairer. Ils sentent cela de façon instinctive et, dans une école comme Saint Oswald, les rumeurs se propagent à la vitesse d'une épidémie de grippe. Il faut bien comprendre. J'enseigne ici depuis trente-trois ans avec Patrick Mat et s'il y avait la moindre parcelle de vérité dans ce dont on l'accuse, je le saurais. Les élèves me l'auraient appris.

Cependant, dans la salle des profs, les opinions se polarisent. De peur de se retrouver impliqués dans le scandale, certains se refusent à en parler. Quelques-uns (et ils sont peu nombreux) n'éprouvent que mépris pour les accusations. D'autres profitent de l'occasion pour répandre subrepticement leurs calomnies moralisatrices.

Penny Nation en fait partie. Je me souviens encore de la façon dont Keane l'a décrite dans son petit carnet : *Vipère de bénitier*. Je me demande comment j'ai bien pu travailler à ses côtés pendant tant d'années sans remarquer sa méchanceté profonde.

À midi, dans la salle des profs, elle déclarait . « Un *second master*, comme un premier ministre, se doit d'être marié et heureux en ménage, comme Geoff et moi ! » a-t-elle ajouté, en jetant un coup d'œil rapide à son Capitaine, vêtu d'un costume bleu marine à rayures qui s'harmonisait parfaitement avec l'ensemble pull et jupe de Penny. Geoff, j'ai remarqué, porte aussi, au revers de sa veste, un minuscule poisson d'argent. « C'est la meilleure façon d'éviter tout soupçon, n'est-ce pas ? » Puis, elle a ajouté : « De toute façon, si vous avez l'intention de travailler avec les enfants... – elle prononce le mot de ce ton sirupeux que la voix de la conscience adopte dans les films de Walt Disney, comme si cette seule pensée la faisait fondre –, vous devriez vraiment en avoir un vous-même, n'est-ce pas ? »

Et elle a souri de nouveau. Je me demande si elle imagine voir son mari, dans un proche avenir, occuper le poste de Patrick. Il a certainement assez d'ambition pour cela. Et puis, pilier de l'église, père de famille, joueur de cricket, vétéran des conférences pédagogiques, il semble avoir tout ce qu'il faut pour être choisi.

Il n'est pas seul pourtant à avoir des ambitions. Eric Scoones s'y est mis aussi – à ma surprise, d'ailleurs ! Malgré son amertume devant son manque d'avancement, j'avais toujours compté sur l'équité de son jugement. J'avais tort, semble-t-il. En prêtant l'oreille aux commérages de la salle des profs, cet après-midi, j'ai été choqué de découvrir qu'il se rangeait du côté des Nation contre Hillary Monument qui, lui, a toujours soutenu Patrick et qui, en fin de carrière, n'a rien à perdre en annonçant clairement son allégeance.

Monument disait : « À dix contre un, je vous parie, moi, que nous découvrirons qu'il s'agit là d'une erreur terrible. Qui peut vraiment faire confiance à des machines ? Les ordinateurs tombent en panne à chaque moment. Et puis ce truc-là, comment appelez-vous ça ? SPAM ! C'est ça ! Eh bien, dix contre un que l'ordinateur de Mat en est pourri et qu'il ne savait même pas ce que cela était. Quant à Grachvogel, il n'a même pas été arrêté. On l'a interrogé, c'est tout. Il aide la police avec son enquête. »

D'un grognement, Eric a exprimé son doute devant une telle explication. « Vous verrez », a-t-il dit. C'est l'homme qui n'utilise pas plus souvent un ordinateur que moi ! « Vous avez le tort de faire trop facilement confiance aux gens. Ils disent tous la même chose, n'est-ce pas ? Du type qui s'installe sur un pont au-dessus de l'autoroute et descend une dizaine de personnes, on entend : *C'était pourtant un gars si gentil !* Et quand un chef de troupe a, pendant des années, caressé ses scouts sous prétexte de leçons d'hygiène, c'est : *Oh ! Et les gosses l'adoraient, vous savez, je n'aurais jamais pensé que...* Voilà l'erreur ! Personne ne veut penser à ça ! Personne n'est prêt à croire que cela pourrait arriver dans notre proche entourage. D'ailleurs, que savons-nous exactement de Patrick Mat ? Oh ! Il joue le jeu, n'est-ce pas ? Évidemment, il le faut bien. Mais, de lui, que savons-nous vraiment ? Ou de n'importe quel autre de nos collègues, à dire la vérité ? »

Sur le moment, cette remarque m'a ébranlé. Elle m'ébranle toujours. Voilà des années qu'Eric se chamaille avec Patrick, mais j'avais toujours cru que, comme dans mes prises de bec avec Devine, il n'y avait là rien de personnel. Eric est un type plein d'amertume mais un bon prof, même s'il est un peu vieux jeu. En tant que prof responsable d'une année entière, il aurait bien réussi, s'il avait seulement fait un tout petit effort pour s'entendre avec la direction. Il était loyal, au fond. Si j'avais eu à deviner lequel de tous mes collègues était capable de poignarder le pauvre Patrick dans le dos, cela n'aurait sûrement pas été Eric. Maintenant je n'en suis plus sûr. Dans la salle des profs, aujourd'hui, son visage avait une expression qui m'en a dit plus sur Eric Scoones que j'aurais jamais voulu savoir. Il avait évidemment toujours aimé les commérages, mais il avait fallu toutes ces années pour que je reconnaisse dans les yeux de mon vieil ami cette joie méchante devant le malheur d'un autre.

J'en suis désolé. Il a raison pourtant ! Que savons-nous réellement de nos collègues ? Que nous ont appris ces trente-trois années passées ensemble ? La révélation affreuse pour moi n'a pas du tout été ce que l'on a suggéré de Patrick, mais ce que j'ai découvert à propos des autres. Scoones, les Nation, Roach, terrifié à l'idée que son amitié pour Light et Grachvogel puisse l'incriminer dans cette histoire avec la police. Beard, qui ne peut voir dans les accusations qu'une insulte personnelle dirigée contre la section d'informatique. Meek, qui ne fait que répéter ce que dit Beard. Easy, qui se range toujours du côté de la majorité. McDonaugh, qui, à la récréation, a déclaré que seul un pervers aurait pu nommer dans un lycée un pédé comme Grachvogel.

Et le pire, c'est que personne ne prend leur défense maintenant. Pas même Kitty qui a toujours été en bons termes avec Gerry et qui, plusieurs fois, a invité Mat à dîner ! Elle semble absorbée dans la contemplation de sa grande tasse à café avec un air de vague dégoût, mais ne dit rien. Elle évite même mon regard. Elle a autre chose en tête, je le sais, mais j'aurais pu en être dispensé. (Si vous ne l'avez pas encore remarqué, j'ai un petit faible pour Kitty Teague.)

Je suis quand même soulagé de voir qu'un ou deux collègues gardent un jugement sain. Chris Keane et Dianne Dare sont de ceux qui ne sont pas infectés par cette commune folie. Tous deux se trouvaient près de la fenêtre lorsque je suis allé me servir du thé, encore furieux de ces collègues qui avaient si hâtivement condamné Mat sans même qu'il y ait eu de procès.

« Je pense que chacun de nous a le droit d'être entendu avant d'être jugé, a dit Keane après que j'ai, encore une fois, exprimé mon opinion. Je ne connais pas vraiment Mr. Mat, bien sûr, mais je dois avouer qu'il ne me paraît pas du genre à cela. »

Miss Dare a ajouté alors : « Moi, je suis d'accord avec vous. Les élèves, d'ailleurs, semblent sincèrement l'apprécier. »

Alors, lançant un coup d'œil plein de défi à la majorité moralisatrice, j'ai dit : « Absolument. Tout ça est une erreur !

— Ou bien un coup monté..., a laissé tomber Keane, d'un ton pensif.

— Un coup monté ?

— Pourquoi pas ? a-t-il dit, en haussant les épaules. Quelqu'un pourrait lui en vouloir. Un collègue mécontent. Un ancien élève. N'importe qui. Il n'aurait besoin que d'avoir accès à l'École et de posséder de bonnes connaissances en informatique ! »

Maudits ordinateurs ! Je savais que tout allait bien mieux avant leur arrivée. Pourtant ce qu'avait dit Keane avait fait vibrer en moi une corde sensible. Je me suis demandé pourquoi je n'y avais pas pensé moi-même. Rien n'est plus dangereux pour la réputation d'une école qu'une histoire de mœurs. Quelque chose de ce genre n'était-il pas d'ailleurs arrivé une fois à Sunny Bank Park ? N'en avais-je pas été moi-même témoin à l'époque de l'Ancien Proviseur ?

Bien sûr, dans le cas de Shakeshaft, il ne s'agissait pas de jeunes garçons mais de secrétaires et de jeunes femmes parmi les professeurs. Ce genre de petits scandales-là dépassent rarement le niveau de commérages. Ils se règlent entre adultes et ne transpirent qu'exceptionnellement en dehors des murs de Saint Oswald.

Cette fois-ci, pourtant, c'est différent. Les journaux ont annoncé l'ouverture d'une chasse dont les enseignants sont le gibier. Les journaux populaires se gargarisent d'histoires de pédophiles. Pas une semaine ne passe sans qu'une nouvelle accusation soit lancée. Directeur d'école. Chef de troupe chez les scouts. Agent de police. Prêtre. N'importe qui leur devient proie légitime.

« C'est possible ! » a dit Meek qui avait écouté notre conversation. Je ne m'étais pas attendu à ce qu'il exprime une opinion, celui-là ! Jusque-là, il n'avait rien fait de plus qu'acquiescer énergiquement chaque fois que Beard avait ouvert la bouche. « J'imagine que bien des gens pourraient en vouloir à Saint Oswald, a-t-il poursuivi de sa petite voix monocorde. Fallow, par exemple, ou Cavalier !

— Cavalier ? » Le silence s'est fait. Les remous causés par ce scandale plus important m'avaient fait oublier mon jeune fugitif. « Mais Cavalier ne pourrait jamais être responsable de tout ça !

— Et pourquoi pas ? a demandé Keane. Il est exactement du genre à le faire. »

C'était vrai. Il était du genre à ça. J'ai remarqué le visage d'Eric s'assombrir. Il écoutait de toutes ses oreilles. À voir l'air dégagé que prenaient mes collègues, je savais qu'ils écoutaient aussi. Meek a expliqué : « Les mots de passe des professeurs ne sont pas difficiles à obtenir non plus. N'importe quel individu ayant accès à la liste administrative en serait capable. »

Beard l'a interrompu. « Totalement ridicule ! Ces mots de passe sont absolument secrets ! »

Alors, avec un sourire, Keane lui a dit : « Le vôtre est *AMANDA*, le prénom de votre fille. Celui de Mat, *VAS-Y-JONNY* – on n'a pas besoin de beaucoup d'imagination ici quand on pense à sa passion pour le rugby. Celui de Gerry est sans doute sorti tout droit des *X-files. MULDER*, peut-être ? Ou *SCULLY ?* »

Miss Dare a ri et lui a demandé : « Dites-moi, vous êtes professionnel de l'espionnage ou c'est simplement un passe-temps ?

— Je regarde ce qui ce passe autour de moi », a répondu Keane.

Mais Scoones restait sceptique. « Aucun de nos élèves n'oserait faire un coup pareil ! Et surtout pas ce petit avorton !

— Pourquoi pas ? » a demandé Keane.

Scoones a répondu d'un ton méprisant : « Non ! Pas lui. Il faudrait avoir des couilles pour s'attaquer ainsi à Saint Oswald !

— Ou de l'intelligence ! a ajouté Keane. Comment ? Vous n'allez quand même pas me dire que cela n'est encore jamais arrivé ! »

7

Jeudi 4 novembre

Ça alors, c'est embêtant ! Et surtout juste au moment où j'allais m'occuper de Mat aussi. Enfin, j'avais besoin de me remonter le moral, et j'ai décidé d'aller faire un tour en ville au cybercafé. Là, j'ai accédé à l'adresse hotmail de Cavalier – la police doit l'avoir sous surveillance maintenant –, et j'ai envoyé quelques courriels bien insultants à certains professeurs de Saint Oswald. Cela m'a permis de me débarrasser de mes frustrations et, je l'espère, de renforcer l'espoir que Cavalier soit toujours bien vivant.

De retour à mon appartement, j'ai envoyé au journal local un nouvel article signé La Taupe. J'ai ensuite texté, sur le portable de Devine, un message de Cavalier. Puis j'ai téléphoné à Mat, en prenant soin de déguiser ma voix et en adoptant un accent régional. Je me sentais déjà beaucoup mieux – c'est drôle, n'est-ce pas, de penser que le simple fait de se débarrasser d'un boulot ennuyeux peut vous remettre de bonne humeur – après quelques secondes de respiration bruyante, j'ai versé goutte à goutte le poison de mon message.

La voix de Mat était plus épaisse que d'habitude, comme s'il avait été sous l'effet de médicaments puissants. Il était presque minuit déjà. Il était peut-être déjà endormi. Personnellement, je n'ai pas besoin de dormir longtemps – trois ou quatre heures de sommeil me suffisent et je ne rêve que rarement. C'est pour cela que je ne peux pas m'empêcher de m'étonner de ceux qui n'arrivent pas à fonctionner sans leurs huit ou dix heures de sommeil. La plupart, d'ailleurs, semblent passer la moitié de leur nuit à des rêves inutiles et obscurs qu'ils ont toujours besoin de raconter après. Mat, je le devine, jouit, lui, d'un sommeil profond et fait des rêves spectaculaires qu'il soumet sûrement à une analyse freudienne. Pas cette nuit, pourtant ! Non, cette nuit, je parierais qu'il a l'esprit occupé à autre chose.

Une heure plus tard, j'ai retéléphoné. Cette fois, la voix de Mat m'a fait penser à celle de mon père après une soirée dans les pubs. « Qu'est-ce que vous voulez ? » a-t-il meuglé dans l'appareil qui lui déformait la voix.

« Vous savez très bien ce que NOUS voulons ! » Lorsque vous désirez semer la paranoïa, le NOUS aide beaucoup. « NOUS voulons avoir justice. NOUS voulons voir un sale pervers comme vous finir en taule ! »

Il aurait dû avoir raccroché depuis longtemps, bien sûr, mais Mat n'a jamais eu l'esprit rapide. Il a plus l'habitude de se mettre en colère, d'élever la voix et de commencer à discuter. « Des coups de téléphone anonymes, vraiment, c'est tout ce que vous trouvez à faire ? Laissez-moi vous dire que...

— Non, Mat ! Laissez-MOI vous dire ! » La voix que je prends au téléphone est un mince filet, arachnéen peut-être, mais parfaitement audible, malgré les parasites de la ligne. « NOUS savons ce que vous avez fait. NOUS savons où vous habitez. Vous n'allez pas NOUS échapper. Il ne s'agit pour NOUS que d'attendre le bon moment ! »

Click ! J'ai raccroché.

Rien de bien terrible, comme vous le voyez ! Mais cela a déjà très bien marché avec Grachvogel qui, maintenant, laisse son téléphone décroché en permanence. J'ai d'ailleurs fait ce soir un petit tour jusque chez lui. Un instant, j'ai cru apercevoir quelqu'un qui regardait dans la rue par la fente des rideaux tirés de la salle de séjour. Avec mes gants et ma capuche rabattue, je ne craignais rien. Je savais bien qu'il n'oserait jamais sortir de chez lui.

Après, j'ai téléphoné, une troisième fois, à Mat. De ma petite voix d'araignée, je lui ai murmuré : « NOUS arrivons. NOUS sommes tout près. »

« Qui êtes-vous ? » Cette fois, il était bien éveillé. Il y avait dans sa voix une stridence que je ne lui connaissais pas. « Que voulez-vous, pour l'amour de Dieu, dites-moi ? »

Click !

Retour à mon appartement puis au lit ! J'ai dormi pendant quatre heures.

Cette fois-ci, j'ai rêvé.

8

« Qu'est-ce que tu as, Dutoc ? »

Le 23 août, la veille de mes treize ans, nous étions devant la sarrasine de Saint Oswald, cette petite chose prétentieuse, ajoutée au XIXe siècle, qui marque l'entrée de la bibliothèque, et le portail qui mène à la chapelle. C'était mon endroit préféré, un décor sorti tout droit d'un roman de Walter Scott, avec le blason de l'École en rouge et or au-dessus de la devise ajoutée récemment – car il n'y a rien de tel que quelques mots de latin pour impressionner les parents qui paient – *Audere, agere, auferre.*

Léon a grimacé un sourire. Ses cheveux lui tombaient dans les yeux comme ceux d'un mauvais élève. « Avoue-le, petite tante, d'en bas, ça paraît encore plus haut, n'est-ce pas ? » m'a-t-il dit de sa voix moqueuse.

J'ai simplement haussé les épaules. Ses taquineries étaient encore inoffensives pour le moment, mais j'avais appris à en lire les signes. Si je faiblissais un peu, si je montrais la moindre colère en l'entendant utiliser ce surnom imbécile, il m'écraserait de tout le poids de son sarcasme et de son mépris.

J'ai répondu d'un ton distrait. « Bien sûr, c'est haut mais cela ne sera pas la première fois. Et quand on connaît le truc, c'est facile !

— Vraiment ? » Je voyais bien à son intonation qu'il ne me croyait pas. « Eh bien, montre-moi ! »

Je ne voulais pas. Les passe-partout de mon père étaient un secret que j'avais eu l'intention de ne révéler à personne, pas même à Léon – surtout pas à Léon ! Mais je sentais les clefs au fond de la poche de mon jean. Elles me défiaient de partager mon secret avec lui, de franchir cette dernière frontière.

Léon me contemplait comme le chat qui n'arrive pas à se décider. Fallait-il d'abord jouer un peu avec la souris ou lui déchirer tout de suite les entrailles ?

Soudain, un souvenir envahit mon esprit : Francesca et lui, ensemble, dans le jardin. Je revis sa main posée sur celle de la fille et le bronze marbré de vert de sa peau sous le feuillage ruisselant de soleil. Aucune surprise qu'il en fût amoureux ! Comment pouvais-je jamais prétendre me comparer à elle ? D'ailleurs, elle avait maintenant quelque chose en commun avec lui, une chose secrète, une puissance qu'il me serait impossible d'égaler. À moins que... peut-être, maintenant... ?

« Oh ! ! » Les yeux de Léon se sont soudain agrandis lorsqu'il a aperçu les clefs. « Où as-tu eu ça ? » J'ai répondu : « Dans le bureau de Gros Jean, je les ai fauchées à la fin du trimestre ! » J'ai souri malgré moi de l'étonnement sur le visage de mon copain. « J'en ai fait faire des doubles au petit magasin, pendant l'heure de midi, et je les ai remises à l'endroit où je les avais trouvées. » C'était presque la vérité. J'avais fait ça après le dernier désastre, pendant que mon père, déprimé et pratiquement ivre mort, était encore allongé dans sa chambre. « Le gros poussah ne s'en est jamais aperçu ! »

Maintenant, Léon me regardait avec de nouveaux yeux. Il admirait mon audace. Cela me rendait un peu mal à l'aise. Il a fini par me dire : « Eh bien, dis donc, tu m'épates ! Moi qui croyais que tu n'étais qu'un autre de ces petits merdaillons des classes primaires, sans plus de couilles que d'intelligence ! Et tu n'en as jamais rien dit à personne ? »

D'un signe de tête, j'ai dit non.

« Mes compliments ! a-t-il murmuré d'une voix douce et, lentement, son visage s'est éclairé de son sourire le plus tendre et le plus charmeur. Alors, c'est *notre* secret ! »

Partager un secret a quelque chose d'ultimement magique. Je l'ai ressenti pendant que je faisais faire à Léon le tour de mon royaume. J'en éprouvais pourtant un certain regret. Les passages étroits, les niches des murs, les toits cachés et les caves secrètes de Saint Oswald n'étaient plus *ma* propriété. Ils appartenaient à Léon aussi maintenant.

Nous sommes montés sur les toits par une fenêtre du couloir du haut. J'avais pris soin d'éteindre l'alarme anti-cambrioleur qui protège toute cette partie de l'École avant de refermer la porte derrière nous. Il était tard. Onze heures, au moins. Depuis longtemps, mon père avait terminé ses rondes. Personne ne viendrait plus. Personne ne serait conscient de notre présence.

La fenêtre donnait directement sur le toit de la bibliothèque. Je m'y faufilai avec l'aisance qui vient de l'habitude. Léon me suivit en souriant. La pente du toit était douce, les ardoises épaisses, couvertes de mousse, descendaient vers une gouttière profonde garnie de plomb. Tout le long de la gouttière, un passage étroit permettait à un *porter* de la balayer pour la débarrasser des feuilles et des autres détritus qui s'y accumulaient. Mon père, sujet au vertige, ne l'avait jamais fait. Je crois même, si je ne me trompe, qu'il n'en avait jamais vérifié les joints de plomb. En conséquence, les gouttières étaient remplies de débris et de sédiments.

Je levai les yeux. C'était presque la pleine lune. Magique, dans le ciel roussâtre et violacé elle brillait d'une lumière pure que salissaient de temps en temps de petits nuages maladroits. Mais sa clarté était telle qu'elle baignait d'indigo chaque ardoise, chaque gouttière et chaque cheminée. J'entendis derrière moi la longue exclamation de Léon qui défaillait presque de surprise et d'admiration.

Je tournai mon regard vers la loge, très loin, au-dessous de nous, illuminée comme une lanterne de Noël. Mon père était là sans doute, assis devant la télévision peut-être, ou occupé à faire ses tractions devant le miroir. Il ne semblait plus s'inquiéter de mes sorties du soir. Depuis des mois, il ne m'avait pas posé de questions pour savoir où j'avais passé la soirée ni avec qui.

« Oh ! » répéta Léon.

J'eus alors un sourire de juste fierté, comme si moi-même j'avais été responsable de cette beauté. Absurde, bien sûr ! Je saisis l'extrémité d'une corde que j'avais installée là, il y avait des mois, et me hissai sans mal jusqu'au sommet. Les cheminées se dressaient altières au-dessus de moi. Leurs têtes couronnées se détachaient en noir sur le ciel où brillaient des étoiles.

« Allez, viens ! »

Je m'avançai, bras écartés, embrassant la nuit. Pendant un instant, je me sentis capable d'enjamber l'abîme et de m'envoler dans l'espace constellé de lumières comme Kiefer Sutherland dans *Les Garçons perdus*.

« Alors, tu viens ? »

Léon me suivit avec lenteur. Nous étions deux fantômes dans le clair de lune. Son visage pâle et sans expression était celui d'un enfant frappé d'émerveillement. « Oh !

— Ce n'est pas tout ! »

Le succès m'enhardissant, je le pris par la main pour le guider le long du passage étroit que l'obscurité faisait paraître plus large. Il ne posa aucune question. Il me suivit, docile, un bras tendu à l'horizontale, comme un funambule. Deux fois, je le mis en garde. Ici, une pierre était descellée. Là, gisait une échelle brisée.

« Depuis combien de temps viens-tu ici ?

— Depuis un certain temps !

— Bon Dieu !

— Tu aimes ?

— Ouais ! »

Après une demi-heure d'escalade, nous nous sommes arrêtés pour nous reposer sur le large replat du parapet au-dessus du toit de la chapelle. Les lourdes dalles de schiste emmagasinaient la chaleur. Elles étaient encore tièdes du soleil de l'après-midi. Allongés sur le parapet, les gargouilles au-dessous de nous, nous avons alors contemplé la ville qui s'étendait à nos pieds comme une couverture ornée de sequins, en partageant une cigarette du paquet que Léon avait apporté.

« C'est formidable. Je ne peux pas croire que tu n'en aies jamais rien dit !

— C'est fait maintenant.

— Hum. »

Il était étendu à mes côtés, les mains derrière la tête, le coude touchant le mien. Ce seul contact contre ma peau était comme une brûlure au fer chaud.

« Tu imagines un peu faire l'amour ici ! On pourrait passer toute la nuit sans être dérangés par personne. » J'ai cru qu'il y avait comme un reproche dans sa voix, qu'il imaginait des nuits dans les bras de la jolie Francesca, à l'ombre de ces monts couronnés.

« Oui. »

Mais je ne voulais pas y penser. Je ne voulais pas penser à eux. Alors, brutalement, dans le silence, j'ai reconnu ce que le désir sexuel était. La proximité de son corps m'était intolérable, comme une piqûre d'ortie. Je respirais sa sueur, la fumée de sa cigarette, l'odeur un peu musquée de ses cheveux trop longs et gras. Il regardait tout droit au ciel et ses yeux étaient remplis d'étoiles.

J'ai posé distraitement ma main sur son épaule. J'ai senti au bout de mes doigts cinq brûlures minuscules. Lui n'a pas réagi. J'ai lentement ouvert la main, je l'ai passée sur sa manche, sur son bras, sur sa poitrine. Je ne pensais à rien. Ma main ne semblait plus m'appartenir.

« Elle te manque beaucoup... Francesca ? » Ma voix tremblait. Le dernier mot est sorti de ma bouche avec un petit couic aigu que je n'ai pas pu contrôler.

Léon a eu un sourire. Sa voix à lui avait mué des mois auparavant et il adorait me taquiner à propos de ma jeunesse. « Ah ! Dutoc. T'es un vrai gosse, tu sais !

— Je voulais simplement savoir !

— Un très jeune gosse !

— Ferme-la, Léon !

— Tu croyais vraiment que c'était le coup de foudre, hein ? Clair de lune ! Deux idiots ! Le grand amour et tout le tremblement, quoi ? Mon Dieu, Dutoc, tu n'es vraiment pas *original* !

— Ferme-la, Léon ! » Mon visage était brûlant. J'ai désespérément essayé de penser à la froide pâleur des étoiles à l'hiver, à la glace.

Il a ri : « Désolé de te décevoir, petite tante !

— Qu'est-ce que tu veux dire ?

— Je te parle de ton idée de l'amour ! Elle n'était rien pour moi qu'une autre fille à baiser ! »

Son expression me choquait. Sûrement ce n'était pas vrai. J'ai pensé à Francesca, à ses cheveux d'or roux, à ses longs membres sveltes et souples. J'ai pensé à Léon, à tout ce que j'avais sacrifié pour lui, pour leur amour, pour l'angoisse et le bonheur de partager sa passion pour elle.

« Tu sais très bien que tu ne dis pas la vérité. Et cesse de m'appeler petite tante !

— Ou bien... ? » Il s'était rassis maintenant. Ses yeux brillaient.

« Arrête, Léon ! N'fais pas l'con !

— Alors, tu pensais qu'elle était ma première, hein ? » Il a eu un petit ricanement. « Dutoc, cesse d'être un môme ! À t'écouter, je crois l'entendre, tu sais ! Mais enfin, regarde-toi, tu es tout agité maintenant ! Alors, tu essayais vraiment de me guérir d'un amour brisé ? Comme si je pouvais jamais aimer une fille à ce point-là !

— Mais tu me disais... !

— Je te faisais marcher, imbécile ! Ne t'en rendais-tu pas compte ? »

Sans comprendre, j'ai fait non de la tête. Il m'a alors donné un petit coup de poing gentil dans le bras. « Petite tante, tu es vraiment un romantique, tu sais ! D'accord, pour une fille, elle n'était pas mal. Mais elle n'était pas la première, ni même celle qui m'avait donné le plus de plaisir ! Et elle ne sera certainement pas la dernière !

— Je ne te crois pas !

— Ah, tu ne me crois pas ? Eh bien, écoute ! » Il riait maintenant, plein d'énergie. Le fin duvet de ses bras se détachait dans le clair de lune comme des fils d'argent terni. « Est-ce que je t'ai raconté pourquoi j'avais été foutu à la porte de ma dernière boîte ?

— Non ! Pourquoi ?

— J'empapaoutais un prof, petite tante, dans l'atelier, après les cours. Mr. Weeks enseignait le travail des métaux. Ils en ont fait toute une histoire !

— Non ? » D'indignation devant son audace, j'ai commencé à rire aussi.

« Le bougre de crétin me disait qu'il m'aimait. Tu vois un peu. Il m'écrivait des lettres ! »

Les yeux écarquillés, je répétais : « Non ! Non !

— Et ce n'est pas moi qu'ils ont blâmé ! Ils ont parlé de corruption d'un adolescent vulnérable par un dangereux pervers. Mon identité n'a même pas été révélée. Il fallait bien protéger l'innocent ! À l'époque, les journaux étaient pleins de cette histoire-là.

— Oh ! » Il n'y avait aucun doute dans mon esprit. Il disait la vérité. Cela expliquait tant de choses : son indifférence, sa précocité sexuelle, son audace. Oui, son audace ! « Et comment cela a-t-il fini ? »

Il a eu un haussement d'épaules. « *Pactum factum*. Le pauvre con a été foutu en taule pour sept ans. Moi, j'ai quand même un peu pitié de lui. » Il a eu un sourire d'indulgence. « Ce n'était pas vraiment un mauvais bougre. Il m'emmenait dans les clubs avec lui et tout ça. Par contre, il était franchement laid. Il avait une de ces panses ! Et puis vieux avec ça ! Trente ans ! »

— Oh ! Léon !

— Ouais, enfin, tu n'es pas forcé de regarder ! Et il m'offrait plein de trucs aussi : de l'argent, des disques, cette montre qui coûte au moins cinq cents livres !

— Non ?

— En tout cas, ma mère était affolée. Elle m'a fait voir un psychiatre et tout ça. Je ne m'en remettrais peut-être jamais, disait-elle.

— Et c'était... c'était... » L'atmosphère de cette nuit-là, les révélations de Léon... La tête me tournait. Ma gorge était sèche. J'ai avalé ma salive pour terminer ma question : « C'était... comment ? »

Léon s'est retourné, il a souri et s'est pressé contre moi. « Tu veux savoir comment l'on se sent, c'est ça ? »

Le temps a fait une embardée. Ma passion pour les romans d'aventure m'avait donné une grande expérience de ces moments où le temps s'arrêtait net : *Pendant un instant terrible, le temps s'immobilisa. Les cannibales s'approchèrent en rampant des jeunes garçons désespérés...* Dans mon cas, le temps ne s'était pas arrêté mais je l'avais clairement senti faire une *embardée*, comme un train qui s'ébranle après un arrêt dans une gare. Une fois encore, je sentais que mon corps ne m'appartenait plus. Mes mains voletaient comme des oiseaux puis s'abattaient. La bouche de Léon écrasait la mienne. Ses mains m'immobilisaient puis s'accrochaient à mes vêtements avec une fièvre qui me remplissait de délices.

Il riait toujours, cet adolescent d'ombre et de lumière, ce fantôme de la nuit. Je sentais, sous mon dos, la chaude rugosité des plaques de schiste et le merveilleux contact de ma peau contre le tissu de ses vêtements. J'étais au bord de l'oubli, du frisson et de la terreur. Révolte et délire se mêlaient à une joie inexplicable. J'avais perdu tout sens du danger. Mon corps n'existait plus. Seule ma peau était vivante. Chaque pouce de sa surface était agité de milliers de sensations contre lesquelles j'étais incapable de lutter. Des pensées désordonnées jaillissaient dans mon esprit comme des lucioles.

Il ne l'avait jamais aimée.

L'amour n'était pas une émotion bien *originale*.

Il aurait été incapable d'aimer à ce point une fille.

Oh, Léon, Léon !

Il a retiré sa chemise, peiné un moment pour ouvrir la fermeture Éclair de mon jean. Je riais et je pleurais en même temps. Il riait et ne cessait de parler. Je pouvais à peine entendre ce qu'il me disait. Mon cœur me paraissait secoué, ébranlé comme par le roulement d'un tremblement de terre.

Puis tout à coup, il s'est arrêté, pétrifié. Comme cela, tout net. Gros plan fixe sur nos semi-nudités. Moi, dans le pilier d'ombre projeté par la grande cheminée. Lui, dans le clair de lune, comme une statue de glace. Yin et yang. Mon visage illuminé, le sien assombri de choc, de surprise et de colère.

« Léon !

— Bon Dieu !

— Léon, pardonne-moi, j'aurais dû...

— Bon Dieu ! » Il s'est reculé, les mains tendues devant lui comme pour écarter un danger. « Bon Dieu, Dutoc ! »

Le temps a fait une nouvelle embardée. Le visage de Léon était maintenant sali de haine et de dégoût. Dans l'obscurité, il me repoussait.

Les mots grouillaient dans ma gorge comme des têtards dans un bocal trop petit, mais rien ne sortait. J'ai perdu l'équilibre. Le pot de la cheminée a interrompu ma chute. Le dos appuyé contre lui, j'étais incapable de prononcer un mot, ni de pleurer, ni de me mettre en colère. La colère est venue plus tard.

Incrédule, d'une voix qui tremblait, Léon a dit : « Saloperie ! »

Le mépris et la haine contenue dans sa voix m'ont appris tout ce que j'avais besoin de savoir. J'ai poussé un long cri désespéré, une lamentation amère de tristesse et de désolation et j'ai pris la fuite, une fuite que mes tennis rendaient silencieuse sur les ardoises moussues. J'ai enjambé le parapet pour commencer à courir le long du passage étroit.

Fou de rage, Léon me suivait en jurant. Il n'était pas dans son élément sur les toits. Loin derrière moi, je l'ai entendu trébucher, chanceler, sans se soucier du danger. Sous ses pas maladroits des ardoises se détachaient et tombaient dans la cour en bas où elles explosaient comme des boulets de canon. En passant du côté de la chapelle où il était, à l'autre bout, il a glissé. Une cheminée, en bloquant sa chute, l'a sauvé. L'impact a ébranlé chaque gouttière, brique et tuyau. En m'aidant des branches minces d'un sureau qui sortait d'une grille au-dessus d'un gros canal d'évacuation des eaux, bloqué depuis longtemps, j'ai réussi à me hisser encore plus haut. Léon, se servant de ses pieds et de ses mains, me poursuivait en grognant des obscénités.

L'instinct me faisait fuir. Je n'avais plus aucune chance de pouvoir le raisonner maintenant. Cela me rappelait les accès de rage de mon père. J'avais neuf ans de nouveau. Je devais à tout prix éviter la trajectoire circulaire de son terrible poing. Plus tard, peut-être, Léon me laisserait-il lui expliquer ? Plus tard, quand il aurait eu le temps de réfléchir. Pour le moment, je ne pensais qu'à fuir.

Je n'ai pas perdu de temps à tenter de rejoindre la fenêtre de la bibliothèque. La tour du clocheton, avec ses petits balcons dévorés par le lichen et les fientes de pigeon, était plus proche. Une autre des vanités de Saint Oswald, cette tour du clocheton, une petite structure de section carrée avec ses baies à voûtes arrondies qui, à ma connaissance, n'avait jamais abrité de cloche. D'un côté, une gouttière de plomb descendait en pente vertigineuse et conduisait à un trop-plein qui déversait les eaux de pluie dans une sorte de puits profond et nauséabond entre les bâtiments. De l'autre, c'était l'à-pic. Seul, un rebord de pierre étroit me séparait de la cour intérieure nord quelque trente mètres plus bas.

J'ai regardé en bas avec précaution.

Mes excursions passées dans mon royaume sur les toits m'avaient appris que la salle de classe de Straitley se trouvait juste au-dessous de moi et que la fenêtre qui donnait sur le balcon en ruine fermait très mal.

J'ai donc avancé en funambule le long du rebord de pierre en essayant de jauger la distance. Puis, d'un saut léger, j'ai atteint le parapet pour descendre dans le refuge que m'offrait le petit balcon en ruine.

Comme je l'espérais, ouvrir la fenêtre n'a présenté aucune difficulté. J'ai réussi à pénétrer à l'intérieur, mais, au passage, un loqueteau brisé m'a déchiré le dos. Tout à coup, la sonnerie d'alarme a brisé le silence et son hurlement aigu, insupportable, assourdissant, m'a fait perdre tout sens de la direction.

De panique, j'ai fait demi-tour pour retourner sur le balcon. Dans la cour, en bas, les lumières de sécurité se sont brusquement allumées. J'ai dû rapidement me baisser pour ne pas me détacher en silhouette sombre dans leur lumière crue.

Tout allait mal. J'avais bien immobilisé l'alarme de la bibliothèque mais, dans ma panique et ma confusion, j'avais oublié que celle de la tour du clocheton était encore allumée. La sirène hurlait toujours et ne s'arrêtait pas, comme l'oiseau d'or dans *Jacques et les haricots géants*. Aucun moyen que mon père puisse ne pas l'entendre. Et Léon était encore là-haut quelque part. Léon était pris au piège.

Du balcon, j'ai rejoint d'un bond le passage étroit et j'ai regardé en bas, dans la cour tout éclairée maintenant. Deux silhouettes se tenaient là, la tête levée. Leurs ombres gigantesques se projetaient en éventail comme un jeu de cartes. Alors, j'ai de nouveau cherché refuge dans l'obscurité de la tour et j'ai rampé jusqu'au bord du toit pour regarder en bas. De la cour, Patrick Mat levait les yeux vers moi. Mon père était à côté de lui.

9

« Là ! Là-haut ! » Des voix nous parvenaient de loin comme à la radio. Avant que je n'aie eu le temps de m'accroupir, Mat avait aperçu un mouvement, une tête sombre qui se découpait sur le ciel lumineux. « Des gosses sur le toit. »

Des gosses, bien sûr.

« Combien ? » C'était Mat, plus jeune à cette époque-là, en pleine forme physique, le visage à peine rouge encore.

« 'Sais pas, monsieur. J'dirais au moins deux ! »

Une nouvelle fois, j'ai osé regarder. Mon père continuait à tourner vers les toits un visage blanchi par la lune, mais il ne voyait rien. Mat se déplaçait déjà rapidement, lourdement, comme un ours, tout en muscles. Mon père suivait derrière, mais plus lentement, son ombre énorme multipliée par toutes les lumières. Je n'ai pas perdu de temps à les observer plus long-temps. Je savais vers où ils se dirigeaient.

Mon père avait interrompu la sirène d'alarme. Le mégaphone était une idée de Mat, qui l'utilisait les jours de fête des sports et pour les alertes incendie, imposées par les assurances. Le gueuloir lui donnant une voix affreuse, nasale et pénétrante.

« *Eh, vous ! Les garçons ! Ne bougez pas. N'essayez pas de redescendre ! Des sauveteurs arrivent.* »

C'était sa façon de parler en temps de crise, comme un person-nage de films américains. Je me rendais compte d'à quel point il aimait son rôle, le *second master* tout récemment nommé, l'homme d'action, le médiateur, le conseiller des gens à problème du monde entier.

En quinze ans, il a à peine changé – il est rare d'ailleurs de voir changer cette sorte d'arrogance-là – ; en ce temps-là, déjà, il croyait vraiment pouvoir tout résoudre avec rien de plus qu'un mégaphone et une certaine facilité d'expression.

Il était une heure et demie du matin. La lune s'était couchée. Le ciel, jamais vraiment noir à cette période-là de l'année, avait pris une teinte lumineuse et éthérée. Quelque part, là-haut, au-dessus de moi, sur le toit de la chapelle, Léon devait attendre, calme, plein de sang-froid et de patience. Quelqu'un avait appelé les pompiers car j'entendais au loin la sirène de leur voiture qui approchait. Bientôt, nous serions cernés.

« *Indiquez votre position !* » C'était Mat, de nouveau ; il faisait un grand geste, le mégaphone à la main. « *Je répète : indiquez votre position !* »

Toujours aucun signe de Léon. Je me demandais s'il avait réussi à retrouver tout seul la fenêtre de la bibliothèque, s'il était en difficulté, ou s'il s'échappait déjà, silencieusement, dans les couloirs, à la recherche d'une sortie.

Quelque part, au-dessus de moi, une ardoise a bougé. J'ai entendu le bruit d'une glissade – les semelles de ses tennis sur le plomb de la gouttière. Je le voyais maintenant. Une partie de sa tête dépassait du parapet de la chapelle. Il a continué à se déplacer, si lentement que son mouvement était presque imperceptible, le long du passage étroit qui menait à la tour du clocheton.

Je me suis dit qu'il avait raison. Il devait avoir compris qu'il n'était plus question de rentrer par la fenêtre de la bibliothèque maintenant, en passant par ce toit bas, en pente, le long de la chapelle. Il serait en pleine vue s'il essayait. La tour du clocheton était plus haute mais plus sûre. Il pourrait rester caché là-haut. Mais moi, j'étais de l'autre côté. Si je tentais de le rejoindre de l'endroit où je me trouvais, ils me verraient immédiatement d'en bas. J'ai donc décidé de faire le grand tour, de traverser le toit de l'observatoire et de me réfugier avec lui dans l'obscurité qui nous dissimulerait tous deux.

« *Écoutez bien !* » C'était la voix de Mat, si amplifiée que je m'en suis bouché les oreilles de mes mains. « *Vous n'avez rien à craindre !* » J'ai détourné la tête pour déguiser mon sourire nerveux. C'était si convaincant qu'il s'en était presque convaincu lui-même. « *Ne bougez pas ! Je répète : ne bougez pas !* »

Léon ne serait pas dupé par un tel langage. Ce genre de platitude rassurante était habituel ici, nous le savions. « *Vous n'avez rien à craindre !* » J'imaginais le sourire de Léon devant cet éternel mensonge et j'ai soudain ressenti comme une douleur le fait de ne pas être à ses côtés pour partager son amusement. La scène aurait été vraiment formidable : Butch et Sundance, cernés sur le toit, deux courageux rebelles lançant un défi aux forces unies de Saint Oswald et de la loi.

Mais maintenant... l'idée m'est venue à l'esprit. J'avais plus d'une raison de ne pas désirer la capture de Léon. J'étais moi-même dans une situation plutôt précaire. Un mot, un simple coup d'œil, et ma couverture était fichue à jamais. Il n'y avait rien à faire. Après ceci, Dutoc devait disparaître. Cela ne poserait pas de problème, bien sûr. Seul Léon se doutait que Dutoc était un peu plus qu'un fantôme, qu'un imposteur, qu'une sorte de pantin de chiffon et de paille.

Sur le moment pourtant, je n'ai ressenti aucune peur. Je connaissais les toits mieux que n'importe qui. Tant que je pourrais y rester, ils ne m'auraient pas. Mais si Léon parlait à mon père... Si l'un des deux établissait un lien quelconque...

C'était ma supercherie qui soulèverait leur indignation : le défi que j'avais lancé à Saint Oswald, à tout le système. Je voyais déjà clairement tout : l'enquête, les articles dans les journaux du soir, les moqueries dans la presse nationale.

La punition ne me faisait pas peur. J'avais treize ans, grands dieux ! Que pourraient-ils bien me faire ? Non, c'était le ridicule qui m'effrayait, leur mépris, la certitude qu'en dépit de tout, Saint Oswald aurait gagné la partie.

J'imaginais déjà mon père, les yeux dirigés vers le toit, le dos voûté. Je devinais sa consternation, pas tant à cause de l'attaque menée contre Saint Oswald que devant ce qui était maintenant son devoir. John Snyde n'avait peut-être jamais été bien rapide mais, à sa façon à lui, il était consciencieux. Dans son esprit, cela ne faisait aucun doute. Il savait ce que l'on attendait d'un *porter.*

« Il faut que je monte les chercher. » Sa voix lasse, audible pourtant, me parvenait de la cour en bas.

« Qu'est-ce que vous dites ? » Dans son enthousiasme devant l'occasion de jouer l'homme d'action, Mat avait oublié de considérer la solution la plus simple. Les pompiers n'étaient pas encore arrivés. La police, comme toujours débordée, n'avait pas encore pu envoyer quelqu'un.

« Je dois monter les chercher. C'est mon boulot. » Sa voix était plus forte maintenant. À Saint Oswald, un *porter* se doit d'être fort. Le souvenir des paroles de Mat lorsqu'il faisait la morale à mon père m'est revenu à l'esprit. *Nous comptons sur vous, John ! Saint Oswald compte sur vous pour faire votre devoir.*

De l'œil, Mat estimait la distance. Je devinais qu'il calculait, mesurant la situation. Sur le toit, des élèves. Un homme, en bas. Le *head porter*, au milieu. Il aurait tant voulu monter lui-même, bien sûr, mais s'il abandonnait son poste, qui serait le médiateur avec le mégaphone ? Qui serait là pour accueillir les pompiers ? Qui prendrait la situation en main ?

« Ne les affolez pas ! Ne vous approchez pas trop près ! Prudence, surtout ! D'accord ? Prenez l'échelle de secours. Montez sur le toit. Moi, je vais les guider du sol. »

Les guider du sol ! Encore une de ces expressions à la Mat, avec ses allures d'homme d'action ! Lui qui aurait tant aimé grimper sur le toit de la chapelle – descendre en rappel, peut-être, un élève inconscient dans les bras – n'aurait pas pu avoir le moindre soupçon de l'effort, de l'effort énorme, que mon père avait dû s'imposer pour se décider à monter.

Personnellement, je n'avais jamais utilisé l'échelle de secours. J'avais toujours préféré les méthodes moins conventionnelles : la fenêtre de la bibliothèque, la tour du clocheton, la lucarne faîtière de la salle de dessin, avec sa grande étendue de verre entre la section des beaux-arts et l'observatoire.

John Snyde ne savait rien de ces passages-là. Il ne les aurait jamais utilisés même s'il avait été au courant de leur existence. Malgré ma petite taille pour mon âge, mon poids ne me permettait déjà plus de traverser en équilibre le toit de verre ni d'avancer à quatre pattes le long du rebord étroit, envahi par le lierre.

Je savais aussi que, depuis toutes ces années qu'il était *porter* à Saint Oswald, mon père ne s'était jamais aventuré plus loin que l'échelle de secours du couloir du milieu. Quant au réseau précaire de gouttières et de passages au-dessus, il n'en avait jamais été question. J'aurais pu parier qu'il n'allait pas le faire maintenant non plus et que, même s'il le tentait, il n'irait pas bien loin.

J'ai jeté un regard, à travers les toits, dans la direction du couloir du milieu. L'échelle de secours était là. Squelette de dinosaure, coincé dans la gorge du gouffre. Elle était dans un piètre état. Sous l'épaisse couche de peinture, des bulles de rouille apparaissaient un peu partout mais elle était encore assez solide pour soutenir le poids d'un homme. Oserait-il s'y aventurer ? Et s'il osait, que devrais-je faire ?

Un moment, j'ai pensé revenir en arrière dans la direction de la fenêtre de la bibliothèque. Trop de risques ! Trop visible d'en bas ! J'ai donc emprunté un autre chemin. J'ai franchi, les bras écartés, une poutrelle entre les deux lucarnes de la section des beaux-arts avant de traverser le toit de l'observatoire pour remonter la pente du chenal principal d'évacuation des eaux dans la direction de la chapelle. Je connaissais au moins une dizaine de routes possibles pour m'échapper. J'avais mes clefs, je connaissais chaque placard, chaque couloir, chaque petit escalier secret. Il n'y avait donc aucune raison que Léon et moi nous fassions prendre. En dépit de tout, nous vivions une passionnante aventure. Je nous imaginais de nouveau copains, ayant oublié cette stupide querelle devant l'euphorie du plus grand de tous nos exploits.

L'échelle de secours ne présentait plus de problème maintenant. Pourtant je savais que, pendant une ou deux minutes, je passerais en pleine vue des gens, en bas, dans la cour. Le risque n'était pas bien grand. Se découpant sur le ciel maintenant sans lune, ma silhouette n'avait que peu de chances d'être reconnue.

J'ai couru, mes tennis agrippant ferme la pente couverte de mousse. J'entendais Mat, bien loin, en bas, avec son mégaphone. « *Ne bougez pas ! Les secours arrivent !* » Je savais parfaitement bien qu'il n'avait pas pu m'apercevoir. J'avais atteint le squelette du dinosaure, la ligne de faîte du bâtiment principal. Là, j'ai dû m'arrêter, m'y installer à califourchon. De Léon, aucun signe.

J'ai cru qu'il se cachait peut-être de l'autre côté de la tour du clocheton, là où il était le plus à l'abri et où, s'il ne perdait pas son sang-froid, il ne pourrait pas être aperçu du sol.

Rapidement, à quatre pattes, comme un singe, j'ai longé le haut du toit. En traversant la masse sombre de la tour, j'ai jeté un regard en arrière. Aucun signe de mon père ni sur l'échelle, ni sur le passage étroit. Et toujours rien de Léon non plus. J'ai franchi d'un bond la gueule béante qui sépare la tour du toit de la chapelle. De ce large coin d'ombre projeté par la tour, j'ai contemplé mon royaume sur les toits. J'ai décidé d'appeler Léon à voix basse. Pas de réponse. Comme un fil d'Ariane, ma voix s'est perdue dans la brume de la nuit.

« Léon ! »

Alors, je l'ai vu, aplati contre le parapet, à vingt pieds de moi, la tête levée, comme celle d'une gargouille, pour qui le regardait d'en bas.

« Léon ! » Cette fois, il avait entendu, je le savais ; il continuait pourtant à ne pas bouger. J'ai commencé alors à monter vers lui, la tête baissée pour éviter que l'on ne m'aperçoive. Nous pouvions encore nous en sortir. Je pourrais lui montrer la fenêtre, le conduire là où il pourrait rester caché puis revenir le chercher lorsque tous seraient partis. Personne ne le verrait, personne ne le soupçonnerait. Je voulais le lui expliquer mais serait-il prêt à m'écouter ?

J'ai rampé rapidement jusqu'à lui. Le mégaphone, en bas, ouvrait en grand sa gueule assourdissante. J'ai vu soudain des lumières rouges et bleues peindre de rayures le sommet du toit. Un instant, j'ai entrevu l'ombre de Léon traverser rapidement puis s'aplatir de nouveau. Il s'est mis à jurer. Les pompiers étaient arrivés.

« Léon ! »

Toujours rien. Il semblait englué au parapet. Du mégaphone montait un gargouillis de voyelles qui nous mitraillaient de leurs décibels.

« Eh, vous, là-haut ! Ne bougez pas ! Ne bougez pas ! »

La tête passée juste au-dessus du parapet, j'étais visible, je le savais, mais seulement comme une forme sombre parmi les autres. De mon nid d'aigle, je distinguais la silhouette trapue de

Patrick Mat, la longue lumière au néon de la voiture des pompiers et les hommes qui s'affairaient autour comme des papillons noirs.

Le visage de Léon était sans expression. Dans l'obscurité, il avait la blancheur d'un champignon de cave. « *Saloperie !* »

Je lui ai dit : « Allez, tu viens ? Nous avons encore le temps !

— Le temps de quoi ? D'une culbute rapide ?

— Léon, s'il te plaît, arrête ! Ce n'est pas ce que tu crois !

— Vraiment ? » Et il s'est mis à rire.

« Écoute, Léon ! Je connais un moyen de leur échapper mais il faut te dépêcher. Mon père va arriver. »

Un silence de mort est tombé.

En bas, des voix indistinctes comme à travers la fumée d'un feu de joie. Au-dessus, la tour du clocheton avec ses balcons. Devant, le gouffre séparant la tour du clocheton et le toit de la chapelle, cet égout nauséabond en forme de siphon, avec ses gouttières et ses nids de pigeons, qui descendait en pente vers la rigole étroite entre les bâtiments.

« Ton *père* ? » a répété Léon.

Alors, j'ai entendu un bruit sur le toit derrière nous. En me retournant, j'ai aperçu sur le passage étroit, à une douzaine de mètres seulement, un homme qui nous bloquait la route. Il n'y avait aucun danger et pourtant l'homme tremblait de tout son corps, il chancelait comme s'il avait été sur une corde raide, les mains crispées, le visage tout raidi de concentration. Centimètre par centimètre, il s'approchait pourtant. « Ne bougez pas ! J'arrive ! » nous a-t-il dit.

C'était John Snyde.

Il n'était pas possible qu'il ait vu nos visages. Nous étions tous deux dans l'ombre. Deux fantômes sur les toits. Nous pouvions encore lui échapper, je le savais. Le gouffre entre la chapelle et la tour était profond mais étroit – un mètre cinquante à son endroit le plus large. Je l'avais franchi sans difficulté plus de fois que je ne pouvais m'en souvenir. Même dans l'obscurité, le risque était minime. Mon père n'oserait jamais nous y suivre. Nous pourrions grimper la pente du toit, avancer le long du rebord de pierre de la tour et, de là, sauter sur le balcon comme je l'avais déjà fait. Ensuite, je connaissais des dizaines d'endroits où nous cacher.

Je ne pensais pas plus loin que cela. Nous étions de nouveau Butch et Sundance, en gros plan fixe, héros pour l'éternité. Il ne nous restait qu'une chose à faire : sauter.

J'aime croire que j'ai hésité, que j'ai réfléchi avant d'agir, que je n'ai pas réagi par simple instinct de préservation, comme un animal poursuivi par des chasseurs. Ce qui s'est passé après n'existe dans mon esprit que comme dans une sorte de vacuité. Mes rêves ont peut-être brutalement cessé à ce moment précis ? J'avais peut-être déjà fait tous les rêves dont j'aurais jamais pu avoir besoin ? C'était peut-être le chant du cygne, la fin des rêves de toute une vie ?

J'ai cru pourtant à ce moment-là, sortir d'un long sommeil, me réveiller après des années et des années de rêves. Des images désordonnées traversaient mon esprit comme des étoiles filantes par une nuit d'été...

Léon riait, la bouche contre mes cheveux.

Léon et moi, sur la Machine infernale.

Léon et Francesca, dont, finalement, il n'avait jamais été amoureux.

Saint Oswald et combien j'avais été proche de gagner la partie.

Le temps s'est arrêté. Je m'accrochais à l'espace comme à une croix d'étoiles. D'un côté, Léon. De l'autre, mon père. Je l'ai déjà dit, je veux croire que j'ai eu un moment d'hésitation.

Alors, j'ai regardé Léon.

Léon me regardait.

Et nous avons sauté.

REINE

1

Saint Oswald – Lycée de garçons

Souviens-toi, souviens-toi
De l'ennemi du Roi !
Le jour du cinq novembre[1].

Il est arrivé enfin, dans toute sa gloire meurtrière. L'anarchie, comme la peste, s'est répandue dans l'École entière : élèves absents, leçons interrompues, beaucoup de mes collèges en congé. Devine a reçu une lettre l'informant de son renvoi temporaire en attendant une enquête plus poussée. (Cela veut dire que j'ai momentanément repris possession de mon ancien bureau. Aucune victoire pourtant ne m'a causé moins de joie.) Grachvogel et Light ont reçu une lettre aussi. D'autres sont interrogés par la police. Robbie Roach est parmi eux. Il dénonce ses collègues à tort et à travers dans l'espoir de détourner de lui les soupçons.

Bob Strange m'a clairement rappelé que ma présence à l'École n'était tolérée que parce qu'elle était devenue absolument nécessaire. D'après ce que m'a dit Allen-Jones, dont la mère est un des gouverneurs – un membre du conseil d'établissement – de Saint Oswald, ils ont longuement discuté de mon avenir à leur dernière réunion. Le Dr Pooley – je m'étais « livré à des voies de fait » sur son fils – exigeait mon renvoi immédiat. À la lumière

---

1. Comptine anglaise évoquant le complot pour assassiner le roi James I. (*N.d.T.*)

des événements récents – et surtout en l'absence de Mat –, il n'y a eu personne pour prendre ma défense et Bob m'a bien fait comprendre que la situation exceptionnelle dans laquelle se trouvait Saint Oswald était la seule raison du sursis qu'ils m'avaient octroyé et que la décision qu'ils avaient prise était parfaitement légitime compte tenu des circonstances.

J'ai bien sûr demandé à Allen-Jones de jurer qu'il garderait cela pour lui – ce qui veut dire que toutes les classes de quatrième et de troisième sont au courant de l'histoire maintenant.

Quand je pense qu'il y a seulement quelques semaines, nous nous faisions du souci à propos de l'inspection générale ! Maintenant, nous faisons partie des établissements en péril. La police est toujours présente et ne donne aucun signe de départ dans un avenir proche. Nous faisons cours dans un isolement total. Personne ne répond plus aux coups de téléphone. Les corbeilles à papiers ne sont pas vidées. Le parquet n'est pas nettoyé. Shuttleworth, le nouveau *porter,* refuse de remplir ses fonctions avant que l'École ne lui ait fourni un logement pour remplacer celui qui a été incendié. Mat, qui se serait normalement occupé de sa requête, n'est pas là pour le faire.

Quant aux élèves, ils sentent qu'ils sont témoins d'un effondrement possible et imminent. Ce matin, Sutcliff est arrivé pour l'appel les poches pleines de pétards, et a causé évidemment le chaos auquel on se serait attendu de lui. À l'extérieur, rares sont ceux qui nous croient capables de survivre à cette crise. Un établissement est jugé par ses derniers résultats aux examens. À moins que nous ne puissions vraiment remonter le courant, après les désastres de ce trimestre, je n'ai que peu d'espoir quant à la qualité de nos résultats aux examens, cette année.

Mes latinistes pourront sans doute se débrouiller car nous avions déjà terminé le programme à la fin de l'année dernière. Les germanistes, par contre, ont essuyé des revers terribles, ce trimestre-ci. Quant aux gallicistes, avec deux profs absents – Tapi qui refuse de reprendre ses cours avant que son histoire n'ait été réglée et Pearman, à qui l'on a accordé un congé exceptionnel pour raisons personnelles –, ils n'ont que peu de chances de pouvoir rattraper le temps perdu. Même genre de problèmes pour les autres. Dans certaines disciplines, des sections entières du programme sont encore à traiter et personne n'est là pour prendre les rênes. Le proviseur passe le plus clair de son temps enfermé dans son bureau. Bob Strange remplace Mat dans ses fonctions mais sans grand succès.

Heureusement, Marlene est toujours là. C'est elle qui dirige l'École. Elle semble un peu moins séduisante pourtant en ce moment, plus sérieuse, avec ses cheveux dégagés de son visage anguleux et son chignon très strict. Elle n'a plus le temps de bavarder. Elle passe la plupart de sa journée à décourager les plaintes des parents et à détourner les questions des reporters qui veulent savoir la nature exacte de l'enquête de la police.

Comme toujours, Marlene est solide au poste. Elle est, évidemment, plus résistante que la plupart. Elle tient le coup. Quand elle a perdu son fils – dont la mort a créé une division dont la famille ne s'est jamais remise –, nous lui avons offert un poste ici. Elle en a fait une sorte de vocation. Depuis, Saint Oswald est l'objet de toute sa loyauté.

Mat avait été en partie l'instrument de cette nomination. Cela explique sans doute le dévouement total de Marlene pour lui, et aussi le fait qu'elle ait choisi de travailler ici plutôt qu'ailleurs, ce qui aurait parfaitement été compréhensible. Cela n'a pas dû être facile pour elle. On ne l'a jamais pourtant entendue se plaindre. En quinze ans, elle n'a pas eu une seule journée d'absence. C'est pour Mat qu'elle fait tout ça, pour Mat qui avait été sa planche de salut.

Et maintenant, c'est lui qui est à l'hôpital, m'a-t-elle confié. La nuit dernière, il a eu une sorte d'attaque provoquée sans doute par le stress. Il a réussi à prendre sa voiture et à atteindre le service des urgences. Là, il s'est effondré dans la salle d'attente. On l'a gardé en observation dans une salle du service de cardiologie.

« Enfin, il est entre de bonnes mains ! Si seulement vous l'aviez vu hier soir ! Elle s'est interrompue et a fixé d'un air sévère un point dans le vide, devant elle, à quelques mètres de distance. Inquiet, je me suis aperçu qu'elle était au bord des larmes. « J'aurais dû rester mais il ne voulait pas...

— Oui, bien sûr, hum ! » J'ai détourné le regard, un peu gêné. Depuis des années, ce n'est plus un secret pour personne que

Patrick et sa secrétaire entretiennent des rapports qui vont au-delà des relations purement professionnelles. Et la plupart, parmi nous, s'en fichent éperdument. Cependant Marlene a toujours tu la chose, sans doute parce qu'elle imagine qu'un scandale pourrait ternir la réputation de Patrick et nuire ainsi à sa carrière. Le fait qu'elle l'ait même évoqué montre bien où en sont les choses.

Dans une école comme la nôtre, rien n'est sans importance. Soudain, comme un coup au cœur, j'ai ressenti du chagrin pour ceux d'entre nous qui sommes encore là, la Vieille Garde, les Grognards toujours fidèles devant l'avenir inexorable qui menace de nous écraser tous.

« Si Patrick part, moi, je ne resterai pas, a-t-elle déclaré en tournant et retournant l'émeraude qui ornait son majeur. J'irai travailler pour un homme de loi ou quelque chose comme ça. À moins que je ne prenne ma retraite : j'aurai soixante ans l'an prochain ! » Cela aussi était nouveau ! Voilà des années, depuis que je la connaissais d'ailleurs, que Marlene avait quarante et un ans.

« Moi aussi, j'y pense. À la fin de cette année-ci, j'aurai ma Centaine – à moins que Strange n'obtienne ce qu'il souhaite !

— Comment ? Quasimodo abandonnerait la tour du clocheton ?

— Mais oui, j'y ai pensé ! » À vrai dire, depuis quelques semaines, j'avais fait un peu plus que d'y penser. « Aujourd'hui c'est mon anniversaire. Soixante-cinq ans ! On ne le dirait pas, hein ? » Elle a eu un petit sourire tout triste. Chère Marlene ! « Où donc se sont enfuis tous ces anniversaires ? »

Patrick étant absent, c'est Bob Strange qui s'est chargé de l'assemblée des quatrième, ce matin. Je ne lui aurais pas conseillé de le faire mais, avec tant d'absents et de non-disponibles parmi les hauts échelons de notre petite société, Bob a décidé de prendre la barre de notre grand vaisseau et de le piloter vers des eaux plus calmes. J'ai pensé tout de suite que c'était une erreur de sa part, mais c'est une perte de temps même de discuter avec certaines personnes.

Nous savons tous, bien sûr, que Bob n'est pas responsable du renvoi temporaire de Patrick. Personne ne l'en accuse. Mais les élèves détestent l'aisance et la rapidité avec lesquelles il a décidé de remplacer Mat, dont le bureau, d'habitude toujours ouvert pour celui qui aurait besoin de lui, est maintenant fermé. Il y a fait mettre ce gadget avec un timbre électrique, comme celui installé à la porte de Devine. Retenues et autres punitions sont distribuées, avec efficacité et sans une seule goutte de sang, à partir de ce cerveau administratif, mais la chaleur humaine de Patrick qui les rendait si acceptables manque étrangement à Bob.

Les élèves le sentent. Ils sont mécontents et découvrent des moyens de plus en plus ingénieux pour mettre publiquement en évidence les faiblesses du personnage. Bob n'est pas, comme Patrick, un homme d'action. Il a suffi d'une poignée de pétards jetés sous l'estrade durant l'Assemblée pour le prouver. Et c'est ainsi que tous les quatrième ont dû garder le silence dans la salle des Fêtes une moitié de la matinée pendant que Bob a attendu que le coupable veuille bien se dénoncer.

Avec Patrick Mat, le coupable se serait dénoncé en moins de cinq minutes. Mais les élèves ont toujours bien voulu faire ce que voulait Mat. Bob Strange, avec sa froideur, son indifférence et ses techniques nazies de B.D., est une victime toute trouvée pour eux.

« M'sieur, quand Mr. Mat va-t-il revenir ?

— J'ai dit : silence, Sutcliff, ou vous devrez attendre à la porte du bureau de M. le proviseur !

— Pourquoi, m'sieur ? Il sait, lui ? »

Voilà bien dix ans que Bob Strange n'a pas fait cours aux quatrième. Il ne sait pas du tout comment réagir à ce genre d'attaque de front. Il ne comprend pas que son ton tranchant trahit son insécurité profonde et qu'en élevant la voix, il ne fait qu'aggraver la situation. C'est peut-être un excellent administrateur mais, dans le domaine des relations humaines, il est nul.

« Sutcliff, vous serez en retenue !

— Oui, m'sieur ! »

Moi, je me serais méfié de ce sourire sur le visage de Sutcliff, mais Strange, lui, ne connaissait pas le gamin et il a continué à s'enferrer de plus en plus.

« Et ce n'est pas tout ! Si celui qui a lancé les pétards ne se lève pas immédiatement, vous serez tous en retenue pendant un mois ! »

Enfin, *un mois* ? Impossible ! La futilité de cette menace a été perçue dans la salle comme un mirage. Un remous léger a parcouru l'assemblée.

Strange a alors continué : « Je vous donne jusqu'à dix : un, deux... »

Un autre remous a couru parmi la foule des élèves pendant que Strange a essayé de prouver à tous qu'il savait compter jusqu'à dix.

Sutcliff et Allen-Jones ont échangé un coup d'œil.

« Trois, quatre... »

Ils se sont levés tous deux en même temps.

Il y a eu un moment de silence.

Ma classe entière a suivi leur exemple.

Pendant un instant, Strange est resté là, les yeux écarquillés. Le moment était superbe. Comme une petite phalange bien unie, mes quatrième S se tenaient au garde-à-vous : Sutcliffe, Tayler, Allen-Jones, Adamczyk, McNair, Brasenose, Pink, Jackson, Almond, Niu, Anderton-Pullitt. Tous, sauf Cavalier, bien entendu !

Puis les quatrième M de Monument en ont fait autant.

Trente garçons, en un mouvement parfaitement synchronisé, comme de petits soldats, le regard fixé droit devant eux. Alors, les quatrième P, la classe de Pearman, les ont imités puis les quatrième KT (Kitty Teague) et enfin les quatrième R de Roach. L'année entière était debout maintenant. Immobiles et silencieux, tous contemplaient le petit homme qui était sur l'estrade.

Alors, il a pivoté sur les talons et il est sorti sans un mot.

Après cela, il n'était plus question d'essayer de leur enseigner quoi que ce soit. Ils avaient besoin de parler. Je les ai laissés faire en allant de temps en temps dans la classe d'à côté où une suppléante, Mrs. Cant, avait bien du mal à maintenir l'ordre. Mat faisait évidemment l'objet des conversations. Là, il n'y avait aucune divergence d'opinions. Ils étaient unanimes dans leur foi en l'innocence de Patrick. Tous déclaraient l'accusation absurde et affirmaient qu'elle ne tiendrait pas le coup plus de cinq minutes devant un juge, que l'histoire entière n'avait été qu'une grossière erreur. Cela m'a remonté le moral. Si seulement certains de mes collègues avaient pu montrer la même certitude que ces garçons-là !

Pendant l'heure de midi, je suis resté dans ma classe. J'ai pris un sandwich, tout en faisant des corrections, évitant ainsi la foule de la salle des profs mais me privant aussi du réconfort que me donnent d'habitude une tasse de thé et la lecture du *Times*. Cette semaine, les journaux sont pleins du scandale de Saint Oswald, et qui veut franchir le portail de l'École doit le faire sous le mitraillage des photographes et les questions de ces tireurs d'élite que sont MM. les journalistes.

Bien sûr, la plupart d'entre nous ne s'abaissent pas à faire des déclarations. Pourtant, je crois qu'Eric Scoones a parlé, lundi, à un reporter du *Mirror*. Leur court article, avec ses descriptions de bureaucrates sans âme et ses accusations voilées de népotisme parmi les échelons supérieurs de l'École, avait des échos de Scoones. J'aurais pourtant bien du mal à croire que mon vieil ami puisse être cette fameuse Taupe dont le style – un mélange de satire, de commérages et de calomnies – enchante les lecteurs du journal local depuis quelques semaines. Le vocabulaire de ces articles me donne cependant une impression de déjà-vu, comme si le style de leur auteur m'était familier, comme si j'en comprenais parfaitement l'humour subversif et pouvais y souscrire.

Ma pensée est revenue de nouveau vers le jeune Keane. Cet homme a un sens aigu de l'observation, c'est sûr, et je le crois posséder un certain talent aussi. Se pourrait-il qu'il fût la Taupe ? Je n'aimerais pas le penser. Ventrebleu, je l'avais tout de suite trouvé sympathique, ce jeune-là, et ses remarques, l'autre jour, dans la salle des profs, prouvaient son courage et son intelligence ! Non, pas Keane ! Mais si ce n'est pas lui, qui d'autre alors ?

Cette question-là m'a trotté dans la tête tout l'après-midi. J'ai fait des cours médiocres. J'ai perdu patience avec un groupe de troisième qui avaient beaucoup de mal à se concentrer, j'ai flanqué une retenue à un garçon de terminale dont le seul crime, je dois l'avouer, avait été de me faire remarquer que j'avais fait une faute de subjonctif dans un thème. À la fin de ma dernière leçon, j'avais pris une décision. J'allais tout simplement lui poser la question, comme cela, ouvertement, en toute honnêteté. Je me crois capable de juger correctement les gens. S'il était vraiment la Taupe, je le saurais.

Je l'ai trouvé dans la salle des profs où il bavardait avec miss Dare qui a souri à mon entrée. Keane l'a imitée et m'a dit : « J'ai entendu dire qu'aujourd'hui, c'était votre anniversaire, monsieur Straitley. Nous avons donc un gâteau, pour vous. »

Un muffin au chocolat trônait sur une soucoupe. Gâteau et soucoupe venaient tout droit de la cantine. Quelqu'un avait mis une bougie jaune sur le muffin et drapé une guirlande de cheveux d'ange tout autour. Collé à la soucoupe, un pense-bête disait :

Bon anniversaire, monsieur Straitley.
Soixante-cinq ans ? Pas vrai !

J'ai su, à ce moment-là, que la Taupe pourrait attendre encore un peu.

Miss Dare a allumé la bougie. Les rares collègues qui étaient encore dans la salle des profs à cette heure-là : Monument, McDonaugh et un ou deux des nouveaux ont applaudi. J'en étais si confus que j'en avais presque les larmes aux yeux.

J'ai grogné : « Sacrebleu, et moi qui ne voulais pas que cela se sache !

— Et pourquoi ça ? a demandé miss Dare. Écoutez, Chris et moi on va prendre un verre ce soir. Aimeriez-vous nous accompagner ? Nous irons voir le feu de joie du jardin public, manger des pommes au caramel et craquer quelques allumettes japonaises. » Elle s'est mise à rire. Un instant, j'ai remarqué à quel point elle était jolie avec ses cheveux noirs et son visage tout rose de poupée hollandaise. Malgré les soupçons que j'avais eus, cet après-midi-là, à propos de l'identité de la Taupe – soupçons qui, maintenant, me paraissaient sans aucun fondement –, j'étais heureux de voir qu'ils s'entendaient bien tous les deux. Je ne connais que trop bien la force destructrice de Saint Oswald. Je sais à quel point il est facile de s'imaginer que l'on a tout le temps pour rencontrer quelqu'un, se marier, avoir des enfants (si elle en veut) et découvrir soudain que l'on a manqué le coche, non pas d'une année mais d'une ou deux dizaines d'années, que l'on n'est plus un jeune d'Artagnan plein d'ambition mais un *Tweedy* et que Saint Oswald est devenu votre partenaire pour la vie, que la vieille frégate poussiéreuse vous a noyé le cœur.

« Je vous remercie de votre invitation mais je crois que je vais plutôt rentrer chez moi.

— Mais vous allez bien faire un vœu quand même avant de partir ? a-t-elle suggéré en rallumant la bougie.

— Ça, je veux bien ! » ai-je répondu.

2

Brave vieux Straitley. Ces dernières semaines, avec son incurable optimisme et ses petites manières un peu ridicules, il a été si près de me devenir sympathique ! Étrange à quel point cet optimisme peut devenir contagieux, cette impression que l'on puisse tourner la page sur le passé (comme Mat l'a tournée), que l'on puisse écarter de son cœur toute amertume et que son DEVOIR (devoir envers l'École, bien sûr !) puisse devenir une raison d'agir au même titre que l'amour, la haine ou le désir de vengeance.

Après les cours, ce soir, j'ai envoyé mes derniers messages électroniques. L'un de Roach à Grachvogel – prouvant leur culpabilité à tous deux. Un autre de Mat à Devine puis de Devine à Light – révélant un crescendo de panique savamment orchestré. Celui de Cavalier à tous les autres – chargé de plaintes et de menaces. Et, finalement, le coup de grâce, le dernier appel pitoyable de Colin à Mat, sur son portable – un message texte – et sur son ordinateur – que la police surveille, maintenant, c'est certain – un message implorant qui, le moment voulu, confirmera le pire.

Tout compte fait, c'est du bon travail. Je n'aurais pas besoin d'y ajouter quoi que ce soit. D'un seul coup, d'un seul, j'ai éliminé avec élégance cinq professeurs. Mat, évidemment, pourrait craquer d'une minute à l'autre. Une congestion cérébrale, par exemple, ou une grave crise cardiaque, provoquée par le stress ou la certitude que, quelles que soient les conclusions de l'enquête menée par la police, il devra quitter Saint Oswald.

Ma seule inquiétude est de juger si j'en ai fait assez. On dit qu'il est toujours difficile de survivre à un scandale. C'est particulièrement vrai dans notre profession. L'enquête policière, en un sens, devient superflue. Le moindre soupçon d'attentat aux mœurs suffit à causer la ruine d'une carrière. Pour le reste, je peux entièrement faire confiance aux autres, nourris à la petite cuiller de soupçon, d'envie et des articles parus dans le journal local. J'ai déjà mis le bal en train. Cela ne me surprendrait pas si quelqu'un d'autre prenait la relève au cours des semaines à venir. Des élèves de Sunny Bank Park peut-être ? Ou de vertueux gaillards du quartier de la rue de l'Abbaye ? Il y aura des incendies, des attaques de collègues seuls dans la rue, peut-être ? Des rumeurs à propos de scandale possible deviendront du jour au lendemain des certitudes dans ce bouillon de culture que représentent les pubs et les clubs du centre-ville. Le plus magnifique de tout cela, c'est qu'il ne me sera pas nécessaire d'intervenir du tout. Une petite poussée et le ruban des dominos s'aplatit de lui-même.

Je resterai aussi longtemps que cela me sera possible, c'est décidé. La moitié du plaisir est d'être témoin de ce qui arrive (mais j'ai paré à toute éventualité). De toute manière, il est sûrement trop tard maintenant pour endiguer l'inondation catastrophique. Une section tout entière détruite, de nombreux professeurs impliqués dans une histoire de mœurs, la réputation d'un *second master* ternie à jamais. Des élèves que les parents retirent de l'École – douze, cette semaine – la petite fuite deviendra bientôt un torrent. Enseignement négligé. Santé et sécurité oubliées. Inspection générale imminente – qui ne pourra que précipiter la fermeture de l'établissement.

Je sais que, tous les jours, depuis la semaine dernière, il y a réunion extraordinaire des gouverneurs. Le proviseur, dont le talent de négociateur est le point faible, craint de perdre son poste. Tidy, l'intendant, s'inquiète des conséquences possibles de la crise sur les finances de l'École. Bob Strange réussit à retourner secrètement à son propre avantage tout ce que dit le proviseur, tout en donnant, en même temps à tous une impression de rectitude et de loyauté envers ses collègues.

Jusqu'à présent – à part un ou deux petits faux pas dans le domaine de la discipline –, il a parfaitement réussi à remplacer Mat. Qui sait ? Il pourrait peut-être à la suite de cette histoire obtenir une direction. Il est intelligent – en tout cas, *assez* intelligent pour ne pas paraître *trop* intelligent devant les gouverneurs – et efficace aussi. Il s'exprime avec facilité et a juste la personnalité incolore qu'il faut pour passer avec succès le test que Saint Oswald impose à tous ses membres.

Tout bien considéré – et c'est moi qui l'affirme en l'absence d'autre témoin –, mon petit plan de sabotage social est une réussite. La façon dont il a pris forme me plaît beaucoup. Il ne reste plus qu'un détail à régler, un tout petit quelque chose à faire. J'ai prévu cela pour ce soir, pendant le feu de joie. Après, je n'aurai plus qu'à fêter mon succès – et c'est ce que je ferai – avec une bouteille de champagne : une Straitley, cuvée spéciale, que j'ai bien l'intention de déboucher ce soir.

Pour l'instant, je n'ai rien à faire. C'est l'ennui d'une campagne comme la mienne, ces longs moments d'attente chargée d'inquiétude. Le feu de joie commencera à sept heures et demie. À huit heures, le bûcher sera déjà une tour de feu. Des milliers de spectateurs s'entasseront dans le jardin public, les haut-parleurs nous éclabousseront de leur torrent de musique, la foire nous étourdira de cris perçants. Le feu d'artifice commencera à huit heures et demie. Des nuages de fumée éclateront de merveilleuses étoiles filantes.

L'endroit idéal pour commettre un meurtre, n'est-ce pas ? L'obscurité, le chaos, la foule. Il ne vous reste plus qu'à appliquer le principe de Poe, qui affirme que ce qui est juste sous votre nez d'habitude est le plus difficile à voir, et à vous retirer sur la pointe des pieds, laissant à quelque pauvre idiot stupéfait le soin de découvrir le cadavre, à moins que vous ne choisissiez de le découvrir vous-même, avec un cri d'horreur, en comptant sur l'inévitable mouvement de la foule pour vous rendre immédiatement invisible. Oui, encore un autre meurtre. *Je vaux bien ça !* Deux, peut-être ?

J'ai gardé la photo de Léon, une découpe d'un article du journal local, maintenant constellée de taches par le temps. Une photo scolaire prise cet été-là. Pas une bien bonne photo ! Agrandie pour faire la première page. Une sorte de porridge grumeleux. C'est pourtant quand même bien lui avec son sourire de côté, ses cheveux trop longs et sa cravate mutilée. L'en-tête annonce :

Un jeune adolescent de notre ville trouve la mort
dans une chute vertigineuse.
Le *Porter* aide la police dans son enquête.

C'est la version officielle, en tout cas. Nous avons sauté tous les deux. Lui a loupé son coup. Au moment où j'atterrissais de l'autre côté de cette espèce de cheminée géante, je l'ai entendu tomber dans un fracas d'ardoises brisées et le crissement de ses semelles de caoutchouc qui freinaient sa chute.

Il m'a fallu un moment pour comprendre ce qui s'était passé. Son pied avait glissé. Il avait eu un instant d'inattention, il avait été distrait par un cri, en bas ? J'ai regardé. Au lieu d'avoir atterri carrément à côté de moi, j'ai vu qu'il avait heurté du genou le rebord de cette gigantesque bouche d'égout, qu'il avait dérapé et glissé dans l'espèce d'entonnoir dans lequel il avait en quelque sorte rebondi. Maintenant, il restait là, coincé en travers de la gueule béante du gouffre, accroché du bout des doigts à un bord, un pied bloqué ferme contre l'autre bord, pendant que le second pendait inerte au-dessus du vide.

« Léon ! »

J'ai bien essayé de m'allonger à plat ventre mais sans réussir à l'atteindre. J'étais du mauvais côté. De peur de déloger moi-même une ardoise, je n'osais pas retraverser. Je savais que la gouttière pouvait soudain céder, et à quel point ses bords, dévorés par l'érosion, s'effritaient facilement.

J'ai dit : « Tiens bon ! » Léon, le visage déformé par la peur, a levé les yeux vers moi.

« Ne bouge pas, je vais t'avoir, mon p'tit gars ! »

J'ai redressé la tête. J'ai vu John Snyde, debout sur le parapet, à une dizaine de mètres. Son visage semblait taillé dans la pierre, ses yeux de simples trous, il tremblait de tout son corps. Il s'approchait lentement, les bras tendus, comme le gros plan d'un cent mètres crawl au ralenti. La peur exsudait de son corps comme une mauvaise odeur mais il continuait à avancer. Centimètre par centimètre, il avançait, les yeux tellement crispés par la peur qu'on aurait dit qu'ils étaient fermés. Bientôt, il allait m'apercevoir. J'aurais voulu m'enfuir à toutes jambes. *Il le fallait*, mais Léon était toujours là, plus bas, incapable de bouger.

Au-dessous de moi, j'ai entendu un léger craquement. C'était la gouttière qui cédait. Un des festons de pierre s'en est détaché pour aller se fracasser, au fond, entre les bâtiments. De nouveau, j'ai entendu crisser désespérément les tennis de Léon qui glissait quelques pouces plus bas le long de la paroi visqueuse.

Mais mon père approchait et j'ai dû reculer pour me réfugier dans l'obscurité de la tour du clocheton. Les pulsations bleues et rouges des lumières de la voiture des pompiers continuaient à balayer le toit qui grouillerait bientôt de sauveteurs.

J'ai murmuré : « Tiens bon, Léon ! »

Alors, j'ai ressenti sur ma nuque le regard de quelqu'un qui m'observait. J'ai tourné la tête et je l'ai vu...

Roy Straitley, avec sa vieille veste de tweed, était à la fenêtre, à moins de quatre mètres de moi, le visage coloré par les lumières crues, les yeux écarquillés d'étonnement, la mâchoire tombante, figée dans une expression tragi-comique.

« *Dutoc ?* »

À la même seconde, j'ai entendu un autre bruit au-dessous de moi, une sorte de cliquetis creux, celui d'une pièce de monnaie géante coincée dans le tuyau d'un aspirateur.

Et *boum* !

Puis le silence.

La gouttière avait cédé.

3

J'ai pris mes jambes à mon cou et j'ai couru, couru sans m'arrêter. Le bruit de la chute de Léon me poursuivait comme un
maigre chien noir. C'est alors que ma connaissance des toits m'a
été vraiment précieuse. Comme un singe, j'ai traversé les toits,
à petits bonds rapides, en suivant mon parcours habituel. Du
parapet, j'ai sauté sur l'échelle de secours avec une agilité toute
féline. De là, j'ai pu passer dans le couloir du milieu en entrant
par la porte coupe-feu que l'on avait laissée ouverte. J'ai pu
ensuite sortir dans la cour.

Je continuais à courir par pur instinct. Je ne pensais à rien.
Seule comptait cette nécessité pour moi de survivre. Les
lumières bleues et rouges de la voiture des pompiers, garée dans
la cour de la chapelle, continuaient leurs pulsations initiatiques.

C'était clair. Personne n'avait aperçu une silhouette émerger
du bâtiment. Autour de moi, pompiers et agents de police avaient
établi un cordon pour éloigner le petit groupe de curieux qui
s'était formé dans l'allée. Je me suis alors dit que je n'avais plus
rien à craindre. Personne n'avait pu me voir – à part Straitley,
bien entendu !

Avec prudence, je me suis dirigé vers la loge en prenant soin
de passer bien au large de la voiture des pompiers avec ses
lumières, de l'ambulance aussi qui, optimiste, remontait l'allée
dans un bruit assourdissant de sirène. L'instinct dictant ma
conduite, j'ai rejoint la maison. Là, je serais en sécurité. Je
m'allongerais sous mon lit, dans ma couverture, la porte close,

le pouce dans la bouche, comme je l'avais fait tant de samedi soir en attendant que mon père revienne du pub. Il ferait bien sombre sous mon lit, je n'aurais rien à craindre.

La porte de la loge était ouverte en grand. La fenêtre de la cuisine était éclairée. Les rideaux de la salle de séjour étaient ouverts. Cette fenêtre-là aussi était éclairée. J'apercevais des silhouettes se découper dans la lumière. Mat était là avec son mégaphone. Deux agents de service attendaient près de la voiture de liaison qui bloquait l'allée.

Je voyais quelqu'un d'autre aussi, une femme, vêtue d'un manteau à col de fourrure, une femme dont le visage, dans la lumière, m'a semblé soudain vaguement familier.

La femme s'est retournée vers moi. Sa bouche, trop rouge, s'est ouverte dans un oh ! de surprise.

« Oh ! Mon petit chou ! »

La femme a pivoté sur ses hauts talons de coquette.

Mat s'est tourné, le mégaphone toujours à la main, lorsqu'un cri des pompiers, à l'autre bout du bâtiment, l'a alerté. « Monsieur Mat, monsieur ! Par ici ! »

Les yeux humides de tendresse et les cheveux défaits, la femme m'a tendu les bras comme des ailes de chauve-souris. Sa fourrure a chatouillé mes lèvres. J'ai cru soudain *rapetisser*. Alors, j'ai fondu en larmes. C'était comme si tout le passé me revenait à la mémoire en un énorme raz de marée de chagrin et de souvenirs. Léon, Straitley, mon père n'avaient plus d'importance, disparus, oubliés pendant que, m'entourant de ses bras, elle me faisait entrer dans la maison.

Sa voix tremblait encore alors qu'elle me disait : « Mon pauvre chou, ce n'est pas du tout ce que j'avais prévu. Cela devait être une surprise ! »

En une seconde, j'ai tout compris : l'enveloppe, restée non ouverte, et contenant le billet d'avion, les conciliabules au téléphone. *Combien ?* Silence. *D'accord ! Ça vaudra mieux !* Combien pour *quoi ?* Pour qu'il ne défende pas ses droits ? Combien de cartes à gratter, combien de caisses de bière, combien de pizzas lui avaient-ils promis avant d'obtenir finalement ce qu'ils voulaient ?

Alors, mes larmes ont recommencé à couler. Cette fois, c'était de rage à l'idée de leur trahison à tous les deux. Ma mère me pressait contre elle. Quelle était cette odeur de luxe que je ne connaissais pas ?

« Oh, mon trésor ! Que s'est-il passé ?

— Maman ! » J'ai sangloté, le visage perdu dans la fourrure de son manteau, sa bouche appuyée contre mes cheveux. J'ai reconnu alors l'odeur de la fumée de ses cigarettes et l'odeur sèche et musquée de son parfum pendant qu'une toute petite main hypocrite me saisissait le cœur, comme on capture un oiseau... et serrait.

4

Malgré l'insistance de Mrs. Mitchell qui protestait que Léon ne serait jamais monté seul sur le toit, on n'a jamais découvert de traces du meilleur copain de son fils, ce garçon appelé Dutoc. On a consulté les listes d'élèves, on a fait du porte à porte pour interroger le public. Aucun résultat. Et ils n'auraient pas même fait cet effort-là si Mr. Straitley n'avait pas affirmé avoir vu Dutoc sur le toit de la chapelle bien que le gamin eût réussi à s'enfuir.

La police a fait preuve d'une grande compassion pour la pauvre femme – elle était folle de chagrin, après tout ! Mais, en secret, ils on dû penser qu'elle avait perdu la raison en leur parlant de garçons qui n'existaient pas, en refusant d'accepter la mort de son fils pour ce qu'elle était : un tragique accident.

Si elle avait pu me revoir, sans doute cela aurait-il changé les choses, mais elle n'a pas pu. Trois semaines plus tard, j'habitais chez Xavier et ma mère, à Paris, où j'allais rester sept ans.

À ce moment-là, déjà, ma transformation était bien avancée. Les plumes du vilain petit canard avaient commencé à changer. Avec l'aide de ma mère, cela s'était fait rapidement. Je n'y avais pas opposé la moindre résistance. Après la mort de Léon, Dutoc ne pouvait pas espérer – ne voulait pas – survivre. Alors, j'ai vite abandonné mon uniforme de Saint Oswald et j'ai fait confiance à ma mère pour le reste.

Elle avait si souvent parlé de cette *deuxième chance*. C'est alors que j'ai lu les messages et les lettres, que j'ai ouvert les colis qui attendaient sous mon lit dans leurs jolis emballages et que j'ai fait bon usage de ce qu'ils contenaient.

Je n'ai jamais revu mon pere. L'enquête à propos de son rôle dans l'accident n'était rien de plus qu'une formalité. L'étrangeté de ses manières avait pourtant attiré l'attention de la police qui n'avait aucune raison de penser à un acte criminel. Mais il avait répondu à leurs questions avec son agressivité habituelle, l'alcootest avait révélé qu'il avait beaucoup trop bu et son récit des événements de cette nuit-là avait été vague et peu convaincant, comme s'il avait à peine été capable de s'en souvenir. Roy Straitley, qui avait confirmé sa présence sur les lieux de la tragédie, avait rapporté avec exactitude les paroles qu'il lui avait entendu prononcer quand il s'était adressé à l'un des garçons : *Je vais t'avoir, mon p'tit gars.* Plus tard, la police avait fait toute une histoire de ces simples paroles. Pourtant, Straitley avait bien insisté sur le fait que John Snyde à ce moment-là allait AU SECOURS du garçon. Il avait quand même dû reconnaître que, le *porter* lui tournant le dos au moment de l'accident, il ne pouvait jurer s'il était en train de l'aider ou non. La police avait pensé qu'après tout, le comportement de John Snyde était loin d'être sans tache. Cet été-là déjà, l'homme avait reçu une réprimande officielle après avoir attaqué un élève dans l'École même. D'ailleurs, la grossièreté de ses manières et la violence de son humeur étaient bien connues. Tidy l'avait confirmé. Jimmy, à sa façon, avait un peu brodé là-dessus aussi.

Patrick Mat, qui aurait pu prendre sa défense, s'était montré extrêmement réticent à le faire. Son attitude était en partie due à l'intervention du Nouveau Proviseur qui lui avait clairement rappelé qu'il devait avant tout sa loyauté à Saint Oswald et que, plus rapidement ce fiasco autour de Snyde serait réglé, et plus vite cette bien triste affaire pourrait être oubliée par tous. D'ailleurs, Mat commençait à se sentir mal à l'aise. Il se pensait menacé dans son nouveau poste et dans son amitié naissante pour Marlene Mitchell. Après tout, c'était bien lui qui avait recruté John Snyde pour ce poste-là, lui qui, en tant que *second master*, l'avait encouragé à remonter la pente, lui avait fait confiance, l'avait défendu alors qu'il était parfaitement au courant de ses emportements contre ma mère, contre moi, et une fois au moins – un rapport ayant été rédigé à ce sujet – contre l'un des élèves de Saint Oswald ! Tout cela avait contribué à rendre plausible la suggestion que, peut-être, piqué au vif jusqu'à en oublier tout contrôle, il avait perdu la tête et s'était mis à courir sur le toit à la poursuite de Léon Mitchell qui avait, en fuyant, ainsi trouvé la mort.

Rien de concret ne permettait d'appuyer cette version des événements et Roy Straitley l'avait certainement rejetée. L'homme, d'ailleurs, n'était-il pas sujet au vertige ? Mais les journaux s'étaient saisis de l'hypothèse. Il y avait eu des lettres anonymes, des coups de téléphone, les manifestations habituelles de l'indignation publique. Il n'y avait jamais eu de procès. John Snyde n'avait jamais été accusé. Il s'était pendu pourtant, dans une chambre d'hôte de la ville, trois jours avant notre départ pour Paris.

Déjà, à l'époque, je savais qui rendre responsable de sa mort. Ce n'était pas Mat bien qu'il en eût été en partie à blâmer. Pas Straitley. Pas les journaux. Pas même le proviseur. Non ! Saint Oswald lui-même avait causé la mort de mon père, comme il avait causé celle de Léon. Saint Oswald et sa bureaucratie, son arrogance, son aveuglement, ses prétentions. Saint Oswald les avait avalés, digérés sans leur accorder une pensée, comme une baleine se nourrit de plancton. Et quinze ans plus tard, complètement oubliés, ils n'apparaissaient que comme de simples noms sur la liste des scandales auxquels Saint Oswald a survécu.

Il ne survivra pas à celui-ci, pourtant. Celui-ci sera le dernier et le fera payer pour tous les autres.

5

Vendredi 5 novembre
18 h 0

Après la classe, je suis passé par l'hôpital avec des fleurs et un livre pour Mat. Pas qu'il soit vraiment grand lecteur – mais il devrait faire un effort ! D'ailleurs, comme je le lui ai dit, il faudrait qu'il apprenne un peu à se la couler douce.

Ce n'est pas le cas, bien entendu. À mon arrivée, il menait une discussion avec cette infirmière à cheveux roses qui s'était occupée de moi, il n'y a pas si longtemps.

« Mon Dieu, non, pas un autre ! s'est-elle exclamée en me voyant arriver. Dites-moi, tous ces messieurs de Saint Oswald sont-ils aussi difficiles à vivre que vous deux ? Ou ai-je gagné le gros lot ?

— Je vous répète que je me sens parfaitement bien. » Il n'en avait pas l'air, pourtant. Le teint pâle et tirant sur le bleu, il semblait s'être affaissé, comme si tous ces tours de piste n'avaient réussi qu'à le tasser. Apercevant le bouquet que j'avais à la main, il m'a dit : « Morbleu, Roy, ce n'est pas encore mon enterrement !

— Eh bien, donnez ces fleurs à Marlene ! Elles lui remonteront un peu le moral. Elle en a probablement grand besoin !

— Vous avez sans doute raison ! » Et il m'a souri. Pendant un bref instant, j'ai retrouvé le vieux Mat. « S'il vous plaît, Roy, forcez-la à retourner chez elle. Elle refuse de quitter mon chevet et elle tombe de fatigue. Elle s'imagine que si elle réussit à s'endormir, quelque chose va sûrement m'arriver pendant son sommeil ! »

J'ai découvert que Marlene était sortie prendre un thé à la cafétéria, car c'est là que je l'ai trouvée après avoir obtenu de Patrick la promesse de ne pas essayer d'obtenir, en mon absence, sa sortie d'hôpital.

Marlene a semblé bien étonnée de me voir. Elle serrait dans sa main un mouchoir tout chiffonné. Le teint brouillé, sans maquillage, son visage semblait tout couperosé. « Monsieur Straitley ! Je ne m'attendais pas à ce que vous... »

D'un ton sévère, je l'ai interrompue : « Marlene Mitchell, depuis quinze ans que l'on travaille ensemble, il est temps pour vous, je crois, de m'appeler Roy ! »

Alors en prenant – dans des tasses de polystyrène – un thé qui avait un goût bizarre de poisson, nous avons bavardé. Il est étonnant que nos collègues, ces gens qui ne sont pas tout à fait des amis et qui, pourtant, peuplent notre vie plus sûrement que nos plus proches parents, restent essentiellement pour nous des étrangers. Lorsque nous pensons à eux, nous ne les évoquons pas comme des êtres humains à part entière, avec une famille, une vie privée... mais comme des gens que nous voyons tous les jours, habillés comme il le faut dans notre travail, des professionnels (ou pas), efficaces (ou pas), mais tous, comme nous, satellites de la même pesante, oh ! si pesante, lune.

Un collègue aperçu en jean a soudain l'air bizarrement *déplacé*, un collègue en larmes nous paraît presque *indécent*. Ces brèves images de vie à l'extérieur de l'École nous semblent sans réalité, ou presque, comme des lambeaux de rêve.

La pierre, la tradition, la permanence de Saint Oswald, voilà la réalité ! Des profs viennent, d'autres nous quittent, certains meurent – cela arrive même aux élèves – mais Saint Oswald, lui, demeure. Au fur et à mesure que je prends de la bouteille, cette vérité-là me réchauffe le cœur.

Pour Marlene, je le devine, c'est différent. Parce qu'elle est femme, peut-être ? – j'ai découvert que ce genre de choses ne veulent rien dire pour la plupart d'entre elles. Parce qu'elle est consciente de ce que Saint Oswald a fait à Patrick, peut-être ? Ou peut-être à cause de cette histoire qui me hante encore, celle de son fils ?

« Vous ne devriez pas être ici, vous savez. m'a-t-elle dit en s'essuyant les yeux. Le proviseur avait bien interdit...

— Il peut toujours aller se faire foutre ! En dehors de mes heures de travail, je suis libre de faire exactement ce que je veux », ai-je répondu, mon ton ressemblant à celui de Robbie Roach pour la première fois de ma vie. Cela l'a bien fait rire, pourtant, et c'était l'effet que je voulais obtenir. « Ah ! Je suis content de vous voir vous détendre ! » J'ai inspecté la lie au fond de ma tasse où le thé était maintenant froid. « Dites-moi, Marlene, pourquoi le thé des hôpitaux a-t-il toujours un petit goût de poisson ? »

Elle a eu un sourire. Elle a l'air bien plus jeune lorsqu'elle sourit. À moins que cela ne soit que parce qu'elle n'était pas maquillée ? Oui, plus jeune et moins wagnérienne ! « C'est gentil à vous d'être venu, Roy ! Personne d'autre ne s'est déplacé, vous savez. Ni le proviseur, ni Bob Strange. Pas même un seul de ses copains. Oh ! Tout a été expliqué avec beaucoup de tact, d'une manière typiquement... oswaldienne... Je suis sûre que le Sénat avait eu le même tact avant d'offrir la coupe de ciguë à César ! »

J'ai deviné qu'elle voulait en fait parler de Socrate mais je ne le lui ai pas fait remarquer. J'ai menti : « Il s'en sortira ! Il n'est pas du genre à se laisser abattre. Tout le monde est d'accord : ces accusations sont ridicules. Vous verrez qu'avant la fin de l'année, les gouverneurs se mettront à genoux pour l'implorer de reprendre ses fonctions.

— Je l'espère ! » Elle a avalé une gorgée de thé froid avant de continuer. « Je ne leur permettrai pas de l'enterrer comme ils ont enterré Léon ! »

En quinze ans, c'était la première fois qu'elle parlait de son fils devant moi. J'avais fait tomber une autre barrière. D'une certaine manière, cela ne me surprenait pas. Cette vieille histoire m'était revenue à la mémoire plus souvent que d'habitude au cours de ces dernières semaines. Cela avait été la même chose pour elle, je suppose.

Les deux histoires avaient tant de points communs : scandale, disparition d'un élève, séjour à l'hôpital... Son fils n'avait pas été tué sur le coup mais il n'avait jamais repris connaissance. Il y avait d'abord eu les longues veilles à son chevet, les affreux, les abominables tourments que donne l'espoir, la procession des optimistes et de ceux qui avaient tenu à lui apporter leur soutien : élèves, famille, petite amie, profs et ministres du culte, et puis l'inévitable fin.

Nous n'avons jamais découvert la trace de ce deuxième garçon. Le fait même que Marlene ait maintenu que le garçon avait bien dû VOIR quelque chose avait été traité comme l'effort désespéré d'une mère hystérique pour essayer de comprendre ce qui s'était vraiment passé en cette nuit tragique. Seul, Mat avait essayé de l'aider, il avait vérifié les listes d'élèves dans les archives, les photos de classe, jusqu'à ce que le proviseur lui-même lui eût laissé entendre que son insistance à embrouiller l'affaire ne servirait qu'à ternir davantage la réputation de Saint Oswald. En l'occurrence, cela n'avait d'ailleurs eu aucune importance, mais Patrick n'avait jamais été satisfait des conclusions de l'enquête.

« Dutoc. C'est ça ! C'était Dutoc ! » Comme si on aurait pu oublier un nom comme celui-là ! Un *alias,* sûrement ! Mais, j'ai la mémoire des noms, moi. Je m'étais souvenu du sien, que j'avais entendu dans le couloir, une fois, ce jour-là, lorsque je l'avais surpris tout près de mon bureau et qu'il m'avait offert une excuse bien peu crédible. Léon aussi était là, ce jour-là. Le garçon m'avait bien dit qu'il s'appelait Dutoc.

« Oui, Julien Dutoc. » Elle a souri mais son sourire n'avait rien d'agréable. « Personne n'a vraiment cru à son existence. À part Patrick. Et vous, bien sûr, qui l'aviez vu là ! »

Je me demandais parfois si je l'avais réellement vu. Je n'ai jamais oublié un élève, vous savez, jamais, en trente-trois ans. Tous ces jeunes visages, préservés dans le névé du temps, chacun si certain qu'il allait être une exception et qu'il resterait à jamais un adolescent de quatorze ans.

Je lui ai dit : « Oh, oui, je l'ai vu. Du moins, je *crois* l'avoir vu ! » Miroirs, reflets et fumée. Un jeune garçon s'évanouissant dans le brouillard du petit matin. « J'en étais si sûr !

— Nous l'étions tous, a dit Marlene. Mais nous n'avons trouvé aucune trace d'un Dutoc dans les archives, ni sur les photos, ni même dans les listes des candidats qui s'étaient inscrits. De toute manière, à ce moment-là, c'était déjà fini. Personne ne s'y intéressait plus. Mon fils était mort. L'École avait besoin de nous. »

J'ai dit : « Je suis désolé.

— Ce n'était pas votre faute ! Et d'ailleurs... » Elle s'est alors levée avec une brusquerie soudaine, en vraie secrétaire de lycée qu'elle était. « Aucun regret ne me redonnera mon fils, n'est-ce pas ? C'est de Patrick qu'il s'agit maintenant, c'est lui qui a besoin de moi !

— Il a beaucoup de chance ! » Je le pensais vraiment. « Croyez-vous qu'il verrait un inconvénient à ce que je vous invite ?... À prendre un verre, c'est tout ! C'est mon anniversaire et je suis certain que cela vous fait du bien de prendre quelque chose d'un peu plus... substantiel que du thé. »

Cela me fait plaisir quelquefois de penser que je n'ai pas tout à fait perdu la main. Nous avons promis que cela ne durerait pas plus d'une heure et nous avons dit au revoir à Patrick après lui avoir recommandé de rester allongé et de lire. Puis, nous nous sommes rendus à pied chez moi, un kilomètre, pas plus.

Il faisait déjà nuit. L'air était déjà alourdi d'une odeur de poudre. Quelques fusées partaient du quartier de la rue de l'Abbaye. La brume était tombée mais la soirée semblait encore étonnamment douce. À la maison, il y avait pain d'épices et vin chaud bien sucré. J'ai allumé le feu dans le salon et j'ai apporté les deux seules tasses assorties que je possédais. Il faisait bon. Nous étions bien. À la lumière du feu, mes deux vieux fauteuils me paraissaient moins miteux et le tapis moins râpé que d'habitude. Autour de nous, sur les murs, mes « garçons » nous contemplaient avec le sourire optimiste de ceux qui ne vieilliront jamais.

« Tant d'élèves ! » a murmuré Marlene d'une voix douce.

J'ai dit : « Oui, ce sont mes fantômes ! » Puis, devant son expression, j'ai rapidement ajouté : « Pardon, Marlene, c'est un manque total de tact de ma part ! »

Elle a souri en disant : « Ne vous excusez pas ! Je ne suis plus aussi sensible que je l'étais ! C'est pourquoi j'ai choisi de travailler ici, vous savez. À l'époque, bien sûr, j'étais certaine qu'il y avait une sorte de conspiration pour tenter de cacher la vérité et qu'un beau jour, j'allais l'apercevoir dans le couloir, avec son sac de gym et ses petites lunettes qui lui glissaient du nez. Mais je ne l'ai jamais aperçu. Alors, j'ai abandonné. Et si Mr. Keane ne m'en avait pas reparlé après toutes ces années...

— Mr. Keane ?

— Mais oui ! Nous en avons discuté ensemble. Vous savez qu'il s'intéresse beaucoup à l'histoire de l'École ? Je crois qu'il a l'intention d'écrire un livre. »

J'ai hoché la tête. « Je sais qu'il s'y intéresse. Il a des tas de notes et des photos.

— Vous voulez dire celle-ci ? » Marlene a sorti de son portefeuille une petite photo, évidemment découpée dans une photo scolaire. Je l'ai immédiatement reconnue. Dans son carnet, Keane en avait une assez mauvaise reproduction : il avait entouré de rouge un visage.

Cette fois, j'ai aussi reconnu le garçon au petit visage blême, aux lunettes qui le faisaient ressembler à un hibou ou à un raton-laveur, à la casquette d'uniforme enfoncée sur une frange un peu trop longue.

« C'est Dutoc ? »

Elle a hoché la tête. « Ce n'est pas tout à fait ressemblant mais je le reconnaîtrais n'importe où. D'ailleurs, j'ai tant de fois regardé cette photo, des milliers de fois ! J'ai mis un nom sur chaque visage. Sur tous, sauf sur le sien. Quel que soit son nom, Roy, il n'était pas des nôtres et, pourtant, il était bien là ! *Pourquoi ?* »

Une fois de plus, j'ai ressenti cette impression de déjà-vu, cette intuition qu'une partie du puzzle glissait, petit à petit, pas très facilement, vers sa place. C'était encore très vague. Il y avait, dans ce petit visage pas encore éclos, quelque chose qui me troublait, quelque chose de familier.

« Et pourquoi n'en avez-vous pas parlé à l'époque ? »

Marlene a haussé les épaules. « C'était déjà trop tard. John Snyde était mort.

« — Mais ce garçon était un témoin !

— Roy, j'avais mon travail à faire. Je devais penser à Patrick. C'était terminé ! »

Terminé ? Peut-être ! Mais il m'avait toujours semblé que l'on avait négligé quelque chose dans cette lamentable histoire. Je ne sais pas exactement ce qui m'avait fait établir un lien entre ces deux affaires, ni pourquoi, après tant d'années, celle-là m'était revenue à l'esprit. Maintenant, pourtant, je ne réussissais plus à m'en débarrasser.

« Dutoc. » Le dictionnaire donne le sens de ce mot-là : *objet faux, laid, sans goût, sans valeur, prétentieux, imitation de métal précieux ou de pierre.* Un alias, à coup sûr, s'il y en a jamais eu !

Elle a hoché la tête. « Je sais. Cela me semble encore tout bizarre de l'imaginer en uniforme de Saint Oswald, avançant dans les couloirs avec les autres, bavardant avec eux, posant même à leurs côtés pour la photo. J'ai du mal à croire que personne ne s'en soit aperçu ! »

Moi, je le pouvais. Après tout, pourquoi l'aurait-on remarqué ? Parmi un millier d'élèves en uniforme, qui aurait pu soupçonner un intrus ? La chose était tellement ridicule, d'ailleurs ! Pourquoi un garçon voudrait-il se livrer à une telle imposture ?

J'ai dit : « Pour le plaisir de jeter le gant ! Pour le frisson d'adrénaline que cela produit ! Pour se prouver simplement que la chose était faisable ! »

Maintenant, il aurait quinze ans de plus, bien sûr. Vingt-huit ans, peut-être. Bien fait. Élancé. Il porterait des lentilles de contact sans doute. Oui, c'était possible, n'est-ce pas ? N'est-ce pas ?

J'ai secoué la tête d'impuissance. Je n'avais pas compris jusque-là à quel point, pour tous mes ennuis, j'avais échafaudé une explication basée sur Cavalier et Cavalier seulement. Cavalier était le coupable, l'envoyeur des courriers électroniques, le malfaisant surfer (si surfer est le mot correct ?) de la fangeuse vague d'Internet. Cavalier était l'accusateur de Mat et des autres. Cavalier était l'incendiaire de la loge du *porter*. Je m'étais presque convaincu aussi qu'il était l'auteur de ces articles signés La Taupe.

Je voyais maintenant très clairement le danger que représentent les illusions. Tous les actes criminels perpétrés contre Saint Oswald étaient allés bien plus loin que des farces d'adolescents. Aucun élève n'aurait pu les commettre. Cet intrus – quel qu'il soit – était prêt à aller jusqu'au bout.

J'ai pensé à Grachvogel, caché dans son placard.

J'ai pensé à Tapi, emprisonnée dans la tour.

À Jimmy qui, comme Snyde, avait été condamné par la presse et l'opinion publique.

À Fallow dont les activités secrètes avaient été révélées.

À Pearman et Kitty, découverts, eux aussi.

À Cavalier, à Anderton-Pullitt. aux graffitis, à l'incendie de la loge, aux vols, au fameux stylo, aux petits incidents localisés et à ce bouquet final : Mat, Devine, Light et Roach, emportés les uns après les autres, comme des fusées dans le ciel embrasé.

Encore une fois, j'ai pensé à Chris Keane, à son visage intelligent, à sa frange noire, à Julien Dutoc, ce pâle adolescent de douze ou treize ans qui avait osé nous braver avec tant d'effronterie que, pendant quinze ans, personne n'avait même pu croire que ce fût possible.

Keane pourrait-il être Dutoc ? *Keane*, pour l'amour de Dieu !

C'était un saut déraisonnable dans l'absurde ou une intuition. Je comprenais comment il avait pu réussir. Saint Oswald a une façon bien à elle de choisir parmi ses candidats, basée sur une impression personnelle plutôt que sur des lettres de recommandation. Il était donc concevable que quelqu'un d'intelligent eût été capable de passer à travers les mailles de leur filet, de leur système d'épreuves destinées à filtrer les indésirables. (Dans l'enseignement privé, les recherches dans les casiers judiciaires et les dossiers de la police ne sont pas obligatoires.) D'ailleurs, la seule pensée d'une imposture de cette ampleur dépasse notre imagination. Sentinelles postées en territoire ami, dans nos uniformes d'opéra-comique, avec nos façons ridicules de défiler, nous sommes des cibles parfaites pour un tireur d'élite qui peut alors nous abattre par douzaines. Nous n'avions jamais envisagé ce genre d'attaque. C'était là notre erreur ! Et maintenant, nous tombions comme des mouches sous son tir meurtrier.

« Keane ? » Marlene a dit son nom comme moi je l'aurais dit si nos rôles avaient été renversés. « Ce jeune homme si gentil ? »

En quelques mots, je lui ai donné des détails sur ce jeune homme si gentil. Le carnet. Les mots de passe pour les ordinateurs. Cet air de moquerie discrète qu'il avait. De supériorité, comme si, pour lui, l'enseignement n'était qu'un petit jeu amusant.

« Mais Cavalier, alors ? »

J'y pensais justement. Toute l'affaire dont Mat était accusé reposait sur Cavalier : les messages textes à partir de son mobile et envoyés sur celui de Mat, destinés à maintenir l'illusion que Cavalier avait fait une fugue de peur d'être molesté de nouveau...

Mais si Cavalier n'était pas à l'origine de tout cela, où était-il donc ?

J'ai réfléchi à la question. Sans les appels de Cavalier sur son portable, sans l'incendie de la loge, sans les messages portant son adresse électronique, qu'aurions-nous déduit de sa disparition ? qu'aurions-nous craint ?

J'ai froncé les sourcils pour répondre : « Je pense qu'il est mort. C'est la seule conclusion logique.

— Mais pourquoi tuer Cavalier ?

— Mais pour aggraver l'affaire ! Pour s'assurer que Patrick et les autres soient vraiment, sérieusement impliqués ! »

Pâle comme la mort, Marlene m'a dévisagé : « Non, pas Keane, il est si gentil. Il vous a même donné un gâteau.

— Bon dieu ! »

Le gâteau. Je l'avais jusque-là complètement oublié ! Comme j'avais oublié l'invitation de Dianne à les accompagner au feu d'artifice et à prendre un verre avec eux pour célébrer...

Quelque chose dans son comportement avait-il mis la puce à l'oreille de Keane ? Avait-elle lu son carnet ? Avait-elle dit quelque chose qui lui avait échappé ? J'ai pensé à ses yeux brillants de plaisir, à son jeune visage animé. J'ai pensé à sa petite voix taquine qui lui demandait : *Dites-moi, vous êtes professionnel de l'espionnage ou est-ce simplement un passe-temps pour vous ?*

Je me suis levé soudain, un peu trop rapidement. J'ai senti ce doigt invisible qui me tapotait la poitrine avec insistance et semblait me recommander de me rasseoir. Je n'avais que faire de ce conseil. J'ai dit : « Marlene, il faut aller au jardin public. Et vite ! »

— Pourquoi là ?

— Parce que c'est là qu'il est, ai-je répondu en saisissant mon pardessus et en le jetant sur mes épaules. Et Dianne Dare est avec lui ! »

6

Vendredi 5 novembre
19 h 30

J'ai un rendez-vous. C'est formidable, n'est-ce pas ? C'est mon premier, d'ailleurs, depuis des années. Malgré les grandes espérances de ma mère et l'optimisme de mon analyste, je n'ai jamais éprouvé beaucoup d'intérêt pour le sexe opposé. Même de nos jours, lorsque je pense à eux, le premier souvenir qui me revienne à l'esprit est la voix de Léon criant « Saloperie ! » puis le bruit de sa chute dans le gouffre.

Bien sûr, je ne *leur* dis pas cela. Pour leur faire plaisir, je leur parle de mon père et des volées qu'il me flanquait, de sa cruauté. Mon analyste est ainsi satisfaite et j'ai presque réussi à m'en persuader moi-même, à oublier Léon au moment où il a sauté et son visage, fixé à jamais dans le sépia du temps, dans le rassurant confort d'une époque lointaine.

« *Ce n'était pas de ta faute !* » Combien de fois, au cours des jours qui ont suivi, ai-je entendu ces paroles-là ? Incapable de ressentir autre chose que le grand froid qui me pétrifiait, mes nuits étaient peuplées de cauchemars qui me laissaient rigide de chagrin et de la peur qu'on me découvre. Pendant un certain temps, je crois, j'ai perdu la raison. Alors, à corps perdu, j'ai affronté les étapes de ma métamorphose. Avec l'aide de ma mère, j'ai entrepris d'effacer une à une toute trace de ce Dutoc qui n'était plus.

Tout cela est bien terminé, évidemment. Mon analyste me dit toujours que le sentiment de culpabilité n'est que la réaction naturelle de la véritable victime. J'ai fait beaucoup d'efforts pour m'en débarrasser. Jusqu'ici, je crois avoir pas mal réussi et la thérapeutique a donné de bons résultats. Il est bien évident que je n'ai aucunement l'intention d'éclairer mon analyste quant à la nature exacte de la thérapie que j'ai choisie. Je crois pourtant qu'elle serait d'accord avec moi : j'ai perdu la plus grande partie de mon complexe de culpabilité.

Une seule chose me reste à faire avant la catharsis finale.

Un dernier coup d'œil au miroir avant de rejoindre celui qui m'attend au feu de joie.

Pas mal, Snyde ! Pas mal du tout !

7

Vendredi 5 novembre
20 h 15

D'aller à pied de chez moi jusqu'au jardin public me prend d'ordinaire à peu près un quart d'heure. Le doigt invisible me poussant, nous y sommes arrivés en cinq minutes. La brume était retombée et la lune était ceinte d'une large couronne. S'élevant de temps à autre au-dessus de nos têtes, des fusées semblaient illuminer le ciel d'éclairs en nappe.

« Quelle heure est-il ?

— Sept heures et demie. Ils vont allumer le bûcher d'un instant à l'autre. » D'un pas rapide, j'ai continué, contournant un groupe d'enfants qui traînaient une effigie de Guy Fawkes sur un vieux chariot.

« Un p'tit billet, m'sieur ? »

De mon temps, on n'était pas aussi gourmand. On demandait une petite pièce ! Nous poursuivions notre chemin à travers la nuit, l'obscurité ouatinée de petits nuages de fumée cousus des étincelles des allumettes japonaises. Une nuit magique, lumineuse, comme celles de mon enfance, et toute chargée du parfum des feuilles mortes.

Marlene, toujours pleine de bons sens, m'a dit : « Je ne suis pas sûre que nous devrions nous mêler de cette histoire. Ne serait-ce pas plutôt à la police de s'occuper de ce genre de choses ?

— Et croyez-vous qu'elle nous prendrait au sérieux ?

— Peut-être pas ! Pourtant je continue à croire que...

— Écoutez, Marlene. Je veux seulement le voir. Lui parler. Si j'ai raison et si Keane est Dutoc...

— Je ne peux toujours pas croire ça !

— Mais s'il l'est... alors miss Dare est peut-être en grand danger.

— Et s'il l'est, vieil idiot, vous êtes peut-être en danger aussi !

— Oh ! » Je n'avais même pas pensé à cette possibilité.

Elle a ajouté, d'un ton très raisonnable : « Il y aura des agents au portail. Je toucherai un mot de tout cela à celui qui sera leur responsable pendant que vous essaierez de trouver Dianne. » Elle a eu un sourire : « Et si vous avez tort – et j'en suis personnellement sûre – nous pourrons fêter tous ensemble ce 5 novembre. D'accord ? »

Et nous avons continué d'un pas rapide.

De la route, nous avons aperçu la lueur bien avant d'avoir atteint le portail où une foule s'était déjà assemblée. Des gardiens, à chaque entrée, vendaient des billets. À l'intérieur du jardin public, il y avait encore davantage de monde, une masse hérissée de têtes et de visages, des milliers de gens qui attendaient.

Au fond, le bûcher était déjà allumé. Bientôt il s'élancerait vers le ciel comme une tour de flammes. À mi-hauteur, perché sur un fauteuil brisé, un Guy Fawkes, dieu du Chaos, semblait dominer la scène.

En remarquant la foule, Marlene m'a dit : « Vous ne réussirez jamais à les trouver parmi tous ces gens-là ! Il fait trop sombre ! Ils sont trop nombreux ! »

Il était bien vrai qu'à ce feu de joie étaient venus beaucoup plus de spectateurs que je ne l'avais prévu. Des familles pour la plupart, des hommes portant des enfants sur leurs épaules, des adolescents vêtus de déguisements, des petits, avec des antennes de Martien, qui agitaient des baguettes lumineuses tout en mangeant de la barbe à papa. Au-delà du bûcher, s'étirait la foire foraine avec ses machines à sous, ses tourniquets, ses baraques de tir, ses manèges, ses jeux d'adresse – la Chasse au canard –, sa Tour de la Peur et sa Roue infernale.

« Si, je vais les trouver ! Vous, vous occupez de ce que vous avez à faire ! »

De l'autre côté de l'enclos spécial, presque impossible à distinguer dans la brume qui restait au ras du sol, on s'apprêtait à commencer le feu d'artifice. Des enfants s'alignaient au premier rang. La pelouse, sous les milliers de pieds, s'était transformée en un champ de boue. Autour, une cacophonie de bruits s'élevait de la foule. De la foire montait un pot-pourri de flonflons connus. Derrière, des flammèches bondissaient déjà du rouge ardent du brasier où les palettes empilées explosaient une à une sous l'effet de la chaleur.

Maintenant, le feu d'artifice commençait pour de bon. Des applaudissements éclataient spontanément, accompagnées d'un « Oh, la belle bleue ! » lorsque des fusées montant vertigineusement vers le ciel s'y épanouissaient comme des fleurs et crépitaient soudain, éparpillant sur le tapis de brume leurs graines lumineuses bleues ou rouges. Pataugeant maladroitement dans la boue, la gorge irritée par la poudre et serrée d'inquiétude, je continuais à avancer tout en scrutant les visages dans les lumières au néon. La scène semblait irréelle. Sur le fond du ciel éclairé par les flammes, les visages, dans la lumière, ressemblaient à ceux de ces démons de la Renaissance avec leurs fourches et leurs tridents.

J'étais certain que Keane se cachait quelque part parmi eux. Cette certitude-là, pourtant, commençait à disparaître et faisait place à un manque d'assurance qui ne m'était sûrement pas habituel. Je me suis rappelé mes efforts à la poursuite des collégiens de Sunny Bank Park et ma perte d'équilibre lorsque mes vieilles jambes m'avaient trahi et que les gamins s'étaient enfuis par-dessus la palissade en se moquant de moi. J'ai repensé à Pooley et à ses copains, à mon effondrement dans le couloir du bas, juste devant la porte du bureau du proviseur. De nouveau, j'ai entendu la voix de Patrick Mat qui me disait : *Vous n'avez plus l'énergie de vos vingt ans* et celle du jeune Bevans – pas si jeune que ça lui-même, de nos jours, je suppose. J'ai eu conscience de la pression légère, mais toujours présente, du doigt invisible à l'intérieur de ma poitrine, et je me suis dit : *À soixante-cinq ans, combien de temps penses-tu encore pouvoir jouer ce petit jeu-là ?* Ma Centaine ne m'avait jamais paru moins proche. Et au-delà, je ne voyais que du noir, du noir à l'infini.

Au bout de dix minutes, j'ai compris que je n'avais pas la moindre chance de le découvrir. Tenter de retrouver quelqu'un dans ce chaos, c'était comme essayer de vider une baignoire avec une cuiller à thé. Du coin de l'œil, j'apercevais Marlene, à une cinquantaine de mètres. Elle semblait en conversation sérieuse avec un jeune agent de police à l'air épuisé et préoccupé.

Pour notre police de quartier, le 5 novembre représente beaucoup d'ennuis : bagarres, accidents et vols sont fréquents ce jour-là. Dans l'anonymat que procure la foule joyeuse et sous couvert de l'obscurité, presque n'importe quoi devient possible. Marlene faisait de son mieux. Comme je l'observais, le jeune agent de police a parlé dans son talkie-walkie, mais un groupe est soudain passé et tous deux ont disparu de mon champ de vision.

Déjà, je commençais à ne pas me sentir très bien. Le feu, peut-être, ou l'effet à retardement du vin chaud que j'avais bu ? En tout cas, j'ai été bien heureux de pouvoir m'éloigner un moment de la chaleur du brasier. Dans l'obscurité, plus près des arbres, il faisait plus frais, le bruit était un peu assourdi, le doigt invisible semblait préparé à me laisser tranquille, un peu hors d'haleine peut-être mais, à part cela, très bien.

La brume, accumulée au ras du sol, prenait une luminosité étrange de lanterne chinoise dans la lumière du feu d'artifice. Dans cette brume, tous les jeunes gens me paraissaient ressembler à Keane. Chaque fois, hélas, il s'agissait d'un autre jeune homme au visage anguleux et à la frange noire qui me dévisageait d'un air soupçonneux avant de se retourner vers sa femme, sa copine ou son bambin. Et pourtant, j'étais sûr qu'il était là, quelque part. L'instinct, peut-être, de celui qui a passé trente-trois années de sa vie à vérifier que les dessus-de-porte ne cachaient pas de sacs de farine en équilibre et que les pupitres étaient sans graffiti. Oui, il était là, je le sentais !

Une demi-heure plus tard, le feu d'artifice était presque terminé. Suivant la tradition, ils avaient gardé le plus spectaculaire pour la fin : un bouquet de fusées, de fontaines et de soleils capables de transformer le plus épais brouillard en un ciel plein d'étoiles. Un rideau de pluie lumineuse est tombé sur cet embrasement. Un instant, il m'a presque aveuglé. J'ai continué pourtant, les bras tendus, à me frayer un passage à travers la foule. Ma jambe droite était douloureuse maintenant et, le long des côtes, à droite, un point de côté me déchirait, comme si quelque couture avait commencé à se défaire et que le crin s'en échappait, petit à petit, comme celui d'un vieil ours en peluche.

Et puis, tout à coup, dans cette lumière d'apocalypse, j'ai aperçu miss Dare, seule, debout, à l'écart de la foule. D'abord, j'ai cru m'être trompé mais elle s'est retournée, le visage à demi caché sous un béret rouge et encore brillamment coloré de bleu et de vert.

Un instant, cette vision a fait surgir en moi quelque terrible souvenir, le pressentiment d'un danger imminent. Alors, j'ai commencé à courir vers elle en glissant sur la boue argileuse.

« Miss Dare ! Où est Mr. Keane ? »

Elle était vêtue d'un coquet manteau rouge assorti à son béret. Ses cheveux noirs étaient soigneusement rejetés derrière ses oreilles. Comme, à bout de souffle, j'arrivais près d'elle, elle m'a souri d'un air interrogateur.

« Keane ? m'a-t-elle dit. Il a dû s'en aller ! »

8

♚

Vendredi 5 novembre
20 h 30

Je dois avouer que je me suis trouvé un peu désarçonné. J'étais si sûr que Keane serait avec elle que je l'ai regardée sans mot dire pendant que de fugitives lueurs rouges et bleues éclairaient encore son visage et que, dans l'obscurité, j'écoutais les battements de mon vieux cœur.

« Quelque chose ne tourne pas rond ? »

J'ai répondu : « Non, le vieil idiot se prend pour Sherlock Holmes, c'est tout ! »

Elle a eu un sourire.

Tout autour, quelques fusées oubliées montaient encore vers le ciel, du vert émeraude de la forêt équatoriale, cette fois. C'est une couleur qui me plaît. Elle transformait en martiens tous ces visages qui se tournaient vers la lumière. Je trouve le bleu toujours un peu inquiétant comme celui des ambulances. Quant au rouge...

Une fois encore, quelque chose qui n'était pas encore tout à fait un souvenir a commencé à remonter lentement à la surface de ma mémoire mais, y replongeant, a de nouveau disparu. Il y avait définitivement quelque chose dans ces lumières, dans ces couleurs, dans la façon dont elles se reflétaient sur le visage de quelqu'un.

Elle a dit d'un ton gentil : « Monsieur Straitley, vous n'avez pas l'air bien ! »

À vrai dire, j'aurais pu me sentir mieux mais mon malaise était dû à la fumée et à la chaleur du brasier. La jeune fille qui se tenait à mes côtés me préoccupait davantage, cette jeune fille était peut-être encore en danger si mon instinct ne me trompait pas.

« Écoutez, Dianne. lui ai-je dit, en la prenant par le bras. Je pense qu'il y a des choses que vous devriez savoir. »

Et j'ai commencé à parler... Du calepin, d'abord, puis de la Taupe, de Dutoc, de la mort de Léon Mitchell, de celle de John Snyde... quand on considérait une seule de ces choses-là à la fois, chacune n'était rien de plus qu'un fait secondaire. Pourtant, lorsque j'y réfléchissais, plus je racontais et plus l'ensemble paraissait se tenir, dans mon esprit.

Keane m'avait lui-même appris qu'il avait été élève à Sunny Bank Park. Vous pouvez imaginer ce que la vie avait dû être pour quelqu'un comme lui : un gosse intelligent, épris de lecture, une sorte de rebelle à sa façon. Les profs avaient dû le détester presque autant que ses camarades le détestaient. Je me le représentais sans mal, ce garçon taciturne et solitaire, haïssant son collège et les autres élèves, et qui s'était fabriqué un monde imaginaire.

Au début, cela n'avait peut-être été qu'un appel au secours... une plaisanterie... un geste de révolte à l'adresse de cette école de privilégiés et de ce qu'elle représentait. Le premier pas fait – et il lui avait fallu de l'audace pour le faire – le reste avait dû être facile. Tant qu'il portait *leur* uniforme, il serait traité comme n'importe quel autre élève. J'imaginais son exaltation à parcourir incognito les vieux couloirs imposants, à jeter un coup d'œil dans les salles de classe, à se mêler à la foule des autres. Une exaltation solitaire sans doute, mais tellement puissante, qui petit à petit était devenue une obsession tragique.

Dianne m'a écouté en silence pendant que je lui expliquais tout ça. Je n'avais aucune preuve de ce que j'avançais, bien sûr, pourtant mon instinct me répétait que j'avais raison. J'ai continué. Je commençais à voir clairement ce jeune Keane, à ressentir quelque chose de ce qu'il avait dû ressentir, lui, et à m'expliquer l'horreur de l'être qu'il était devenu.

Je me posais la question : Léon Mitchell avait-il su la vérité ? Marlene avait certainement été dupée par Julien Dutoc et aussi complètement que je l'avais été moi-même.

Pour un si jeune adolescent, il avait fait preuve d'un grand sang-froid. Même sur le toit, il n'avait pas perdu la tête. Il s'était enfui avec l'agilité d'un chat avant que je ne puisse l'intercepter et il avait disparu dans les ténèbres. Il avait même accepté de laisser Snyde en être accusé plutôt que d'avouer son rôle dans l'histoire.

« Ils étaient sans doute en train de faire les cons ! Vous savez comment sont les garçons ? Un jeu imbécile qui était allé trop loin. Léon était tombé ! Dutoc s'était enfui. Il avait laissé accuser le *porter* et voilà quinze ans qu'il en traînait la responsabilité. »

Imaginez un peu ce que cela pouvait faire à un enfant. J'ai pensé à Keane. J'ai essayé d'entrevoir son amertume sous la façade. Je ne voyais rien. Un certain manque de respect pour l'autorité ? Un rien de jeune parvenu ? Un soupçon d'ironie dans sa façon de s'exprimer ? Mais de la méchanceté, de la *vraie méchanceté* ? Difficile à imaginer ! Cependant, si ce n'était pas Keane, qui d'autre alors ?

J'ai dit à Miss Dare : « Il s'est moqué de nous. Voilà son style, son genre d'humour. Je crois qu'il répète le même petit jeu qu'autrefois mais, cette fois-ci, il ira jusqu'au bout. Il ne se contentera plus de rester dans l'ombre. Il veut frapper Saint Oswald là où le coup sera fatal.

— Mais pourquoi ? » m'a-t-elle demandé.

J'ai poussé un soupir et je me suis senti très las. Puis j'ai dit : « Ce garçon-là m'avait pourtant plu. D'ailleurs il me plaît toujours. »

Un long silence est tombé.

« Avez-vous prévenu la police ? »

J'ai hoché la tête : « Marlene s'en est occupée.

— Eh bien, ils le trouveront, n'est-ce pas ? Ne vous inquiétez pas, monsieur Straitley ! Nous allons peut-être pouvoir prendre ce verre ensemble. C'est votre anniversaire, après tout ! »

9

Inutile de vous dire que pour moi cet anniversaire avait été bien loin d'être une partie de plaisir. Pourtant, je comprenais qu'il s'agissait là d'une étape nécessaire. Les dents serrées de résolution, j'avais ouvert tous les cadeaux qui attendaient sous mon lit, dans leurs emballages aux couleurs criardes. Les lettres aussi. Toutes ces lettres que j'avais refusé d'ouvrir et auxquelles j'accordais maintenant toute mon attention, parcourant chacune de leurs lignes, à travers des pages et des pages de bêtises, à la recherche de détails qui me permettraient de compléter ma métamorphose.

> Mon cher petit elfe,
> J'espère que tu as bien reçu les vêtements que je t'ai envoyés et qu'ils te vont ! Les enfants semblent grandir si rapidement ici, à Paris, et je voudrais que tu aies l'air chic pour ta visite. Tu as dû beaucoup changer. J'ai du mal à croire que j'ai presque trente ans moi-même ! Le docteur a confirmé que je ne pourrais pas avoir d'autre enfant. Heureusement qu'on va se revoir, mon tré- sor. C'est comme si notre Seigneur m'avait accordé une deuxième chance.

Les colis que j'avais reçus contenaient plus de vêtements que je n'en avais possédé durant ma vie entière : coordonnés achetés au Printemps ou aux Galeries Lafayette, deux anoraks (un rouge pour l'hiver, un vert pour le printemps) et une multitude de pulls, tee-shirts et shorts.

La police s'était montrée pleine de compréhension à mon égard. Pas étonnant, j'avais subi un tel traumatisme ! Ils avaient envoyé une gentille dame pour m'interroger. J'avais répondu avec une admirable franchise et, de temps en temps, une petite larme aussi. Elle m'avait répété plusieurs fois que j'avais montré beaucoup de courage, que ma mère devait être fière de moi, qu'elle-même l'était, que tout serait bientôt terminé, que la seule chose qu'il me restait à faire était de leur dire la vérité et surtout de n'avoir peur de rien.

C'est étrange, n'est-ce pas, comme il est facile pour les gens de croire le pire. Mon récit avait été tout simple – j'ai toujours cru que la meilleure façon d'accommoder le mensonge est toujours la plus simple ! La dame de la police l'avait écouté avec grand intérêt, sans m'interrompre et sans donner l'impression de le mettre en doute.

La version officielle, donnée par l'École, avait été qu'il s'agissait là d'un accident tragique. La mort de mon père était survenue bien à propos pour permettre de clore l'affaire. Cela lui avait d'ailleurs valu la compassion posthume du journal local, son suicide étant attribué à un remords extrême après la mort d'un jeune intrus dans le domaine qu'il était censé surveiller. Des autres détails – de la présence de cet autre garçon mystérieux –, personne n'avait dit mot.

À Mrs. Mitchell qui aurait pu s'en indigner, on avait accordé une indemnité assez importante et un nouveau poste au secrétariat de l'École. Comme Mat et elle s'étaient liés d'amitié au cours des semaines qui avaient suivi la mort de Léon, elle deviendrait sa secrétaire particulière. Le proviseur s'était chargé de prévenir Mat – qui venait lui-même d'obtenir son avancement – que poursuivre l'enquête concernant ce regrettable incident ne pourrait être que préjudiciable à la réputation de Saint Oswald et serait jugé négligence de sa part dans l'exercice de ses fonctions de *second master*.

Il ne restait donc plus que Straitley. Pas tellement différent à l'époque de ce qu'il est aujourd'hui. Déjà grisonnant avant l'âge, prenant un malin plaisir à adopter des manières pour le moins singulières, plus mince qu'il ne l'est de nos jours mais déjà quelque peu disgracié par la nature, il ressemblait à un albatros maladroit avec sa toge poussiéreuse et ses chaussons de cuir. Léon n'avait jamais éprouvé pour lui le respect que je ressentais, moi. Il ne voyait en l'homme qu'un bouffon sans malice, assez sympathique, intelligent à sa façon, mais ne représentant aucun danger pour lui. Pourtant, c'était Straitley qui était arrivé le plus près de la vérité. Seule son arrogance – l'arrogance des Saint Oswaldiens – l'avait rendu aveugle à l'évidence.

J'imagine que je devrais m'en féliciter mais un talent comme le mien mérite d'être reconnu et, de toutes les insultes que j'ai reçues de Saint Oswald au cours des années, c'est la sienne qui m'a fait le plus mal, celle dont le souvenir, dans mon esprit, est resté le plus clair : son air de surprise – de condescendance – à l'instant où son regard s'est posé sur moi puis s'est détourné sans s'arrêter pour la deuxième fois.

Bien sûr, j'étais incapable alors d'avoir un jugement équilibré. En plus du remords qui me torturait, du désarroi, de la peur, il me restait encore à découvrir une des vérités les plus choquantes de la vie, une vérité dont le secret est bien gardé, à savoir que le remords, comme toute émotion, finit par s'émousser. Sans doute, aurais-je vraiment *voulu* que l'on découvrît mon identité ce jour-là, pour m'assurer seulement que l'Ordre régnait toujours dans ce coin du monde et préserver à jamais, au fond de mon cœur, le mythe de Saint Oswald. Mais ce que je désirais plus que tout, après avoir vécu cinq années dans l'ombre, c'était qu'on me voie, à ma place et en pleine lumière.

Et Straitley, alors ? Dans cette partie d'échecs que je jouais contre Saint Oswald, cela avait toujours été Straitley, pas le proviseur, qui avait tenu la place du Roi. Le roi ne se déplace peut-être pas très rapidement mais quel ennemi il représente ! Et pourtant, il suffit d'un malheureux pion bien placé pour le tenir en échec et l'abattre. Cela n'était d'ailleurs pas mon intention ! Non ! Aussi absurde que cela puisse vous paraître, je ne cherchais pas à l'abattre, je cherchais à obtenir son approbation, son respect. Le rôle de l'Homme invisible avait été le mien trop longtemps, le fantôme de cette vieille machine grinçante qu'est Saint Oswald. Je voulais maintenant qu'il me regarde, qu'il me voie, qu'il reconnaisse, sinon ma victoire, au moins, quand même le fait qu'il restait pat.

Lorsqu'il s'est finalement décidé à venir à la maison, j'étais dans la cuisine. C'était le jour de mon anniversaire, juste avant le repas du soir. J'avais passé la moitié de la journée à faire des courses avec ma mère et l'autre à discuter et à faire des plans pour mon avenir.

Quelqu'un a frappé à la porte. J'ai tout de suite deviné qui. J'avais appris à le connaître, vous comprenez, même si cela avait toujours été d'une certaine distance. Je m'attendais à cette visite. Je savais que, de tous, lui, n'allait jamais choisir la solution de facilité plutôt que la justice. Roy Straitley était sévère mais juste. Il avait une tendance naturelle à croire en la bonté des autres. La réputation de John Snyde ne l'influençait pas, pas plus que ne le faisaient les menaces voilées du Nouveau Proviseur, ni les conjectures de l'article du journal local publié ce jour-là. Devant sa seule priorité – la justice – le danger possible pour la réputation de Saint Oswald n'était que secondaire. Straitley était le professeur principal de Léon et, pour lui, ses élèves avaient plus d'importance que n'importe quoi d'autre.

Au début, ma mère ne voulait pas lui permettre d'entrer. Elle m'avait dit qu'il était déjà venu deux fois : la première, j'étais au lit, la deuxième, je me changeais – je troquais mon costume de Dutoc contre l'une des tenues qu'elle m'avait envoyées de Paris dans ses nombreux colis.

« Madame Snyde, j'aimerais beaucoup entrer un instant. » Comme je l'écoutais derrière la porte de la cuisine, la voix nouvelle de ma mère, avec ses voyelles bien timbrées, me paraissait encore étrange. « Je vous l'ai déjà dit, monsieur Straitley : nous venons de traverser des moments bien difficiles et je crois vraiment... »

À l'époque déjà, je devinais qu'il ne se sentait pas vraiment à l'aise avec les femmes. À travers la fente, je l'apercevais, dans l'embrasure de la porte, avec la nuit à l'arrière-plan, la tête baissée, les mains profondément enfoncées dans les poches de sa vieille veste de tweed.

Ma mère, avec son collier de perles et son twin-set rose, lui faisait face, prête à un affrontement. Lui ne savait pas comment s'y prendre devant l'attitude de cette femme. Cela lui aurait été bien plus facile s'il avait pu s'adresser à mon père, directement, sans mâcher les mots.

« Je pourrais peut-être échanger quelques paroles avec l'enfant... ? »

J'ai jeté un coup d'œil à mon reflet dans la théière. Les conseils de ma mère avaient fait des merveilles. Le résultat n'était pas désagréable à l'œil. Coiffure très nette, de coupe récente. Frimousse bien lavée. Pas mal, dans l'une de mes nouvelles tenues. J'avais ôté mes lunettes. Je savais qu'il ne se rendrait compte de rien. D'ailleurs, je tenais à le voir – à le voir et peut-être aussi à ce qu'il me voie.

« Monsieur Straitley, croyez-moi, il n'y a rien que je puisse... »

J'ai soudain ouvert la porte de la cuisine. Il a immédiatement relevé la tête et, pour la première fois, son regard s'est posé sur le vrai moi. Ma mère restait à mes côtés, prête à me retirer de ses griffes, au premier signe de détresse de ma part. Alors, Roy Straitley a fait un pas vers moi. J'ai perçu son odeur rassurante de poudre de craie, de Gauloises et de boules à mites. Je me demandais quelle serait sa réaction si je le saluais en latin ? La tentation était presque trop grande pour y résister. Mais je ne devais pas oublier que j'avais un rôle à jouer. Me reconnaîtrait-il dans ce nouveau rôle ?

Pendant un instant, je l'ai bien cru. Il m'a jeté un coup d'œil pénétrant. Ses yeux d'un bleu délavé, légèrement injectés de sang, se sont plissés lorsqu'ils ont rencontré les miens. J'ai tendu la main. J'ai senti ses gros doigts épais entre les miens qui étaient froids. J'ai repensé à toutes les occasions que j'avais eues de l'observer de la tour du clocheton, à toutes les choses qu'il m'avait enseignées sans le savoir. Allait-il me *voir* maintenant ? Allait-il me *voir* enfin ?

J'ai senti son regard me détailler rapidement. Ce visage rose, ce tricot bleu pâle, ces petites socquettes et ces souliers vernis. Pas tout à fait ce à quoi il s'était attendu, n'est-ce pas ? J'ai dû faire un effort pour cacher mon sourire. Ma mère s'en est aperçue. Elle a souri aussi, fière du résultat de ses efforts. Pas étonnant, d'ailleurs, car elle était entièrement responsable de ma métamorphose.

« Bonsoir, m'a-t-il dit. Je ne voudrais pas vous déranger vraiment. Je suis Mr. Straitley, le professeur responsable de Léon Mitchell.

— Enchantée de faire votre connaissance, monsieur Straitley. Moi, je suis Julia Snyde. »

10

Cela m'a fait sourire. Il y avait si longtemps que je n'avais pensé à moi sous ce nom de Julia – et non pas Snyde. D'ailleurs, je n'avais jamais *aimé* Julia, mon père non plus. Alors, brusquement, de me souvenir d'elle – d'*être* elle me paraissait étrange et cocasse. J'avais cru avoir dépassé la période de ma vie où j'étais Julia, comme j'avais dépassé celle où j'avais une mère qui s'appelait Sharon. Mais ma mère, elle, avait bien réinventé son personnage, alors pourquoi pas moi ?

Bien sûr, Straitley n'en a jamais été conscient. Pour lui, les femmes restent des êtres d'une autre espèce que l'on admire peut-être (ou que l'on craint) mais toujours, prudemment, d'une certaine distance. Il semble différent lorsqu'il s'adresse à ses élèves. Mais en présence de Julia, son aisance naturelle s'était raidie immédiatement et il ne restait plus qu'une sorte de parodie prudente de sa jovialité habituelle.

Il m'a dit : « Je ne veux pas vous déranger. »

J'ai hoché la tête.

« Connaîtriez-vous par hasard un garçon du nom de Julien Dutoc ? »

Je dois avouer que mon soulagement s'était teinté d'une certaine contrariété. J'étais déçue. Je m'étais attendue à mieux de Straitley, à mieux d'un professeur de Saint Oswald. Après tout, ne lui avais-je pas pratiquement présenté la vérité sur un plateau ? Et il n'avait rien vu ! Dans son arrogance – cette arrogance typiquement masculine sur laquelle reposent les fondations mêmes de Saint Oswald –, il avait été incapable de voir ce qui était sous son nez.

Julien Dutoc.

Julia Snyde.

J'ai répété : « Dutoc ? Non, je ne le pense pas, monsieur.

— Il aurait à peu près votre âge. Cheveux noirs. Plutôt maigre. Lunettes à monture de métal. Un collégien de Sunny Bank Park, peut-être ? Vous auriez pu l'apercevoir à Saint Oswald. »

J'ai secoué la tête : « Je regrette, monsieur.

— Vous savez pourquoi je vous pose cette question, n'est-ce pas, Julia ?

— Oui, monsieur ! Vous croyez qu'il était là-haut la nuit dernière ?

— Il l'était ! » s'est exclamé Straitley d'une voix brusque. Puis, il s'est éclairci la gorge et, d'une voix adoucie, il a continué : « Je pensais que vous l'aviez peut-être vu aussi. »

De nouveau, j'ai secoué la tête : « Non, monsieur ! » Je pensais que c'était vraiment trop drôle et je me suis demandé comment il pouvait ne pas me reconnaître. Parce que j'étais fille, peut-être ? Ou que je faisais partie des *mémères,* des *brutes,* des *minables,* des *purotins* ? Était-ce si incroyable, alors, que Julia Snyde fût capable d'une telle chose ?

— Vous êtes absolument sûre ? Et il m'a lancé un regard perçant. Ce garçon-là est un témoin. Il était là. Il a vu ce qui s'est passé. »

J'ai baissé les yeux. J'ai contemplé le bout de mes souliers vernis. J'aurais voulu pouvoir tout lui raconter, rien que pour surprendre l'expression de son visage. Mais, pour cela, il aurait fallu lui parler de Léon aussi et je savais que c'était impossible. J'avais déjà fait tant de sacrifices pour garder ce secret-là. J'étais prête maintenant à sacrifier mon orgueil aussi.

J'ai alors levé vers lui un regard mouillé de larmes – pas difficile dans les circonstances ! Je n'ai eu qu'à penser à Léon, à mon père et à moi-même et mes larmes se sont mises à couler naturellement. Je lui ai dit : « Je regrette mais je ne l'ai pas vu. » Le vieux Straitley avait l'air franchement gêné maintenant ;

comme le jour où Kitty Teague avait eu sa petite crise dans la salle des profs, il ne savait plus que faire. Alors, il a tiré de sa poche un grand mouchoir – de propreté douteuse – en murmurant : « Allons ! Allons ! »

Ma mère l'a foudroyé des yeux. « J'espère que vous êtes content de vous maintenant ! » Et elle a passé, autour de mes épaules, un bras protecteur. « Après tout ce que la pauvre gosse a déjà subi !

— Madame Snyde, je n'avais pas l'intention de...

— Je pense que, maintenant, il vaudrait mieux...

— Julia, s'il vous plaît, si vous savez quelque chose de...

— Monsieur Straitley, j'insiste pour que vous sortiez ! »

Et c'est ce qu'il a fait, à contrecœur, pris entre l'emportement de cette mère et la gêne de l'enfant, entre la nécessité de s'excuser et le soupçon qui le tourmentait encore.

Car je ne l'avais pas convaincu, cela se voyait dans son regard. Il était encore bien loin de deviner la vérité mais des années d'enseignement avaient développé chez lui une sorte d'intuition en présence d'adolescents, un radar que, d'une façon ou d'une autre, j'avais dû déclencher.

Il s'est retourné pour s'en aller, les mains enfoncées dans les poches. « Julien Dutoc, vous êtes *certaine* que ce nom-là ne vous dit rien ? »

J'ai hoché la tête sans dire un mot mais je souriais en moi-même.

Ses épaules se sont affaissées. Alors, au moment où ma mère lui ouvrait la porte, il a fait une brusque volte-face et a rencontré mon regard pour ce qui allait être la dernière fois pendant quinze ans encore, et il a dit : « Je n'avais pas l'intention de vous bouleverser et nous sommes tous inquiets pour votre père, mais j'étais le professeur principal de Léon et je me sens responsable de mes élèves. »

J'ai de nouveau hoché la tête et j'ai murmuré *Vale, magister !* C'était un chuchotement, à peine, pourtant j'aurais pu jurer qu'il m'avait entendue.

« Qu'avez-vous dit ?

— Bonsoir, monsieur ! »

11

Après, nous sommes allées à Paris. Ma mère avait parlé d'une vie nouvelle, d'une seconde chance pour sa petite fille mais la chose ne se révélait pas aussi simple qu'elle l'avait imaginé. Je n'aimais pas la grande ville. Je regrettais la maison, les bois, l'odeur rassurante du gazon coupé, apportée par le vent. Ma mère se lamentait de mes allures de garçon manqué – dont elle rendait mon père responsable. Il n'avait jamais voulu de fille, me disait-elle, en déplorant mes cheveux courts, ma maigre poitrine et mes genoux couverts de blessures. C'était à cause de lui que je ressemblais davantage à un gamin crasseux qu'à la délicate petite fille dont elle avait rêvé. Mais tout cela allait bien changer, m'assurait-elle. Il ne fallait que du temps pour qu'une petite graine devienne une jolie fleur.

Dieu m'en est témoin, ce n'était pas par manque d'effort. Des heures et des heures passées dans les magasins, de multiples essayages, des rendez-vous chez l'esthéticienne. Quelle adolescente n'aimerait pas qu'on la prenne en main ? Quelle adolescente ne rêverait pas de devenir Gigi ou Eliza ? Quel vilain petit canard refuserait de se transformer en cygne ? En tout cas, c'était ce qu'espérait ma mère. Encore toute à la joie de s'extasier devant sa poupée vivante, elle s'employait à réaliser son rêve.

Évidemment, il ne reste plus grand-chose, de nos jours, des efforts de ma mère. Le résultat des miens, par contre, est plus sophistiqué et surtout plus discret. Grâce à ces quatre années passées à Paris, je parle couramment français et, bien que, d'après ma mère, je n'aie jamais vraiment atteint le niveau d'élégance et de coquetterie dont elle aurait rêvé pour moi, j'aime croire que j'ai acquis un certain style. D'après mon analyste, j'ai aussi acquis un amour-propre exagéré qui, parfois se rapproche de la maladie mentale. C'est peut-être vrai. Mais, en l'absence de parents, où, ailleurs qu'en lui-même, un enfant peut-il rechercher l'approbation ?

Quand j'ai eu quatorze ans, ma mère avait déjà compris que je ne serais jamais une beauté. Je n'étais pas du genre à ça. Cette vipère d'esthéticienne faisait sans cesse le même commentaire : *J'avais un style très anglais* ! Les petites jupes et les twin-sets qui rendaient si adorables les jeunes Françaises me faisaient paraître ridicule. Je les ai vite rejetés pour l'anonymat des jeans, des sweats et des tennis de ma jeunesse. J'ai refusé tout maquillage et, de nouveau, je me suis fait couper les cheveux. Je ne ressemblais plus à un jeune garçon mais il était évident que je ne serais jamais Audrey Hepburn non plus.

Ma mère n'en était pas aussi déçue qu'elle aurait pu l'être. Malgré ce qu'elle avait espéré, nous n'étions jamais devenues proches. Nous avions très peu en commun. Je voyais bien qu'elle se sentait fatiguée d'être toujours celle qui faisait l'effort. D'ailleurs, et surtout, Xavier et elle avaient enfin réussi ce qu'ils avaient toujours cru impossible : l'année suivante, en août, un bébé miracle leur était né.

Du coup, c'était fini. Du jour au lendemain, j'étais devenue une gêne pour eux. Adeline, le bébé miracle, m'avait rendue inexistante. Ni ma mère ni Xavier (qui me semblait n'avoir aucune opinion à lui) ne semblaient plus éprouver le moindre intérêt pour cette adolescente gauche et maussade que j'étais. Malgré tout, j'étais redevenue invisible.

Je ne peux pas dire que j'en aie beaucoup souffert. Pas de la présence du bébé en tout cas. Je n'avais rien contre Adeline qui n'était rien de plus pour moi qu'une petite boule protestataire de pâte à modeler rose. Non, c'était la promesse qu'ils m'avaient faite que je leur reprochais, cette promesse de quelque chose, qu'à peine offert, ils m'avaient arraché. Cela n'avait aucune importance que je n'eusse jamais vraiment désiré ce qu'ils m'avaient promis. L'important pour moi était l'ingratitude de ma mère. Pour elle, je m'étais sacrifiée, après tout : j'avais quitté Saint Oswald, qui maintenant, plus que jamais, m'attirait comme un paradis perdu. J'oubliais combien je l'avais haï, quelle guérilla j'avais menée contre lui pendant des années. J'oubliais comment l'ogre avait, d'une seule bouchée, avalé mon copain, mon père et ma jeunesse tout entière. J'y pensais constamment. Là, et seulement là, je m'étais sentie vivre, j'avais rêvé, j'avais connu joie, désir et haine ; là, j'avais été un rebelle, un héros. Maintenant, il ne restait de moi qu'une adolescente maussade parmi tant d'autres, avec un beau-père et une mère qui mentait à propos de son âge.

Je sais maintenant que j'étais une accro, que Saint Oswald était ma drogue à moi. Jour et nuit, je me sentais en état de manque et les succédanés que je pouvais me procurer étaient bien décevants et, très rapidement, m'ennuyaient. Mon lycée ne présentait pour moi aucun intérêt. Les plus rebelles, les plus audacieux n'y commettaient que les délits les plus banals. Ils découvraient leur sexualité, faisaient de leur absentéisme une pose sociale, essayaient les unes après les autres des drogues vraiment sans intérêt. Des années auparavant, Léon et moi avions fait des choses bien plus spectaculaires. Moi, je voulais plus, je voulais tout, je voulais le CHAOS.

Je ne me rendais pas compte, à l'époque, que ma conduite avait commencé à attirer l'attention. J'étais jeune, et ivre, et révoltée. Saint Oswald m'avait gâtée. Je me sentais comme une étudiante, condamnée à recommencer ses études en maternelle, qui cassait ses jouets et renversait les tables. Je mettais mon point d'orgueil à être celle qui exerce une mauvaise influence sur les autres. Je sautais les cours, me moquais des professeurs, je buvais, fumais, couchais – sans aucun plaisir – avec un tas de garçons du lycée rival.

Lorsque le pot-aux-roses fut découvert, ce fut au cours d'une occasion lamentablement terre à terre. J'avais cru Xavier et ma mère bien trop occupés à admirer leur petit miracle pour se soucier de choses aussi triviales. Mais ils m'avaient surveillée plus que je ne l'avais pensé. Une rafle dans ma chambre leur avait fourni le prétexte qu'ils cherchaient : un bloc de cinq grammes de hasch pour utilisation quotidienne, un paquet de capotes anglaises et quatre Ecs dans un tire-bouchon de papier.

Il ne s'agissait là que de petites bêtises d'adolescents que n'importe quel parent normal aurait reconnues et oubliées. Mais Sharon a simplement marmonné quelque chose à propos de mon passé, m'a retirée du lycée et – ultime humiliation – a pris rendez-vous pour moi chez une analyste, spécialiste des adolescents, qui, m'a-t-elle promis, me ramènerait dans le droit chemin.

Je ne pense pas être du genre à garder rancune. Chaque fois que je me suis rebellée, cela a toujours été à la suite de provocations intolérables. Cette provocation-là dépassait la mesure. Je n'ai pas perdu mon temps à protester de mon innocence. À la grande surprise de ma mère, j'ai bien voulu coopérer, au contraire. Mon analyste – qui s'appelait Martine et portait des boucles d'oreilles avec de petits chats en argent – avait déclaré que je faisais des progrès. Je lui racontais régulièrement ce qu'elle voulait entendre. Un jour, elle s'est trouvée totalement apprivoisée.

On peut dire ce que l'on veut de mon éducation – pour le moins originale – mais elle m'a permis d'acquérir des connaissances générales assez étendues. Je peux en remercier la bibliothèque de Saint Oswald, Léon et les films que j'ai toujours regardés. En tout cas, j'avais assez de connaissances des maladies mentales pour tromper cette analyste qui aimait les petits chats. J'ai presque regretté que cela ait été si simple et je me suis surprise à souhaiter que la tâche se soit révélée un peu plus difficile.

Mais les analystes sont tous les mêmes ! Vous pouvez leur parler tant que vous voulez d'autre chose, ils ramèneront toujours tout à une question de sexualité. Après avoir, pendant longtemps, indiqué ma répugnance à aborder le sujet et lui avoir raconté je ne sais combien de rêves très clairement freudiens, j'ai avoué avoir eu des relations sexuelles avec mon père. Pas avec John Snyde ! Non, avec mon *nouveau* père – ce qui changeait tout, d'après *lui*, du moins, bien que je n'en aie pas été entièrement convaincue moi-même.

Ne vous méprenez pas ! Je n'avais rien contre Xavier, vraiment. Ma mère m'avait trahie, c'était de ma mère que je voulais me venger et Xavier était un moyen tellement pratique pour le faire. D'ailleurs, je me suis assurée que la police soit persuadée qu'il y avait presque eu consentement de ma part, de façon que la sentence soit moins sévère ou qu'il obtienne même un sursis.

Cela a très bien marché. Trop bien même ! J'avais déjà perfectionné ma routine. J'avais ajouté un certain nombre d'enjolivements à mon histoire. Des rêves, encore des rêves – moi qui ne rêve jamais, mais qui ai, par contre, une grande imagination ! Des particularités dans la façon de me tenir. De petites coupures que je m'infligeais, imitant l'une des filles les plus fragiles de ma classe au collège.

Un examen médical a prouvé mes dires. Xavier a été expulsé de l'appartement, une généreuse pension alimentaire promise à la future divorcée et moi – cela est dû en partie à ma brillante interprétation de mon rôle –, je me suis retrouvée pendant trois ans dans une institution pour adolescents à problèmes, grâce à cette mère qui m'aimait tant et à cette Martine qui avait un tel penchant pour les chats ! Ni l'une ni l'autre ne voulant croire que je n'allais plus essayer d'attenter à mes jours.

Vous voyez, dans un cas comme celui-là et lorsque l'on possède un grand talent naturel, il faut bien se garder de donner un spectacle trop convaincant !

ÉCHEC ET MAT

1

Vendredi 5 novembre
Soir du feu de joie – 21 h 15

« Eh bien, a-t-il dit, je pense que ce n'est plus la peine de nous attarder. »

Le feu d'artifice était terminé. La foule avait commencé à se disperser en lentes colonnes vers les sorties. L'espace protégé par le cordon était pratiquement désert. Une odeur de poudre flottait encore autour de nous. « Nous devrions peut-être essayer de retrouver Marlene ? Je n'aime pas la laisser attendre toute seule. »

Brave vieux Straitley, va ! Toujours le parfait gentleman ! Et maintenant il était plus près de la vérité que ma mère, que mon analyste et que n'importe lequel de ces soi-disant experts qui avaient tenté d'interpréter les secrets de mon adolescence difficile ! Mais pas tout à fait assez près. Pas encore. Il brûlait pourtant. Nous approchions maintenant de la fin de la partie et mon cœur battait plus vite à cette pensée. Il y a bien longtemps, à l'époque où je n'étais encore qu'un simple pion, je l'avais déjà mis en échec et il m'avait échappé. Aujourd'hui, c'est en tant que reine que je lui dirai : Échec !

Je me suis tournée vers lui, j'ai souri et j'ai dit : « *Vale, magister !* »

411

« Qu'avez-vous dit ? »

Elle s'était retournée, prête à partir. Dans le rougeoiement du brasier, elle semblait extrêmement jeune. Sous son béret rouge, des flammes dansaient encore dans ses yeux. Elle m'a dit : « Vous avez parfaitement entendu ! Vous m'aviez entendue aussi, ce soir-là, n'est-ce pas, monsieur ? »

Ce soir-là ? Le doigt invisible s'est enfoncé doucement dans ma poitrine, avec une sorte de gentillesse, cette fois. J'ai eu soudain un terrible besoin de m'asseoir mais j'y ai résisté.

Avec un sourire, miss Dare m'a dit : « Vous verrez ! Vous vous souviendrez ! Après tout, c'est bien vous qui n'oubliez jamais un visage ? »

Pendant qu'il réfléchissait, je l'ai observé. La brume était plus épaisse maintenant et il devenait difficile de voir plus loin que les arbres les plus proches de nous. Du bûcher, derrière, il ne restait plus que les braises qui, à moins qu'il ne pleuve, allaient rougeoyer encore pendant deux ou trois jours. Straitley, le front luisant comme celui d'un vieux totem ridé, dans la pâle lumière, fronçait les sourcils. Une minute. Deux minutes se sont écoulées. Je commençais à m'inquiéter. Était-il trop vieux ? Avait-il oublié ? Et s'il allait trahir mon espoir maintenant, que me resterait-il à faire ?

Il a fini par demander : « C'est... J... C'est Julie, n'est-ce pas ? »

Pas trop mal, vieux bonhomme. Alors, j'ai enfin osé respirer. « Julia, Monsieur. Julia Snyde ! »

Julia Snyde.

Cela faisait bien longtemps que je n'avais entendu ce nom-là ! Bien longtemps que je n'avais pensé à elle. Et pourtant, elle était là de nouveau, devant moi. Elle ressemblait comme deux gouttes d'eau à cette Dianne Dare qui me regardait d'habitude d'un air affectueux, avec une lueur d'espièglerie dans ses grands yeux éveillés.

J'ai enfin demandé : « Vous avez changé de nom, alors ? »

Elle m'a répondu avec un sourire. « Vu les circonstances, j'ai dû le faire, oui ! »

Ça, je pouvais le comprendre. Elle était partie en France. « Vous avez vécu à Paris, n'est-ce pas ? J'imagine que c'est là-bas que vous avez appris le français ?

— J'étais bonne élève. »

Je me souvenais maintenant de ce soir-là, dans la loge. De ses cheveux noirs, plus courts que de nos jours, de ce petit ensemble si coquet avec sa jupe plissée et son tricot rose pâle. De la façon dont elle m'avait souri, d'un sourire timide d'abord, puis de l'air de celle qui SAIT. J'avais toujours été certain qu'elle savait quelque chose.

Je l'ai alors regardée, dans cette lumière étrange, et je me suis demandé comment j'avais fait pour ne pas la remarquer, ce qu'elle faisait ici, maintenant, et comment la gosse du *porter* avait pu se transformer en la jeune fille sûre d'elle-même qu'elle était devenue. Mais surtout, je me suis demandé ce qu'elle avait précisément su de cette histoire et pourquoi elle me l'avait caché alors, il y a tant d'années.

J'ai dit : « Vous connaissiez Dutoc, n'est-ce pas ? »

Elle a hoché la tête sans dire un mot.

« Mais, Keane alors ? »

Elle a souri : « Comme je l'ai déjà dit, il a *dû* s'en aller. »

Bien fait pour lui, le petit mouchard avec ses carnets. Au premier coup d'œil, j'aurais dû m'en douter. Le carnet, les notes, les caricatures, les petits commentaires fantasques à propos l'esprit de Saint Oswald et de son histoire ! Je me souviens parfaitement de m'être interrogée pour savoir s'il ne vaudrait pas mieux y mettre fin immédiatement. Mais à l'époque, j'avais beaucoup de choses en tête. D'ailleurs, il n'y avait pas grand-chose là-dedans qui eût pu m'incriminer – à part cette damnée photo !

On aurait pu croire qu'un romancier en herbe aurait eu l'esprit bien trop occupé par sa Muse pour vouloir s'intéresser à une si vieille histoire. Mais non ! De plus, il avait été élève du collège de Sunny Bank Park pendant plusieurs années, trois ou quatre ans avant que je n'y aille moi-même. Il aurait été bien incapable d'établir immédiatement le lien.

Moi-même, je ne l'avais pas établi, vous savez. Pourtant, j'ai bien dû reconnaître son visage à un moment quelconque. Je le connaissais *avant* d'entrer moi-même à Sunny Bank Park. Je me souvenais d'avoir observé un groupe de garçons le coincer un soir après l'école. Je me souvenais de ses vêtements propres – pour un collégien de Sunny Bank Park, cela paraissait suspect ! – et surtout des livres de bibliothèque qu'il portait sous le bras et qui faisaient de lui une cible toute trouvée. Ce jour-là, j'avais senti que j'aurais pu être lui.

Cet incident m'avait enseigné quelque chose et ce jour-là, je m'étais mentalement donné des lignes de conduite pour la vie. *Ne sois pas cible, sois invisible ! Trop bien présentée, c'est toujours risqué ! Ne porte pas de livres, tu pourras survivre ! Quand tu hésites, prends la fuite !* C'est ce que Keane n'avait pas fait. C'est ce qui l'a perdu.

Cela m'ennuyait, dans un certain sens. Pourtant, après avoir vu le contenu de son carnet, il était bien évident que je ne pouvais le laisser vivre. Déjà, il avait trouvé la photo de Saint Oswald, il avait eu un entretien avec Marlene... Mais il y avait surtout cette autre photo, prise un jour de fête sportive, celle sur laquelle avait posé Votre Servante. Heureusement j'étais derrière et le short qui m'avait valu le surnom de Pète-sec n'était pas visible ! Une fois le rapprochement fait (et il l'aurait fait un jour ou l'autre), cela n'aurait plus été qu'une question de patience. Il n'aurait plus eu qu'à poursuivre des recherches dans les archives de photos de Sunny Bank Park jusqu'à ce qu'il eût découvert ce qu'il cherchait.

J'avais acheté le couteau des mois auparavant – 24,99 livres aux surplus de l'Armée –, je dois avouer que c'était un excellent couteau, à lame fine et bien aiguisée, à double tranchant, meurtrière... Un peu comme moi ! Dommage mais j'ai dû le laisser. Je l'avais vraiment acheté à l'intention de Straitley. Le reprendre pourtant aurait été risqué. D'ailleurs je n'avais pas envie de me promener dans le jardin public en trimballant l'arme du crime dans ma poche ! Aucune chance que l'on puisse y découvrir mes empreintes non plus. Je portais des gants.

Au moment même où commençait le feu d'artifice, Chris et moi nous sommes avancés jusqu'au cordon de protection. Là, il y avait des arbres et, sous leurs branches, l'obscurité était plus profonde. Autour de nous, bien sûr, il y avait des gens mais la plupart avaient le regard tourné vers le ciel. À la lumière de toutes ces fusées, personne ne s'est rendu compte du petit drame rapide qui se déroulait sous les arbres.

Le niveau de connaissances nécessaire pour poignarder quelqu'un entre les côtes est surprenant. Ce sont les muscles intercostaux qui vous donnent le plus de mal. Ils se contractent, vous savez. Donc, même si, par hasard, vous n'atteignez pas l'os, il vous faut perforer une sangle de muscles tendus avant d'espérer vraiment infliger une blessure fatale. Viser le cœur, non plus, n'est pas si facile. Le sternum vous en empêche. La parfaite méthode serait d'atteindre la moelle épinière, entre la troisième et la quatrième vertèbre. Mais dites-moi un peu comment j'aurais pu viser avec précision cet endroit-là, dans le noir, et avec cette énorme parka des surplus de l'Armée qui couvrait la plus grande partie de son corps ?

Évidemment, j'aurais également pu lui trancher la gorge. Mais ceux d'entre nous qui ont essayé cette méthode-là, plutôt que de simplement regarder quelqu'un d'autre en faire la démonstration sur un écran de cinéma, vous diront bien que ce n'est pas aussi facile que cela n'en a l'air. C'est pour ça que j'ai décidé d'utiliser la méthode qui consiste à donner un coup en remontant, à la hauteur du diaphragme, juste au-dessous du sternum. Puis, je l'ai abandonné sous les arbres. Si quelqu'un l'apercevait, il croirait voir un ivrogne et le laisserait cuver sa bière. Je ne suis pas prof de biologie, je ne peux donc qu'émettre une opinion quant à la conclusion des experts sur la cause précise de la mort. Hémorragie ? Perforation du poumon ? Ce que je peux vous affirmer, en tout cas, c'est qu'il a eu l'air franchement surpris !

415

« Vous l'avez tué ?

— Oui, monsieur. Mais je n'avais rien contre lui personnellement ! »

L'idée m'est alors venue que j'étais peut-être en effet vraiment très malade et que tout cela n'était qu'une sorte d'hallucination qui me révélait, plus que je ne l'aurais désiré, les préoccupations de mon subconscient. Le fait est que franchement j'aurais pu me sentir mieux. Une douleur fulgurante me traversait le côté gauche juste sous le bras. Le doigt invisible s'était transformé en une main entière dont la pression ferme et continue sur le sternum me coupait la respiration.

« Monsieur Straitley ? » Je reconnaissais maintenant l'inquiétude dans la voix de miss Dare.

J'ai répondu : « Ce n'est qu'un point de côté ! » Et je me suis brusquement assis par terre. La boue, sous moi, était agréablement molle mais glacée. Un froid sinistre semblait monter de l'herbe comme en ondes palpitantes. J'ai répété : « Vous l'avez tué ?

— Je ne pouvais tout de même pas me permettre de rester aveugle au danger qu'il représentait pour moi, monsieur. Comme je l'ai dit, il a *dû* s'en aller !

— Et Cavalier ? »

Il y a eu un instant de silence. « Cavalier ! » a répété miss Dare.

Pendant une affreuse seconde, j'ai retenu ma respiration. Je n'avais peut-être jamais aimé ce gamin-là mais c'était l'un de mes élèves et, malgré tout, j'imagine que j'avais un peu espéré...

« Monsieur Straitley, s'il vous plaît ! Je n'ai pas le temps de parler de cela maintenant ! Allez, debout ! » Elle a passé son épaule sous mes bras – elle est plus forte qu'elle ne le paraît ! – Et elle m'a redressé.

Glacé d'horreur, j'ai demandé : « Cavalier est mort ?

— Ne vous en faites pas, monsieur, cela a été très rapide. »

Elle a appuyé sa hanche contre mes côtes et a presque réussi à me remettre sur mes pieds. « Mais j'avais besoin d'une victime. Je ne veux pas parler d'un cadavre simplement. Il me fallait *une histoire*. Le meurtre d'un adolescent va sans doute faire la une des journaux – quand il n'y a rien d'autre – mais *la*

416

disparition d'un adolescent, c'est sûr que ça va les occuper pendant un bon moment : recherches, conjectures, appels télévisés de la mère éplorée, interview des camarades, puis, lorsque tout espoir a disparu, on fait draguer les étangs du coin et les réservoirs, on découvre un vêtement, alors, viennent les tests – l'inévitable technique des empreintes génétiques – auxquels on soumet tous les pédophiles du coin connus par la police. Vous connaissez le scénario, monsieur ? Ils savent déjà mais *ne savent pas* vraiment. Alors, ils continuent jusqu'à ce qu'ils en soient absolument certains... »

L'espèce de crampe dans mon côté est brutalement revenue. J'ai étouffé un râle. Miss Dare s'est immédiatement arrêtée. « Je suis désolée, monsieur ! m'a-t-elle dit, d'une voix plus douce. « Rien de tout cela n'a plus d'importance, maintenant. Cavalier peut bien attendre. Ce n'est pas comme s'il allait s'enfuir, n'est-ce pas ? Respirez lentement et continuez à marcher. Et pour l'amour de Dieu, regardez-moi ! Nous n'avons plus beaucoup de temps ! »

Alors, j'ai pris ma respiration, je l'ai regardée et j'ai continué à avancer. Nous marchions lentement, péniblement, dans la direction des arbres. J'étais accroché au cou de miss Dare comme un vieil albatros.

2

Vendredi 5 novembre
21 h 30

Sous les arbres il y avait un banc. Nous avons, en chancelant, traversé la pelouse transformée en boue pour nous diriger vers lui. Là, je me suis lourdement affaissé. La secousse a fait vibrer mon vieux cœur comme un ressort brisé.

Miss Dare essayait de me dire quelque chose. J'ai tenté de lui faire comprendre que j'avais bien d'autres préoccupations en tête. Oh ! Je sais très bien que nous devons tous y passer un jour ou l'autre, mais je m'étais attendu à autre chose qu'à ce délire d'halluciné dans un champ de boue ! Keane était mort. Cavalier était mort, aussi. Miss Dare n'était pas vraiment miss Dare, mais quelqu'un d'autre. Et moi, je ne pouvais plus assurer à personne que cette douleur atroce qui me lancinait n'était qu'un simple point de côté. J'ai soudain pensé que la vieillesse nous prive vraiment de toute dignité. De nos jours, plus question pour nous de recevoir les honneurs du Sénat, une ambulance nous emporte à toute vitesse vers les urgences ou, pis encore, nous nous enlisons dans les sables de la sénilité. Je luttais pourtant. J'étais conscient des efforts désespérés de mon cœur qui s'obstinait à battre encore un peu plus longtemps. Je me suis alors posé la question : L'homme est-il jamais prêt à mourir ? Est-il jamais sûr de sa foi ?

« Allons, monsieur Straitley ! Concentrez-vous un peu ! J'en ai besoin. »

Me concentrer, ça, par exemple ! Je lui ai répondu : « En ce moment, j'ai d'autres préoccupations, figurez-vous ! Un rien, seulement l'idée de mon trépas sans doute imminent ! Peut-être pourriez-vous attendre un peu ? »

Mais ce souvenir hantait de nouveau ma mémoire, si proche que j'aurais pu le toucher. Ce visage moitié bleu, moitié rouge, tourné vers moi. Ce jeune visage déformé par le chagrin, endurci par la détermination. Ce visage aperçu une fois, il y a quinze ans de cela.

« Chut ! a dit miss Dare. Vous me voyez maintenant, n'est-ce pas ? »

Alors la lumière a soudain jailli dans mon esprit.

Un de ces rares moments où tout devient évident, où des cercles concentriques de dominos tombent en cascades bruyantes vers le centre mystique, où des images en noir et blanc révèlent soudain leur relief caché, où des traits familiers s'effacent pour réapparaître sous la forme de quelque chose d'entièrement différent.

J'ai regardé. J'ai tout à coup reconnu Dutoc, le visage levé vers moi, et dont les lunettes reflétaient les pulsations des lumières de sécurité. Au même instant, j'ai vu Julia Snyde avec sa frange noire bien coupée et les yeux gris de miss Dare sous sa casquette de Saint Oswald, les éclairs bleus et rouges de fusées illuminant son visage... Et, soudain, j'ai *su*.

« Me voyez-vous maintenant ?

— Oui ! »

Je l'ai observé, à ce moment-là. Sa mâchoire inférieure s'est abaissée. La tension de ses traits s'est relâchée. On aurait dit l'accélération du vieillissement d'un visage due à un truc de photographie. Soudain, il paraissait beaucoup plus vieux que ses soixante-cinq ans. Il avait l'air d'avoir atteint sa Centaine !

C'était donc là cette catharsis dont mon analyste m'avait tant parlé... Je n'avais jamais été témoin de quoi que ce soit de comparable jusqu'à cet instant-là ! Cette expression sur le visage de Straitley. Ce mélange de compréhension, d'horreur, de pitié peut-être.

« Julien Dutoc. Julia Snyde. »

J'ai alors souri. Toutes ces années dont la pesanteur m'accablait ont glissé de mes épaules comme un poids mort. J'ai dit : « C'était pourtant si évident, monsieur, et vous ne l'aviez jamais remarqué, ni même envisagé ! »

Il a poussé un gros soupir. Il avait l'air de plus en plus mal maintenant. De son visage coulaient d'énormes gouttes de transpiration. J'entendais le brassage de l'air dans ses poumons, ses râles. J'espérais qu'il n'allait pas mourir comme ça. J'attendais ce moment-là depuis trop longtemps. Bien sûr, il allait devoir disparaître à la fin – avec ou sans l'aide de mon couteau ! J'étais sûre que cela ne présenterait aucune difficulté – mais je voulais qu'avant, il comprenne, qu'il *voie*, qu'il sache sans l'ombre d'un doute.

« Oui ! m'a-t-il dit, mais je savais moi qu'il ne *voyait* pas encore tout à fait. « C'était une terrible histoire ! » – Ça, c'était vrai ! – « Mais pourquoi vous en prendre à Saint Oswald ? Pourquoi en vouloir à Patrick Mat, ou à Grachvogel, ou à Keane ? Pourquoi tuer Cavalier qui n'était qu'un élève ? »

J'ai expliqué : « Cavalier était l'appât, tout simplement. Regrettable mais nécessaire ! Quant aux autres, ne me faites pas rire ! Mat, cet hypocrite, que le moindre scandale effarouchait ? Grachvogel ? Que je m'en sois mêlée ou pas, un jour ou l'autre, cela devait lui arriver ! Light ? Bon débarras pour tout le monde ! Devine ? Je vous ai presque rendu service, dans son cas ! Ce qu'il y a d'intéressant, c'est la façon dont l'histoire se répète. Pensez à la rapidité avec laquelle le proviseur s'est lavé les mains de cette histoire de Mat dès qu'il a pensé au scandale qui pourrait retomber sur l'École ! Eh bien, Mat sait exactement maintenant comment mon père s'est senti. Cela n'avait pas d'importance qu'il fût responsable ou non, qu'un élève eût trouvé la mort non plus ! La seule priorité était de protéger à tout prix la réputation de Saint Oswald, à l'époque. C'est la même chose aujourd'hui ! Les élèves viennent chez nous puis nous quittent. Les *porters* viennent et nous quittent. Cela n'a aucune importance, mais qu'arrive quelque chose qui puisse porter atteinte à la réputation de Saint Oswald, Dieu nous en préserve ! Le nier, l'enterrer, le faire disparaître, voilà ce qu'il faut faire ! N'est-ce pas la vraie devise de l'École ? » J'ai pris une profonde inspiration. « Pas juste en ce moment, en tout cas, car j'ai enfin votre complète attention ! »

Il a étouffé un râle – cela aurait pu aussi bien être un rire ! – et il a dit : « Vous avez peut-être toute mon attention, mais n'aurait-il pas été plus simple de nous envoyer une carte postale ? »

Brave Straitley, va ! Toujours le petit plaisantin ! « Il vous aimait, monsieur. Il vous a toujours aimé !

— Qui m'a aimé ? Votre père ?

— Non, monsieur ! Léon. »

Un long silence est tombé. Un silence noir et profond. Je percevais les battements frénétiques de son cœur. La foule s'était depuis longtemps dispersée. Là-bas, quelques rares silhouettes se découpaient encore dans le rougeoiement du brasier et à proximité des stands de foire maintenant déserts. Nous étions seuls, aussi seuls que nous pouvions l'être. Tout autour, j'entendais grelotter les grands arbres dénudés, leurs lents craquements secs et, de temps à autre, le rapide bruissement des feuilles mortes au passage d'un petit animal – d'un rat ou d'une souris peut-être.

Le silence a duré si longtemps qu'un instant j'ai cru que le vieil homme s'était endormi ou qu'il s'était laissé glisser dans une eau si profonde que je n'aurais pu l'en retirer. Enfin, il a poussé un gros soupir. Il a tendu la main vers moi, dans l'obscurité. Dans ma paume, ses doigts m'ont paru glacés.

D'une voix lente, il a demandé : « Léon Mitchell. C'est donc à cause de lui, tout cela ? »

3

Soir du feu d'artifice
21 h 35

Léon Mitchell. J'aurais dû m'en douter. Dès le début, j'aurais dû savoir qu'il était la cause de tout cela. Si jamais un élève avait semblé incarner les ennuis, c'était bien Léon Mitchell. De tous mes fantômes, celui-là ne m'avait jamais laissé en paix, celui-là m'avait toujours hanté !

Une fois, j'ai parlé de lui à Mat. J'ai voulu essayer de comprendre exactement ce qui s'était passé, de savoir si j'aurais pu faire davantage. Mat m'a assuré que je n'aurais rien pu faire. J'étais à mon balcon, à ce moment-là, et les deux garçons, juste au-dessous de moi, sur le toit de la Chapelle. Le *porter*, lui, était déjà sur le toit. À moins d'avoir des ailes ou d'être capable de *voler* comme Superman, que diable aurais-je bien pu faire pour éviter l'accident ? Tout s'était déroulé si rapidement. Personne n'aurait pu l'en empêcher. Cependant la sagesse que l'on se découvre après coup est bien maléfique. Elle fait d'un ange un démon. Elle transforme un tigre en clown de cirque. Au fil des années, les certitudes de notre passé semblent fondre comme un camembert trop fait. Pas un souvenir n'y échappe.

Aurais-je *pu* faire quelque chose ? Vous ne pouvez pas imaginer combien de fois je me suis posé cette question-là ! Au petit matin, souvent, tout semble possible. Les événements défilent dans l'esprit avec la clarté d'un rêve. La chute du garçon se répète encore et encore – il avait quatorze ans seulement ! Cette fois, j'étais pourtant là, à mon balcon, comme une Juliette un peu trop bien en chair. Oui, au petit matin, je le vois trop clairement, ce garçon, accroché désespérément à ce rebord rongé de rouille, les ongles incrustés dans la pierre pourrie, les yeux dévorés par la peur.

« *Dutoc ?* »

Ma voix le fait sursauter, cette voix de l'Autorité qui résonne dans la nuit de façon si inattendue. Il lève les yeux instinctivement. Il commence à lâcher prise. Il pousse un cri, peut-être. Il essaie de se hisser. Son talon accroche et manque un appui qui s'effrite déjà à moitié.

Et puis la chute commence. Si lente au début et pourtant si incroyablement rapide. Des secondes – des secondes entières – pour penser à ce vide, à ce gouffre, à cette nuit terrible.

Alors, le remords aussi prend de la vitesse comme une avalanche.

Les souvenirs se bousculent comme autant de diapositives sur un écran trop sombre.

La rangée de dominos s'écroule. La conviction s'affirme de plus en plus. J'avais peut-être été responsable de cette chute-là. Si je n'avais pas appelé Dutoc à ce moment précis, peut-être...

J'ai levé les yeux vers miss Dare. Elle m'observait. J'ai demandé : « Dites-moi, qui exactement rendez-vous responsable ? »

Elle n'a pas répondu.

« Dites-moi ! » Le point de côté – qui n'en était pas un – me déchirait le flanc mais, après toutes ces années, le besoin que j'avais de *savoir* m'était encore plus douloureux. De nouveau, j'ai levé les yeux vers elle, si calme et si sereine. Dans la brume, elle ressemblait à une de ces Madones de la Renaissance italienne. J'ai fait un effort pour demander : « Vous étiez là. Est-ce moi qui ai provoqué la chute de Léon ? »

Je me suis dit : *Oh ! Vous êtes fort, monsieur ! Vous pourriez donner quelques leçons à mon analyste !*

Rejeter ainsi sur moi le poids de son angoisse, dans l'espoir peut-être de gagner un peu de temps.

Il a murmuré : « Dites-moi, s'il vous plaît ! J'ai besoin de savoir ! »

J'ai demandé : « Mais pourquoi ?

— Il était mon élève ! »

La réponse était si simple, si accablante. *Mon élève !* J'ai soudain souhaité qu'il ne soit pas venu ou que je me sois débarrassée de lui sans difficulté, sans regret, comme je l'avais fait avec Keane. Oh ! Il était à l'agonie mais c'était moi pourtant qui avais du mal à respirer, moi qui me sentais comme le promeneur qui remarque l'avalanche sur le point de l'engloutir. J'aurais voulu rire mais j'avais des larmes dans les yeux. Après toutes ces années, se pouvait-il vraiment que Roy Straitley s'en soit cru responsable ? Cette pensée me paraissait à la fois exquise et terrible.

« Vous allez bientôt me faire croire qu'il était pour vous comme un fils ! » Le tremblement de ma voix démentait mon ricanement. La vérité était qu'il m'avait ébranlée.

Il n'a tenu aucun compte de mon ricanement. Il a expliqué : « Tous ces garçons que j'ai perdus, après trente-trois ans, je m'en souviens encore. J'ai leur photo sur les murs de ma salle de séjour, leur nom dans mes registres. Hewitt, 72, Constable, 86, Jamestone, Deakin, Stanley, Poulson, Cavalier. » Il s'est arrêté : « Et Mitchell, bien entendu. Comment aurais-je pu oublier ce petit emmerdeur ? »

Cela arrive de temps en temps, vous savez ! On ne peut pas tous les aimer, même si l'on fait son possible pour les traiter tous de la même façon. Parfois, il y en a un – comme Mitchell ou Cavalier – que, malgré tous vos efforts, vous n'allez jamais aimer.

Il avait été mis à la porte de son école après avoir séduit l'un de ses professeurs. Gâté abominablement par ses parents, opportuniste, menteur, manipulateur, il était intelligent, charmant même lorsqu'il le voulait mais il ne m'avait jamais trompé et je le lui avais dit. Il était un pur poison.

Elle m'a répliqué : « Vous vous trompez, monsieur ! Il était mon ami, le meilleur ami que j'aie jamais eu. Il se plaisait en ma compagnie. Il m'*aimait*. Et si vous n'aviez pas été là – si vous n'aviez pas crié quand... »

Pour la première fois, depuis que j'avais fait sa connaissance, j'ai entendu sa voix se briser, puis se faire perçante sans qu'elle puisse la contrôler. À ce moment-là, seulement, l'idée m'est venue qu'elle avait sans doute l'intention de me tuer. C'était ridicule vraiment ! Dès qu'elle avait commencé à me raconter son histoire, j'aurais dû le savoir. Je devinais alors que j'aurais dû être effrayé. Pourtant, en dépit de tout et malgré cette douleur dans mon côté, je ne ressentais que de l'irritation envers cette femme, l'irritation que j'aurais éprouvée envers un élève brillant qui aurait commis une erreur de grammaire grossière.

Je lui ai dit : « Allons ! Allons ! Vous n'êtes plus une enfant. Léon ne s'est jamais préoccupé que de lui-même. Il adorait manipuler les gens. C'est à cela qu'il passait tout son temps, à exciter les uns contre les autres, à les traiter comme des jouets dont il remontait le mécanisme. Je ne serais pas surpris qu'il ait été celui qui ait suggéré de grimper sur le toit, simplement pour voir ce qui allait se passer ! »

Elle a pris une très petite inspiration soudaine, comme le sifflement d'un chat furieux. J'ai su alors que j'étais allé trop loin. Mais, reprenant son calme et, comme si elle ne l'avait jamais perdu, elle s'est mise à rire : « Vous aussi, monsieur, vous avez des tendances machiavéliques ! »

J'ai pris sa remarque pour un compliment et le lui ai dit.

« Bien sûr, monsieur ! J'ai toujours éprouvé beaucoup de respect pour vous ! Et même, en ce moment, c'est un adversaire que je vois en vous, plutôt qu'un ennemi !

— Soyez prudente, miss Dare ! Vous pourriez me tourner la tête avec un compliment pareil ! »

De nouveau, elle a ri d'un petit rire nerveux et elle a poursuivi : « Et pourtant, j'avais besoin que vous me *voyiez*. J'avais besoin que vous *sachiez*. » Et elle m'a raconté comment elle avait suivi mes leçons et fouillé dans mes classeurs, combien de choses abandonnées elle avait glanées dans les riches poubelles de Saint Oswald. Et pendant qu'elle me racontait et que la douleur dans mon côté s'apaisait, je me suis senti partir à la dérive. Elle me parlait des jours où elle faisait l'école buissonnière, où elle empruntait des livres, où elle volait des vêtements d'uniforme, elle me parlait d'infractions au règlement. Comme les souris, elle avait établi son nid dans la tour du clocheton et sur les toits. Elle avait trouvé là toutes les nourritures terrestres dont elle avait besoin. Elle avait satisfait ici sa terrible faim de savoir. Et moi, sans m'en douter, j'avais été son *magister*. Elle m'avait choisi le premier jour où je l'avais vue, dans le couloir de la mezzanine, et maintenant c'est encore moi qu'elle choisissait pour faire de moi le responsable de la mort de son ami, du suicide de son père et des échecs qu'elle avait essuyés dans sa vie.

Cela arrive parfois. Cela est arrivé, un jour ou l'autre, à la plupart de mes collègues. C'est la conséquence inévitable d'avoir choisi l'enseignement comme profession, de se trouver responsable de tant d'adolescents vulnérables. Pour les femmes, bien sûr, la chose est monnaie courante ; pour nous, Dieu merci, cela n'arrive que de temps en temps. Mais nos garçons sont avant tout de jeunes adolescents. Ils font parfois une fixation sur un professeur (homme ou femme), parfois même ils se persuadent que c'est l'amour. Cela m'est arrivé, c'est aussi arrivé à Kitty, même au vieux Pisse-Vinaigre, qui, une fois, a dû passer six mois à essayer de se défaire des attentions d'un jeune étudiant, Michael Smalls, qui inventait toutes les excuses possibles pour aller le voir, monopoliser son attention et son temps. À la fin, lorsque son héros au visage impassible n'avait finalement pas su répondre à ses espérances, le garçon n'avait pas raté une occasion de le dénigrer à ses parents. Mr. et Mrs. Smalls avaient fini par retirer de Saint Oswald leur fils – qui avait eu d'abominables résultats d'examen – et l'avaient mis dans un autre lycée où il s'était bien intégré, et était immédiatement tombé amoureux d'une jeune femme qui enseignait l'espagnol.

Il me semblait que j'étais de nouveau dans cette situation-là. Je ne vais pas prétendre être un nouveau Freud, ni personne de ce genre, mais il me paraissait très clair que cette malheureuse jeune femme m'avait *choisi* de la même façon que le jeune

Smalls avait choisi Pisse-Vinaigre, me parant de qualités – et maintenant de responsabilités – qui n'avaient aucune ressemblance avec la réalité. Elle avait fait la même erreur avec Léon Mitchell, qui, maintenant qu'il était mort, avait atteint dans son esprit un rang social et intellectuel et une qualité de héros romantique auxquels nul être vivant – pas même un saint – ne pouvait aspirer. Entre nous, le combat n'était pas égal. Après tout, peut-on jamais gagner la bataille contre un mort ?

Pourtant, j'en ressentais encore de l'irritation. Ce qui m'irritait surtout c'était le gâchis, vous comprenez, la terrible perte. Miss Dare était jeune, intelligente, elle avait du talent, elle aurait dû avoir devant elle une vie pleine de promesses. Elle avait, hélas, choisi de s'enchaîner, comme un vieux centurion, à l'épave de Saint Oswald, à cette figure de proue toute dorée qu'était Léon Mitchell – qui, de tous les garçons, n'était remarquable que par sa médiocrité essentielle et la stupidité avec laquelle il avait dissipé sa jeune et précieuse vie.

J'ai essayé de le lui expliquer mais elle n'a pas voulu entendre. D'un air entêté, elle a dit : « Il serait devenu quelqu'un. Léon était un être spécial, intelligent, original. Il n'acceptait pas de chaînes. Il ne respectait pas les règles ordinaires. On ne l'aurait jamais oublié.

— *On ne l'aurait jamais oublié ?* C'est peut-être vrai ! Je n'ai sûrement jamais rencontré personne qui eût laissé autant de victimes derrière lui. La pauvre Marlene savait ce qu'il en était, mais Léon était son fils et elle l'aimait malgré tout ce qu'il avait fait. Et ce prof, dans son ancienne école, celui qui enseignait le travail du métal, ce pauvre fou, cet homme marié. Léon a détruit sa vie, vous savez ! Comme cela, égoïstement, par caprice, quand il s'est fatigué de ses attentions. Et la femme de ce prof-là ? Elle était dans l'enseignement, elle aussi, et, dans notre profession, on peut être jugé coupable par simple association. Deux carrières fichues ! Un homme emprisonné. Un mariage brisé. Et cette fille, comment s'appelait-elle déjà ? Elle n'avait pas plus de quatorze ans à l'époque. Tous victimes des petits jeux de Léon Mitchell. Et maintenant, moi, Mat, Grachvogel, Devine – et vous, miss Dare ! Qu'est-ce qui vous fait penser que vous êtes différente des autres ? »

Je me suis arrêté pour reprendre ma respiration. Le silence s'est fait. Un silence si profond, d'ailleurs, que je me suis demandé si elle était partie. Puis, elle a parlé d'une petite voix qui vibrait comme du verre : « Quelle fille ? »

4

Soir du feu d'artifice
21 h 45

Il l'avait vue à l'hôpital, là où moi je n'avais pas osé aller. J'aurais bien voulu pourtant, mais la mère de Léon passait toute la journée à son chevet. Je ne pouvais me permettre de prendre ce risque-là. Francesca y était allée, par contre, et les Tynan et Mat et Straitley, bien sûr.

Il se souvenait très clairement d'elle. Après tout, qui aurait pu l'oublier ? À quinze ans, elle possédait cette beauté à couper le souffle à laquelle les vieillards sont inexplicablement si sensibles. Il avait d'abord remarqué ses cheveux qui retombaient sur son visage comme un écheveau de soie grège. Elle était sûrement ébranlée, mais aussi légèrement fascinée par le tragique de la situation, du drame véritable, dans lequel elle avait un rôle à jouer. Elle avait choisi de venir vêtue de noir, comme pour un enterrement, mais surtout parce que le noir lui allait bien et que ce n'était pas, après tout, comme si Léon allait mourir, vraiment ! Grands dieux, il n'avait que quatorze ans ! À quatorze ans, la mort est quelque chose qui n'arrive que sur les écrans de télévision !

Straitley ne lui avait pas parlé. Il était allé à la cafétéria de l'hôpital pour rapporter une tasse de thé à Marlene et attendre le départ des visiteurs de Léon. C'est de là qu'il l'avait aperçue sortir. Encore fasciné par la façon féline dont sa chevelure ondulait jusqu'à ses reins, il avait pensé que la rondeur de son ventre paraissait trop accentuée pour n'être que l'adiposité normale de l'adolescence. À dire la vérité, avec cette rondeur au niveau de l'abdomen, ses longues jambes minces et ses épaules étroites, elle avait franchement l'air d'être...

J'ai pris une profonde inspiration, comme mon analyste me l'avait recommandé : inspiration sur cinq temps, expiration sur dix. L'odeur de l'herbe humide et de la fumée était très forte. Dans la brume glacée, mon haleine, en se condensant, a jailli de ma bouche comme un jet de flammes de la gueule d'un dragon.

Il mentait. C'était évident. Léon m'en aurait parlé.

Je le lui ai bien dit. Le vieillard restait là, pourtant, immobile sur le banc. Il ne reprenait rien de ce qu'il avait dit.

« C'est un mensonge ! »

L'enfant aurait quatorze ans aujourd'hui, l'âge qu'avait Léon quand il est mort. Garçon ou fille ? Garçon, bien sûr. L'âge de Léon, ses yeux gris, la peau tachetée de Francesca. Je me suis persuadé que l'enfant n'était que pure invention. Son image pourtant me hantait. Ce garçon, ce garçon qui sortait de mon imagination, avait des pommettes qui rappelaient celles de Léon et la lèvre supérieure de Francesca... Je me demandais si Léon avait eu connaissance de cette grossesse, s'il était possible qu'il l'eût ignorée ?

Et alors ? Même s'il l'avait su, Francesca ne représentait rien à ses yeux. Une fille parmi les autres, m'avait-il dit. Une autre fille pour faire l'amour, pas la première, ni même la plus intéressante ! Mais il n'avait pas partagé ce secret-là avec moi, avec Dutoc, son meilleur copain. Pourquoi ? Parce qu'il avait honte ? Parce qu'il avait peur ? Je l'avais toujours cru au-dessus de ces choses-là. J'avais cru qu'il était libre comme un oiseau. Et pourtant...

« Dites-moi que c'est un mensonge et je vous laisserai vivre ! »

Aucune réponse. Seul, un grognement comme celui d'un vieux chien qui se retourne dans son sommeil. J'ai pensé : maudit Straitley ! Au moment où notre partie était presque terminée, il essayait d'y introduire un élément de doute. Cela m'agaçait. C'était comme si, de ma part, il ne s'était pas simplement agi d'une pure vengeance contre Saint Oswald, qui avait brisé ma vie, mais de quelque chose de bien moins noble, de bien plus sordide.

J'ai dit : « Je ne plaisante pas ! Parlez ou la partie s'arrête immédiatement ! »

La douleur dans ma poitrine s'était atténuée. Une impression de léthargie profonde et glacée la remplaçait. Dans l'obscurité, au-dessus de moi, j'entendais la respiration haletante de miss Dare. Je me suis demandé si son intention était de me tuer immédiatement ou tout simplement de laisser faire la nature. Je n'étais, en l'occurrence, intéressé ni par l'une ni par l'autre de ces deux possibilités.

Je me suis quand même vaguement interrogé sur la raison de son intérêt à elle. L'opinion que j'avais exprimée à propos de Léon semblait à peine l'avoir ébranlée. Par contre, ma description de l'adolescente enceinte l'avait arrêtée net. J'ai tout de suite compris que miss Dare n'avait rien su de cette histoire et j'ai réfléchi à ce que cela représentait pour moi.

Elle a répété : « C'est un mensonge ! » Dans sa voix, il n'y avait plus aucune trace de cet humour froid qui était le sien. Chaque mot sortait de sa gorge avec un son métallique qui me paraissait meurtrier. « Léon me l'aurait dit ! »

J'ai secoué la tête : « Non ! Il avait peur. Il était terrifié à l'idée que c'était peut-être la fin de tous ses espoirs d'aller à l'Université. D'abord, il avait tout nié, et puis sa mère avait fini par le lui faire avouer. Quant à moi, je n'avais jamais aperçu la fille, ni jamais entendu parler de l'autre famille. J'étais pourtant responsable de Léon. Il avait bien fallu que l'on me mette au courant. Bien entendu, ils n'avaient ni l'un ni l'autre l'âge requis, mais les Mitchell et les Tynan avaient toujours été bons amis et, avec l'aide des parents et de l'Église, ils auraient pu se débrouiller, je suppose...

— Vous inventez ! a-t-elle dit, d'une voix blanche. Léon ne se serait jamais préoccupé de choses de ce genre. Cela ne lui aurait pas semblé *original* ! »

J'ai dit : « Voilà un mot qu'il aimait beaucoup, le prétentieux petit poseur ! Il aimait croire que le règlement était seulement fait pour les autres, pas pour lui. Non, c'est vrai, sa situation n'avait rien d'*original* et oui, il avait peur aussi. Il n'avait que quatorze ans, après tout ! »

Il y a eu un long silence. Miss Dare se tenait au-dessus de moi, dans le clair de lune. Elle a enfin demandé : « Garçon ou fille ? »

Elle me croyait donc. J'ai pris alors une longue inspiration. La main qui pressait sur mon cœur a semblé se faire un tout petit peu plus légère. « Je ne sais pas. Je n'ai pas gardé le contact. » Bien sûr que je ne l'avais pas gardé ! Personne ne l'avait gardé. « À l'époque, on avait parlé d'une adoption mais Marlene ne m'en a jamais rien dit et je n'ai jamais posé de questions. Vous êtes bien placée pour comprendre pourquoi ! »

Un long silence est tombé de nouveau, encore plus long, peut-être, que le précédent. Alors, elle a commencé à rire, d'un rire à la fois doux et désespéré.

Je le comprenais. C'était à la fois tragique et ridicule. « Il faut du courage parfois pour pouvoir contempler la vérité en face, pour voir nos héros et nos méchants pour ce qu'ils sont vraiment, pour se regarder avec les yeux des autres. Miss Dare, je me demande si, pendant toutes ces années au cours desquelles vous vous étiez crue invisible pour les autres, vous vous êtes réellement vue vous-même.

— Que voulez-vous dire par là ?

— Vous savez parfaitement bien ce que je veux dire ! »

Elle avait voulu connaître la vérité. Je la lui ai donnée, en me demandant quelle sorte d'entêtement stupide me poussait à le faire ; dans quel but et pour qui ? Pour Marlene ? Pour Mat ? Pour Cavalier ? Ou simplement pour Roy Straitley, L. ès L., qui, autrefois, avait fait cours à un certain Léon Mitchell sans plus lui accorder de faveurs ni le traiter avec plus de préjugés que n'importe quel autre élève – c'est, du moins, ce que j'espérais de tout mon cœur, même avec la sagesse que donne l'après-coup et cette petite pensée persistante qui me faisait imaginer que quelque chose en moi m'avait dit que le garçon risquait de tomber... Pour Roy Straitley qui avait dû *savoir*, en vérité, mais qui avait fait de cette certitude le facteur mystérieux de quelque sombre équation, la vague intention de ralentir l'autre garçon – celui qui le poussait.

D'une voix douce, je lui ai demandé : « C'est ça, n'est-ce pas ? C'est ça, la vérité ? Vous l'avez d'abord poussé puis vous avez changé d'avis et avez tenté de l'aider. Mais j'étais là et vous avez dû vous enfuir. »

C'était bien ce que je pensais avoir vu alors que, de mon nid d'aigle dans la tour du clocheton, j'essayais, malgré ma myopie, de distinguer ce qui se passait. Il y avait deux garçons. L'un me faisait face, l'autre me tournait le dos. Entre eux et moi, la silhouette du *porter*, dont l'ombre vacillait, avançait le long du toit.

Mais il avait appelé et les garçons s'étaient enfuis. Celui qui avait le dos tourné vers moi est descendu le premier et s'est arrêté presque en face de moi, dans l'ombre de la tour du clocheton. L'autre était Léon. Je l'ai immédiatement reconnu après avoir, un instant, aperçu son visage dans la lumière crue, avant qu'il ne disparaisse rejoindre son copain au bord de la gouttière.

Pour eux, cela n'aurait pas dû être si difficile. Quelques pieds seulement à franchir. D'un bond, ils auraient atteint le grand parapet et, de là, ils auraient pu aisément s'enfuir le long du toit du bâtiment principal sans être interceptés. Pour eux, la chose était sans doute même assez facile, mais, à voir la difficulté qu'avait John Snyde à avancer, je devinais qu'il serait tout à fait incapable de les suivre.

J'aurais pu – j'aurais dû – appeler à ce moment-là, mais je voulais savoir qui était l'autre garçon. Je savais déjà que ce n'était pas quelqu'un de ma classe. Je connaissais tous mes garçons et, même dans l'obscurité, j'aurais été sûr de le reconnaître. Ils étaient tous deux en équilibre au bord du vide. Un long pinceau de lumière venu de la cour intérieure a coloré de bleu et rouge les cheveux de Léon. L'autre est resté dans l'ombre, la main tendue devant son visage comme s'il avait voulu le cacher au *porter* qui approchait. Une discussion à voix basse, mais cependant violente, semblait avoir commencé entre eux.

Elle a duré dix secondes, à peine. Je n'ai pas pu saisir ce qu'ils disaient mais j'ai clairement discerné « saute » et « *porter* », suivis de quelques petits éclats d'un rire aigu et désagréable.

433

J'étais franchement en colère maintenant, aussi en colère que je l'étais à la pensée des intrus dans mon jardin ou de ceux qui avaient vandalisé ma palissade. Ce n'était pas tant à cause de leur présence dans un lieu qui leur était interdit, ni même parce que j'avais été dérangé en pleine nuit – j'étais venu de moi-même, après avoir entendu tout le bruit ! Non, la cause de ma colère était plus profonde. Les élèves font des bêtises, c'est iné-vitable. En trente ans, j'avais eu plus de preuves de cela que je n'en aurais souhaité. Mais il ne s'agissait pas de l'un des miens. Je me sentais, je le devine, comme Mr. Meek s'est senti ce jour-là, dans la tour du clocheton. Je ne l'ai pas montré, bien sûr. Être prof, c'est avant tout être capable de cacher sa colère lors-qu'elle est réelle et d'en rajouter lorsqu'elle est feinte. J'aurais voulu, tout de même, voir leur tête, pouvoir les interpeller par leur nom, dans l'obscurité. Mais pour cela, bien sûr, il me fal-lait leurs noms à tous deux.

L'un était Léon, et je savais très bien que, le matin venu, j'aurais pu identifier son copain. Mais pour cela, il aurait fallu attendre encore quelques heures avant le jour. De plus, il aurait été aussi évident pour les deux gamins que cela l'était pour moi que j'étais bien incapable de les intercepter. J'imaginais leur réaction à mon appel sévère, leurs rires et leurs moqueries pen-dant qu'ils auraient pris la fuite à toutes jambes. Plus tard, bien sûr, ils m'auraient payé cela, mais la légende se serait répandue, l'École se serait souvenue, non pas des quatre semaines de ramassage de papiers sales, ni des cinq jours de renvoi tempo-raire, mais du fait qu'un élève avait défié l'autorité du vieux Quaz dans son propre domaine, pendant plusieurs heures, et s'en était sorti !

Alors, j'ai attendu, en faisant un effort pour distinguer les traits de l'autre. Un instant, pendant qu'il reculait pour se prépa-rer à prendre son élan, j'ai aperçu, dans un rayon de lumière qui l'a balayé, son jeune visage, déformé par une émotion terrible, dents serrées, bouche étirée, yeux réduits à de simples fentes. Il était presque impossible à reconnaître. Et pourtant, je l'ai reconnu, j'en étais sûr. Un élève de Saint Oswald. Alors, il a pris son élan et a sauté. Le *porter* approchait maintenant. Sa large carrure a, un instant, bouché mon champ de vision à l'en-droit où le toit plongeait vers l'abîme ; mais, brusquement, dans un mouvement flou et l'éclat brutal d'un pinceau de lumière, je suis persuadé d'avoir aperçu la main de Dutoc toucher l'épaule de Léon avant que tous deux ne disparaissent dans l'obscurité.

Bien que cela ne se soit pas *tout à fait* passé comme cela – pas vu de l'endroit où je me trouvais, en tout cas – il n'était pas loin de la vérité. Oui, vieux croulant, j'ai bien poussé Léon. Et quand vous m'avez appelée Dutoc, j'étais bien sûre que vous m'aviez vue le pousser.

Je *voulais* peut-être que quelqu'un me voie, que quelqu'un enfin, prenne conscience de ma présence. Mais j'étais stupéfaite aussi, pétrifiée par mon geste, transportée par mon audace, incendiée de remords et de fureur, d'amour et de terreur. J'aurais donné n'importe quoi pour que les choses se soient passées comme je vous les ai racontées : Butch et Sundance, ensemble, sur le toit de la chapelle, la confrontation finale, le dernier regard entre les complices avant leur saut courageux vers la liberté... Mais, cela ne s'est pas passé ainsi. Pas du tout.

« Ton père ? » a demandé Léon, incrédule.

J'ai répété : « Saute ! Allez, saute ! »

Léon m'a dévisagée. Son visage était peint en bleu par la lumière de la voiture des pompiers. « C'est donc ça ! Tu es la môme du *porter !* »

D'une voix sifflante, j'ai dit : « Dépêche-toi ! Nous n'avons pas le temps ! »

Mais Léon avait enfin découvert la vérité. Cette expression que je détestais tant avait reparu sur son visage. Ses lèvres dessinaient un sourire cruel. Il a murmuré. « Rien que pour voir leurs gueules, cela vaudrait presque le coup de se laisser prendre !

— Léon, arrête ça !

— Ou quoi, petite tante ? Qu'est-ce que tu penses que tu pourrais bien faire, hein ? »

J'avais un goût horrible dans la bouche, un goût amer de métal. J'ai compris que je m'étais mordu la lèvre et que le sang dégoulinait de mon menton comme de la bave.

« Léon, s'il te plaît ! »

Il riait toujours de son rire affecté, un rire de hyène. Pendant un instant affreux, j'ai vu le monde à travers ses yeux. J'ai vu la grosse Peggy Johnsen et Jeffrey Stuarts, Harold Mann et Lucy Robbins. J'ai vu tous les ratés, les paumés de la classe de Mr. Bray, tous ces collégiens de Sunny Bank Park, ces jeunes sans avenir, ailleurs que dans le quartier de la rue de l'Abbaye, toutes ces *mémères,* ces *brutes,* ces *minables* et ces *purotins.* Pire encore, je me suis *vue* très clairement et pour la première fois. Je me suis *vue.*

C'est alors que je l'ai poussé.

Je ne me souviens pas avec exactitude de cette partie-là.

Je me répète, parfois, qu'il s'agissait d'un accident, tout simplement. Je réussis parfois même à m'en convaincre. Peut-être m'étais-je attendue à ce qu'il saute. Spiderman, après tout, l'homme araignée, franchit des distances bien plus grandes ! Moi-même, j'avais sauté assez de fois pour être absolument sûre qu'il ne tomberait pas ! Mais il est tombé.

J'avais la main sur son épaule.

Oh ! Le bruit de sa chute.

Mon Dieu, ce bruit-là !

5

Soir du feu d'artifice
21 h 55

Bon, enfin vous savez tout, je vous ai tout raconté. Je regrette que cela ait dû se passer ici et aujourd'hui. Je m'étais fait une fête de célébrer Noël à Saint Oswald – sans oublier l'inspection, bien sûr ! Le roi est isolé maintenant. Mais notre partie touche à sa fin. Toutes les autres pièces ont disparu de l'échiquier. Nous sommes face à face aujourd'hui, seuls, pour la première et dernière fois.

Je vous étais sympathique, je crois ? Vous me respectiez. Maintenant, vous me connaissez. Et c'est vraiment tout ce que je voulais de vous : respect, estime, et cette curieuse qualité de visibilité qui est le droit de tout être né de l'autre côté de la ligne.

« Monsieur ! Monsieur ? »

Il a rouvert les yeux. Tant mieux. J'avais peur qu'il m'ait échappé. Il aurait peut-être été plus humain de l'achever mais j'en étais incapable. Il m'avait vue. Il connaissait la vérité. Si je le tuais maintenant, je ne ressentirais plus cela comme une victoire.

Un pat alors, *magister* ? Un pat me suffirait !

D'ailleurs, une dernière chose m'intriguait encore. J'avais encore une question à lui poser avant de déclarer la partie finie. J'ai bien pensé que je ne serais pas sûre d'en aimer la réponse mais je devais pourtant la connaître.

« Dites-moi, monsieur ! Puisque vous m'aviez vue pousser Léon, pourquoi n'en avez-vous rien dit à l'époque ? Pourquoi me protéger ainsi alors que vous saviez ce que j'avais fait ? »

Je savais parfaitement ce que je voulais entendre de lui.

Alors, sans un mot, je l'ai regardé bien en face. Je me suis accroupie près de lui et je me suis penchée pour être sûre de discerner même le plus faible des murmures.

« Parlez-moi, monsieur ! Pourquoi n'avez-vous rien dit ? »

Pendant un moment, je n'ai entendu que sa respiration courte et lente qui faisait vibrer l'air dans sa gorge. Je me suis demandé si j'avais attendu trop longtemps, s'il était trop tard, s'il allait faire exprès de mourir, par pure méchanceté. Mais il s'est mis à parler. Sa voix était très basse, je l'ai pourtant clairement entendu dire : « Saint Oswald ».

Elle avait bien dit *pas de mensonges*. Je lui ai donc dit la vérité. Au moins celle que je connaissais, en tout cas. Mais je n'étais pas tout à fait certain de ce que j'avais dit à voix haute avant.

Voilà pourquoi, pendant toutes ces années, j'ai gardé le secret, pourquoi je n'ai rien dit à la police de ce que j'avais vu sur le toit et pourquoi j'ai laissé la mort de John Snyde mettre le point final à cette affaire. Vous devez comprendre. L'accident qui avait causé la mort de Léon avait eu lieu dans le domaine de l'École, c'était déjà assez terrible ! Le suicide du *porter* avait aggravé l'histoire. Y mêler un enfant, accuser de meurtre un enfant, l'aurait catapultée dans les archives des journaux populaires pour l'éternité. Saint Oswald ne méritait pas une telle destinée. Le tort que cela aurait causé à mes collègues, à mes élèves, était incalculable.

D'ailleurs, qu'avais-je vu exactement ? Un visage, aperçu une fraction de seconde dans une lumière trompeuse ? Une main, posée sur l'épaule de Léon ? La silhouette d'un *porter*, me bloquant la vue ? Rien de cela n'était suffisant.

Alors, j'ai laissé tomber. Je me suis dit que c'était à peine de la malhonnêteté. Je n'aurais moi-même accordé que peu de foi à mon propre témoignage. Mais, maintenant, je savais enfin la vérité. Elle arrivait sur moi à la vitesse d'un énorme poids-lourd. Elle allait m'écraser sous ses roues gigantesques et avec moi, mes amis et tout ce que j'avais cru protéger.

« Saint Oswald. » Sa voix a fait comme un écho à la mienne, à peine perceptible, caverneuse, comme venue de très loin.

J'ai hoché la tête, heureux qu'elle m'ait compris. Après tout, comment aurait-elle pu ne pas comprendre ? Elle connaissait Saint Oswald aussi bien que moi, elle connaissait ses manières d'agir et ses sombres secrets, ses consolations et ses petites vanités. Il est si difficile d'expliquer ce qu'un endroit comme Saint Oswald représente vraiment. C'est comme l'enseignement. Vous êtes né pour cela ou vous ne l'êtes pas. Une fois englués dans sa toile, trop de gens sont bien incapables de se libérer, au moins jusqu'au jour où la grosse araignée repue décide de rejeter leur carapace (avec ou sans le petit cadeau d'adieu prélevé sur l'argent de la cagnotte de la salle des profs). Je suis à Saint Oswald depuis tant d'années maintenant. Le reste du monde n'existe plus pour moi. Je n'ai aucun ami, à part certains de mes collègues, aucune ambition, à part celle que j'entretiens pour mes élèves, aucune vie en dehors de ses murs.

Elle a répété : « Pour Saint Oswald. Bien sûr ! C'est étrange, monsieur, mais j'avais pensé que c'était peut-être pour moi.

— Pour vous ? Mais pourquoi ? »

Une goutte est tombée sur ma main, une goutte venue des arbres, sans doute, ou autre chose, je n'étais pas certain. Une vague de pitié m'a soudain soulevé, une pitié sûrement mal placée mais que je ressentais pourtant.

Comment avait-elle pu vraiment croire que la raison pour laquelle je m'étais tu pendant toutes ces années était une vague relation qui ne nous liait que dans son esprit ? Cela expliquait pourtant tant de choses : le fait qu'elle m'eût poursuivi, son besoin frénétique d'être approuvée, sa façon étrange d'attirer mon attention... ce qu'elle avait fait était sans doute monstrueux mais, à ce moment précis, elle me faisait pitié. Alors, dans l'obscurité, j'ai tendu vers elle ma vieille main maladroite.

Elle l'a saisie : « Cette maudite École ! Ce vampire assoiffé de sang ! »

Je savais exactement ce qu'elle voulait dire. Il est possible de donner, de donner encore, de toujours donner, mais l'appétit de Saint Oswald n'est jamais satisfait. Vie, amour et loyauté, il dévore tout sans jamais être assouvi.

« Comment pouvez-vous tolérer cela, monsieur ? Qu'espérez-vous bien en tirer ? »

Bonne question, miss Dare. La vérité est que, comme une mère-oiseau devant un oisillon de taille gigantesque, à l'appétit gargantuesque, je n'ai pas de choix. Nombreux parmi nous – parmi la Vieille Garde, au moins – sont ceux qui offriraient leur corps, leur vie même, pour Saint Oswald, si leur devoir l'exigeait. Comme j'avais la gorge desséchée, je n'ai pas pris la peine d'ajouter que je me sentais justement moi-même à deux doigts de la mort.

Elle a eu un petit gloussement de rire inattendu. « Vieux cabotin, va ! Savez-vous que je serais bien tentée de réaliser votre souhait, de vous laisser vous immoler sur l'autel de ce cher Saint Oswald et de vous laisser voir aussi quelle serait sa gratitude devant votre sacrifice.

— Aucune gratitude mais, du point de vue du fisc, les avantages ne sont pas négligeables ! » Comme dernières paroles, avant de mourir, la repartie était un peu faible, je l'avoue, mais je ne pouvais rien faire de mieux, vu les circonstances.

« Ne dites pas de bêtises, monsieur. Vous n'allez pas mourir !

— J'ai soixante-cinq ans maintenant. Je peux faire ce que je veux !

— Quoi ? Vous louperiez votre Centaine ? »

Alors, en truquant un peu la citation empruntée à je ne sais trop quelle source, j'ai répondu : *« C'est le sport qui compte, pas l'individu qui le pratique !*

— Cela dépend beaucoup de l'équipe dont vous faites partie ! »

J'ai ri. Elle était peut-être intelligente mais je défie n'importe qui de découvrir une femme capable de vraiment comprendre le cricket ! Très las soudain, je lui ai dit : « J'ai besoin de dormir maintenant. Que l'on enlève les piquets et que l'on retourne au pavillon ! *Scis quod dicunt.*

« Non, pas encore, monsieur ! Vous ne pouvez pas vous endormir ! »

En fermant les paupières, j'ai répondu : « Eh bien, regardez et vous verrez ! »

Le silence est tombé. J'ai entendu sa voix décroître en même temps que le bruit de ses pas, et le froid s'est fait plus intense.

« Bon anniversaire, *magister* ! »

Ils m'ont semblé venir de très loin, ces derniers mots auxquels l'obscurité donnait une telle finalité. Une pensée lugubre m'a traversé : le Dernier Voile allait tomber. D'un moment à l'autre, j'allais apercevoir le tunnel qui me mènerait à la Lumière, ce tunnel dont Penny Nation aimait tant parler et au bout duquel les meneurs de bans célestes m'accueilleraient à grands cris et à bras ouverts pour m'encourager.

Pour être franc, j'ai toujours pensé que cela paraissait d'un goût terrible ! Mais, soudain, je la voyais cette lumière-là, une lueur d'un vert étrange d'ailleurs et j'entendais des voix d'amis disparus murmurer mon nom.

« Monsieur Straitley ! »

Je me suis dit : C'est drôle, quand même ! Je me serais attendu à être accueilli avec moins de formalité par les êtres célestes. Mais la voix me semblait très claire maintenant et, dans la lueur verdâtre, je me suis rendu compte que miss Dare n'était plus là, que ce que j'avais pris, dans l'obscurité, pour une branche d'arbre tombée était en fait une silhouette allongée par terre, en chien de fusil, à moins de dix pieds de moi.

« Monsieur Straitley ! » a murmuré la voix, aussi enrouée et merveilleusement humaine que la mienne.

Je voyais maintenant une main qui se tendait vers moi, une moitié de visage sous la fourrure de la capuche d'une parka, puis, une petite lumière verdâtre – j'ai alors compris qu'il s'agissait de l'écran d'un petit portable – a illuminé un visage qui m'était familier et dont l'expression était tendue mais calme. Alors, patiemment, tenant toujours le portable, avec un effort qui me paraissait déchirant, l'homme a essayé de s'approcher de moi en rampant.

J'ai dit : « Keane ? »

6

Paris – 5ᵉ arrondissement
Vendredi 12 novembre

J'ai fait venir l'ambulance. Il y en a toujours une à proximité du jardin public, le soir du cinq novembre, en cas d'accidents, de bagarres et des petits incidents habituels. Je n'ai eu qu'à téléphoner – en utilisant le portable de Cavalier – pour les prévenir qu'un vieillard s'était effondré, et leur donner des coordonnées assez précises pour qu'ils le trouvent sans mal, mais assez vagues pour m'accorder le temps de disparaître.

Cela ne m'a pas pris longtemps. Au cours des années, j'étais devenue championne des départs rapides. À dix heures, j'étais à mon appartement. À dix heures et quart, ma valise était faite, j'étais prête. J'ai abandonné la voiture que j'avais louée à l'agence dans le quartier de l'Abbaye. J'ai laissé les clefs dans l'allumage, sûre qu'à dix heures et demie, elle aurait été volée puis incendiée. J'avais déjà effacé de mon ordinateur tout ce qui aurait pu m'incriminer. J'avais retiré le disque dur. En me dirigeant vers la gare, j'ai jeté, le long de la voie ferrée, ce qu'il en restait. Je ne portais plus qu'une petite valise contenant les vêtements de miss Dare. Je m'en suis débarrassée en passant devant le dépôt d'une œuvre de charité quelconque où on les laverait avant de les envoyer quelque part dans le tiers-monde. Et, enfin, j'ai jeté, dans une benne, les quelques documents qui portaient des traces de mon ancienne identité. Alors, je me suis offert une nuit dans un motel bon marché et j'ai pris un aller simple pour rentrer chez moi.

Je dois avouer que Paris me manquait. Quinze ans auparavant, j'aurais refusé de croire cela possible mais de nos jours, j'aime beaucoup cette grande cité. Je ne suis plus sous la coupe de ma mère. (Une bien terrible affaire : deux personnes ont trouvé la mort dans cet incendie.) Je suis seule bénéficiaire d'un gentil petit héritage. J'ai changé mon nom, comme ma mère l'avait fait avant moi. Voilà deux ans que j'enseigne l'anglais dans un coquet lycée de banlieue qui m'a accordé un court congé sabbatique pour me permettre de compléter des recherches qui, – on me l'a assuré – me garantiront un avancement rapide. C'est ce que j'espère, en tout cas. D'ailleurs, mon petit doigt m'a dit qu'un scandale relativement mineur est sur le point d'éclater. Il s'agit de la passion du jeu sur Internet développée en secret par mon supérieur immédiat. Cela va sans doute me fournir l'occasion que j'attendais. D'accord, mon lycée n'est pas Saint Oswald mais il me suffira – pour l'instant, au moins.

Straitley ? Il va s'en remettre, j'espère. Il est le seul à avoir gagné mon respect. Certainement, personne ne le méritait au Collège de Sunny Bank Park, pas plus qu'à cet ennuyeux lycée parisien où j'étais allée plus tard. Personne d'autre – professeur, parent ou analyste – ne m'a jamais rien enseigné qui ait valu la peine d'être retenu. C'est peut-être la raison pour laquelle je l'ai laissé vivre ? À moins que ce ne soit simplement pour me prouver que j'ai finalement réussi à dépasser mon vieux *magister* ? Dans son cas, bien sûr, la survie représente une responsabilité à deux tranchants. Il est bien difficile d'évaluer ce que sa déposition représentera pour l'École. Évidemment, s'il veut sauver ses collègues impliqués dans le scandale actuel, il lui faudra déterrer l'affaire Snyde et cela aura de bien désagréables implications. Il lui faudra parler de moi.

De ce côté-là, je n'ai pas à me faire de soucis. J'ai bien couvert mes traces. Je vais disparaître une fois de plus et je m'en sortirai indemne. Cela ne sera pas vrai de Saint Oswald. Mais l'École a survécu à d'autres scandales. Bien que ce tout dernier développement soit tout à fait capable de relancer l'histoire de la façon la plus spectaculaire et la plus désagréable, je suis prête à croire qu'elle va s'en sortir. C'est ce que j'espère, au fond. Après tout, une grande partie m'en appartient !

Assise à une table de mon café favori – non, je ne vous dirai pas où il se trouve ! – devant ma demi-tasse et une assiette de croissants, je pourrais presque me croire en vacances, avec le vent de novembre qui, tour à tour, se fait moqueur et puis sanglote en descendant le grand boulevard. L'atmosphère est pleine de promesses, de plans à élaborer. Je devrais être heureuse. Encore deux mois de congé sabbatique, un petit projet amusant à mettre en train, et surtout, cette impression de liberté, la plus étrange de toutes les sensations.

Cependant, le poids que j'ai traîné si longtemps derrière moi comme un boulet, ma vengeance, me manque. Cette certitude d'avoir un projet à compléter m'a fait vivre. Pour le moment, j'ai perdu mon élan et cela gâte un peu mon plaisir. Pour la première fois depuis des années, je me surprends à penser à Léon, pas à celui que la distance et le temps ont fait de lui. Il aurait presque trente ans maintenant. Je me souviens de lui qui me disait : *Trente ans. La décrépitude, quoi ! Mon Dieu, faites que je n'atteigne jamais cet âge-là* !

Je n'ai jamais pu l'imaginer comme cela avant. Maintenant, je le vois comme il aurait été : Léon à trente ans, Léon marié, Léon avec un petit bedon, Léon avec un boulot, un marmot... Oui, maintenant, je vois comme il semble ordinaire, maintenant que le temps l'a pris de vitesse, qu'il est réduit à une série de vieilles photos aux couleurs fanées, à de vieilles images d'une mode comique et dépassée – *Bon dieu ! Portait-on vraiment des choses comme ça, en ce temps-là ?* – et tout à coup, de façon totalement ridicule, je commence à sentir couler mes larmes. Je ne les verse pas pour ce Léon de mon imagination, je les verse pour moi-même, et pour celle que j'étais, celle qui, aujourd'hui, à vingt-huit ans, s'apprête à plonger, la tête la première, et pour l'éternité, dans je ne sais quelles autres sombres profondeurs. Vais-je supporter cette vie-là ? Saurai-je, un jour, m'arrêter ?

« Hé, la Reinette. Ça ne va pas ? » C'est le patron du café, André Joubert, un homme dans la soixantaine, maigre comme un coucou et à la peau tannée. Il me connaît – enfin il le pense – et son visage anguleux exprime son inquiétude devant mon expression. D'un geste, je le repousse : « Tout va bien ! » Je laisse quelques billets sur la table et je sors sur le boulevard où la poussière du vent sèche mes larmes. La prochaine fois que j'irai voir mon analyste, je lui parlerai peut-être de tout cela. À moins que je ne décide tout simplement de ne pas me rendre à son rendez-vous.

Elle s'appelle Zara. Elle porte des pulls de grosse laine et se parfume à L'Air du temps. Elle ne sait rien de moi que ce que j'invente pour elle. Elle me traite avec des doses homéopathiques de teinture d'iode et d'encre de seiche pour me calmer les nerfs. Elle éprouve beaucoup de compassion pour ma jeunesse malheureuse, pour les événements tragiques qui m'ont privée, si jeune, de mon père d'abord, puis de ma mère, de mon beau-père et de ma toute petite sœur. Elle me fait part de son inquiétude devant ma timidité, mes allures garçonnières, le fait que je n'aie encore jamais eu de relations sexuelles avec un homme. Elle blâme mon père – que je lui ai décrit sous les traits de Roy Straitley. Elle m'encourage à tirer un trait sur mon passé, à m'en libérer, à choisir une vie nouvelle.

Je pense que c'est quelque chose que j'ai déjà fait.

De l'autre côté du boulevard, Paris se pavane, radieux, dans cette lumière qui en accuse les contrastes, décapé à vif par les rafales de novembre. Mais le vent me tourmente. Il m'invite à aller voir jusqu'où exactement il peut souffler, il me défie de décrire avec précision la qualité de la lumière au-delà de l'horizon, là-bas.

Mon lycée de banlieue me semble si banal à côté de Saint Oswald. Cela ne serait pas la première fois non plus que mon petit plan aurait été utilisé. La perspective de m'établir ici, d'accepter l'avancement que l'on m'offrirait, de me creuser une petite niche douillette me semble beaucoup trop facile. Après Saint Oswald, il me faut davantage. Je veux connaître encore le risque, la lutte, l'impossible conquête, la victoire. Même Paris est peut-être trop étriqué pour satisfaire mon ambition !

Où, alors ? L'Amérique pourrait faire mon affaire ! C'est un pays où l'on peut se réinventer, où un passeport britannique vous accorde automatiquement un vernis aristocratique, où la morale s'énonce seulement en blanc et noir. Un pays d'étonnantes contradictions. Je devine qu'il y aurait là de merveilleuses récompenses à récolter pour quelqu'un de mon talent. Oui, je pourrais m'y plaire.

Ou l'Italie, peut-être ? Où chaque cathédrale me rappelle Saint Oswald, où le soleil redore de sa lumière la misère et la saleté des vieilles et fabuleuses cités. Ou le Portugal ? L'Espagne ? Ou plus loin encore, l'Inde et le Japon ?... Jusqu'à ce qu'un jour, je me retrouve encore une fois devant le portail de Saint Oswald, comme l'Ouroboros, le serpent qui se mord la queue et dont l'ambition est de ceinturer la terre.

Maintenant que j'y pense, la chose me semble inévitable. Pas cette année – pas même au cours des dix prochaines – mais, un jour, c'est là que je me retrouverai, devant le terrain de cricket, les cheminées et la sarrasine de Saint Oswald, lycée de garçons. Je découvre qu'il y a là quelque chose de curieusement apaisant, comme l'idée d'une bougie qui ne brûlerait que pour moi au rebord d'une fenêtre, comme si le passage du temps – qui m'a singulièrement tourmentée ces dernières années – n'était vraiment que celui des nuages qui défilent au-dessus de tous ces longs toits dorés. Personne ne me connaîtra. Ces années pendant lesquelles je me suis réinventée m'ont dotée d'une couche protectrice. Une seule personne pourrait m'y reconnaître et j'ai bien l'intention d'attendre que Roy Straitley ait pris sa retraite depuis longtemps avant d'y remettre les pieds. Dans un certain sens, c'est dommage ! J'aurais éprouvé du plaisir à une dernière partie. Mais lorsque je retournerai à Saint Oswald, je n'oublierai pas de chercher son nom parmi les centurions inscrits au Tableau d'Honneur. Je suis certaine que je l'y découvrirai.

7

Le 14 novembre

Je ne suis pas absolument sûr, mais je crois qu'aujourd'hui, c'est dimanche. L'infirmière à cheveux roses est encore ici, elle remet de l'ordre dans la salle d'hôpital. Je crois que Marlene est ici aussi, à mon chevet, et qu'elle lit, assise sur une chaise. C'est la première fois que le temps a vraiment repris son cours normal, que les vagues qui régulièrement engloutissaient mes jours et mes nuits de périodes d'inconscience, cette dernière semaine, ont commencé à s'apaiser.

Il semble que miss Dare ait réussi à disparaître sans laisser de traces, une fois encore. Son appartement est vide. Sa voiture a été retrouvée incendiée. Son dernier chèque de salaire n'a pas été touché. Marlene, qui partage son temps entre la salle d'hôpital et le secrétariat, me dit que les diplômes et les lettres de recommandation fournis au moment de sa demande de poste se sont révélés faux, que la vraie Dianne Dare, celle qui avait obtenu sa licence ès langues de l'université de Cambridge, il y a cinq ans, travaille à Londres, depuis trois ans, pour une maison d'édition. Elle n'a jamais entendu parler de Saint Oswald.

Bien sûr, on fait circuler une description de la nôtre mais il est si facile de changer son apparence, de se forger une nouvelle identité ! Je devine que miss Dare – ou miss Snyde si elle n'a pas changé de nom de nouveau – continuera à échapper à nos recherches pendant longtemps encore.

J'ai peur de n'avoir pu aider la police à son sujet autant qu'ils l'auraient espéré. Tout ce que je sais, c'est qu'elle a appelé l'ambulance et que les auxiliaires médicaux de service m'ont immédiatement donné les soins d'urgence qui m'ont sauvé la vie. Le lendemain, une jeune femme qui disait être ma fille s'est présentée dans la salle où j'étais avec un petit cadeau gentiment enveloppé. À l'intérieur, ils ont trouvé une vieille montre de gousset, démodée mais en argent, avec une inscription gravée à l'intérieur.

Personne ne semble se souvenir des traits de la jeune femme. Je dois pourtant vous assurer que je n'ai ni fille, ni aucun parent qui réponde à la description. De toute façon, la jeune femme n'est jamais revenue. La montre est une vieille montre, tout à fait ordinaire, dont l'argent est légèrement terni, mais elle marche bien malgré cela et, même si le cadran n'est pas particulièrement joli, il a un certain caractère.

Et ce n'est pas le seul cadeau que j'aie reçu cette semaine. Jamais je n'ai vu autant de fleurs ! On aurait dit que j'étais déjà mort. Enfin, les intentions étaient bonnes. Un cactus à épines acérées est arrivé de la part de mes clowns accompagné de l'impudent message : *on pense bien à vous !* De Kitty Teague, un saintpaulia. De Pearman, des chrysanthèmes jaunes. De Jimmy, des impatiences. La salle des profs s'est cotisée et m'a envoyé un bouquet composé. Les Nations-Unies, une échelle de Jacob (quoi d'autre de la part de ces culs-bénits !), Monument, un *Chlorophytum*, une brave plante araignée (pour remplacer peut-être celles que Devine a retirées du bureau de la section d'humanités). Devine lui-même m'a fait parvenir un grand ricin luisant qui me surveille de ma table de chevet, avec un air de désapprobation, comme s'il se demandait pourquoi je n'étais pas encore mort.

J'en ai été bien près, d'ailleurs, m'a-t-on dit.

Keane ? Son opération a duré plusieurs heures. On lui a administré trois litres de sang. L'autre jour, il est venu me rendre visite. Il avait l'air remarquablement en forme pour un type qui venait d'échapper à la mort, mais son infirmière a insisté pour qu'il ne sorte pas de son fauteuil à roulettes. Il prend des notes dans un carnet pendant son séjour ici, fait des croquis des infirmières et consigne de petites observations satiriques sur les allées et venues dans la salle où est son lit. Il y a peut-être là de quoi faire un roman, un jour, pense-t-il. Je suis bien heureux que cette affaire n'ait pas tué en lui tout esprit de créativité, au moins ! Je lui ai quand même dit qu'il n'est jamais rien arrivé de bon à un enseignant devenu écrivailleur et que s'il veut obtenir un avenir dans la profession il devrait s'en tenir à ce pour quoi il a du talent.

Patrick Mat a quitté le service de cardiologie.

L'infirmière à cheveux roses (elle s'appelle Rosie) nous a avoué qu'elle en était bien soulagée. « Trois *Ozzies* à la fois ! C'est assez pour me faire attraper des cheveux blancs, croyez-moi ! » grommelait-elle. J'ai pourtant remarqué que ses manières, à mon égard, se sont considérablement adoucies – une conséquence du charme de Patrick, sans doute – et qu'elle passe plus de temps avec moi qu'avec n'importe lequel des autres malades.

Devant les nouveaux témoignages, les accusations portées contre Patrick ont toutes été retirées. Il est pourtant toujours sous le coup du renvoi temporaire signé par le Nouveau proviseur. Mes autres collègues ont plus de chance. Aucune accusation n'a été officiellement portée contre eux. En temps voulu, ils vont réintégrer leur poste. On a permis à Jimmy de reprendre son service jusqu'à ce qu'on lui ait trouvé un remplaçant – c'est la version officielle – mais je soupçonne qu'il le conservera. Jimmy est persuadé que c'est moi qu'il doit remercier de cette *nouvelle chance* qu'on lui a donnée. Je lui ai pourtant répété que cela n'a rien à voir avec moi. Je n'ai eu qu'à en toucher deux mots à Tidy. Le reste doit être attribué à cette inspection qui arrive à grands pas et au talent de notre homme à tout faire qui, même s'il n'a pas inventé le fil à couper le beurre, est l'un des nombreux petits rouages indispensables sans lesquels Saint Oswald aurait, depuis longtemps, cessé de fonctionner.

Et les autres collègues ? J'ai entendu dire qu'Isabelle nous avait quittés pour de bon. Light aussi, sous prétexte de préparer un diplôme de gestion des affaires (après avoir découvert que l'enseignement lui demandait trop d'effort). Pearman est revenu. Eric Scoones en est secrètement déçu. Il se voyait promu chef de section en son absence. Kitty Teague a posé sa candidature pour un poste de professeur responsable de l'ensemble de l'éducation d'une année entière à Saint Henri. Elle l'obtiendra, sans aucun doute. À un autre échelon, Bob Strange s'occupe de l'organisation de l'École de façon semi-permanente. On m'a pourtant laissé entendre qu'il était victime de petits actes d'indiscipline réguliers de la part des élèves. Des rumeurs courent aussi à propos de la préparation d'une offre (très généreuse) de compensation pour s'assurer que le retour de Patrick ne se fasse pas.

Marlene pense que Patrick devrait lutter – le syndicat l'épaulerait sans aucun doute – mais un scandale demeure un scandale, quelles qu'en soient les conclusions. Il y aura toujours des gens prêts à répéter de tels clichés. Pauvre Patrick ! Je suppose qu'il obtiendrait ailleurs un poste de principal – mieux encore, un poste d'examinateur en chef – mais c'est à Saint Oswald qu'il a consacré sa vie et cette vie est maintenant brisée. L'enquête menée par la police n'en est pas la cause – après tout, ils ne faisaient que leur boulot ! – par contre, les milliers de petits coups d'épingles le sont : les appels au téléphone restés sans réponse, les rencontres à l'improviste dans une atmosphère de gêne, les *amis* qui lui ont tourné le dos dès qu'ils ont compris où était leur intérêt.

Alors qu'il préparait sa sortie d'hôpital, il m'a confié : « Je pourrais reprendre mon poste, bien sûr, mais ce ne serait plus la même chose ! » Je sais exactement ce qu'il veut dire. Une fois rompu, le cercle magique ne peut jamais plus se reformer. Il a continué : « D'ailleurs, je ne voudrais pas infliger cela à Saint Oswald.

« Je ne vois pas pourquoi ! » a dit Marlene qui l'attendait. « Après tout, où était Saint Oswald lorsque tu avais désespérément besoin de son aide ? »

Patrick a simplement haussé les épaules. Inutile de tenter d'expliquer cela à une femme, pas même à une femme comme Marlene, comme il n'en existe pas une sur mille ! Je souhaite qu'elle l'entoure de son affection. Je souhaite aussi qu'elle devine qu'il y a des choses qu'il nous est impossible de comprendre entièrement.

Cavalier ?

On continue à chercher Colin, bien que tout le monde le croie mort. Pas ses parents, bien entendu ! Mr. Cavalier s'apprête à faire un procès à l'École. Il s'est déjà agressivement investi dans un nombre de campagnes, bien accueillies par la presse, d'ailleurs, pour obtenir le passage d'une loi Colin qui imposerait test génétique, test psychologique et investigation policière approfondie à toute personne voulant travailler avec des enfants, de façon à éviter une répétition de ce qui s'est passé avec son fils. Mrs. Cavalier, elle, a perdu du poids et acquis de nouveaux bijoux. Elle paraît dans le journal et dans les bulletins quotidiens d'informations comme une femme raide, à la voix cassante, dont le cou, les poignets et les mains semblent ployer sous le poids des chaînes, des bracelets et des bagues qui la décorent comme un sapin de Noël. Personnellement, je ne crois pas que l'on retrouve jamais le corps de son fils. On n'a rien remonté des étangs et des réservoirs que l'on a dragués. Les appels au public ont produit un grand nombre de réponses de gens qui voulaient aider, qui avaient *cru* apercevoir le garçon. Beaucoup de bonne volonté. Aucun résultat. *Il y a encore de l'espoir*, dit Mrs. Cavalier aux reporters de la télévision. La seule raison pour laquelle la télévision s'intéresse encore à l'histoire n'est pas le sort du garçon – que tout le monde croit mort – mais le fascinant spectacle de Mrs. Cavalier, toute droite dans son tailleur Chanel et son armure de diamants, s'accrochant à son espoir et ressemblant de plus en plus à un cadavre elle-même. Pour les téléspectateurs, c'est plus fascinant que *Big Brother* ou *Les Osbornes* ! Je n'ai jamais aimé cette femme. Je n'ai aucune raison de l'aimer maintenant. Mais elle me fait pitié. Marlene, elle, a son travail pour occuper son esprit, et le sentiment profond qu'elle éprouve pour Patrick. Elle a aussi sa fille, Charlotte, et cela est encore plus important, même si Charlotte ne peut jamais prétendre remplacer Léon. Mrs. Cavalier, elle, n'a rien que des souvenirs qui, tous les jours, se déforment et s'effacent un peu. L'histoire de Colin a pris une nouvelle envergure à force d'être commentée. Comme toutes les victimes, il est devenu un élève populaire, apprécié de ses professeurs, regretté par ses copains, un élève brillant qui aurait pu aller très loin. La photo, parue dans le journal, le montre à un anniversaire – âgé de onze ou douze ans – souriant avec exubérance – je ne me souviens pas de l'avoir jamais vu sourire –, les cheveux frais lavés, les yeux brillants, la peau encore sans le moindre bouton. Je le reconnais à peine. Mais le *vrai* Colin n'a que peu d'importance. C'est de l'autre que nous allons nous souvenir, de la silhouette tragique du petit garçon perdu.

Je me demande ce que Marlene pense de tout cela. Après tout, elle aussi a perdu un fils. Je lui ai posé la question aujourd'hui, en passant, alors que Patrick rassemblait ses affaires avant de quitter l'hôpital : plantes, livres, cartes, ballons lui souhaitant un prompt rétablissement. Je lui ai aussi posé une question que personne, pendant bien longtemps, n'avait pensé à poser, et pour laquelle un autre crime avait été nécessaire pour que quelqu'un ose la poser enfin.

« Marlene, qu'est-il arrivé au bébé ? »

Debout près de mon lit, elle déchiffrait, avec ses lunettes, l'étiquette d'un petit palmier en pot. Je voulais parler de l'enfant de Léon, bien sûr, de Léon et de Francesca. Elle a dû deviner car son visage s'est brusquement figé dans une absence totale d'expression qui m'a, un instant, rappelé celui de Mrs. Cavalier.

Elle a dit : « Cette plante crève de soif. Elle a besoin d'eau. Mon Dieu, Roy, comment allez-vous vous occuper de tout cela ? »

Je l'ai regardé. « Marlene... »

L'enfant aurait été son petit-fils, après tout. Le fils de Léon. Le lien vivant. La preuve qu'il avait vécu, que la vie continuait, que le printemps allait refleurir. Tous ces clichés, je sais, qui sont les petits rouages qui permettent aux plus grands de tourner ; sans eux, où serions-nous ?

J'ai répété : « Marlene... »

Ses yeux se sont dirigés vers Mat qui parlait à Rosie, à quelques pas de là. Alors, elle a lentement hoché la tête et elle a enfin dit : « Je voulais le garder. C'était le fils de Léon. Bien sûr que je le voulais ! Mais j'étais divorcée, trop âgée pour que l'on me permette de l'adopter. J'avais une fille qui avait besoin de moi, un travail qui m'occupait. Grand-mère ou pas, ils ne m'en auraient jamais confié la garde. Je savais aussi que, si je le voyais, même une seule fois, je ne pourrais pas l'abandonner. »

Alors, ils avaient fait en sorte que le bébé fût adopté. Marlene n'avait jamais cherché à savoir où il avait été placé. Cela aurait pu être n'importe où. On n'avait laissé ni nom, ni adresse. Ça pouvait être n'importe quel enfant. Nous aurions pu le rencontrer à un match de cricket entre écoles, dans un train, en ville, sans savoir qui il était. Il aurait pu mourir – cela arrive, vous savez – il pouvait être ici, en ce moment, adolescent de quatorze ans parmi un millier d'autres, un jeune visage vaguement familier, une mèche de cheveux sur un front, une certaine allure...

« Cela n'a pas dû être facile pour vous ?

— Je m'en suis remise.

— Et maintenant ? »

Silence. Patrick s'apprêtait à partir. Il s'est approché de mon lit. Avec son jean et son tee-shirt, il me paraissait étrange – à Saint Oswald, les professeurs sont en costume ! Il a souri.

« Nous allons nous en remettre aussi ! » a dit Marlene en prenant la main de Patrick. C'était la première fois que je la voyais agir ainsi. J'ai alors soudain compris que je ne reverrais jamais ni l'un, ni l'autre à Saint Oswald.

Je leur ai dit : « Bonne chance ! » voulant leur dire adieu.

Pendant un moment, ils sont restés au pied de mon lit, la main dans la main, les yeux baissés vers moi. « Prends bien soin de ta santé, mon vieux ! a dit Patrick. « Nous nous reverrons un de ces jours. Bon dieu, je peux déjà à peine te voir derrière ces maudites fleurs ! »

8

Lundi 6 décembre

De toute évidence, on peut se passer de moi. C'est, du moins, ce que m'a fait comprendre Bob Strange lorsque je me suis présenté à l'École ce matin. « Bon dieu, Roy ! Les élèves ne vont pas en mourir s'ils doivent louper quelques-uns de vos cours de latin !

— Peut-être, mais je m'inquiète à propos de leurs résultats, moi ! Je m'inquiète aussi de l'avenir des humanités dans l'École ! D'ailleurs, je me sens beaucoup mieux ! »

Oh, le docteur a dit ce que disent tous les docteurs mais, moi, je me souviens de ce petit Bevans rondelet qui avait l'habitude d'enlever une de ses chaussures pendant mes cours de latin, et cela me ferait bien mal de lui permettre de me donner des ordres maintenant !

J'ai découvert qu'on avait demandé à Meek de me remplacer en tant que professeur responsable de classe. J'aurais pu le deviner d'ailleurs, rien qu'à entendre le chahut dont le bruit nous arrivait à travers le plancher de la salle de préparation, une cacophonie étrange et nostalgique de voix parmi lesquelles j'ai immédiatement reconnu la tonalité aiguë d'Anderton-Pullitt et la basse mugissante de Brasenose. Des rires fusaient aussi dans la cage de l'escalier. Un instant, cela aurait pu être n'importe quel jour de n'importe quelle année à n'importe quelle époque... les rires des garçons, les protestations de Meek, l'odeur de craie, celle de pain trop grillé qui montait de la mezzanine, le bruit lointain de sonneries, de portes qui s'ouvraient, de pas précipités, du chuintement bien particulier des sacs traînés sur le parquet ciré, du claquement sec des talons de mes collègues en chemin vers un bureau ou une réunion quelconque, et cette poussière joyeuse qui dansait et poudrait d'or la tour du clocheton.

J'ai pris une profonde inspiration.

Ahhh !

Il me semble que j'ai été des années absent. Pourtant, les événements de ces dernières semaines me paraissent déjà disparaître comme un rêve, le rêve qu'un inconnu aurait fait il y a très, très longtemps. Ici, à Saint Oswald, il y a toujours des batailles à mener, des leçons à donner, des élèves à initier aux subtilités d'Horace et aux pièges de l'ablatif absolu. Une tâche sisyphéenne, s'il en est une, mais à laquelle j'ai bien l'intention de continuer à me consacrer tant que je serai capable de tenir sur mes pieds. Alors, une grande tasse de thé à la main, le *Times*, ouvert à la page des mots croisés, discrètement plié et glissé sous mon bras, la toge époussetant le plancher à mon passage, je me dirige d'un pas résolu vers la tour du clocheton.

« Ah, Straitley ! » Cela doit être Devine. Je reconnaîtrais partout cette voix sèche, pleine de désapprobation, sans parler du fait qu'il ne s'adresse jamais à moi en m'appelant par mon prénom.

Et c'est en effet bien lui, debout, au pied de l'escalier, en costume gris et cravate de soie bleue, la toge bien repassée. Le terme « amidonné » semble trop faible pour même commencer à décrire sa raideur cassante et l'immobilité de son visage, qui, dans le soleil matinal, me fait penser à celle de la statuette de l'Indien à la vitrine du marchand de tabac. Bien sûr, depuis cette histoire de miss Dare, il se sent redevable envers moi, et cela doit lui coûter beaucoup.

Deux hommes se tiennent derrière lui comme des sentinelles, en costume, chaussés et équipés pour une longue campagne administrative. Les inspecteurs, bien sûr ! Dans l'excitation de mon retour, j'avais complètement oublié qu'on les attendait pour aujourd'hui. Pourtant, j'avais bien remarqué un certain décorum vestimentaire et une réserve inhabituelle parmi les élèves qui arrivaient, et dans le parking, trois nouveaux emplacements pour voitures de handicapés qui n'étaient sûrement pas là le soir d'avant.

J'esquisse un salut assez vague : « Ah ! L'Inquisition ! »

Je reçois un coup d'œil vitriolique du vieux Pisse-Vinaigre, qui, avec un geste plein de déférence envers l'un des visiteurs me dit : « Je vous présente Mr. Bramley et voici Mr. Flawn, son collègue. Ils vont tous deux observer vos leçons ce matin.

— Je comprends. » Il n'y avait qu'un type comme Devine pour arranger cette visite le matin de mon retour. Enfin, celui qui peut s'abaisser à des machinations au nom de la Santé et de la Sécurité ne se laissera pas arrêter par cela ! D'ailleurs, je suis à Saint Oswald depuis trop longtemps pour me laisser intimider par deux *Costards* armés d'un porte-papiers. Je leur adresse donc mon plus sincère sourire et je lance : « J'étais justement en chemin vers le bureau de la section des Humanités. Il est tellement nécessaire d'avoir son domaine à soi, n'est-ce pas ? » Et comme Devine se dirige vers le couloir de la Mezzanine de son pas de gazelle mécanique, j'ajoute, à l'adresse des inspecteurs : « Ne vous inquiétez pas pour lui, il est toujours un peu surexcité ! »

Cinq minutes plus tard, nous avons atteint le bureau. Une gentille petite pièce, je dois le dire, que j'ai toujours aimée. Maintenant que les laquais de Devine l'ont repeinte, elle me paraît encore plus accueillante. Mes *Chlorophyta*, mes braves plantes araignées, sont revenues, échappées du placard où Devine les avait enfermées, mes livres sont arrangés avec goût sur des étagères derrière mon bureau. Mais le détail qui me plaît le plus est que la pancarte qui indiquait « Section d'allemand » a été remplacée par une petite plaque discrète : « Humanités ».

Vous voyez. C'est comme ça, la vie : un jour, on perd, un jour, on gagne. Je suis entré ce matin dans la salle 59 avec un agréable sentiment de victoire. Meek en est resté la bouche ouverte. Le silence s'est fait soudain dans la tour du clocheton.

Il a duré quelques secondes, puis un léger bruit a commencé à monter du plancher, une sorte de grondement qui a pris de l'ampleur comme au moment du lancement d'une fusée. Et tout à coup, ils étaient tous debout, riant, criant, applaudissant. Pink et Nui, Allen-Jones et McNair, Sutcliff et Brasenose, et Jackson et Anderton-Pullitt et Adamczyk et Tayler et Sykes. Tous mes garçons – enfin, presque tous ! Et au milieu de leurs acclamations, de leurs rires et de leurs applaudissements, j'ai vu Meek lui-même, debout, le visage éclairé d'un vrai sourire.

« C'est Quaz !

— Et il n'est pas encore mort !

— Vous êtes revenu, monsieur !

— Est-ce que ça veut dire que nous n'allons toujours pas avoir de véritable professeur, ce trimestre-ci ? »

J'ai consulté la montre que j'avais dans mon gousset, et j'en ai refermé d'un coup sec le couvercle où était gravée la devise de l'École.

Audere, agere, auferre
Oser, travailler, triompher

Je n'ai, bien sûr, aucun moyen de prouver que c'est miss Dare qui me l'a apportée ; j'en suis certain, pourtant ! Je me demande où elle est, qui elle est, maintenant. Quelque chose m'assure que nous entendrons sûrement encore parler d'elle et cette pensée-là ne m'inquiète plus autant qu'elle le faisait à l'origine. Guerres, décès et scandales. Par le passé, nous avons subi bien des crises, mais nous les avons traversées et nous en sommes sortis. Élèves et professeurs arrivent et nous quittent, mais l'École demeure, Saint Oswald, le petit îlot d'éternité qui nous a tous envoûtés...

Est-ce pour cette raison qu'elle a fait ce qu'elle a fait ? Je suis prêt à le croire. Elle s'est creusé une niche parmi nous ici, elle est devenue légende. Alors quoi, maintenant ? Va-t-elle redevenir invisible, s'ensevelir dans une petite vie, un petit boulot, quelques marmots ? Est-ce là le sort qui attend les monstres lorsque les héros sont fatigués ?

J'ai permis au bruit d'augmenter encore pendant un instant. Il était assourdissant maintenant, comme si, au lieu de ma trentaine de garçons, il y en avait eu trois cents dans la petite salle de classe. La tour du clocheton tout entière en vibrait. Meek avait l'air inquiet. Sur le balcon, les pigeons eux-mêmes se sont soudain envolés dans un claquement d'ailes effarouchées. Il restera longtemps dans ma mémoire, cet instant-là. Un rayon oblique de soleil hivernal tombait par la fenêtre. Les chaises et les bureaux renversés, les sacs d'école éparpillés jonchaient le plancher. L'air était rempli de l'odeur de la craie, de la poussière, du bois et du cuir, des souris et des hommes. Des garçons aussi, bien sûr, avec leur mèche de cheveux retombant sur des yeux grand ouverts, tous ces garçons souriant de toutes leurs dents, avec le soleil qui brillait sur leurs fronts luisants et leur exubérance de cabri, ces coquins aux doigts tachés d'encre, qui tapent des pieds et font voler leurs casquettes, ces clowns au rire énorme, socquettes révolutionnaires et chemises au vent.

À certains moments, un simple murmure, à condition de bien projeter votre voix, est suffisant. À d'autres – et ils sont rares – il devient nécessaire d'annoncer sans ambiguïté votre intention. Alors, exceptionnellement, vous pouvez donner un bon coup de gueule.

J'ai ouvert la bouche. Aucun son n'est sorti.

Rien. Pas le moindre petit bruit.

Là-bas, dans le couloir, a retenti la sonnerie annonçant la première leçon, un bourdonnement lointain que j'ai deviné plutôt qu'entendu au-dessus du vacarme de la salle. Un instant, j'ai cru que c'était vraiment la fin pour moi, que j'avais perdu toute discipline en même temps que la voix, et qu'au lieu de se tenir silencieusement au garde-à-vous, les élèves allaient se lever bruyamment et partir à la débandade dès qu'ils l'auraient entendue ; qu'après leur départ, je resterais dans la salle comme le pauvre Meek, faible et désemparé, incapable d'endiguer leur vague déferlante.

Un instant, pendant que je me tenais encore à l'embrasure de la porte, la tasse à la main, et que les garçons sautaient de joie comme autant de petits diablotins, j'ai presque cru cela.

Mais je suis monté sur mon gaillard d'arrière, j'ai posé les deux mains sur mon vieux bureau et j'ai testé la puissance de ma voix.

« Silence, messieurs ! »

C'est bien ce que j'avais pensé.

Cela marchait toujours.

Composition et mise en page

NORD COMPO
m u l t i m é d i a

CET OUVRAGE
A ÉTÉ REPRODUIT
ET ACHEVÉ D'IMPRIMER
SUR ROTO-PAGE
PAR L'IMPRIMERIE FLOCH
À MAYENNE EN SEPTEMBRE 2006

N° d'impr. 66590-1.
Imprimé en France